INLEIDING

Dit boek geeft geen systematische geschiedenis van de 20ste eeuw. Het behandelt die politieke, economische, sociale en culturele verschijnselen die
mijns inziens in die eeuw centrale betekenis hadden of centrale aandacht hadden behoren te krijgen. Het behandelt ook facetten die vanaf de aanvang van
het politieke denken belicht zijn. Wat het laatste betreft kan men beschouwingen aantreffen over de democratie en haar critici, over macht, geweld en
manipulatie die in een nooit ophoudende variëteit het politieke, economische
en sociale gebeuren blijven begeleiden, binnen maar ook tussen de staten. De
opvatting wordt verdedigd dat "het einde van de geschiedenis" of de komst
van een "laatste" mensentype, zoals Fukuyama c.s. beweren waar te nemen,
niet meer dan aandachttrekkers zijn. Van de Sovjet-ideologie en het nazisme
worden vooral tot dusver minder bekende aspecten behandeld. Het liberaal-
kapitalistische systeem dat zich globaal breed poogt te maken, is niet meer
dan een –isme onder andere, dat met evenveel voorbehoud dient te worden
bestudeerd. Het ligt in de aard van dit systeem en de vormen van democratie die het toelaat, dat het denken en handelen op-korte-termijn in de hand
wordt gewerkt. Dit wordt geadstrueerd met het wereldbevolkingsprobleem,
het migratievraagstuk en de politiek tegenover ex-koloniëen, die dat in feite
vaak nog zijn. China, aanvang van de eeuw nog semi-kolonie, krijgt in meerdere hoofdstukken aandacht. Ook wordt het Westers imperialisme en de ver-
schuiving van de hegemonie van Engeland en Frankrijk in het tijdperk na de
Eerste Wereldoorlog naar de Verenigde Staten duidelijk in beeld gebracht.
Vanuit Washington poogt men Europa een multicultuur op te dringen, o.m.
via een bepaalde conceptie van de Mensenrechten, die thuis – in de V.S. –
niet werkt en ook onder autoritaire "bondgenoten" niet wordt gepropageerd,
laat staan afgedwongen. Dit alles wordt vanuit zijn sociaal-filosofische en
geschiedkundige wortels onderzocht. Een aantal onderwerpen die in het kader van de Koude Oorlog in het Westen werden weggedrukt, krijgen een nieuwe belichting: Hitler wilde bijvoorbeeld tientallen miljoenen Slaven uitroei-
en en liet willens en wetens miljoenen Polen en zeker 16 miljoen Sovjet-bur-
gers en krijgsgevangenen ter dood brengen. Ook de meest saillante vraagstukken rond het Nederlandse verzet, of het gebrek daaraan, in 1940-1945
worden behandeld. Zo veel mogelijk worden over dit onderwerp, maar ook
over de andere behandelde, voorbeelden gegeven, vaak ontleend aan eigen
ervaring. Een aantal stukken verscheen eerder; de vijf laatste hoofdstukken
verschijnen voor het eerst in dit boek.
Men verwachte geen conformistische beschouwingen. Mijn leven lang heb
ik de stelling gehuldigd: ik schrijf onafhankelijk, kritisch, wijs op lacunes,
politieke manipulatie en usurpatie, of ik schrijf niet.

Oisterwijk, herfst 2001, Tijmen Knecht

INHOUDSOPGAVE

Hoofdstuk 1

ONGEKENDE SNELHEID EN EXPLOSIEVE GROEI

De eeuw achter ons kenmerkt zich door een explosieve groei en een nimmer gekend tempo. Dit geldt schier alle terreinen van het leven. Het is een gemeenplaats geworden: de wereld werd een dorp door ineenschrompelende afstanden; informatie, personen, geld en goederen vliegen rond de aardbol. Wij beleven mee wat in de verste uithoeken van staten, waarvan de namen ons nauwelijks bekend zijn, geschiedt. Alles is gericht op groei en tempo.

Typerend is dat het begrip 'tempo' - oorspronkelijk gebruikt om de duur van muzieknoten aan te geven (die kunnen kort of lang duren) - nu vrijwel steeds 'snel' betekent. Alles moet 'snel'; heel het proces van productie, consumptie en reproductie, ook in landbouw en veeteelt, de hele natuur moet meedoen. De omvang van de landelijke bevolking in het ontwikkelde deel van de wereld liep terug van 20 à 30% in het begin van deze eeuw tot 3 à 4 % nu. De productie per werkkracht steeg meer dan omgekeerd evenredig met het afnemen van het aantal werkende personen. Mechanisering werd opgevolgd door automatisering, vervolgens door computerisering en de meest geavanceerde economieën bevinden zich heden in een stadium van robotisering.

Snelheid heeft iets fascinerends, is haast doel in zichzelf geworden, maar eist wel offers. Offers in gezondheid, mensenlevens en verlies aan menselijke contacten die tijd mogen vergen. Snelle chemische processen verarmen de grond, vervuilen het water, maken de kwaliteit van de lucht in grote cosmopolen tot een dagelijkse bron van hinder en onlust. In Nederland is het moeilijk geworden woonplekken te vinden waar men van verkeersgeluiden verschoond is. Steeds meer is er een constante verkeersdreun die men op den duur niet meer hoort, maar die niettemin het welzijn beïnvloedt, biologisch en psychisch.

Bij dit overdonderend gebeuren in de laatste eeuw springen twee factoren sterk in het oog. Het gezondheidsniveau nam dusdanig toe dat de gemiddelde leeftijd van de wereldbevolking die voor 99,9 % van de mensheid vóór 1900 rond 30 jaar lag, nu, 100 jaar later, ook in een aantal ontwikkelingslanden als China en Thailand, tussen 64 en 70 jaar ligt. Kenmerkend voor de - ook onder bedreigende omstandigheden - rigide aard van cultuurbepaalde gewoonten in een aantal landen, is dat grotendeels ten gevolge van aids, de gemiddelde leeftijd in Zuidelijk Afrika (die enkele decennia geleden ook een gemiddelde van 64 bereikte) in 1999 was teruggelopen tot 47. Tezelfdertijd blijft de bevolkingsaanwas in zwart Afrika de hoogste van alle werelddelen.

Is snelheid heden vrijwel een doel op zichzelf, groei is dit ook. Groei in productie van grondstoffen, half- en eindproducten, groei van ondernemingsconglomeraten ver over de grenzen heen. De groei van de dienstensector heeft de industriële groei overal in de geïndustrialiseerde wereld overvleugeld. Het toerisme groeit met 23 % per jaar sneller dan de wereldeconomie in het algemeen. Lijkt groei, hoe en waar dan ook, veel op een afgod, de toename van de vrije tijd ligt in het verlengde hiervan. Toch krijgen velen steeds meer gebrek aan tijd: het productieproces, de gehele maatschappij eist vooruitzien, planning. Men strekt zich als het ware constant uit naar de toekomst. Wat daarmee gepaard zou moeten gaan: bezinning op wat achter ons ligt en waar wij heden zijn geraakt, ontbreekt te zeer.

De ontwikkeling van het inkomenspeil

Wie denkt aan het inkomen van een gezin rond de Eerste Wereldoorlog ziet het volgende beeld: een timmerman verdiende in 1914 f 671,— per jaar (in 1901 was dat nog f 400,—); een ongeschoolde sjouwerman verdiende f428,— (in 1901 f 304,—) ongeschoolde fabrieksarbeiders hadden een jaarloon van f 624,— (landelijk gemiddelde). In de landbouw werd het minst verdiend, f 2,— per dag in 1913 en vrouwen verdienden 50% minder dan mannen.[*]

Ondanks de economische crisis stegen de lonen van werkenden in de jaren twintig en dertig aanmerkelijk. In handel en verkeer liep het gemiddelde dagloon van ruim f 2,— in 1913 op tot bijna f 3,90 in 1939; in de nijverheid was dat respectievelijk f 1,82 en f 3,39. Landarbeiders en vrouwen bleven achter. Kleine zelfstandigen kwamen vooral in de jaren '30 in de problemen: veel werklozen probeerden als winkelier aan de slag te komen met als gevolg dat de spoeling dun en het aantal faillissementen hoog werd.

Al deze cijfers zeggen weinig als wij de index van de kosten van levensonderhoud niet kennen. Tot en met de Tweede Wereldoorlog zijn geen landelijke gegevens voorhanden; een teken hoe zwak het instrumentarium was waarvan regering en 'sociale partners' zich in die tijd moesten bedienen. Voor Amsterdam zijn een paar indicaties voorhanden. Stelt men daar de prijsindex in 1914 op 100, in 1939 werd de waarde 139,8 bereikt. De stijging was intussen niet geleidelijk; vrij sterke stijgingen werden door dalingen afgewisseld. Niettemin kan uit de summiere voorhanden zijnde gegevens worden afgeleid dat het reële inkomen in die periode met 50 à 60% moet zijn gestegen, steeds voor hen die werk hadden. Met de werklozen liep het geheel anders. De sociale verzekeringswetgeving was in 1901 gestart met de toen in werking getreden ongevallenwet. Arbeiders "in gevaarlijk geachte bedrijven of bedrijfstakken" kregen, na een ongeval tijdens het werk dat tot algehele arbeidsongeschiktheid leidde, 70% van het laatstverdiende loon. Pas na de Eerste Wereldoorlog kreeg deze wet meer betekenis toen ze (1921-1922) tot alle bedrijfstakken werd uitgebreid. De in 1913 ingevoerde invaliditeitswet hielp een echtpaar met een minstens 70-

jarige kostwinner aan een pensioentje van f 3,— per week; in 1919 werd dit bedrag verhoogd tot f 5,— per week voor 65-jarigen en ouderen. Middels de ouderdomswet van 1919 konden niet-arbeiders zich vrijwillig verzekeren. Zij die dit deden en 65 jaar of ouder waren en minder dan f 1200,— per jaar verdienden kregen voortaan f 3,— per week, ten laste van de staat.[1]

Voor werkloosheid kende Nederland voor 1945 geen verplichte sociale verzekering. Velen verzekerden zich onder invloed van de vakbeweging vrijwillig. De gemeenten subsidieerden de uitkeringen in toenemende mate. Toch was de gemeentelijke uitkering niet hoger dan 40 à 50% van het laatstverdiende loon en dit slechts gedurende 4 tot 15 weken. Wie "uitgetrokken" was verviel in DE STEUN. De steunregeling had het karakter van armenzorg en gaf dus geen opeisbaar recht. Zogenaamde crisiscomités hielpen met aanvullende steun: goedkope levensmiddelen, kleding, schoeisel, beddengoed. Vooral in de crisistijd - na de Wallstreet-crash van 1929 - hadden de honderdduizenden werklozen en hun gezinnen het zwaar, maar ook bejaarden, invaliden en weduwen.

In de crisistijd werden de lonen van werkenden niet zelden gereduceerd, vakantie had men nauwelijks: de grote meerderheid van de industriearbeiders moest het doen met een vakantie van 3 aaneengesloten dagen per jaar. Ondanks de vaak grote gezinnen (rooms-katholieke en orthodox-protestantse gezinnen telden vaak 4 tot 10 kinderen) bestond er geen kinderbijslag. Die werd pas onder het bezettingsbewind in 1941 ingevoerd: de geboorte van Germaanse kindertjes moest bevorderd worden. Ook werd in de bezettingsjaren een verplicht ziekenfonds ingevoerd dat ook tandartskosten dekte, terwijl de vakanties werden verbeterd. Daarna kwam een heel ander tijdvak. Alvorens daarvan een beeld te geven een opmerking over het voorgaande en een korte karakteristiek van het leven in de vooroorlogse tijd.

De invloed van oorlogen en revoluties

Wat treft bij het tempo waarin technische en sociale veranderingen plaatsvonden, is het feit, dat oorlogen ook in de eeuw voor ons een versnellend effect hadden. Voor de Eerste Wereldoorlog was er in Nederland (en andere landen van Europa) niet of nauwelijks sprake van iets dat leek op een moderne democratie, noch van een moderne sociale wetgeving. De grote Burgerlijke Revolutie (1789) had een versnellend effect bij het aan de macht komen van de burgerij die zich in de 19de eeuw zowel economisch, sociaal als politiek steeds breder maakte. De Bolsjewistische 'proletarische' Revolutie (1917) en de woelingen die daaruit voortvloeiden - in Boedapest, München, Berlijn - en parallel daarmee de opmars van de sociaal-democratie, waren drijvende krachten tot het invoeren van het algemeen kiesrecht in vele staten, waaronder Nederland (in Frankrijk kregen vrouwen overigens pas het kiesrecht in 1946). In dezelfde jaren zien we overal aanzetten voor een sociale wetgeving. De veranderingen in en na de Tweede Wereldoorlog hadden twee krachten achter zich die zich beide sociaalrevolutionair noemden. Men kan erover twisten of men het nazisme 'modern' mag noemen (sommige historici van naam doen dit). Feit is echter dat Hitlers beweging het 'socialisme' niet als loze leus in de naam droeg. De in de "Männerbund" van in partijen en nevenorganisaties georganiseerden kwamen als "Kameraden" dichter bij elkaar als "Partei- und Volksgenossen". Hitler stond verder van de adel - ook van de geldadel - en van de officierskaste dan van de arbeiders; zij liepen in 1933 en daarna massaal naar hem over en bleven hem ook massaal volgen tot het bittere einde. Sociale maatregelen die verbeteringen brachten voor de brede massa's in Duitsland en daarbuiten konden na de Tweede Wereldoorlog moeilijk worden teruggedraaid. Vervolgens bracht het einde van de Tweede Wereldoorlog de USSR - hoe geschonden ook - naar de top van haar macht, heerser over zes Oost-Europese "broederstaten" weldra - in 1949 - gelijkwaardig aan de VS, want ook in het bezit van het meest effectieve, maar toch niet meer te gebruiken wapen. Tevens had de Sovjet-Unie de pretentie schepper te zijn van een geheel nieuwe wereldorde waarin "arbeiders, boeren en intellectuelen" de productiemiddelen zouden beheersen en daarmee ook de gehele "bovenbouw": de productieverhoudingen en "dus" tevens de politiek, de staat, de godsdienst, enzovoort. Zeer velen, ook in het Westen, hebben dit geloof aangehangen, sommigen in de hoop op verwezenlijking terwijl anderen het zagen als een reële bedreiging. Nimmer was de invloed van het communisme in het Westen zo sterk. Jarenlang hadden velen hun koffertjes gereed en hun vluchtweg voorbereid. Uiteraard mag de invloed van de 'moderne' en christelijke arbeidersbeweging niet onvermeld blijven. Vaststaat dat het communistische gevaar een aanzienlijke versneller is geweest in het proces van sociale veranderingen in de eeuw achter ons, waar ook ter wereld. Inmiddels zorgden in het interbellaire tijdperk de machten en krachten die in de eerste helft van de eeuw een enorm potentieel hadden kunnen vormen - dat tijdens de oorlog beduidend werd versterkt - voor een explosie van nieuwe producten, nieuwe markten. Het opwekken van steeds nieuwe behoeften wordt in de tweede helft van de eeuw een systematisch uitgeoefende wetenschap, een onontbeerbare tak van industrie.

Hoe leefde men in 1939?

Gaan wij nu even terug naar de bovengegeven cijfers die schetsmatig de 'welvaartstoestand' van de kleine man in Nederland omstreeks 1940 weergeven. Wat moeten we ons bij die cijfers in concreto voorstellen? Leefden grote percentages van de bevolking in steden als Parijs, Londen en Madrid (om te zwijgen over de andere werelddelen) nog in krotten, in de Nederlandse steden werd het percentage krotten, dat op ongeveer 20% lag bij de aanvang van de eeuw, gereduceerd tot 3%, bijvoorbeeld in Dordrecht, Den Bosch en Leeuwarden; in Den Haag en Rotterdam tot respectievelijk 4 en 5%, terwijl Amsterdam het slechtst afstak met 6%. Dat was in 1939; overal in het land was een hoogwaardige volkswoningbouw op gang gekomen, waarvan de beste voorbeelden weinig buitenlands vergelijkingsmateriaal tegenover zich vonden. Toch, voeren we ons het interieur van die woningen voor ogen: douches, laat staan baden, ontbreken, wastafels als regel ook; men waste zich onder de keukenkraan of behielp zich met kannen en bekkens. In de keukens: geen geisers, als regel een gietijzeren fornuisje met hout of briketten gestookt; ijzeren kookpotten, het bekende grijswitte email was in opkomst, kleine ijzeren strijkijzers; geen koelkast. Het centrale vertrek werd verwarmd met een potkachel, hoogstens met een haard, voorzien van roet en vuil verspreidende brandstoffen; vrijwel nog nergens stofzuigers. Ik herinner mij dat ongeveer in 1933 de eerste stofzuiger het ouderlijk huis in kwam, in 1937 de eerste 'echte' radio, voordien was er een kristalontvanger, die door de zogeheten radioamateurs in elkaar werd geknutseld. Op bepaalde uren van de dag kon men na veel gekras en gekraak te hebben verdragen, een of twee zenders min of meer opvangen. In 1946 lieten mijn ouders - het wachten op uitvoering van de plannen van onze woningbouwvereniging moe - op eigen kosten een douche en wastafel inbouwen. Zowel van vaders als van moeders zijde behoorden de families tot de geschoolde arbeiders en kleine zelfstandigen; een aantal ooms drong als eerste tot het middelbaar onderwijs door. Men moet, als men het gebeuren in de eeuw achter ons zich scherp voor ogen wil stellen, beseffen, dat dit het beeld was dat in 1939/40 dominant was in de meeste huishoudens. Wie werk had, at sober, maar in het algemeen niet ongezond, had enkele kostuums, 4 of 5 jurken, 2 of 3 paar schoenen. De meerderheid van de bevolking kon zich een fiets veroorloven; het aantal personenauto's beperkte zich tot weinige tienduizenden. In 1938 leerden 3 van de 10 kinderen door; ongeveer 15% ging naar het algemeen vormend en ongeveer 15% naar het beroepsonderwijs. In 1936 waren 587.000 personen werkloos, zij vormden de kern van de circa 14% armen die men toen telde. Klein was de groep van de academisch gevormden: notarissen, artsen, predikanten en leraren vormden de meer zichtbare top van de samenleving, hun salaris bedroeg ƒ4000,— per jaar en opwaarts; qua inkomen vormde een zeer beperkte groep van grote ondernemers een heel bescheiden top. Er waren enkele honderden professoren en 12.000 à 13.000 studenten. Dit alles op een totale bevolking van nog geen 9 miljoen bij het begin van de Tweede Wereldoorlog, een bevolking die rond 1914 3 miljoen personen omvatte, in 1970 de 12 miljoen zou overstijgen om bij het eind van de eeuw op een niveau van rond 16 miljoen te belanden. Een betere aanduiding van heel de stormachtige ontwikkeling in dit land die indicatief is voor een nimmer in de geschiedenis geëvenaarde sprongsgewijze vooruitgang, is moeilijk te geven.

Perspectief achter- en voorwaarts

Wie de ontwikkelingen in de eeuw achter ons vanuit 1953 beziet, het jaar waarin productie en consumptie weer het peil van 1939 hadden bereikt, kan moeilijk anders constateren dan dat heel de eeuw tot dan toe materieel gezien, door alle oorlogen en crises heen, slechts een bescheiden welvaart had gebracht. Die eerste helft van de eeuw was een sobere tijd vanuit het overvloedperspectief van de tweede helft. Voor een groot deel van het volk was het een zeer sobere, ja zelfs een armelijke tijd. Ik werd hier nog eens aan

11

herinnerd toen ik las dat staatssecretaris Cohen, herfst 1999, in een rede te Westerbork wees op het wel heel sobere karakter van dit kamp toen het in de jaren '30 voor vluchtelingen uit Duitsland gebouwd werd. De bezetter kon het weinige jaren later zo overnemen om het te bestemmen als doorgangskamp voor joodse Nederlanders die als eindbestemming de vernietigingskampen in Polen zouden krijgen. Misschien was geen opzet aanwezig, maar het leek wel of het beeld nog eens bevestigd moest worden: vóór de Tweede Wereldoorlog deden wij voor vluchtelingen maar weinig, hoeveel beter doen we het nu. Het is een stemming die velen door opvoeding en voorlichting decennialang is meegegeven. Het gaat meestal om mensen die van die vooroorlogse tijd noch van de oorlog zelf iets hebben meegemaakt. Ware dit niet zo dan had men zelf heel zijn jeugd onder omstandigheden meegemaakt die armelijk afsteken tegenover de overvloed waarin men zelf is geboren. Dan zou men veeleer die zeer sobere en beperkte opvang gezien hebben als passend bij de welvaart, of liever het gebrek daaraan van de grote meerderheid van het volk in die tijd.

De eerste twintig jaar van mijn leven (1927-1947) verliepen geheel in de sfeer van een materieel bescheiden bestaan dat in de oorlog plaats maakte voor schaarste in de eigen familie en voor nood en honger voor honderdduizenden voornamelijk in het westen van het land. Vanaf 1947 ging het dan langzaam opwaarts - het jaar daarvoor verdiende ik mijn eerste tientjes als journalist - en van dat jaar af zouden voor de grote meerderheid materiële welvaart, gezondheid, onderwijsmogelijkheden en culturele genietingen toenemen tot in de naoorlogse tijd volstrekt onverwachte hoogten. Tussen 1964 en 1975 was er een ware welvaartsexplosie. Het is typerend dat men niet alleen slecht achteruit kan zien, gebrek aan verbeeldingskracht was er waarschijnlijk ook de oorzaak van dat in de tijd voor het regelmatig verschijnen van wetenschappelijke prognoses nog weinig besef bestond van wat komen zou. Op een bijeenkomst in die tijd - ik schat rond 1953 - hoorde ik een vakbondslid aan een van zijn hoofdbestuurders vragen (later zou deze minister worden) of hij dacht "...dat het voor iedere arbeider in de toekomst mogelijk zou worden een auto te bezitten". Spreker antwoordde dat hij dit niet zag zitten. Iedereen een bromfiets zou wel gaan, maar een auto? Nee!

Denkend aan die tijd in het midden van de eeuw merk ik op, dat nu al decennialang over dat naoorlogse tijdperk geschreven en gesproken wordt als over jaren waarin haast niets gebeurde. Waarin de algehele sfeer muf en benauwd was, het denken beperkt, de verbeelding non-existent, waarin men vrijwel slechts benepen kleinburgerlijkheid bespeurde. Hoe dit beeld tot stand gekomen is werd mij tot dusver niet geheel duidelijk. Tot nu toe zie ik twee elementen. 1. Zij die de oorlog niet hadden meegemaakt (of misschien als zeer jonge kinderen) werden sterk beïnvloed door een voorlichting en een onderwijs dat het vooroorlogse Nederland al weinig positieve kenmerken toeschreef, - zie het verwijt van hardheid tegenover vreemdelingen - maar dat ook een beeld van het Nederlandse volk tijdens de oorlog inprentte dat - zacht gezegd - weinig heldhaftig was (ik kom hier in een ander hoofdstuk nog op terug). 2. Een belangrijke sector van de naoorlogse literatuur versterkte het gevoel dat een volk dat in de oorlog al niet veel waard was geweest, na 1945 op precies dezelfde gezapige manier was voortgesukkeld waarop het voor 1940 leefde. Boven alles uit reikt mijns inziens de invloed van Reve's eersteling "De Avonden", waarin precies de sfeer wordt opgeroepen die ik in het begin van deze alinea omschreef. Vele honderdduizenden werden beïnvloed door een geborneerde, zich van de werkelijkheid buiten een goed Moskou-gelovig Amsterdams gezin en een kring van almaar onbenulligheden debiterende kennissen afsluitende ik-figuur. Aldus gaf de auteur een verwrongen beeld van de gehele samenleving.

Zeker, veel van de oude politici en bureaucraten namen hun plaats weer in. Toch waren zij niet meer onbestreden. Ik herinner mij die tijd als heel levendig: alles wat jaren onderdrukt was kon zich weer manifesteren, sprong met veel elan weer op. Niet alleen de partijen en vakbonden, maar een rijkgeschakeerde pers op tal van gebieden kwam tot leven. Hoeveel initiatieven waren er niet gericht op vernieuwing van de politiek, hoe talrijk de culturele initiatieven voor toneel, muziek, en allerlei musea en tentoonstellingen die een ware inhaalslag leverden en kunst brachten van soms ver over de grenzen. Nieuwe dansvormen deden hun intrede, de big bands vierden triomfen. In stromen pocketseries kwamen klassieken en alles wat nieuw was over de Noordzee en de oceaan. Ook op het meer eenvoudige niveau van fanfare, folkloristische groepen, buurt- en speeltuinverenigingen ontplooide zich een ongekende activiteit. De hele politieke, kerkelijke en onkerkelijke jeugdbeweging, de padvinderij, enzovoort, waren sterker dan ooit. Velen waren onverzadigbaar en bleven dat voorlopig. Fel waren de debatten die honderden, soms duizenden mensen trokken. De Indische politiek, de mogelijke annexaties van delen van Duitsland, de oude nazi's die weer op bepaalde posten kwamen in de BRD, het voor en tegen van die staat. Wat te doen met Europa, later de NAVO, de atoombom, druk werd alles in talrijke vergaderingen bediscussieerd. De emigratie vormde een apart hoofdstuk waaraan honderden vergaderingen werden gewijd. Felle controversen leverden vragen op als: wat te doen met collaborateurs, NSB'ers, Duitse oorlogsmisdadigers, het steeds weerkerende thema van "De drie van Breda", wat was te verwachten van het communisme? Dit alles kwam als een lawine heen over wie toen jong was en het voorrecht had het te mogen verslaan.

Qua levensstijl werden binnen de orthodoxe groepen langzaam allerlei taboes teruggedrongen: toneel, bioscoop en dans waren niet langer meer des duivels. In tegenstelling met de foto's die men nu nog bij voorkeur toont als representatief voor de tijd tussen '45 en '60, werd de somberheid en saaiheid die het interieur rond 1940 nog vaak kenmerkte sterk teruggedrukt. Het Scandinavische meubel deed zijn intrede met de bijbehorende nieuwe vormgeving, vrolijke kleuren en dito stoffen. Een blad als Goed Wonen had nimmer meer zoveel abonnees, het kunstambacht in al zijn vormen zorgde voor een nieuw schoonheidsbesef.

Wat is vooruitgang?

We moeten het begrip VOORUITGANG wel grondig beproeven alvorens het te gebruiken. Een menigte informatiebronnen licht ons in over het gebeuren op tal van terreinen tot in de verste uithoeken ter wereld. Wie staat echter stil bij hen die het nieuws selecteren en het redigeren? Onderwerp A. alle aandacht geven, onderwerp B. in een hoekje wegdrukken, onderwerp C. censureren en onderwerp D. geheel uit de publiciteit proberen te weren? Het hoeft niet eens te gaan over baarlijke leugens. Op tal van gebieden van nationale en internationale politiek is en blijft het, ondanks alle groei in aantal en snelheid van communicatiemiddelen, precies zo moeilijk om achter de waarheid te komen als in 1914 of 1940. Een andere groepering van cijfers, het verzwijgen van data, het zoekmaken van essentieel materiaal, gedurende heel deze eeuw groeiden met alle enorm gemultipliceerde en geavanceerde communicatiemiddelen tevens manipulatie, misleiding en bedrog. In een ongekend proces van verandering werden reeksen van behoeften steeds sneller vervuld, maar tegelijkertijd werd ons in steeds snellere opeenvolging gesuggereerd dat we toch echt het nieuwste niet hebben, terwijl dat toch nodig is om "erbij te horen". En zo koopt de Nederlander en de westerse mens in het algemeen een reeks van consumptiegoederen die vroeger duurzaam heetten te zijn, maar die heden, wil men meetellen, binnen een paar jaar door nog weer betere generaties vervangen 'moeten' worden. Men denke aan auto's, keukenapparatuur, audio en videoapparatuur, computers, tal van snufjes die per se 'elektronisch' gemaakt moeten worden van autoruiten en -spiegels tot tanden- en schoenborstels. Partners moeten beiden aan het werk om in de welvaartsrace bij te kunnen blijven. Vermenigvuldigden vakanties en vrije tijd zich binnen de laatste 50 jaar met de factoren 4 tot en met 7 (al naar gelang van rang en functie in de maatschappij), het heeft er alle schijn van dat iedereen steeds minder tijd heeft. Werkenden bieden tegen elkaar op met volle agenda's. Niet- werkenden hoort men pochen over de liefst steeds verdere reizen die men al achter de rug heeft. Velen haasten zich van de ene vakantie naar de andere. Welke krachten bepalen dit alles? Wat is de winst van dit alles? Vaststaat dat de afstand die er ligt tussen de omvang en aard van de consumptie, ook aan vrije tijd, tussen het Nederland van '40/'50 en het jaar 2000 een wereld van verschil overbrugt. Veel gebruiksvoorwerpen die vroeger min of meer gekoesterd werden, classificeert men nu onder de wegwerpartikelen. Vergeleken met de armen uit de crisistijd van de jaren dertig en hen die in 2000 geacht worden arm te zijn, gaapt een kloof die men zich haast niet meer kan voorstellen. De eersten moesten het vaak doen met vele malen verstelde of gekregen kleding, kapot schoeisel. Ze sliepen niet zelden onder lompen; het voedsel van de "bedeling" liet vaak te wensen over. Bij het definiëren van armoede anno 2000 vragen ambtenarenteams zich af wat er in het algemeen en in bijzondere situaties nodig is. Van een uitkering moet men alles kunnen betalen wat redelijkerwijs nodig is om maatschappelijk mee te kunnen en zich psychisch wel te bevinden. Men moet zijn huisdieren kunnen voeden, zijn kinderen met, vaak prijzige, schoolreisjes kunnen meesturen, een nieuwe tv en wasmachine kunnen kopen, zijn huur kunnen betalen, ook al leeft men bijvoorbeeld na een scheiding in een veel te dure woning. Is de uitkering niet toereikend dan bestaan er allerlei subsidies en bijzondere toeslagen om het vereiste peil te bereiken. Wie dit aan de hand van concrete gevallen nagaat, verwondert zich niet dat anno 1998 nog slechts ruim 40% van de leeftijdsgroep tussen 20 en 64 jaar aan het arbeidsproces deelnam; in dezelfde leeftijdsgroep waren, afgezien van het hoge percentage studerenden enerzijds en uittredenden anderzijds, 22% werkloos en dat bij een vaak schreeuwende behoefte aan werkers in sectoren als onderwijs, ziekenhulp, thuiszorg, openbaar vervoer, onderhouds- en reparatiewerk.

Bij alles wat een ongezond soort overvloed oplevert - overproductie die producenten hemel en aarde doen bewegen om via vaak verborgen verleiders de massa tot meer consumptie te brengen - blijft bij velen een hang naar steeds meer en steeds weer anders.

Echte en schijnvooruitgang

Veel van wat wij de vooruitgang noemen die de tweede helft van de 20ste eeuw bracht ís dat rationeel-ethisch gezien ook. Mannen worden heden in Nederland gemiddeld 75 en vrouwen 80 jaar, de medische wetenschap drong de dodelijkheid van kanker met gemiddeld 50% terug, allerlei nog vrij kortgeleden wijdverbreide, soms dodelijke infectieziekten zoals tuberculose* verdwenen, de hygiënische toestanden verbeterden sterk en iedereen weet hoe een gezond dieet is samengesteld. Kwalitatieve sprongen werden ook gemaakt op het terrein van de huisvesting. Huisden in 1945 in iedere woning gemiddeld 4,2 personen, heden zijn het er nauwelijks 2, terwijl de gemiddelde oppervlakte per woning 20 % toenam. Men moet letterlijk zoeken naar woningen waar geen badgelegenheid of moderne keuken plus apparatuur aanwezig is. Misschien treft men ergens in een groot complex van de vooroorlogse sociale woningbouw een enkele woning die bijvoorbeeld een douche mist. Oorzaak is dan als regel dat de huurders inbouw weigerden omdat dit enige huurverhoging kostte. Men moet zich niet verwonderen als dezelfde personen in het bezit zijn van een stacaravan waarvan de staanplaats en bergingskosten per jaar evenveel bedragen als de huur van de eerste woning. Honderdduizenden hebben in, andere honderdduizenden hebben buiten Nederland in enigerlei vorm een tweede woning.

Toch is een zekere onvoldaanheid haast algemeen. Daar waar, objectief gezien althans, voorlopig geen sprongen vooruit te verwachten zijn, reageren velen als waren zij pavlovhonden op wat reclameagenten voor hen verzinnen. Een voorbeeld. Na de introductie van de zogenaamde "Amerikaanse" keuken met geïntegreerde apparatuur, ongeveer 25 jaar geleden, is er niet veel meer aan zo'n keuken te verbeteren. Misschien komt men nog eens tot de inbouw van systemen die niet alleen in de keuken, maar in het gehele interieur automatisch alle stof afzuigen. Dit zou een kwalitatieve 'sprong' betekenen. Met alle reclamegeweld verzint men echter voortdurend steeds andere modes die weer wat beters beloven. Wat kan men bedenken? Ik ben het nagegaan voor het appartement waarin ik sinds kort woon. Het gebouw is 25 jaar oud en bevat alles wat in die tijd 'luxe' was. Een keuken van een nu nog befaamd Nederlands merk, een bad van 1.70 m. en afzonderlijke douche; beide vertrekken zijn voorzien van destijds dure betegeling tot een hoogte van 2 meter; de ramen zijn horizontaal en verticaal te openen en overal is dubbele beglazing. De gemeenschappelijke ruimten en hallen vertonen plafonds van houtstroken met een groot aantal meestal verzonken spots, hun muren bestaan uit (schoon) metselwerk, afgewisseld door verschillend gestructureerd stucwerk en gespannen linnen voorzien van art deco motieven. Wat is hier te verbeteren? Een adviserend architect zou het wel weten: het keukenconcept deugt niet. Begint u maar eens met marmer en exotisch hout toe te passen, idem in de badkamer die nodig een rond (ovaal, vierkant, zegt u het maar) bubbelbad behoeft. Ook op vloeren en aan wanden in ontvangsthal, lounge, enzovoort, moet ruimschoots marmer toegepast worden. Ziet u wel dat alles beter kan? Ook aan de rest van mijn levensstijl is nog veel te veranderen. Een auto van haast 8 jaar oud kan niet meer. Verbruikt hij geen olie en haalt hij op Duitse autobanen met gemak 160 km...het doet er niet toe, een XXX1000 die 300 km per uur kan halen past bij uw status. De eis dat wij moeten 'groeien', over de hele linie, hoe dan ook en liefst nog sneller dan in de eeuw achter ons, wordt nog door miljoenen gedragen, door hun mentaliteit, hun koopgedrag, hun wezenlijke leegheid vaak.

Wij kunnen niet louter stellen: "Uit met de groei, alles voldoet en is genoeg!" In de eeuw achter ons deed de mensheid in een ongekend tempo sprongen vooruit. Terzelfdertijd echter wist zij de meest wezenlijke zaken niet te bereiken: een redelijke spreiding van welvaart over de hele wereld, het beheersen van mondiale en regionale bewapeningswedlopen, bescherming van het milieu, planning binnen en tussen de staten voor selectieve groei, substantiële democratisering vrij van de censuur van politieke en kapitaalmacht, zorg voor details, de enkele mens en zijn echte belangen ten goede. De medische wetenschap bracht het ver, maar in de massale ziekenhuizen van onze tijd is de enkeling een eenzaam nummer. De chirurg verliest geen minuut en snijdt in stukken vlees die hij geen moment als mens heeft leren kennen. De fraaiste reclame over flitsend kapitaal en de nog weer betere postservice kan niet verbloemen dat geld verstuurd van hier naar Valencia nu eens in Barcelona dan weer in New York terechtkomt. En dat een brief die ik uit Frankrijk naar huis zend er nu al een halve eeuw 5 à 6 dagen over doet.

Voor de eeuw die komt staat de vraag centraal: wat is vooruitgang, wat haar tegendeel en wat slechts schijnvertoning?

* Bij de correctie van dit hoofdstuk realiseer ik mij dat ik enkele dagen geleden een tv-uitzending zag, waarin een verontrustende terugkeer van tbc werd behandeld. Oorzaken: intensieve, internationale contacten, immigratie, illegalen.

Noot
1. De meeste van de hier gegeven cijfers zijn ontleend aan L.F. van Loo, *Arm in Nederland*, Amsterdam/Meppel 1994. Voor de industriële ontwikkeling van Nederland vanaf omstreeks 1880 zie: Herman Beliën, *In de Vaart der Volken; Nederland rond 1900*, Amsterdam.

Hoofdstuk 2

BEHEERSING VAN DE BEVOLKINGSGROEI ÉÉN VAN DE LAATSTE TABOES

In het voorgaande artikel heb ik met enig cijfermateriaal aangegeven hoezeer, ondanks alle oorlogen en rampen die haar kenmerkte, ook snelle groei over de hele linie de 20ste eeuw in een uitzonderlijke positie plaatst. Die groei had intussen in menig opzicht negatieve gevolgen. Voor de menselijke omgeving in haar gedaante van zowel natuur als cultuur en daardoor voor de mens zelf.

Er zijn in de laatste decennia bibliotheken volgeschreven over *de milieuproblematiek*[1]. Het meest zichtbare en in allerlei opzichten merkbare feit dat hierbij centraal staat (centraal zou behóren te staan) wordt echter in haast al die studies omzeild of slechts zijdelings benaderd: de mens is de grootste vervuiler en door de ongeëvenaarde bevolkingsgroei loopt hij gevaar niet alleen zijn omgeving, maar ten slotte ook zichzelf te verstikken. De eeuw achter ons maakte, althans krachtens de heersende leuze, alles bespreekbaar. Beperking van bevolkingstoename en reductie van de bevolking als geheel bleef een van de laatste taboes.

De wereldbevolking: tomeloze groei

Allereerst enkele globale cijfers voor de gehele wereldbevolking: omstreeks 1650 telde de aarde ongeveer 545 miljoen bewoners, omstreeks 1750 ongeveer 730 miljoen, rond 1850 circa 1075 miljoen. Toen zette de grote industriële revolutie in: in Engeland in de eerste decennia van de 19de eeuw, in Duitsland omstreeks 1870 en in Nederland enkele tientallen jaren later. Ondanks alle ellende die deze revolutie voor vele tientallen miljoenen arbeiders bracht, was het demografische resultaat een pijlsnelle bevolkingsgroei. In 1950 leefden er op de aardbol ongeveer 2,25 maal zoveel mensen als 100 jaar eerder. De volgende vermenigvuldiging met dezelfde factor had er circa 40 jaar voor nodig. De 21ste eeuw gaan wij in met meer dan 6000 miljoen aardbewoners.

Van niet minder belang is de spreiding van de bevolking, dus de bevolkingsdichtheid, als regel gemeten in personen per km^2. In de onderstaande staat is de bevolkingsdichtheid vermeld van 18 landen omstreeks 1975 en heden.

Bevolkingsdichtheid per km^2 [2)]

	omstreeks 1975	1999	x factor
Canada	2	3	1.50
Ver. Staten	23	28	1.21
Mexico	31	47	1.51
Ierland	44	51	1.15
Frankrijk	97	107	1.10
Nigeria	68	120	1.76
Denemarken	117	122	1.04
Luxemburg	139	159	1.14
China	88	126	1.43
Duitsland	(BRD)	(herenigd)	
	249	229	
India	182	283	1.55
Japan	298	322	1.08
België	322	333	1.03
Nederland[3)]	332	462	1.39
Taiwan	449	594	1.39
Bangladesh	533	947	1.77

Opmerkelijk is dat Nederland, het dichtstbevolkte land van Europa en een der dichtstbevolkte landen ter wereld, in de afgelopen kwart eeuw een bevolkingstoename vertoonde die - afgezien van het zeer dunbevolkte Canada - slechts overtroffen werd door staten die men tot de ontwikkelingslanden rekent. Hoe dit te verklaren en hoe dit uit demografisch en milieu-politiek gezichtspunt te verdedigen?

Vragen die de politiek constant voor taboe verklaart

Het is duidelijk dat men in landen als Mexico, Nigeria en Bangladesh niet of nauwelijks aan demografische of milieupolitiek toekomt. Onderscheiden factoren, als daar zijn het gezag van kerk en religie, gevestigde stamtradities, het meten van economische potentie en verdien-capaciteit ten behoeve van de traditionele grote familie, spelen hier zonder twijfel een hoofdrol. Het zijn factoren die men in Nederland uitgewerkt dan wel bijkans uitgewerkt moet achten. Toch gaat het om vragen die men in dit land, regering noch politieke partijen, hoort stellen. Waarschijnlijk moeten wij de oorzaken zoeken in twee verschijnselen die de parlementaire democratie en de Nederlandse variant daarvan in het bijzonder, eigen is. Men vermijdt zo veel mogelijk onderwerpen die tot scherpe controversen zouden kunnen leiden (polder- of consensusdemocratie) terwijl de neiging voortdurend politiek op korte termijn te voeren, dominant is. In feite sluiten veel van de organen die de publieke opinie zouden moeten stimuleren en leiden, ja zelfs 'gezaghebbende' politieke publicisten zich hierbij aan; liever spreekt en schrijft men over deelproblempjes, zodat men hen die op de knooppunten van de politieke en juridische macht zetelen niet negatief prikkelt. Zo konden leuzen als "Vol is vol" en "Stop de immigratie" in dit gewaand-super-democratische land tot gerechtelijke sancties leiden.

Toen 18 jaar geleden "Niet meer dan één Aarde" (Only one Earth) uitkwam, een rapport in opdracht van de secretaris-generaal van de VN-conferentie over het menselijk milieu, becijferde men dat de wereldbevolking in het jaar 2000 waarschijnlijk op 5,25 miljard gesteld zou moeten worden; het werden er 6 miljard.
Dezelfde studie nam aan dat als aan verschillende voorwaarden zou worden voldaan, een statische wereldbevolking bereikt zou kunnen worden. Nodig zou zijn: a. een herstructurering van de ontwikkelingslanden gepaard aan een gelijkmatiger verdeling van welvaart in die landen; b. een wijziging in politiek beleid, continu afgestemd op het vereiste onder a; c. een verandering in levensstijl met name in die ontwikkelingslanden die nog een onstuimige bevolkingsgroei vertonen. Door een combinatie van de regeringspolitiek en een - bij verhoogde welvaart - dalende gezinsgrootte zou de bedoelde stabilisering kunnen worden bereikt. De prognoses van het rapport, gebaseerd op de bevolkingsgroei zoals die zich vanaf 1800 had voorgedaan, voorspelden - *zonder de bedoelde politieke en maatschappelijke veranderingen* - een mogelijk wereldbevolkingsaantal van 14 miljard in 2020; tegen 2050 zou dit 28 miljard kunnen zijn. Bij gebrek aan de vereisten onder a., b. en c. lijkt het er inmiddels op dat de wereldbevolking zich beweegt in de richting van deze cijfers. Het meest tragische hierbij is dat het aantal mensen dat in armoede leeft, gedurende de laatste decennia voortdurend is toegenomen. In 1968 leefden 1 miljard mensen op een redelijke levensstandaard en 2,5 miljard in armoede. In 1990 was, ondanks alle spectaculaire ontwikkelingen het aantal mensen met een redelijke levensstandaard toegenomen tot 1,2 miljard en het aantal armen tot 4,1 miljard. Een toename dus van het percentage armen van 71 naar 77%.[4]
Slechts enkele landen bereikten op vrijwillige basis, dus zonder sterke dwang of druk door de regering, een geboortereductie die een rampzalig te noemen groei zou kunnen stuiten.

In Nederland blijkt een zeer sterke groei van de welvaart alléén weinig beperkend effect te sorteren. Een groei van rond 5 miljoen inwoners in 1900 naar rond 16 miljoen in 1999 ging gepaard met een toename van de binnenlandse nettoproductie van 1.6 miljard gulden naar 606 miljard gulden, nominaal dus 371 maal zoveel; gecorrigeerd voor de inflatie gedurende de 20ste eeuw nog altijd een groei van de reële hoeveelheid goederen en diensten die de Nederlander gemiddeld ter beschikking kreeg met de factor 5,5 (gegevens van het CBS).

Een doemscenario voor de Nederlandse natie

Het zou eenieder op grond van de weergegeven cijfers duidelijk moeten zijn dat de wereld als geheel noch Nederland in het bijzonder op dezelfde wijze voort kan gaan. Niet aldus personen die vinden dat Nederland best 20 miljoen of anderen die menen dat het land 30 miljoen inwoners zou kunnen hebben. De wijze waarop zij stellingen als deze menen te kunnen ondersteunen is altijd bijzonder mager. Terwijl iedere opiniepeiling met betrekking tot woonwensen in ons land een grote meerderheid laat zien voor het eengezinshuis plus tuin, moeten bepaalde architecten wel komen met megabouwprojecten waarin zij 10 of meer woonlagen op elkaar stapelen en tevens horizontaal een aanzienlijke dichtheid bereiken. Zij schijnen daarbij niet in te zien dat men alleen in min of meer autoritair geregeerde stadsstaten als Singapore en Hongkong de mensen ertoe gekregen heeft zich massaal in hoge flats te vestigen. Stel het zou mogelijk zijn buiten de Randstad, die in feite al één stedelijk gebied vormt, met alle euvelen daarvan, nog eens het bevolkingstal van een metropool in Nederland onder te brengen. Verspreid, in kleine steden of dorpen is dit al onmogelijk, omdat dan alle gebieden die nog niet door een net van dergelijke nederzettingen zijn bedekt - denk aan Brabant, Gelderland, Overijssel, ook geheel zouden verstedelijken. Theoretisch denkbaar zou zijn een stad te stichten ter grootte van Londen of Parijs, waarmee men de hele driehoek Leeuwarden-Groningen-Meppel zou moeten vullen. Daar zou, met opoffering van de grootste stukken natuurgrond die Nederland nog min of meer aaneengesloten heeft, een stad te bouwen zijn met ongeveer dezelfde bevolking als Parijs en Londen gemiddeld hebben, tevens met ongeveer dezelfde bevolkingsdichtheid, niet echter met dezelfde opvangmogelijkheid die de wijde regio's rond de genoemde steden bieden. Ieder weekeinde verlaten honderdduizenden deze steden om in schaars bevolkte regio's rondom te recreëren, voor een dag, maar voor velen die op het land een eigen tweede woning hebben voor twee tot drie dagen. Maar ook hier levert de bevolkingsdichtheid, bijvoorbeeld in de Parijse agglomeratie, reeds toestanden op die de bevolking alleen kan doorstaan onder opoffering van vele uren aan tijd, doorgebracht in enorme files, staande in zwaar vervuilde lucht. Men bezie - zoals schrijver dezes vele tientallen malen deed - de opstoppingen die op zondagavond rond Parijs ontstaan als vele tien- of honderdduizenden huiswaarts keren. Zien we naar onze denkbeeldige 'Oost-stad', dan rijzen de vragen: wat heeft deze stad nog aan ommeland, waarvoor kan ze economisch en cultureel een kern vormen, waarvoor en waarvan kan ze leven? In de Duitse deelstaat Nieder-Sachsen biedt de streek richting Emden-Bremen enige 'lucht', maar daar blijft het bij. Zuidelijker delen van Nieder-Sachsen en geheel Nordrhein-Westfalen zijn even dicht bevolkt als Nederland.

Deze kleine denkexercitie bewijst al dat we daarbij te maken hebben met een constructie die in de Nederlandse werkelijkheid volstrekt onuitvoerbaar is. Toch denkt de overheid nog steeds in termen van stedelijke expansie. In de zogenaamde VINEX-locaties zijn 925.000 woningen gepland, waarvan alleen al in de Randstad 90%. Wie de locaties van deze stedelijke wijken bezoekt, schrikt van de geringe ruimte die er als regel aan de op zichzelf niet onaardige woningen is toebedeeld; zo zullen maar weinigen zich hun 'huis met tuin' hebben ingedacht. Maar nog zijn we er niet. Ten noorden van Leiden zal een geheel nieuwe stad voor, om te beginnen, 400.000 inwoners moeten verrijzen. Vanwaar al deze bouwactiviteit in een land waar de overgrote meerderheid het benauwend vol is gaan vinden? Het antwoord is in ambtelijke stukken maar een enkele maal als het ware verstopt te lezen: veel Nederlandse stadsbewoners willen naar 'buiten'. Hun meestal nog goedkope huurwoningen zijn bestemd voor immigranten, hun kroost, gezinsherenigers, bruiden, bruidegommen, enzovoort, allen (maar dat staat er niet bij) - uit landen die per inwoner nog 4 à 10 maal zoveel economisch benutbare grond hebben als Nederland.

Een andere recente suggestie uit de pers: Nederland is niet vol want als we heel Limburg volbouwen zoals Manhattan, kan heel de Nederlandse bevolking dáár wonen. De zogenaamd progressieve pers brengt dergelijke onzin zonder tegenspraak. Manhattan is nu juist primair *geen* woongebied. De honderdduizenden die in de wolkenkrabbers (zeer overwegend kantoren, warenhuizen, enz.) werken, wonen in buitenwijken als Queens, Brooklyn en Staten Island of - soms veel - verder weg in stadjes en dorpjes in het groen. Manhattan kent enkele woonwijken voor (zeer) welgestelden rond Central Park en Washington Square bijvoorbeeld. Bewoners van deze wijken wonen ruim, in grote, goed bewaakte flats, gesitueerd in middelhoge 'condominions'. Andere woonwijken in Manhattan bergen overwegend opeengehoopt 'stadsproletariaat': zwarten, latino's, enz. Scherpere twee-deling is nauwelijks denkbaar.
Inderdaad was in de periode 1971-1997, naast het nog steeds, gemeten aan de ecologische draagkracht van dit land, te hoge geboorteoverschot een immigratietal van 959.000 personen de factor die de grootste aanslag deed op onze ruimte. In dezelfde periode was het totaal der geboorteoverschotten 1.771.000. Onbekend is het aandeel van de niet-Nederlandse bevolking in dit overschot. Gezien de grotere huwelijksvruchtbaarheid van vrijwel alle immigrantengroepen moet hun aandeel in dit aantal meer dan evenredig zijn aan dat van de gevestigde Nederlanders. Volgens het CBS zal bij ongewijzigd beleid, rond 2020 de gehele bevolkingsaanwas van immigranten komen. Het lijkt of wij ons richten op de vorming van één grootstedelijk gebied, een soort randstedelijke agglomeratie aan de Noordzee van een omvang van stedelijke gebieden als liggen op de lijn New York-Washington of Tokio-Kyoto (deze steden inbegrepen) zonder ook maar landbouwgrond om slechts noodrantsoenen van te kunnen oogsten over te houden, en geplaagd door dezelfde etnische twisten en botsingen die de eerstgenoemde agglomeratie eigen is. Daarbij komt dat dit gebied aangedrukt zou zijn tegen een haast even dichtbevolkt achterland waarvan wij nog meer dan heden afhankelijk zouden zijn; kortom een doemscenario voor de Nederlandse natie.

Nederland moet aan het werk

Het is kenmerkend voor het beleid-op-korte-termijn dat de Nederlandse regering en volksvertegenwoordiging in heel deze periode van enorme be-

21

volkingsaanwas voerden, dat zij nooit en nergens met maar iets wat maar lijkt op een analyse op deze problematiek ingingen. Het enige argument dat men zo nu en dan - voornamelijk uit GroenLinkse kring - hoorde was: "Wij hebben al die aanwas zo nodig, want: wie zal er later al onze bejaarden verzorgen?" Aan dit argument gaan logisch nog de vragen vooraf: wie zal het werk overnemen van al die steeds langer levenden en wie zal zorgen voor hun pensioen? Om met de laatste vragen te beginnen: zeker niet het gros van de ongeschoolde immigranten en hun kroost. Zij zullen als regel te laag geschoold zijn om werk over te nemen dat steeds hogere eisen aan de algemene ontwikkeling en gespecialiseerde vorming is gaan stellen; noch kan men van de meerderheid van de immigrees verwachten dat zij via belastingen en premies zal bijdragen aan de toenemende kosten die gezondheidszorg in het algemeen en bejaardenzorg en oudedagsvoorzieningen in het bijzonder zullen meebrengen. Integendeel: in het best mogelijke scenario zal - stel alle immigratie van niet behoorlijk geschoolden wordt direct gestopt - het nog 1 à 2 geslachten vragen eer de in de 20ste eeuw geïmporteerden in staat zullen zijn hun eigen kosten te dekken. Ze zullen dit bepaald niet kunnen zolang wij zien dat de buitenlandse jeugd per persoon meer dan 2 maal zo veel scholingskosten met zich meebrengt dan de Nederlandse, 2 à 3 maal zoveel kosten per persoon aan juridische, opvoedkundige en sociale begeleiding, dat de buitenlandse groepen in het algemeen rond 2 maal zoveel aanspraak maken op medische hulp dan de Nederlanders en dat hun ouderen gemiddeld eerder gebruikmaken van de WAO. Voorts is wel te bedenken dat bij de betrokken groepen - voorzover islamitisch - 'dienende' beroepen, met name in zieken- en ouderenzorg, weinig geacht worden, terwijl het helpen van mensen van een ander geslacht vaak op weerstanden stuit.

Vervolgens stelden verdedigers van bevolkingsgroei dat de solidariteit tussen jongeren en ouderen afneemt. Jongeren zouden niet langer bereid zijn steeds meer voor ouderen op te brengen. Méér geboorten zouden dus nodig zijn om de groep te verbreden die al de voorzieningen blijvend moet garanderen. Nu is het heel de vraag of dit gebrek aan solidariteit een feit is. Bedenken we wel dat het ook hier precies zoals bij de beweerde noodzaak nog meer immigranten toe te laten gaat om beweringen die nergens op onderzoek steunen. Overigens zou deze remedie betekenen dat men precies het paard achter de wagen gaat spannen.

Over de hele problematiek die hier wordt aangeraakt liggen al decennia de sluiers van allerlei taboes en dat terwijl beweringen als de boven aangeduide makkelijk zijn te weerspreken. Alleen reeds een opsomming van allen die tot de arbeidsreserve gerekend kunnen worden, laat concluderen dat waar een wil is het mogelijk moet zijn genoeg Nederlanders te leiden naar die banen waar ze nodig zijn.
a. Te veel ouderen, maar voor allerlei werk validen, zijn via de zogenaamde VUT-regelingen te vroeg afgeschreven.
b. Allerlei werklozen behoeven niet meer te solliciteren, terwijl zij zeer wel voor bepaalde functies geschikt zouden zijn of opgeleid zouden kunnen worden. Deze categorie omvat circa 400.000 personen.

c. Uit een groot contingent werkzoekenden zonder recht op uitkering (bijvoorbeeld huisvrouwen en schoolverlaters) zouden velen geschoold kunnen worden, met name ook in de huiselijke en gezondheidsdienstverlening (ongeveer 400.000).

d. WAO'ers, zouden vaak buiten hun oorspronkelijke functie of beroep een baan kunnen vinden. Deze groep omvat niet minder dan 900.000 personen.

e. Wachtgelders en personen met enige vorm van een Melkert-baan, zouden scholing kunnen krijgen waarvoor zij geschikt zijn en ook maatschappelijk nuttiger zouden kunnen functioneren dan heden.

(De groepen a. en c. omvatten samen zeker 375.000 personen)

De oververzadigde verzorgingsstaat die in de tweede helft van de eeuw achter ons door haar fantasieloze, slappe beleid mensen heeft gedemotiveerd, werkgevers heeft geholpen hun lasten af te wentelen op de gemeenschap, die het individu ten troon heeft verheven ten detrimente van het gemenebest, zij is evenmin in staat met een "alle hens aan dek" ervoor te zorgen dat de nieuwe eeuw een nieuw elan zal brengen. Structureel zou de bestuursvorm van onze samenleving dusdanig moeten veranderen dat zij het belang doet wijken van hen die altijd blijven streven naar eigen macht om die macht, naar eigen positie om die positie, naar eigen behoud, van de ene verkiezingstermijn naar de andere. Nederland moet aan het werk en niet steeds meer dienstbaren aantrekken voor werk dat het zelf niet doen wil. Het laatste is een verkapt intern kolonialisme, waarvan de druiven zeer zuur zijn.

Kwalen virulent in heel Europa

Serieuze wetenschapsbeoefenaars voorspelden al rond 28 jaar geleden dat de wereldbevolking - afhankelijk van een snelle dan wel langzame afneming van de vruchtbaarheid, in de loop van de 21ste eeuw op een niveau ergens tussen 8 en 15 miljard zou kunnen worden gestabiliseerd. Tezelfdertijd werd duidelijk dat de wereld een dergelijke bevolking alleen zou kunnen dragen als men allerlei milieurampen, inclusief hongersnoden, op de koop toe zou nemen. In een wereld die een dorp heet laten de economisch ontwikkelde machten toch te weinig tot zich doordringen wat dit betekent. In de eeuw die achter ons ligt waren hongersnoden die miljoenen en soms tientallen miljoenen slachtoffers maakten in de zogenaamde ontwikkelingslanden, maar ook nog in China dat zich in onstuimige ontwikkeling bevond, nog iets dat men bijkans als een vanzelfsprekendheid aanvaardde. Voor Europeanen lag dit zo ver van het bed dat men zich nauwelijks kon voorstellen dat bijvoorbeeld het vergaand abandonneren van de Europese landbouw tot ernstige gevolgen zou kunnen leiden.

Volgens een reeks van studies zouden landen als Nigeria en Bangladesh het langst doorgroeien, ieder tot een niveau van omstreeks 200 miljoen. De Nederlandse bevolking groeit anno 2000 nog steeds met 1 miljoen in 10 à 12 jaar; in 2050 zou dit kunnen neerkomen op 20 à 21 miljoen. Nog altijd echter is het spreken over de vraag hoe door een actieve politiek deze ontwikkeling te keren, iets waarvoor men in alle politieke partijen terugschrikt. En dit terwijl de problematiek van de bevolkingsgroei ten nauwste verbonden is met die van menselijke welvaart en welzijn.

Na de Tweede Wereldoorlog ging Groot-Brittannië al voor met een bevolkingsstudie (1949). In 1972 kwam het rapport van de Club van Rome uit; ook in 1972 verscheen in de Verenigde Staten een bevolkingsrapport waarna in Nederland het rapport-Muntendam verscheen, terwijl onder de titel "Een Overlevingsprogramma" de commissie-Brandt kwam met een aan duidelijkheid niets overlatend rapport (1980). De conclusie van al deze rapporten: "Wij moeten streven naar een steeds constant dan wel lager bevolkingsaantal", lieten de politici echter constant liggen. In Europa toonde men zich slechts bezorgd over het aantal kinderen per vrouw met betrekking tot de ongunstige verhouding tussen economisch actieven en inactieven en in verband hiermee over het gevreesde tekort aan werkenden.

Het heeft er veel van dat in Europa de oude gedachte: "Getal is macht" gedurende de gehele 20ste eeuw nog doorwerkte. Tussen de beide wereldoorlogen deed Frankrijk alle moeite om de in de Eerste Wereldoorlog gevallen miljoenen te vervangen en daar bovenuit een bevolkingssterkte te bereiken die enigermate tegenwicht voor het steeds talrijker Duitsland zou bieden - met weinig resultaat overigens. Hitler-Duitsland voerde een zeer actieve bevolkingspolitiek. Was het objectief gezien zeer de vraag of het Duitse volk immigratiegebieden in het oosten (Polen en de USSR) behoefde, het maakte deel uit van Hitlers politieke filosofie feiten te scheppen, in casu te zorgen voor een dusdanige Duitse en Germaanse bevolking, dat een schijn van rechtvaardiging voor expansie en agressie gevestigd kon worden. In andere landen was de invloed van de r.k. kerk zo groot dat de gewone man nauwelijks aan beperking van zijn gezinsgrootte durfde te denken. Inmiddels veranderde dit in de tweede helft van de eeuw drastisch. Als zij zich van immigratie weten te vrijwaren kunnen Italië en Spanje hun bevolkingstal op basis van de huidige geboortecijfers ongeveer handhaven of iets verminderen. Niettemin heerst er in deze landen een werkloosheid, veroorzaakt door landvlucht van een omvang die niet door de industrie noch door de dienstensector kan worden opgevangen.

Waar men denkt te kunnen overgaan tot de 35-urige werkweek (Frankrijk) en pensionering op 60 jaar (Duitsland) moet de werkloosheid wel dalen zou men denken. Dit is echter niet of nauwelijks het geval. Sprekend met ondernemers in het midden- en kleinbedrijf in genoemde landen, maar ook in Spanje (werkloosheid 20%) hoort men: vele jongeren willen eenvoudig geen normale arbeidsovereenkomst; liever heeft men een uitkering en klust daar zwart en incidenteel in een onderneming of daarbuiten bij tot een niveau waarop men aan zijn behoeften denkt te kunnen voldoen. In geen van de genoemde landen echter durven de politici een drastische politiek gericht op het aan het werk zetten van eigen volk maar in gedachten te nemen. Op het westelijk en zuidelijk vasteland van Europa is de verzor-

gingsstaat doorgeschoten, is het denken in termen van een volksgemeenschap van solidaire mensen die samen een nationale taak zouden hebben
een zonde, leven wij in feite in samenlevingen die door ontbinding worden
bedreigd. In Nederland had anno 1997 40% van de bevolkingsgroep van
20 t/m 64 jaar een baan van minimaal 12 uur per week. In dat jaar werkten
in de groep mensen van 60 tot 65 jaar nog slechts 11%, met een dalende
tendentie voor dit percentage.
De kwalen die wij in Nederland constateerden zijn min of meer virulent in
heel Europa. Soms denk ik terug aan de harde jaren van de Duitse bezetting en aan de in materieel opzicht armoedige tijd daarna. Personen als koningin Wilhelmina en later premier Schermerhorn vertelden ons met on-
verholen passie wat ons samen te doen stond. En zeer velen geloofden erin, argeloos haast.

China en het werelddorp

De wereld is een dorp geworden, maar nog is het niet zover dat wij ons
steeds realiseren dat ons lot in de eeuw voor ons in toenemende mate af-
hangt van dat van onze tegenvoeters in Azië. Ook daar is de bevolkings-
problematiek in de eeuw achter ons in hoge mate dominant geworden. Het
Chinese volk omvat circa 1,3 miljard mensen (21 à 22% van de wereldbevolking) leeft op een grondgebied dat maar even groter is dan dat van de
Verenigde Staten, met een ongeveer 5 maal zo grote bevolking. Meer zegt
het wellicht nog dat per Chinese boer niet meer bebouwbare grond beschikbaar is dan de oppervlakte van een gemiddelde Noord-Amerikaanse
achtertuin. Een achtertuin van welgestelden uiteraard. De historici noemen
de eeuw achter ons "de korte eeuw". Ze laten hem in het Westen beginnen
met de Eerste Wereldoorlog en eindigen bij de ontbinding van het Oostblok.
In Azië laten ze de eeuw aanvangen bij het einde van het Chinese keizerrijk en het uitroepen van de republiek door Sun Yatsen in 1911. De revolutie was daarmee niet beëindigd maar bleek het begin van een revolutionair
proces. De republiek bestond in naam, maar het enorme land desintegreer-
de in regio's waarin wisselende 'krijgsheren' het bewind voerden. De strijd
om de hegemonie in China ging in feite door tijdens de oorlog tegen de
Japanse invasie (1937-1945) en culmineerde in de strijd tussen twee partijen die de overhand kregen: de CCP (communisten) in het noorden (gesteund door de Sovjet-Unie) en de KMT (nationalisten) in het zuiden (gesteund door de Verenigde Staten).

Oktober 1949 bracht de overwinning van Mao Zedong en zijn CCP. Vanaf
dat jaar, toen de volksrepubliek circa 650 miljoen zielen telde, verdubbel-
de de bevolking in circa 50 jaar. Voor Mao betekende in het tijdvak 1949-
1970 *meer mensen staan gelijk aan meer macht*. Het Sovjetontwikkelingsmodel volgend, moest de productie van andere dan landbouwmachi-
nes voorrang krijgen, en dus moest het gros van het Chinese volk (80% boeren) het vooreerst voornamelijk doen met zijn spierkracht. Ten tweede moest
het land zich richten op compensatie van de verliezen die de wereld- en

burgeroorlog hadden meegebracht, van de grote verliezen veroorzaakt door de Grote Sprong Voorwaarts van de industrie (1955-1957) die uitliep op de hongersnood van 1959-1961. Waarschijnlijk was dit de grootste hongersnood van de 20ste eeuw met mogelijk tussen 20 en 30 miljoen slachtoffers. Daarna zou de Grote Proletarische Culturele Revolutie volgen (1966-1969), die opnieuw mogelijk 10 à 15 miljoen slachtoffers eiste. Bovendien wordt het Chinese continent, dan hier dan daar, geteisterd door natuurrampen, die klaarblijkelijk verscherpt worden door overbevolking en die alleen te vergelijken zijn met de watersnoodramp in Nederland (1953) en de aardbevingen in Turkije (1999). 250.000 doden in China zijn dan in vergelijking min of meer 'normaal'.

Terzijde zij opgemerkt dat in het 'werelddorp' alle politieke correctheid ten spijt, toch wordt gediscrimineerd. Gaan bij rampen, bijvoorbeeld in Afrika of Turkije in Nederland de beurzen open en worden met gemak tientallen miljoenen bijeengebracht, bij vergelijkbare rampen in China geeft alleen het Rode Kruis misschien een paar miljoen. Het gevoel schijnt te heersen dat het gaat om een verre, exotische en bovendien niet aan 'onze kant' staande mensenmassa. Uiteraard is dit ten dele zo. China, en het Oosten in het algemeen, denken en voelen meer stoïcijns, meer in termen van de familie enerzijds en de massa anderzijds en minder in termen van het geluk van het individu. Het is onvergeeflijk dat men dergelijke diepgaande verschillen bij het toelaten van allerlei groepen met de meest verschillende culturen in Europa, die daar "met heel hun cultuur" zouden moeten worden geaccepteerd, niet in rekening brengt.

Mao Zedong heeft met zijn op bevolkingsaanwas gerichte politiek, het opvangen van zelfs de ergste ramp, die van een nucleaire oorlog, mogelijk willen maken. Ondanks het verlies van een belangrijk deel van het Chinese volk zou dit, volgens Mao, de plaats en betekenis van dit volk niet kunnen aantasten. Het is steeds onduidelijk gebleven in hoeverre Mao hierbij ook rekening hield met de verwachte stralingseffecten op menselijke genen en milieu.

Graaf overal diepe tunnels

Hoe Mao's roekeloze uitspraak te verklaren? Ze is zeker niet los te zien van heel de gewelddadige honderd jaar na de eerste opiumoorlog (1839-1842) waarin de Britten vrijheid van opiumhandel op China afdwongen. Het verslaan van de antiwesterse Boksers-opstand en de Tai-Ping-opstand (1851-1864) die werd neergeslagen met hulp van de Engelsen, eiste alleen reeds plm. 20 miljoen Chinese doden (op een bevolking van circa 250 miljoen). Daarbij moeten gevoegd worden alle verliezen die geleden werden door de Japanse invasie en daarna. Heel de bittere ervaring van zwakte, onderworpenheid en nederlagen had een mentaliteit geschapen die Mao deed concluderen: na het verlies van zo nodig honderden miljoenen zal dit volk nog voortleven. Echter: om deze uitspraak geheel te begrijpen is een excursie vereist in het gebied van de grote machtspolitiek.

Mao's eigenzinnige koers had de Sovjet-Unie steeds mishaagd. Reeds door zijn bevolkingsgrootte voelde men China als een bedreigende massa. Maar toen omstreeks 1960 vaststond dat binnen afzienbare tijd ook China in het bezit zou zijn van atomaire wapens, verkoelde de verhouding nog meer. Terzelfdertijd stond de Sovjet-Unie tegenover het Westen op het toppunt van zijn macht. Tussen 1949 en 1960 werd een kernwapenarsenaal opgebouwd dat het in de jaren daarop met de Verenigde Staten onderhandelde evenwicht van wederzijds gegarandeerde vergelding mogelijk maakte. In dezelfde jaren groeide het binnenlandse verzet tegen het Sovjetbewind. De voornaamste spreekbuis voor de 'dissidenten' werd Andrej Sacharov, kernfysicus, 'vader' van de Sovjet atoombom. Hij stelde zich aan het hoofd van een groep wetenschappers die ook onder Chroesjtsjov niet de gezochte vrijheid verkreeg. Ik herinner mij die jaren van destalinisatie, waarin bescheiden experimenten met een vrijere economie in de Sovjet-Unie in gang werden gezet, een zekere kritiek - op autoriteiten maar niet op de top van het bewind - mogelijk was en de gewone man herademde in een sfeer waarin de materiële verzorging na de ellende van de oorlog en de jaren erna, wat beter werd. In 1961 werd mij in de Sovjet-Unie al gauw duidelijk dat vooral onder wetenschappelijke onderzoekers een grote ontevredenheid heerste. Niet alleen bleef toegang tot buitenlandse literatuur in het algemeen taboe voor hen, zelfs buitenlandse publicaties op het eigen studiegebied kregen zij pas nadat deze door partij-organen waren beoordeeld. En dit waren de mensen die de Sovjet-Unie aan een reeks successen geholpen hadden op het gebied van de meest geavanceerde technologie: de ruimtevaart. De eerste kunstmaan (Spoetnik) werd in 1957 gelanceerd, de eerste bemande (en bevrouwde) ruimteschepen volgden in 1961 en 1963; ook de eerste wandelingen in de ruimte vanaf een ruimteschip werden door deze geleerden tot stand gebracht.

In deze sfeer lanceerde Sacharov zijn befaamde requisitoir tot de Sovjetleiding. Het stuk omvatte niet alleen een pleidooi voor meer interne vrijheid, het ging ook in op de positie van de Sovjet-Unie in de wereld. Sacharov wees er onder meer op dat China op weg was een eigen atoomwapen te verwerven, maar nog jaren verwijderd van het kritische moment waarop dit wapen operabel zou worden. Zou de USSR het Chinese gevaar willen uitschakelen, dan was daar nu nog de gelegenheid voor: een 'preventieve' aanval op het Rijk van het Midden zou nu nog succesvol kunnen zijn en zonder veel risico.

In deze context gaf Mao het befaamde parool: "Graaf overal diepe tunnels, sla overal graan op en streef nooit naar hegemonie". In 1963 tekende de Sovjet-Unie met de Verenigde Staten het Partial Nuclear Test Ban Treaty. Daar Peking dit zag als gericht tegen de eigen bewapeningspolitiek, verslechterden de relaties met de Sovjet-Unie nog meer. Vanuit Moskou werd de Grote Proletarische Culturele Revolutie, die vanaf 1965 woedde, met afschuw gadegeslagen. Beide machten versterkten hun strijdkrachten langs de gemeenschappelijke grens, waar het tot herhaaldelijke ongeregeldheden kwam. Onder deze omstandigheden ging de Sovjet-Unie, na provocatie van Chinese zijde, over tot een zware aanval met conventionele strijdkrachten en dreigde China's nucleaire capaciteit te zullen vernietigen (1969). Men mag aannemen dat zeker tot 1970 Mao de zaken nog stevig in de hand had. Daarbij bleef hij bij de klassieke leer die hij al als guerrillaleider had geformuleerd. Bij een aanval zou het Chinese leger de tegenstander, al terugtrekkend, als het ware China inlokken waar deze, omsloten door vijanden, zijn nederlaag tegemoet zou gaan, hoe hoog de Chinese verliezen ook mochten oplopen.

Na Mao's dood (1976) zouden veel van zijn concepten vrij snel worden losgelaten. Met zijn anti-Sovjet-politiek die de heersers in Moskou als renegaten classificeerde, verdween ook zijn bevolkingspolitiek die de Chinese bevolking zich, volgens Deng Xiaopeng en de zijnen, tot onverantwoordelijk grote omvang had laten voortplanten. In 1978 werd de "één-kind-politiek" afgekondigd die een tijdlang rigoureus werd afgedwongen (beboeten van het tweede kind, zo niet erger). De feitelijke situatie dwong, ter verdediging van de nog zo bescheiden welvaart, tot blijvende restricties. Niettemin werd in de loop van de jaren '80 en '90 de één-kind-politiek door de overheid met weerzin losgelaten en gunde men boeren (nog steeds 60% van de bevolking) twee kinderen: een jongen en een meisje.

Men kan men zeggen dat, de gehele geschiedenis van de Volksrepubliek overziend, haar politiek niet geheel zonder succes was. De fysieke kwaliteit van het bestaan ging er sterk op vooruit: anno 1998 was de levensverwachting 70 jaar (in India 58). Toch bleef China met een nationaal inkomen van 350 dollar per hoofd per jaar een van de armste landen. Mao zag China als een vanouds autarke macht, levend op eigen kracht, de Verenigde Staten enerzijds en de Sovjet-Unie anderzijds als "hegemoniale" machten die elkaar de opperheerschappij overal ter wereld betwistten. Hij vergat daarbij dat de Chinese bevolking zó was gegroeid, maar dat China technologisch en organisatorisch zó was achtergebleven dat de regering vele jaren genoopt was miljoenen tonnen graan in het buitenland aan te kopen om het volk voor hongersnood te sparen.

De precaire toestand van China blijft. Er hoeft maar iets goed mis te gaan, hier een teveel aan water ontstaan of daar te weinig, of honger en dood kloppen weer aan. Anno 2000 is een van de positieve punten dat de regering zich dit helder bewust is, dat men sinds begin van de jaren tachtig met duidelijke vastberadenheid en persistentie bezig is met het liberaliseren van de economie - zij het binnen de grenzen van een ruim geformuleerd systeem van centrale planning. De isolatie van China van de wereldeconomie is hierbij definitief losgelaten.

Bevolkingsgroei oorzaak van blijvende afhankelijkheid

Om de stelling te ondersteunen dat bevolkingsgroei in de ontwikkelingslanden minder schadelijk zou zijn dan in het Westen, wijzen sommigen op het feit dat daar minder aanspraak per hoofd op natuurlijke hulpbronnen zou worden gedaan. In China gaat dit reeds niet op: eens komt elk volk in de zone van overgang van een vrijwel geheel rurale economie en een industriële economie en staat dan voor de opvang van het platteland ontvluchtende massa's. Sinds de Chinese regering de teugels van de interne immigratie min of meer losliet, kwamen 60 à 80 miljoen arme plattelanders naar de grote steden, waar zij het in de Derde Wereld bekende beeld versterken: extreme armoede in de buitenwijken, het ontbreken van primair nodige huisvesting en hygiënische voorzieningen, vervuiling van lucht, bodem en water, zoals wij dat kennen van steden als Delhi, Calcutta, Bangkok, Manilla, Jakarta, Nairobi, Lagos, Rio, Sao Paulo, Mexico-Stad, enzovoort. Het zijn even zovele maatschappelijke als politieke tijdbommen.

Zien wij naar landen die nog zeer overwegend agrarisch zijn en nemen wij Ethiopië als voorbeeld. Het land was in 1960 nog voor 40% met bos bedekt, nu nog voor 4%. Waar de bevolking pijlsnel groeide werd bos omgezet in landbouwgrond; dit deed de humuslaag van de berghellingen afspoelen. Door het ontbreken van bos verloren de akkers hun natuurlijke bemesting en vruchtbaarheid. Om nieuwe akkers te winnen werd nog meer bos gerooid. Het gebrek aan brandhout steeg. Dit had als gevolg dat men stro en mest ging gebruiken als brandstof. Daardoor werd stro niet langer gebruikt om de grond tegen uitdrogen te beschermen. Mest om de vruchtbaarheid van akkers te verhogen werd schaars. In deze situatie zal iedere droogteperiode voor een hongersnood zorgen wat dan ook in 1984 het geval was, met de dood van honderdduizenden als gevolg. Ondanks deze ramp bleef het groeipercentage van de bevolking (2,9% per jaar) zo hoog dat de bevolking van 38,5 miljoen in 1980 toenam tot 56,7 miljoen in 1993. Bij een onveranderde mentaliteit en gedragswijze van de bevolking luidt de prognose voor 2010 95 miljoen en voor 2050 140 miljoen inwoners. Dit is slechts een voorbeeld. De situatie in vele andere Afrikaanse landen is weinig anders. Kenia heeft een groeipercentage van 4% per jaar; de bevolking van Nigeria verdubbelt zich in ongeveer 25 jaar. De bevolking van heel Afrika verdubbelt zich elke 24 jaar.

Ook in grote delen van Zuid- en Midden-Amerika worden tropische bossen gekapt in een niets ontziend tempo. Hierdoor wordt op termijn de bestaansbasis van de bevolking ondergraven, terwijl de heersende zeden en gewoonten, alom aanwezig machismo voorop, plus de noodlottige voorschriften van de rooms-katholieke kerk, voor forse bevolkingsoverschotten zorgen: de bevolking van Mexico nam bijvoorbeeld toe met 50% in 22 jaar.
Ondanks enige actie op het gebied van de bevolkingspolitiek in India door voorgaande, niet-nationalistische, regeringen, nam de bevolking toe van 300 miljoen (in 1947, toen India het gebied omvatte dat nu verdeeld is over de staten India, Pakistan en Bangladesh) tot 1 miljard heden, in de drie genoemde staten samen. In staten met scherpe sociale tegenstellingen als India met zijn kastestelsel is ook altijd een brandende vraag: *wie* reduceert zijn geboorte? In de kaste- en de klassestrijd speelt het thema: "aantal is macht" wel degelijk nog een rol. Het is bitter dat medische- en voedselhulp, waar-

van hele volken blijvend afhankelijk worden - zo ook op het Indisch sub-continent - de ellende slechts continueert en nog groter maakt. Ze camou-fleert voor de betrokkenen namelijk ten dele de gevolgen van hun eigen on-verantwoordelijk gedrag, de roofbouw op de kracht en gezondheid van hun vrouwen en ook soms van hun kinderen, en de uitbuiting van hun grond.

In de eeuw achter voor ons verwoestte de mensheid in zijn excessieve groei zijn levensmilieu dermate dat de mens waarschijnlijk het leven op aarde in zijn huidige vorm onmogelijk zal maken.

Dit is niet een conclusie van een groepje obscurantisten, maar van de "Union of Concerned Scientists" in een rapport[5] dat door circa 1.700 weten-schapsbeoefenaars werd getekend, onder wie de helft van alle levende Nobelprijswinnaars. In 1992 gaven 58 nationale academies van weten-schappen een verklaring uit waarin de wereld met klem werd opgeroepen te komen tot een bevolkingsgroei van 0 binnen één generatie. Moeten wij verhoging van kinderbijslag in Nederland, voortgaande immigrantie en me-dische en voedselsteun daar waar men voortgaat met onbeteugelde bevol-kingsgroei als een antwoord zien?

Noten
1. Een recent werk van grote betekenis: Lynn Margulis, *The Symbiotic Planet*. Boston 1999. Nederlandse vertaling: *De Symbiotische Planeet*, Contact, Amsterdam/Antwerpen, 2000. Schrijfster noemt de aarde één groot eco-systeem, waarin de mens optreedt als een brutale, domme nieuwkomer. De grote vraag is of de mens zich verstandig en gedisci-plineerd genoeg zal tonen ongelimiteerde groei aan banden te leggen. Voortgaande groei zal op de grenzen stuiten waarvan de natuur talrijke voorbeelden biedt: allerlei explosief groeiende populaties gaan hun on-dergang tegemoet. Ziektes, destructief gedrag en sociale desintegratie vormen de wal die – ook bij de mens – het schip van een tomeloze groei gaan keren.
2. Bronnen: *Elseviers Grote Wereldatlas* en publicaties van "De Club van Tien Miljoen", Valkenswaard.
3. Niet inbegrepen IJsselmeer, Waddenzee en Zeeuwse wateren.
4. Ontleend aan: *De wereldbevolkingscrisis*, bewerking van een studie van Madeleine Veld *Confronting the Population Crisis*, Ottowa 1996, De Club van Tien Miljoen, Valkenswaard.
5. In Nederlandse vertaling uitgekomen bij de SDU, Den Haag, 1980.

Hoofdstuk 3

HET IMPERIALISME - MACHTSVERSCHUIVING EN GEDAANTEVERANDERING

Omstreeks het begin van de eeuw achter ons was de wereld nog overwegend 'Europees'. Engeland en Frankrijk waren de grote imperiale machten, op afstand gevolgd door Nederland, Portugal en Duitsland. Tezamen hadden deze naties Afrika en grote delen van Azië in hun bezit. Na de Eerste Wereldoorlog verdeelden Engeland en Frankrijk het Osmaanse Rijk, sneden het Midden-Oosten in stukken met langs liniaal getrokken lijnen in woestijnen. Palestina werd een mandaatgebied van Engeland. In Jordanië en Irak werden prinsen uit het Hasjemitisch (Arabisch) vorstengeslacht op de troon geholpen onder Engelse protectie. Syrië en Libanon werden onder Frans beheer geplaatst. Turkije ontsnapte aan bevoogding, constitueert zich echter wel onder Atatürk als *westerse* macht, seculier, met een aan Zwitserland georiënteerde wetgeving. De Duitse bezittingen in Afrika vallen tevens in Engelse en Franse hand, zij het als mandaatgebieden van de Volkenbond: Tanganyika, Burundi, Togo, Kameroen. Zuidwest- Afrika (het huidige Namibië) wordt een mandaatgebied onder de Unie van Zuid-Afrika. Duitsland was buiten Europa als een van de laatste imperiale (koloniale) machten aangetreden, het zou als eerste weer moeten afhaken; de genoemde gebieden kwamen onder Duits bewind, tussen 1884 en 1903 en bleven dat hoogstens 16 tot 55 jaar.

De Italianen konden meedoen als hekkensluiters onder de koloniale machten. Steeds vrij moeizaam opererend als militaire macht, werden ze 1896 Ethiopië uitgeworpen, waardoor het enige Afrikaanse land dat nimmer kolonie was ook de gehele 19de eeuw zelfstandig bleef. Onder Mussolini waagde Italië in 1935 opnieuw een aanval; nu zou het land in 1941 door de Engelsen worden bevrijd. De bezetting van Libië was evenmin een succesverhaal. Kort na de Eerste Wereldoorlog drongen de Italianen op verschillende punten in dit land door, maar voerden, tot 1927 strijd tegen lokale stammen alvorens zij het hele land beheersten. Ten slotte bezetten de Italianen in 1889 Eritrea, terwijl ze van het dunbevolkte Somalië ook een stukje toegeschoven kregen. Vanuit beide laatstgenoemde gebieden zouden zij in 1935 Ethiopië met veel moeite kunnen veroveren, maar aan heel hun heerschappij in de Hoorn van Afrika kwam in 1941 een einde.

Het imperialisme verandert van gedaante

In het algemeen is ook het proces van de verdeling van Afrika en het Midden-Oosten in Engelse en Franse invloedssferen en de penetratie van deze machten tot diep in de binnenlanden, geschiedkundig gezien, zeer jong. De verovering van gehele landen en regio's vond plaats in de periode 1880 tot

1920 en ging gepaard met de onderwerping van honderden volken en stammen aan Engels en Frans bestuur met dito taal- en tot op zekere hoogte cultuuroverdracht. Hoe deze 'late' kolonisatiegolf te verklaren? Bezien wij de wereldkaart in de 18de en de eerste helft van de 19de eeuw, dan valt op dat vele koloniën zich in feite beperken tot kuststeden, eilanden of semi-eilanden, hier en daar met enig omliggend gebied. In het oog springen namen van steden als Dakar, Abidjan Accra, Elmina - eens Portugese vestiging, aan de Goudkust een middelpunt van Nederlandse goud- en slavenhandel - Kaapstad, Zanzibar, Bombay, Goa, Colombo, Madras, Rangoon, Singapore, Hongkong. De kaart was als het ware bespikkeld met handelsposten van waaruit men handel dreef, lange tijd vooral belust op in Europa nieuwe of schaarse waren: specerijen en ivoor, edele metalen en porselein, kostbare houtsoorten en slaven. Met name in West-Afrika was de slavenhandel gericht op de Amerika's, terwijl ze in Zanzibar in Arabische handen was en gericht op de landen van herkomst van de handelaren. De slavenhandel in de betrokken landen werd steeds beheerst door plaatselijke of regionale vorsten en stamhoofden, bijgestaan door hun handelaren. Vanaf ongeveer 1850 verandert dit beeld en vanaf 1880 in versnelde mate. De industriële revolutie doet Engeland en Frankrijk, met het achterna hinkende Duitsland - pas in 1870 een staatkundige eenheid - zoeken naar afzetgebieden voor de sterk stijgende productie van hun industrieën. Tevens moesten de rijke grondstoffen leverende gebieden in Afrika en Azië worden veiliggesteld.

Al vroeg in de 19de eeuw beseffen Engeland en Frankrijk het grote strategische belang van Egypte en van een door dit land aan te leggen waterweg van de Middellandse naar de Rode Zee.

Egypte als voorbeeld

Egypte verschaft een goed voorbeeld van de rol van de 'oude' koloniale machten in de geschiedenis van een onderhorig land. Bij het eind van de Napoleontische bezetting (1789-1801) maakte Egypte opnieuw deel uit van het zwakke Ottomaanse imperium. Een Ottomaanse commandant, naar Egypte gezonden om de Fransen te vervangen en het land als provincie van het rijk te besturen, maakte van Egypte een gecentraliseerde staat met een modern massaleger, ter controle van de Nijl-vallei. De nieuwe staat bevorderde landbouw en industrie en breidde zijn heerschappij uit van Soedan tot Syrië. In 1839 intervenieerden Engeland en Frankrijk, herstelden formeel de nominale macht van het Ottomaanse Rijk, legden het gebied een grotendeels ontwapende status op en aanvaarding van volstrekte vrijheid van vestiging van westerse handelshuizen en andere ondernemingen. Zodoende werd het land opgenomen in de westerse wereldeconomie, waarbinnen het de rol van voornaamste katoenleverancier kreeg. Deze exportlandbouw kwam in handen van de Turks sprekende elite, die voor haar financiering gebonden was aan Europese en Levantijnse financiers. Deze machtsstructuur wekte toenemend verzet op van Arabisch sprekende bevolkingsdelen. Daarbij kwam dat Engeland en Frankrijk overgingen tot uitvoering van een langgekoesterd plan: in 1869 kon, na lange voorbereiding onder leiding van de Franse consul in Egypte, Ferdinand de Lesseps, het Suez-kanaal worden geopend. Dit stelde de imperiale westerse machten in staat hun positie ter plaatse, en in wijde omgeving, volledig uit te buiten, maar plaatste ze tevens voor de noodzaak hun militaire presentie te versterken. Verzet uit kringen van autochtone landeigenaren, intellectuelen en officieren, nam toe: in 1881 kwam het tot een opstand met het doel de heerschappij van de Turkse heerser, die ondergeschikt was aan westerse belangen, ten val te brengen en een parlementair regeringsstelsel in te voeren. De Britten hadden een jaar nodig om voldoende troepen in Egypte samen te trekken, toen konden zij de hervormers met geweld onderdrukken en de oude hen onderhorige heersers in hun positie herstellen. Het is goed hier te onderstrepen dat een relaas als dit geenszins uniek is. In de aanvang van de eeuw achter ons stonden in de koloniën die groepen vaak al gereed die, hier eerder, daar later, de onafhankelijkheidsstrijd zouden beginnen. Soms hadden zij hun eerste gewapende opstanden al achter zich. Het ging er vaak bloedig aan toe, zoals ook de Nederlandse koloniale geschiedenis aantoont. Bont maakten het ook de Duitsers: in het zeer dunbevolkte Zuidwest-Afrika kwamen meerdere stammen tegen hen in opstand. Van de 70.000 personen sterke stam der Hereros waren er na de gevechten die van 1904 tot 1906 duurden nog 15.000 over; van de Namas, aanvankelijk 20.000 man sterk, nog de helft. Een kleine voorafschaduwing van wat later in de eeuw zou volgen?

Egypte maakte intussen in 1919 nogmaals een nationalistische revolte mee die opnieuw werd neergeslagen. In 1922 maakten de Engelsen het tot een constitutionele monarchie, echter met een sterke Britse militaire aanwezigheid in heel het land. De Egyptische buitenlandse politiek bleef onder Engelse controle, op de binnenlandse politiek hielden de Engelsen aanzienlijke invloed. In 1936 kreeg het land iets meer bewegingsvrijheid toen de Britten hun troepen op de Kanaal-zone terugtrokken. We verlaten Egypte nu om later het relaas over dit land in de tweede helft van de 20ste eeuw te vervolgen.

Wereldwijde westerse expansie

Als een van de centrale knooppunten van het wereldwijde netwerk aan steunpunten die het Britse imperium telde, waren het Suez-kanaal en de Nijl voorlopig veiliggesteld. Buiten de Amerika's, waar na de Amerikaanse onafhankelijkheidsoorlog de koloniale aanwezigheid van andere machten snel marginaal zou worden, breidde het Britse imperium zich in de aanvang van de 20ste eeuw nog uit in alle overige werelddelen. In 1898 kwam Koeweit onder Engelse opperhoogheid. Vooruitziend als Londen was, besefte men dat dit steunpunt én als militaire basis én als olieproducent (vierde ter wereld) van eminent belang zou worden. Het werd dus reeds lang voor het totstandkomen van Irak apart gehouden onder een emirgeslacht - de El-Sabahs's - dat nimmer geliefd was noch werd. In 1961 zou Engeland het protectoraat opgeven. Terzelfdertijd werd een grondwet afgekondigd, die praktisch alle macht aan de El-Sabahs's liet, een gang van zaken die voor de Engelse imperiale politiek kenmerkend was. Ook Bahrein, Quatar en zeven kleinere Golfemiraten - waarvan Dubai en Abu Dabi het meest bekend werden - waren reeds rond 1900 Britse protectoraten. Oman genoot nominale onafhankelijkheid, hoewel ook daar de Britten regelmatig intervenieerden. In ieder van de genoemde protectoraten kregen de heersende families Britse adviseurs, een ambtelijk apparaat met veelal Britten in topfuncties, terwijl het emiraat Sharjat diende als militair centrum van waaruit de protecterende macht zo nodig kon ingrijpen. Aden was in Britse handen, Djibouti - een stukje Somalië - bewaakte aan de andere zijde van de Golf van Aden de zuidelijke toegang tot de Rode Zee en was (en is nog heden) een belangrijk Frans militair steunpunt. Iran kon lange tijd tot de westerse invloedssfeer gerekend worden. Wat heden Pakistan, India en Bangladesh zijn, vormde het ene onverdeelde Brits-Indië. Geheel Indo-China (het huidige Vietnam, Laos en Cambodja) was Franse kolonie.

Intussen zijn we in Azië beland, waar naast de grootste wereldmacht, de Britse - één regionale macht - de Japanse - zich aan het begin van de eeuw breed begon te maken. Een andere imperiale macht, de Verenigde Staten, die in de loop van de eeuw 'supermacht' zou gaan worden, was via de oceaan in opmars. Reeds hier zij opgemerkt dat de VS de aanduiding "imperiale macht" steeds krachtig zou verwerpen, hoezeer zij het ook was. Koloniën die zich hadden vrijgevochten, in dit geval van het Britse Rijk, konden per definitie geen koloniale macht worden, aldus de redenering en daarom zouden zij zich in de loop der eeuw ook steeds meer tegen het koloniale imperialisme opstellen. Niettemin: in de Amerikaans-Spaanse oorlog (1896-1898) veroverden de Noord-Amerikanen Portorico en de Filippijnen. De Filippino's, die de Amerikanen aanvankelijk als bevrijders zagen en met hen tegen de oude kolonisator vochten, kwamen bedrogen uit en vochten van 1898 tot 1902 een bloedige en vergeefse oorlog tegen het leger van de VS. Het zeer strategisch gelegen land zou de hele 20ste eeuw een geducht Amerikaans steunpunt blijven. Hoezeer ook ideologisch tegen elk imperialisme gekant, omstreeks 1900 was de VS reeds een imperiale macht gemeten aan elke enigszins objectieve definitie van dit begrip. Onder deze definitie valt immers niet alleen het onderworpen hebben en houden van vreemde steden en landen in de zin van een volstrekte beheersing door de imperiale macht, militair zowel als bestuurlijk. Deze strikte definitie zal eerder in uitzonderlijke situaties toepasbaar zijn. Een imperiale macht gebruikt liefst zo min mogelijk eigen troepen en eigen bestuursapparaat - dit zou het "bezit" van een imperium slechts duur, en de bevolking van de onderhorige gebieden sneller ontevreden maken en eerder in staat tot tegenwerking en opstand. Als regel zal de imperiale macht dus werken met inheemse, regionale en/of plaatselijke heersers: sjeiks, stamhoofden, vorsten van allerlei soort die bepaalde sectoren van de bevolking als machtsbasis hebben. In heel het gebied van de Golf bijvoorbeeld, komen wij steeds hetzelfde patroon tegen: de traditionele heersers, gesteund door hun zeer uitgebreide families, die hun wortels hadden in sterk aan hun traditie gebonden woestijn-nomaden, vonden steun bij de imperiale macht tegen de kooplieden, de rijke burgerij in het algemeen en de armere burgerij die zich in de eeuw achter ons met wetmatige kracht omhoog werkte.

Op vergelijkbare wijze kon Groot-Brittannië heel het Indisch subcontinent aan zich onderwerpen, heel het de aarde omspannende rijk vormen waarvan de resten anno 2000 nog als "Gemenebest" een sluimerende nominale grootheid zijn. Nog heden kan de bezoeker in de vaak oogverblindende pracht van de paleizen van maharadja's zien welk een gezag zij moeten hebben uitgestraald in een wereld die toen nog meer dan nu bevolkt werd door mensen die hun plaats in de maatschappij bezien als bepaald door hogere beschikking, gebonden aan hun karma. Hier verbreidden de Britten, met summiere eigen militaire inzet, gesteund door tienduizenden inheemse troepen, in de 19de eeuw hun macht. Het waren imperiumbouwers bij uitstek. Niet ten onrechte werd hun militair-politieke succesverhaal menigmaal verfilmd. Het waren deze films die Adolf Hitler, toch al gecharmeerd van de Britten op grond van de 'raszuiverheid', die hij hen toeschreef, het bewijs brachten van hun genius. Zoals zij daar, in Azië, wilde hij in Oost-Europa een rijk stichten, maar dan een rijk dat méér dan één eeuw zou duren. In dat rijk zouden niet zoals in India reeds rond de eeuwwisseling een Nationaal-Congres organisatie zich breed kunnen maken, op termijn onder leiding van Mahatma Gandhi, India naar de vrijheid zou voeren. Hij, Hitler, zou de bewoners van zijn wingewesten doen sterven voorzover overbodig en die minderwaardig geachten alleen gebruiken als zich doodzwoegende ondervoede slaven; overigens zouden slechts Germanen er zich vestigen en heersen.

De Europese expansie stuit op zijn grenzen

Het geheel van de Britse, Franse, maar ook Nederlandse, Portugese en Belgische imperiumvorming overziend, valt één ding sterk op. Terwijl in genoemde landen 'thuis' in de eerste helft van de 20ste eeuw al in meerdere of mindere mate een burgerlijke democratie gevestigd was, waarin eerst de grootburgerij zijn plaats had gekregen, had ook later, vooral na de Eerste Wereldoorlog, de arbeidersklasse een reeks van rechten kunnen veroveren. De regeringen echter, ook soms die waar sociaal-democraten deel van uitmaakten, bleven in de koloniën vaak nog trouw aan de geschetste politiek van bondgenootschappen met de traditionele heersers. Dit ten detrimente van de opkomende 'nieuwe' burgerlijke bevolkingsgroepen als handelaars en intellectuelen, dragers van meer democratische ideeën, tevens van een antikoloniaal nationalisme dat in de tweede helft van de eeuw overal door strijd of schikking de overhand zou krijgen. Het was hier dat elementen uit de rijen van de eens in Europa onderdrukten de hand reikten aan hen die in de koloniën naar vrijheid streefden; hoe dan ook, het imperialisme vond hier een grensstellende kracht. Terwijl het Europese imperialisme week, zou in de Tweede Wereldoorlog in Azië een finale botsing plaatsvinden tussen twee andere imperialismen: dat van de VS en Japan. In feite was het de VS die niet alleen hier in Azië, maar over heel de wereld al bij het einde van de Eerste Wereldoorlog het roer van de 'oude' imperiale machten begon over te nemen. De eersten waren zwaar aangeslagen, telden niet alleen hun verliezen bij miljoenen mensenlevens...hun industrie was in ontwikkeling achter geraakt, hun handel leed zware schade en dat terwijl de

35

Verenigde Staten, pas in 1917 deelnemer aan de oorlog, haar industrie verre van het oorlogsgebied hadden kunnen ontwikkelen. Ook in de Tweede Wereldoorlog zou het laatste een voordeel blijken van doorslaggevende betekenis.

Aanvankelijk was van Noord-Amerikaanse suprematie op politiek gebied nog geen sprake: de Volkenbond, gesticht op initiatief van de Amerikaanse president Woodrow Wilson en in belangrijke mate zijn geesteskind, werd door zijn 'thuisfront' afgewezen. De VS nam geen plaats in de Assemblees en dus ook niet in de Raad van Permanente Leden die aanvankelijk slechts uit Groot-Brittannië, Frankrijk, Italië en Japan bestond, hier openbaarde zich een tweeslachtigheid die, hoewel steeds verder teruggedrongen, toch in de politiek van de VS merkbaar zou blijven.

Vooral de Republikeinen zouden bij tijd en wijle een luid "hands off" laten horen. Dit kwam het scherpst tot uiting bij de vraag of de VS al dan niet aan de Tweede Wereldoorlog zou gaan deelnemen. De isolationistische stroming was sterk. Onder leidende blanke groepen was hier en daar een zekere sympathie voor de 'sterke mannen' in Italië en Duitsland merkbaar. Men denke aan de korte tijd wijd verbreide invloed van de oceaanvlieger Charles Lindbergh en de zijnen. Niettemin leidde het nimmer tot abstinentie waar wezenlijke belangen in het spel waren. Die belangen werden, bij alle terughoudendheid die er soms op politiek-militair gebied was, ononderbroken goed behartigd waar het financiën en handel betrof. De VS zou pas 6 april 1917 aan de oorlog gaan deelnemen die op 11 november 1918 ten einde kwam. In de drie jaar daarvoor profiteerde Washington van zijn neutraliteit en maakte fraaie winsten met grote wapen- en voedselleveranties aan Engeland, Frankrijk en Rusland.

Het Noord-Amerikaans imperialisme strekte zich gedurende meer dan een eeuw uit naar twee richtingen. Naar het Zuiden: Midden- en Zuid-Amerika en het Westen, over de Stille Oceaan, botsend op het tot 1868 nog feodale Japan.

De Monroe-leer en haar varianten

De verhouding tot het Amerikaanse Zuiden werd beheerst door de gedachte dat Washington daar te maken had met de "eigen achtertuin", waar geen andere macht iets van doen had. Deze merkwaardige gedachte ging in de 20ste eeuw steeds meer gepaard met een ander veelvuldig herhaald thema: de Noord-Amerikanen hadden het recht, sterker: voelden zich geroepen overal ter wereld op te treden als een soort - liefst internationale - politiemacht. Wendde Frankrijk voor een "missie" te hebben, geloofde het in zekere mate in zijn "mission civilisatrice", het verbreiden van eigen taal en cultuur, terwijl de Britten hun opdracht zagen als "de last van de blanke", the white man's burden, de Amerikanen bekleedden hun imperiale streven met termen als recht en orde, veiligheid voor de democratie zoals zij die zagen.

Moeten we hier louter spreken over ideologieën zoals de socioloog Karl Mannheim die definieerde: als leerstukken die tevens propagandistische leuzen zijn om de werkelijkheid van bloot machtsstreven te bemantelen? Het is een vraag om bij stil te staan. Hier alleen dit: leidende politieke personen, hoe charismatisch ook, krijgen hele volken er slecht toe uit te trekken louter ter vergroting van eigen macht en rijkdom. Men moet hiervoor wel zeer overtuigd zijn van eigen superioriteit en/of het recht van de sterkste. Hitler kwam in de 20ste eeuw met dit naakte machtsstreven waarschijnlijk het verst, met de Japanners achter zich als de Übermenschen van Azië. Toch: toen in 1939-'40 de gedachte aan revanche voor de nederlaag in de Eerste Wereldoorlog was uitgewerkt, wilden de meeste Duitsers nauwelijks verder. Alle westerse imperialismen daarentegen werden mede gedragen door de gedachte "iets groots te verrichten" met de verbreiding van westers weten en kunnen, wetenschappelijk, industrieel, opvoedkundig, medisch, godsdienstig ook. In het westerse ontwikkelingsmodel speelden "idealistische" aspecten zeker een rol, hoe tweeslachtig ook vaak de uitkomst. Dankzij medisch kennen en kunnen enerzijds, bleven tientallen miljoenen die nog in de vorige eeuw een wisse dood hadden moeten sterven in leven, anderzijds had, niet binnen ecologisch te verdedigen grenzen gehouden bevolkingsaanwas, in menig land, reeds rampzalige gevolgen.

De Monroe-doctrine dus. In de eerste decennia van de 19de eeuw had een reeks van Midden- en Zuid-Amerikaanse landen zich bevrijd van de koloniale heerschappij van Spanje en Portugal. Op 2 december 1823 legde president James Monroe in een boodschap aan het Noord-Amerikaanse Congres neer wat als "doctrine" onder zijn naam bekend zou blijven. De Europeanen werden gewaarschuwd niet opnieuw koloniale expansie op het westelijk halfrond te beproeven. Het voortbestaan van enkele Europese kolonies in het Caribische gebied werd geduld, maar de sferen van invloed van de "oude wereld" (Europa) en die van "nieuwe wereld" (de Amerika's) zouden scherp gescheiden blijven. Het principe van de non-interventie zou tweezijdig zijn. Het politieke systeem van Europa - met zijn vorsten en koningshuizen - was essentieel verschillend van dat van Amerika, aldus Monroe, en daarom moest elke poging van Europese machten hun systeem op het westelijk halfrond uit te breiden gezien worden als een gevaar voor de Verenigde Staten, voor "vrede en veiligheid". Anderzijds zou de VS afzien van interventie in de oude wereld, en zijn onderhorige gebieden.

Het is duidelijk dat deze leer een isolationistische component had. Deze werd terzijde geschoven tijdens de penetratie in de Stille Oceaan van de VS in de 19de eeuw en bij het ingrijpen in twee wereldoorlogen die als Europese oorlogen begonnen, maar als wereldoorlogen eindigden. Overigens had de VS in de 19de eeuw nog veel 'thuis' te doen. In 1840 werd Mexico in een felle oorlog teruggedrukt uit wat de zuidelijke staten van de Unie zouden worden; van 1861 tot 1865 was het land volledig geoccupeerd door de burgeroorlog; de gehele eeuw door werden de indianen steeds meer verjaagd uit hun oorspronkelijke stamgebieden tot ze allen in zogenaamde reservaten op de allerarmste grond waren geconcentreerd. Hawaii kwam, precies als Portorico en de Filippijnen aan de VS, het zou in 1959 als 50ste staat tot de Unie worden toegelaten. Met het tsarenrijk, waartegen de Monroeleer ook was gericht, het was namelijk tot in Alaska doorgedrongen, werd een vreedzame regeling bereikt. In 1867 werd het zeer schaars bevolkte gebied, met zijn uiterst belangrijke militair-strategische ligging en zeer rijke voorraden aan grondstoffen van Rusland gekocht. In 1967 werd het de 51ste

Amerikaanse staat. Inmiddels was de Monroe-doctrine aanvang 20ste eeuw de 'hoeksteen' van de Noord-Amerikaanse politiek geworden. Zij werd steeds bevestigd, en uitgebreid hoe meer de Verenigde Staten een imperiale status bereikten. Panama, nauwe brug tussen Noord- en Zuid-Amerika werd reeds lang gezien als een geschikt gebied voor een kanaal dat de Atlantische en Stille Oceaan zou verbinden. Wat het Suez-kanaal was voor het Britse imperium, werd het Panama-kanaal voor het Noord-Amerikaanse. Het lag voor de hand Ferdinand de Lesseps, die eens slaagde met een vergelijkbare grote onderneming, ook hier aan het werk te zetten. Hij deed dit echter niet als exponent van de Franse staat, zoals eerder in Egypte, maar als zelfstandige ondernemer. Van 1876 tot 1889 werd aan het kanaal gewerkt, toen moest De Lesseps, die failliet werd verklaard, opgeven. De Amerikanen namen het werk over. Panama, dat deel uitmaakte van Colombia werd zelfstandig gemaakt. Dit was vrij gemakkelijk: het gebied op de smalle landtong is zeer bergachtig, communicatie over land moeilijk: er bestond één spoorlijn die men buiten bedrijf stelde - tot op deze dag. Zich plaatsend achter een groep Panamezen die wel voor onafhankelijkheid en een deel van de baten van het kanaal voelden, bezetten de Noord-Amerikanen het land in 1903. Het werk aan het kanaal werd in 1904 hervat, in 1914 werd het geopend. De kanaalzone zou tot 1999 door troepen van de VS bezet blijven. Al die tijd bleef dit gebied, een van de belangrijkste Noord-Amerikaanse militaire steunpunten, ook voor contraguerrilla opleidingen en inlichtingenwerk.

Het is geen toeval dat president Theodore Roosevelt in 1904 de Monroeleer herdefinieerde en haar de meest uitgebreide strekking gaf die richtinggevend zou zijn voor Washingtons politiek in de Amerika's - en daarbuiten - tot heden. "Chronisch onrecht" of "impotentie" van de landen van het westelijk halfrond zou de VS kunnen nopen op basis van de doctrine "tot uitoefenen van internationale politiemacht". Het was deze term en de machtsaanspraak die zij dekte, die de gehele 20ste eeuw bepalend zou zijn voor ingrepen van de VS waar ook ter wereld. Ingrepen, in externe en binnenlandse aangelegenheden, uitgeoefend als het ware door rechters die in dienst stonden van vrijheid, veiligheid en orde. Wij zullen in de tweede helft van de eeuw hiervan allerlei voorbeelden tegenkomen.

Japan "ontsloten" en wat daarop volgde

In 1868 had een Amerikaans smaldeel onder bevel van commodore Perry, het tot dan voor buitenlanders hermetisch gesloten feodale Japan "open gebombardeerd". Vanaf het begin van de 17de eeuw, toen de Portugezen radicaal verdreven werden, had dit land slechts in de gestalte van Nederlandse kooplieden vreemdelingen geduld en wel op het eilandje Decima, in de baai van Nagasaki. Precies als andere niet-westerse gebieden waar ook ter wereld, moest het meedoen in het nieuwe tijdperk van een opstrevend kapitalisme, eerst handels- later ook bank- en industrieel kapitaal absorberend en vormend, een open markt voor buitenlandse producten. Deze door westerse machten gewenste, ja geëiste 'openheid' bleef in Japan heel de eeuw achter ons een twijfelachtige zaak. Anders dan de Engelse en Franse koloniale gebieden in Afrika, Azië en elders en de aan de VS ondergeschikte staten, ontwikkelde Japan zich als een koloniale macht met grote aspiraties, expansief, agressief, snel, technisch en krijgskundig toegerust voor militaire acties tegen bijkans alle staten van de wijde Aziatische regio. Het bleef daarbij, rustend in zichzelf, buitenlandse invloeden mondjesmaat toelatend, isolationistisch. Dit eilandenvolk hield, heel of half ingebed in feodale verhoudingen, hun keizer - in 1868 weer in volle waardigheid hersteld - voor een god en zichzelf als volstrekt meerderwaardige wezens. Heel de mythologie van de eigen superioriteit en onoverwinnelijkheid met zich meevoerend, wierpen de Japanners zich met fanatisme in een reeks van oorlogen. De onderschikking van het individu aan de natie bleek daarbij zo totaal dat zelfmoordaanvallen van allerlei aard eerder normaal dan buitengewoon werden. Geen wonder dat nazistische Duitsers en Japanners elkaar én qua doelstellingen én qua mentaliteit vonden. Beide rijken zochten "levensruimte", gebieden waar zij hun bevolkingsoverschot wortel zouden kunnen doen vatten en waaruit zij rijkelijk grondstoffen zouden kunnen putten. Beide spreidden zij daarbij een enorme verachting ten toon voor de tegenstander, de Japanners mogelijk nog tegenover meer volken dan de Duitsers hoewel zij, voorzover bekend althans, zich nooit de uitroeiing van hele volken of volksdelen ten doel stelden, wat wel op het program stond van Hitler en zijn naaste kring.

Rond de eeuwwisseling stond Japan voor grote veroveringen in de startblokken. Het Chinese keizerrijk was dusdanig verzwakt dat het in 1895 na een korte oorlog Taiwan moest afstaan. Dit wingewest verschafte nieuwe ruimte voor Japans industriële vestigingen wat onbedoeld ertoe leidde dat het China van Tsjang Kai-shek in 1945 een offshore basis terugkreeg die enigermate industrieel ontwikkeld was en in 1949 als uitwijkpost zou dienen. In 1904 werd de Russische Vladivostok-vloot verslagen; in 1910 werd Korea bezet, een brute moderne staat verving een agrarische bureaucratie in verval; in 1931 bezet Japan Manchurije en plaatste de - nu volwassen - in 1911 afgezette Chinese kind-keizer als vazal op de troon; in 1934 begint de aanval op China, een door burgeroorlog verscheurde natie, verzwakt door tientallen miljoenen doden kostende oorlogen met Europese machten, gedwongen hen: Britten, Fransen en tevens Duitsers en Amerikanen extra - territoriale rechten toe te kennen in de voornaamste havensteden. Daar hadden de vreemdelingen het in feite voor het zeggen, leefden er onder eigen wetten en hadden er alle mogelijke vrijheden voor hun handels- en bankbedrijven.

In 1939 vond een nog weinig meer genoemd maar belangrijk treffen plaats. De Japanners deden wat te zien is als een proefaanval op de Sovjet-Unie vanuit Manchurije. De weerstand. die zij daarbij ondervonden was zo hevig dat zij zich terugtrokken; zij zouden dit niet weer proberen, niet toen hun bondgenoot Duitsland juni 1941 de Sovjet-Unie binnenviel, ook niet toen Hitler in december van dat jaar de Verenigde Staten de oorlog verklaarde. De Japanse aanvalsrichting werd verlegd naar het Zuiden.

Nog in 1940 landden Japanse eenheden in Indo-China waar de door de nederlaag in het Franse moederland gedemoraliseerde Fransen, geen weerstand boden. Sancties in de vorm van een handels- en scheepvaartembargo door de VS volgden. Het werd duidelijk dat Japan had besloten, de vorming van zijn imperium, de "Grootaziatische Welvaartssfeer" door te zetten. Op 6 december 1941 begon het een totale meerfronten oorlog om "levens-ruimte", grondstoffen, de hegemonie in Azië en wie weet verder. De on-dergang van de Amerikaanse vloot te Pearl Harbor betekende, hoe smade-lijk voor de VS ook, tevens voor Japan het begin van bet einde. In 1943 werd in Tokio een conferentie gehouden van staten - of overlopers daarvan die door Japan werden gesponsord. Aanwezig waren eerste ministers of 'presidenten' van China, India, Birma, Thailand en Manchurije. Elders had-den zij nog geen vazallenregering kunnen of durven vormen. In een reeks andere bezette landen waaronder Nederlands-Indië richtten nationalisten, die de terugkomst van de oude heersers niet zouden dulden, zich al op in de corridoren van de macht.

Het relatief kleine eilandenrijk met zijn op een geringe oppervlakte sa-mengebalde bevolking, arm aan grondstoffen, had zijn mogelijkheden sterk overschat: lange fronten in Birma en China, posities die ingericht en ge-houden moesten worden op een reeks van kleine eilanden in de Stille Oceaan, grote landen op het vasteland: Indo-China, Thailand, Birma, Maleisië, Korea, plus grote delen van China, die wel bezet maar niet te vertrouwen waren, bovendien de eilandrijken de Filippijnen, Nederlands-Indië, Nieuw-Guinea en Caledonië, de lange overbelaste verbindingen in dit enorme verworven rijk, wie kon niet al midden 1942 zien dat het om onhoudbare posities ging. De Verenigde Staten zagen het wel. Drie jaar lang beperkten ze zich tot het bezetten van eilandposities en uitputtingsslagen in de lucht en ter zee die de uiteindelijke slag, rechtstreeks tegen het hart van het Japanse imperium moesten voorbereiden.

Hitlers imperium: vazallen en "Untermenschen"

De VS besloot intussen zich met zijn hoofdmacht te richten op de vernie-tiging van het Derde Rijk. Onder Hitler zijn leiding had dit zich gestort in een aanval op de Sovjet-Unie, een onderneming die dezelfde inschattings-fouten vertoonde als die van de Japanse bondgenoot: 1. het vertrouwen met een "Blitzkrieg" toe te kunnen; 2. het te ver uitstrekken van verbindings-lijnen; 3. schromelijke onderschatting van de vijand. Velen in Duitsland hadden dit voorzien: hoog geplaatste nazi's, waaronder Göring en Von Ribbentrop, de meeste hooggeplaatste officieren. Hitler schoof de laatsten terzijde en benoemde zichzelf - reeds kanselier en president - tot opperbe-velhebber van de Wehrmacht. Al in oktober/november '41 wist ook de Führer dat hij de oorlog nimmer op zijn condities zou kunnen winnen. In een eeuw waarin de imperiumbouw al dan niet uitgesproken een politiek hoofdmotief was, liep Hitlers imperium ten einde voor het zich nog goed had kunnen vormen.

Inmiddels waren in de eerste 4 à 5 maanden van de opmars in de Sovjet-Unie 3 miljoen krijgsgevangenen gemaakt; ongeveer 57% van hen laat Hitler al in de eerste zes weken sterven. Gebrek aan mogelijkheden hen het allernodigste aan voedsel te geven kon in die tijd nog niet worden voorgewend. Vanaf 22 juni tot en met half oktober verliep de opmars gezwind, en met een minimum aan Duitse verliezen. Hitler is zo optimistisch dat hij erover filosofeert de veldtocht spoedig in de Oeral tot een succesvol einde te zullen brengen. Daar hoeft geen vaste grens te komen, stelt hij in een van zijn tafelgesprekken. Een flexibele verdediging van het Rijk tegen ontredderde elementen van het Rode Leger die misschien nog in Siberië actief zullen blijven, zal voldoende zijn. Daarom ook acht hij krijgsgevangenen onnut en geeft ze bewust bij miljoenen aan de dood over. De goede lezer had hierover niet verbaasd hoeven te zijn: het was een duidelijke demonstratie van de rassenoorlog, van de verachting voor de "Untermensch" waarvan Mein Kampf al duidelijk blijk geeft. Terzijde zij opgemerkt dat het een, mede aan Koude-Oorlogsmotieven ontsproten praktijk is, in het westen het lijden van de joden specifiek en haast uitsluitend naar voren te halen en dat van de Polen en de militairen en burgers van de Sovjet-Unie in de schaduw te laten of geheel te verzwijgen. Ook hun leven was in Hitlers ogen niets waardig, ook zij werden eerst als zieltogende dwangarbeiders ingeschakeld, toen het in feite te laat was. Bewust zijn miljoenen Polen, sovjetburgers en militairen omgebracht: door executie, brute behandeling, opzettelijk niet behandelen van wonden en ziekten, honger. Geen mens spreekt er meer over, geen documentaire herinnert eraan.[1]

Was Hitlers imperium wel een imperium in de zin waarin wij de term tot nu toe bezigden? Niet of nauwelijks. Men kan stellen dat met zijn bewilliging regerenden in Hongarije, eerst Horty, dan Salazy, in Roemenië Antonescu, in Slowakije Tiso zijn vazallen waren; koning Peter in Bulgarije vormde een grensgeval. De in West- en Noord-Europa bezette gebieden bleven gedurende de oorlog een onzekere status houden; aanhangers die Hitler met enige schijn van legitimiteit aan de macht zou kunnen brengen waren er nauwelijks. Een Mussert had geen schijn van kans het heft in handen te krijgen, niet alleen omdat hij te weinig aanhangers had, maar ook omdat hij - burgerlijk nationalist - van Hitlers nationaal-socialisme niets begreep of begrijpen wilde. Voorts: de eis tot teruggeven van de koloniën die Duitsland tijdens de Eerste Wereldoorlog verloren had, werd wel opgevoerd maar vormde voor Hitler geen hoofdthema. Al in Mein Kampf - in 1924 in de vestinggevangenis Landsberg geschreven - maakt Hitler duidelijk dat zijn imperiale verlangens in Oost-Europa en met name in Polen en de Sovjet-Unie liggen. Zijn niet-Slavische bondgenoten acht hij nauwelijks hoger dan de Slavische. In zijn tafelgesprekken spreekt hij op laatdunkende wijze over Italianen en Roemenen: in hun legers hebben ze slechts één man, respectievelijk Mussolini en Antonescu. In Hongarije dreigt de op de adel en het grootgrondbezit steunende "rijksbeheerder" admiraal Horty zich in 1944 uit de oorlog terug te trekken; Duitse troepen bezetten het land en installeren de fascist Salazy. In alle door de as-mogendheden bezette staten van Oost-Europa voelt het merendeel van de bevolking zich slachtoffer van de Duitsers. Uitzonderingen vormden die bevolkingsgroepen die de meerderheid vormden in Hongarije en Roemenië, de Slowaken en Kroaten - althans zolang Hitlers legers succesvol waren. Aan Italië had Hitler ook weinig. Uit het in 1939 bezette Albanië viel het Noord-Griekenland aan, werd echter door de Grieken tot Midden-Albanië teruggeslagen en moest maart 1941 door Hitlers in Joegoslavië, Bulgarije en Griekenland voortrollende legers worden ontzet. Ook in de Sovjet-Unie speelden de Italianen een weinig verheffende rol. Ze konden nauwelijks in de eerste linie worden ingezet, maar werden wel berucht om hun terreur tegen de burgerbevolking met name in Odessa en omgeving. Teruggedrongen tot Noord-Italië zou Mussolini in het dorpje Salo als vazal mogen regeren over het landsdeel dat de Duitsers nog konden verdedigen. Een weinig opwekkend tableau dus. Vergelijkt men met wat de Britten eind 1940 toen zij "alleen" tegenover de Duitsers stonden in feite achter zich hadden, dan moet opgemerkt worden, dat precies zoals in de Eerste Wereldoorlog de Britten in de Tweede Wereldoorlog in elk geval konden rekenen op steun van hun blanke dominions. Alleen al uit Canada namen circa 1 miljoen man aan de oorlog deel. Hitlers drang tot imperiumbouw in het oosten, die niet zonder wortels in de Duitse geschiedenis was, bleek echter zo sterk dat hij dit belangrijke gegeven negeerde. Nog onverantwoordelijker is dat hij niet voldoende gewicht toekende aan de steun die de VS reeds in 1940 en '41 aan Engeland verstrekte, zij het dan voornamelijk door leen- en pachtverdragen. Deze verdragen, bonden het land financieel precies als in de Eerste Wereldoorlog steeds sterker aan de Amerikaanse bondgenoot aan wie het tijdens de oorlog meer en meer ondergeschikt zou worden. Hoewel Hitler waarnam dat het Franklin Delano Roosevelts weloverwogen doel was zijn, daartoe nauwelijks gewillige volk naast Engeland aan de oorlog deel te laten nemen, besloot hij zonder rugdekking, tot de fatale aanval op de Sovjet-Unie, met alleen zwakke bondgenoten - de taaie en gemotiveerde Finnen en vrijwilligers uit andere landen vormden de weinige uitzonderingen. Alleen een uiterst fanatiek leider gedreven door één allesoverheersend motief kon deze strijd wagen. Hitlers imperium was geen imperium als dat van de andere grote machten. Het was niet te vergelijken met de imperia uit de klassieke oudheid. Slaven werden daar veelal beschouwd als waardevolle werktuigen. Zij konden opklimmen tot aanzienlijke functies aan de hoven en op de landgoederen van de patriciërs. Wie zijn slaaf slecht behandelde, was een stuk investering kwijt. Om het rijkstype en de daarbij passende maatschappelijke ordening te vinden die Hitler voorstond, moeten we teruggaan tot oud-bijbelse voorbeelden waar de god van Israël zijn volk opdracht geeft hele volken uit te roeien: elke man, elke vrouw en elk kind. Letterlijk dit - geheime - bevel geeft Hitler uit vóór de veldtocht in Polen begint. In dit kader heeft het geen zin het imperiummotief uit te werken. Hitlers imperium zou, als het ooit realiteit zou zijn geworden, bestaan hebben uit veroverde ruimten voor "Germaanse" nederzettingen, waarin delen van andere volken nog zouden existeren, niet als slaven maar als "Untermenschen" te verbruiken als mensenmateriaal dat de geplande dood door uithongering of op vernietiging gerichte arbeid zou vinden. Tijd om het zover te laten komen kreeg Hitler echter niet, Wij doen goed het ons scherp te realiseren: na zijn grootste uitbreiding bereikt te hebben, winter '42/'43 zou het Duitse Rijk binnen twee jaar tot achter de uitgangstellingen van 1941 worden teruggeworpen. Intussen lieten de Duitsers grote delen van het sovjetrijk de tactiek van de verschroeide aarde volgend, volkomen ontredderd achter.

Spanning tussen ideologische imperiale motieven

De Führer die zichzelf als een groot veldheer zag, had volstrekt gefaald: hij had gegokt op een korte oorlog (Blitzkrieg), zijn fronten waren echter te lang en zijn verbindingslijnen te uitgestrekt toen de oorlog verstarde. De grootste fout kwam voort uit Hitlers ideologie: minderwaardige volken als de Russen en hun bondgenoten zouden het nooit kunnen winnen van het superieure Germaanse ras. Toen eind 1941, begin 1942 de sovjets met honderden nieuwe divisies aanrolden, was hij volkomen verrast.

De Duitse inlichtingendienst had hopeloos gefaald. Reeds tijdens de uitvoering van de industrialiseringsplannen had Stalin in de Oeral en daarachter complexen voor de zware industrie laten bouwen. Toen de Duitsers naderden liet de sowjetleiding uit het westen van het land de belangrijkste fabrieken naar veiliger gebieden verplaatsen, inbegrepen hun arbeiders. Een essentiële les moest opnieuw worden geleerd: het Russische rijk, onder tsaren- dan wel sovjetheerschappij, of welke vorm het ook moge aannemen, blijft steeds een factor waarmee de internationale politiek voortdurend rekening zal moeten houden.

Tot op deze dag heerst onder Duitsers die ik sprak de overtuiging dat zij louter door de "massa's uit het oosten" werden teruggedrongen. Het verhaal van Göbbels propaganda uit de jaren 1943-'45 wordt nog steeds voortverteld. Verzwegen of vergeten wordt dat de "Untermenschen" in deze tijd wapens ontwikkeld hadden die superieur waren aan de Duitse: de T34 tank, het stalinorgel (op vrachtwagens gemonteerde raketwerpers), het Kalasjnikow-snelvuurgeweer, ook nu nog een gangbaar wapen in vele landen.

Het is verleidelijk te speculeren over wat had kunnen zijn, hoewel dit in het algemeen weinig zinvol is. Niettemin is het nuttig even stil te staan bij de vraag: wat bepaalt de geschiedenis? Universele ontwikkelingswetten die hele volken of delen daarvan politiek, maatschappelijk en moreel omhoog doen streven en ook weer tot verval brengen, of ingrepen van 'grote mannen', die hun wil opleggen, complete imperia stichten, beslissend ingrijpen in de loop der dingen. Nemen we een moment aan, Hitler zou niet de blindgelovige racist zijn geweest die hij was, maar een gematigd nationalist. Zeker is dat, zoals ook nu geschiedde, het Westen zich nauwelijks bewogen zou hebben bij de herbezetting van het Rijnland door Duitse troepen (1936), evenmin bij de annexatie van Oostenrijk (1938). Wat sommige Oostenrijkers ook anno 2000 nog mogen beweren: in 1938 stemde men massaal voor de Anschluss. Sterker: in provinciale stemmingen begin van de jaren twintig had men in de provincies Innsbruck en Salzburg al duidelijk voor die aansluiting gestemd. Een vergelijkbaar plebisciet in Graz werd door de centrale overheid verboden. Via diplomatieke en plaatselijke acties zouden niet alleen voor de Sudeten-Duitsers, maar ook voor de overwegend Duitse gebieden in West-Polen oplossingen te vinden geweest zijn. Gerekend met de sterke Duitse en Oostenrijkse invloed, in Hongarije, Roemenië en de Baltische staten, mede door de daar wonende Duitse minderheden, had de centraal Europese macht een kans kunnen krijgen zijn imperiale verlangens langzaam op het Europese vasteland vat te doen krijgen. Vaststaat dat de westelijke geallieerden hoewel de Duitse aspiraties niet gaarne ondersteunend, bereid zouden zijn geweest hun afkeer voor de Sovjet-Unie te laten overwegen. De aard van het nationaal-socialisme was echter te verontrustend dan dat zij dit konden negeren.

Het gevangen nemen van duizenden politieke tegenstanders na de machts-overname in 1933, meer nog wellicht de brute behandeling van deze men-sen, de rassenwetten van 1936, de steeds opgevoerde isolering van de jood-se bevolking, de massaal georganiseerde pogroms in 1938, tevens het be-sef dat dit alles resulteerde uit Hitlers fundamentele concepties, die al ken-baar waren uit Mein Kampf, mondde uit in het besef dat men hier te doen had met een nationalisme van een uiterst fanatieke aard dat alleen voor macht zou wijken. Anderzijds bleven tot circa 1935 vele Britse conserva-tieven het "rode gevaar" veruit als het ergste zien en zouden de westelijke geallieerden tot het laatste moment aarzelen om met Stalin een pact te slui-ten - wat deze jarenlang had aangeboden.

Toen was het te laat: enkele weken voor de Duitse inval in Polen kwam het zogenaamde Molotov-Ribbentrop-pact tot stand, dat Stalin de hoop gaf de Sovjet-Unie zo lang mogelijk buiten de aanstaande oorlog te houden. Het door velen in het westen gewenste verbond met een traditioneel nationa-listisch Duitsland waarmee men tegen de Sovjet-Unie zou kunnen opmar-cheren, kwam niet tot stand. Dit had als gevolg dat in 1945 een periode be-gon die beheerst zou worden door een sterk uitgebreid sovjetimperium ener-zijds en een, de oude en verzwakte westelijke machten aflossend Amerikaans imperium anderzijds. De constante spanningsverhouding in de internatio-nale politiek tussen ideologische en imperiale motieven, kon moeilijk dui-delijker dan met de geschetste ontwikkeling worden geïllustreerd.

De westerse geallieerden hadden gedwongen door de kracht van de feiten Stalin op de conferenties van Teheran en Yalta in Oost-Europa zes staten als invloedssfeer moeten laten. Wit-Rusland en de Oekraïne schoven op naar het westen; Polen verloor die oostelijke gebieden waar Wit-Russen en Oekraïners in de meerderheid waren; de Poolse bevolking uit die gebieden werd overgeplant naar de regio oostelijk van de Oder Neisse lijn die in 1990 door Bonn definitief als staatsgrens zou worden erkend. Ongeveer 6 mil-joen Duitsers waren uit Oost-Pruisen (dat voor circa 75% aan de Sovjet-Unie kwam en voor de rest aan Polen) en Pommeren gevlucht danwel ver-jaagd, ongeveer 3 miljoen werden Tsjechoslowakije uitgedreven. Hiermee zijn alleen de belangrijkste volksverhuizingen bij het eind van de Tweede Wereldoorlog aangegeven: in totaal moesten enkele tientallen miljoenen vluchten, verjaging ondergaan of verplaatsing naar een andere woonplaats dulden: alleen al onder de Sudeten-Duitsers vonden honderdduizenden bij de verjaging de dood.

Hoe de machtssferen vorm kregen

Ook de Baltische landen kwamen weer onder het sovjetbewind. Al met al had het Westen, Stalin, die de doorslaggevende overwinning op de Duitse legers kon opeisen, veel meer concessies moeten doen dan de rode dicta-tor in de jaren '38-'39 had durven hopen te bereiken.

Het behoeft geen verwondering te wekken dat in 1945 de Slavische volken zich door Stalins legers bevrijd achtten. Bij de eerste verkiezingen na de bevrijding kreeg in de industrieel meest ontwikkelde staat, Tsjechoslowakije, de communistische partij veruit de meeste stemmen. In Polen werd het platteland nimmer gecollectiviseerd wat ervoor zorgde dat de communisten op steun van de boerenpartij konden rekenen; ook na 1989 kwam deze combinatie twee maal, zo in 2001 aan de macht. In Hongarije, in 1940 nog een land met een 80% van de bevolking omvattende meerderheid aan plattelanders die in feodale verhoudingen leefde, werd de door communisten geëntameerde landverdeling aanvankelijk begroet; bij de eerste nog vrije verkiezingen na 1945 kreeg de boerenpartij samen met de sociaal-democraten een grote meerderheid; de communisten behaalden 17%, maar werden onder sovjetdruk toch in een drie-partijen regering opgenomen. In Bulgarije nam de communistische partij steeds een sterke positie in; ook daar, evenals in Joegoslavië, zouden de eerste meer-partijen verkiezingen na 1989 nog door de communisten worden gewonnen.

In al die landen bracht de na-oorlogse tijd een maatschappelijke ontwikkeling die gekenmerkt werd door industrialisatie en een sterke verheffing van het onderwijsniveau. Grote groepen van de bevolking kregen voor het eerst de kans aan allerlei vormen van onderwijs deel te nemen. We zien hier een vorm van ontwikkeling die de Sovjet-Unie van 1917 tot 1939 had doorgemaakt. Overal echter stuit die ontwikkeling op barrières die veroorzaakt werden door het streven van Stalin en zijn opvolgers deze nieuwe delen van het sovjetimperium in hun macht te houden en overal het sovjetontwikkelingsmodel in te voeren. Had de Sovjet-Unie aangetoond dat dit model succesvol kon worden toegepast als het ging om de snelle opbouw van basisindustrieën - een geduchte bewapeningsindustrie voorop - het zou in toenemende mate falen toen het erop aankwam de bevolking meer en beter te voorzien van al dan niet duurzame consumptiegoederen, zulks bij het ontbreken van een soepel systeem van handelsrelaties en prijsvorming, van een markt dus. Bovendien was het Stalins hand die in al die landen het hele scenario dat reeds in de Sovjet-Unie was afgespeeld opnieuw deed opvoeren: het met geweld, of dreiging daarmee aan de macht brengen van communisten of door hen beheerste coalities; het in schijnprocessen ten val brengen van partijleiders die in ongenade waren geraakt. Zelfs dezelfde beschuldigingen die Stalin in de jaren '30 zijn tegenstanders deed toevoegen: collaboratie met het Westen, spionage, verraad, werden herhaald in beruchte processen zoals die onder meer in Praag en Boedapest werden gevoerd. Het Sovjet-imperium kreeg definitief zijn Stalinistische vorm op de fronten die tussen Oost en West verstarden. In 1949 kwam de NAVO tot stand; in 1955 trad de Bondsrepubliek Duitsland toe; negen dagen later, 14 mei 1955, werd het Warschau-Pact gesloten.
Ook in Azië waren, na bittere strijd, de fronten verstard. In Europa hielden de grote machten zich aan de invloedssferen die in Yalta, Teheran en Potsdam waren vastgelegd. Het Westen greep niet in toen het Sovjet-leger in 1953 de arbeidersopstand in Berlijn neersloeg. Moskou zag werkeloos toe toen in Griekenland de communistische partij in een jarenlang durende guerril-

la-oorlog verwikkeld was, maar uiteindelijk de nederlaag moest lijden. Bij de nederlaag van het nazi-rijk waren communistische partizanen in Noord-Italië sterk genoeg om de macht over te nemen: Moskou gaf daarvoor echter geen toestemming. In Azië was meer in beweging. In 1947 werd India zelfstandig en zou spoedig daarna opgedeeld worden: 15 miljoen mensen vluchtten, enkele miljoenen kwamen om. Birma, Maleisië - een tijdlang vereend met Singapore - kregen hun zelfstandigheid; in 1949 werd de soevereiniteit aan Indonesië overgedragen. Nederland, dat had gehoopt de VS achter zich te krijgen ter behoud van Nederlands-Indië als anticommunistisch bolwerk, kwam bedrogen uit. Het neerslaan van de communistische opstand in Madioen (1948) had Washington het bewijs gebracht dat men met de Indonesische nationalisten in zee zou kunnen gaan.

Japan bleef uiteraard tot de Amerikaanse ideologische sfeer behoren, zij het grotendeels slechts aan de buitenkant. In Korea echter was het noorden bevrijd door de Sovjet-Unie en het zuiden door de Verenigde Staten. Daar zou het eerste grote gewapende treffen tussen beide kampen plaatsvinden. Opmerkelijk is dat ook hier, waar het om een "hete" oorlog ging, de Sovjet-Unie officieel zoveel mogelijk buiten beeld bleef.
Nu was het logisch dat Noord-Korea na een verrassende opmars over de 38e parallel naar het zuiden in de eerste plaats door China zou worden ondersteund. Dit land voelde zich het sterkst bedreigd, daar het een lange grens met Korea heeft, terwijl de USSR nauwelijks aan Korea grenst. Washington, in 1950 nog oppermachtig in de Verenigde Naties, verkreeg het mandaat tot een oorlog die de eerste in naam van die organisatie zou worden. De VN-opperbevelhebber McArthur was spoedig in opmars naar de grens met China en zou het liefst zijn aanval tot in dit land hebben voortgezet. President Truman, voorstander van de "roll back" doctrine, dacht er lang en diep over na, maar zag toch van een invasie in China af. Na een oorlog die drie jaar duurde en nog afgezien van alle andere slachtoffers, 4 miljoen Koreanen het leven kostte, stonden Oost en West ten slotte weer quitte langs de 38e parallel. De Chinese 'vrijwilligers' die de VN-troepen opnieuw tot ver beneden die grens hadden teruggedrongen, werden daarbij wel degelijk door de sovjets gesteund: het waren hun piloten, die in van Chinese kentekens voorziene vliegtuigen, in de strijd een belangrijke rol speelden. Hoe vreemd dit misschien moge lijken, op deze wijze gaf Moskou aan Washington het teken dat het zelf niet aan de strijd wilde deelnemen. Min of meer hetzelfde was het geval toen in de Cuba-rakettencrisis (1963) beide partijen voortdurend 'tekens' met elkaar uitwisselden die duidelijk maakten dat zij het niet op een oorlog wilden doen aankomen. De Koreaanse oorlog was echter voor de Verenigde Staten een schokkende gebeurtenis. Voor een land dat gewend was er in vergelijking met andere volken goed af te komen waar het oorlogsverliezen betrof - de Eerste en de Tweede Wereldoorlog inclusief - was een dodental van 50.000 een zeer zware tol. In retrospectief is het verbazingwekkend hoe vrijwel alle westerse waarnemers reageerden. De oorlog tegen de Noord-Koreaanse communistische agressoren werd maar weinig gezien als een competitie van grote machten die hun machtssfeer aftastten. Het ideologisch motief te vechten voor vrijheid, recht en democratie, werd

krachtig aangezet en dit terwijl - hoewel de heersende groepen een geheel andere achtergrond hadden Zuid-Korea nauwelijks democratischer geacht kon worden dan het Noorden. Hoewel in de laatste decennia burgerlijke vrijheden wat meer ruimte kregen, bleef Zuid-Korea de gehele eeuw de druk gevoelen van de macht der militaire elite, nauw verbonden met een uitgebreid veiligheidsapparaat en een dito bureaucratie. Noord-Korea bleef waarschijnlijk het meest autoritaire, meest gesloten land ter wereld.

Terugdenkend aan dit alles valt het verschil in betrokkenheid op met andere volken en werelddelen. De Nederlandse vrijwilligers in Korea kregen de nodige aandacht, maar wie realiseerde zich dat meer Koreanen stierven dan de hele Pacific-oorlog aan doden had opgeleverd? Het ging om een van de meest destructieve en een van de belangrijkste gewapende conflicten van de gehele eeuw.

Het schaakmat dat China had afgedwongen zorgde ervoor dat het blijvend als een militaire macht zou worden geclassificeerd waarmee minstens in heel Azië rekening gehouden zou moeten worden. Ook hier fungeerde oorlog als een grote versneller. Japans na-oorlogse herstel kreeg een sterke impuls; ook de beide Korea's industrialiseerden in een rap tempo. Zuid-Korea zou tot de zogenaamde Aziatische tijgers gaan behoren, opkomende industriële en handelsmachten, in staat een eigen, zij het secundaire rol te spelen.

1956: abdicatie van de oude imperia, aantreden van de supermachten

Op menig terrein hebben wij voor 1956 de Verenigde Staten in de wereld al naar voren zien komen. In Europa bij de oprichting van de NAVO, in Azië als voorstander van de dekolonisatie; als centrale kapitaalmacht. Een door geen oorlog geschonden land trad aan met een in oorlogstijd zeer uitgebreide, gerationaliseerde en met nieuwe technieken en grondstoffen verrijkte industrie. In 1948 had de VS tweederde van alle industriële productiemiddelen in de gehele wereld binnen zijn grenzen. We moeten ons haasten om eraan toe te voegen dat dit in de tweede helft van de eeuw niet zo zou blijven en dat de economische, maar ook de militaire macht van het Noord-Amerikaanse imperium *relatief* weer duidelijk terug zou lopen. Ook hier ontmoeten we weer een dualiteit in de ontwikkeling van de machtsverhoudingen. In het algemeen geformuleerd: een macht heeft nog maar net of nauwelijks de top van zijn vermogen bereikt, of de oorzaak van zijn - relatieve - neergang ligt al in de gehele machtsconstellatie verborgen. Maar nog was het niet zover. Nog was het niet zover dat - om één centraal aspect te noemen - de machtigste mogendheid ter wereld door proliferatie van wapenen, waarover ze eens het monopolie had, als een reus door vele kleine, maar met dodelijke 'draden' toegeruste machten, 'vastgepind' zou kunnen worden.

Het was een veelbewogen jaar: Egypte, Hongarije, Chroestsjovs rede voor het twintigste congres van de CPSU.

We gaan terug naar Egypte dat we verlaten hebben toen de Britten in 1936 hun troepen concentreerden in de Kanaal-zone. In de Tweede Wereldoorlog had het land enerzijds geleden, anderzijds geprofiteerd van de aanwezigheid van vreemde legers. Sidi Matruh was het verste punt dat Rommels woestijnleger in de Egyptische woestijn bereikte, om daarna teruggeslagen te worden tot in Libië waar, te beginnen met Tobroek een reeks van nederlagen volgde. Merkwaardig: het scheen nog een soort 'ridderlijke' oorlog. Minder ridderlijk was de Palestijnse oorlog die in 1948-'49 de staat Israël schiep en in heel de Arabische wereld een trauma veroorzaakte dat anno 2000 nog krachtig doorwerkt. Egypte had een leidende rol in die oorlog. Nu Israël, geprotegeerd door het Westen, in het gehele Midden-Oosten als een permanent expansieve macht zou worden beschouwd, werden de resterende Palestijnse gebieden in 1948 gevoegd bij Jordanië waar na de Eerste Wereldoorlog het geslacht der hasjimieten door Engeland op de troon was geplaatst. Nog meenden Britten en Fransen een hegemoniale rol in het Midden-Oosten te kunnen spelen. In 1952 was na hevig volksprotest tegen de nederlaag in Palestina en de aanwezigheid van Britse eenheden in het land, in Egypte een militaire coup gepleegd die kolonel Gamal Abdel Nasser aan de macht bracht. De jonge officieren op wie hij steunde, schaffen de monarchie af, de Kanaal-zone werd bezet.

Wat toen gebeurde markeerde een historische omslag. Zonder met hun bondgenoot en beschermer in Washington te beraadslagen of die maar op de hoogte te brengen, hernamen Engeland en Frankrijk in vereniging hun oude koloniaal-imperiale rol. Men zag het destijds met verbijstering aan en nog is het nauwelijks te vatten: zij waren zich nog niet bewust dat hun imperiale rijken en machtsprimaten voorgoed voorbij waren. Een Brits-Franse vloot zette ten oosten van Kairo een expeditionnaire macht aan land terwijl Israëlische eenheden een snelle opmars over het Suezkanaal uitvoerden. Washington reageerde echter niet zoals de Britse eerste minister Anthony Eden had verwacht. De operatie was maar net op dreef of ze moest onder druk van de VS worden afgelast. Terzelfdertijd dreigde de Sovjet-Unie in te grijpen, waarbij nadrukkelijk het mogelijk gebruik van het atoomwapen werd genoemd. De nieuwe supermachten: de VS en de USSR waren aangetreden; de oude koloniale imperia werden in een snel tempo ontbonden; hun heersers zouden nieuwe, meer ondergeschikte, rollen gaan spelen.

Het jaar 1956 zag ook het neerslaan van de Hongaarse opstand. Hongarije wilde zich onder leiding van de nationalistisch ingestelde communist Imre Nagy losmaken uit het sovjetblok. Bij de beslissing van Chroestsjov en de zijnen waren twee factoren doorslaggevend: 1. hoewel de sovjets waarschijnlijk een meerpartijenstelsel zouden hebben geduld, werd een gat in het westelijk cordon rond het sovjetimperium niet aanvaardbaar geacht; 2. onder de partijen die bij de opstand naar voren kwamen waren krachten, onder meer rond de uit gevangenschap bevrijde kardinaal Mindscenty, die men in Moskou te reactionnair achtte; Mindscenty zou zijn toevlucht zoeken in de Amerikaanse ambassade en daar tot 1971 blijven. Ook bij dit dramatisch gebeuren nemen we een machtsverschuiving waar, hoewel van geheel andere aard dan in de casus Egypte. Sinds de dood van Stalin, was de

Sovjet-Unie geen dictatuur meer. Zijn opvolgers zouden steeds een collegiaal bestuur vormen, waarbinnen zich bij de voornaamste onderwerpen verschillen van mening konden voordoen. Later is bekend geworden dat de meerderheid van het politbureau zowel in 1956 als later, waar het in 1968 ging om de invasie in Tjechslowakije, pas na - in het laatste geval zeer lange discussies die zich over maanden uitstrekten - gewapend optreden kon doorzetten. Men wist: één gat in het gordijn zal heel een maatschappelijk systeem ten val kunnen brengen. Er was een gat: in Berlijn, en in 1961 zou het door de beruchte muur worden 'gestopt'. Ook in gevallen als deze hield het Westen onder leiding van de Verenigde Staten, hoe bitter gestemd ook, aan de overeengekomen demarcatielijn tussen de machtsblokken vast. Er werd niet ingegrepen; tientallen jaren lang tot in de jaren tachtig bleef men van mening dat de Sovjet-Unie noch haar vazallen, haar eigen structuur zou opgeven zonder daar met geweld toe gedwongen te worden. De geschiedenis leerde dat wat de meest vooraanstaande leiders in het Westen voor een onmogelijkheid hielden, zich toch zou realiseren.

Komen wij nog even op het gebeuren in Hongarije terug. Velen in het Westen reageerden met grote verontwaardiging, vooral toen Boedapest viel waren de reacties in Nederland soms hysterisch te noemen. De aanval op Egypte daarentegen werd als een min of meer normale reactie beschouwd, hoogstens gezien als niet verstandig. Israëls rol daarbij werd, als steeds enthousiast begroet, zoals dat tot circa 1973 zal blijven bij alles wat dit land deed. Pion voor de Verenigde Staten in het Midden-Oosten, maar ook gesteund door een machtige joodse groep in dat land, zou Israël de lieveling van het met schuldgevoel tegenover de joden beladen westerse publiek blijven. Pas nadat de Arabische wereld zijn tanden liet zien door de olieboycot in 1973 en een Egyptische, ditmaal niet geheel mislukte, aanval op Israël in datzelfde jaar, zouden meer evenwichtige beschouwingen over het gebeuren in het Midden-Oosten ook in de Nederlandse pers worden geduld.

Afbraak van oude, opbouw van nieuw imperia

De ontbinding van de oude imperia in de jaren vijftig en zestig geschiedde met een zekere gretigheid van de zijde der oude heersers. Vanuit militair-strategisch oogpunt waren de koloniën niet altijd meer van nut; de technische ontwikkeling was zo ver voortgeschreden dat men in de tweede helft van de eeuw veel minder steunpunten nodig had. Hele luchtbrigades met lichte tanks, luchtafweer en antitankkanonnen konden in steeds grotere vliegtuigen over grotere afstanden worden verplaatst. Men wist steeds sneller en exacter wat in de meest afgelegen streken gebeurde: de exactheid van spionagesatellieten vormde een doorbraak in de krijgskunde. Dit maakte de klassieke spionage niet overbodig: aan het eind van de eeuw bespiedde men vijand - *en vriend* - nog net zo intensief als aan het begin; de industriële spionage werd steeds belangrijker en eiste een steeds hoger niveau van vakmanschap.

Voorts: directe beheersing van onderworpen volken paste niet meer in het kader van het internationale recht, noch tot het internationale fatsoen. De Verenigde Naties proclameerden tal van mensen- en volkenrechten; particuliere organisaties, pers en politieke partijen stelden zich, hoe voorzichtig ook, toch vaak kritischer op, déloyaal zouden sommigen zeggen. Die houding kwam scherp tot uiting bij de dekolonisatie van Algiers en bij de zeer hevige protesten tegen de oorlogsdeelname van de VS in Vietnam. Het protest 'thuis' en de wereld over, was ongekend fel.

Ook bleek de directe beheersing van vroegere koloniale landen probibitief duur te worden, zelfs zonder enig militair ingrijpen. De 'geprotegeerde' volken eisten meer onderwijs, ontwikkeling in de richting van een maatschappij zoals zij die op films uit het Westen zagen. Fysieke onderdrukking werd heel moeilijk te verdedigen en, zo ze nodig werd geacht, liever aan plaatselijke zetbazen overgelaten. Grote landen *moesten* eenvoudig worden geabandonneerd, als kolonie, kleine fysiek te beheersen loonde niet meer. Naar het scheen althans. In de laatste decennia zou dit zware problemen opleveren, als vaak tegen allerlei calculaties in de imperiale macht geen, of onvoldoende, steun in kleinere landen kon vinden om zijn politiek tot een succesvol eind te voeren, men denke aan Irak en Servië.

Ook verbindingslijnen bleven gewichtig, strategische grondstoffen essentieel en dat de geïndustrialiseerde machten het steeds meer voor hun grootschalige industrie nodig zouden hebben productie-afzetmogelijkheden te vinden waar ook ter wereld, bleef een factor van grote betekenis.

India kreeg in 1947 zijn soevereine status. Onder leiding van Jinnah's Moslim Liga werden in het Noordwesten en het uiterste oosten moslimgebieden, waar zich nog meer moslims verzamelden, afgescheiden onder de naam Pakistan. Alle onlusten en gevechten die dit meebracht, kostten enkele miljoenen doden. Inmiddels bleef ééénderde van de moslims in India wonen. Dit maakte het nodig op het gebied van het nieuwe India, multireligieus, multi-etnisch, multicultureel als zij bleef, steeds naar nieuwe evenwichten en nieuwe samenlevingsconcepten te zoeken. Intussen vormt ook het religieus meer homogene Pakistan, taalkundig, etnisch en economisch een vat vol scherpe tegenstellingen. In beide landen komt het van tijd tot tijd tot etnische en religieuze botsingen, waarbij niet zelden vele doden vallen. In 1971 scheidt Bangladesh zich af - het is de enige succesvolle afscheiding van een nieuwe, na 1945 onafhankelijk geworden, staat. Pakistan blijft, zoals vrijwel alle andere Aziatische landen, een land, waarin militairen ook als zij niet rechtstreeks aan de regering deelnemen, overwegende invloed houden; Punjabi's beheersen het land ten nadele van Sind en Baluchi's. Pakistan schaart zich in het kader van de Koude Oorlog onder de vleugels van de USA, (Bagdad-pact en Zuidoost Aziatische Verdragsorganisatie). Het zoekt steun tegen India waarmee het, onder meer om de gebieden Jammu en Kashmir, drie oorlogen voert. India zou als gevolg hiervan meer naar de Sovjet-Unie neigen, hoewel dit land sterk genoeg was om nooit een vazal van Moskou te worden. Het stelde zich daarentegen op in de topgroep van

de zogenoemde niet-gebonden landen waarin zich vijfentwintig staten verenigden die meestal tot de na 1945 in Azië, Afrika en Latijns-Amerika onafhankelijk geworden staten behoren waaronder Egypte, Algerije, Sri Lanka,
Indonesië en Cuba. Ook Joegoslavië, waar Tito al in 1948 volkomen met
Moskou brak, voegde zich bij deze groep en zou ondanks het feit dat het
allesbehalve een democratie werd, direct allerlei steun van de Verenigde
Staten gaan krijgen.

Voornamelijk in de jaren zestig krijgen de meeste Afrikaanse landen zelfstandigheid. Nigeria, Niger en Kongo in 1960, Frans en Engels Kameroen
in 1960-'61, Sierra Leone in 1961, Uganda in 1962, Tanganyika in 1961
(in 1964, verenigd met Zanzibar werd de republiek Tanzania gedoopt),
Kenia met zijn vele blanke kolonisten, maakte tussen 1952 en 1956 een harde onafhankelijkheidsstrijd, door; vele Afrikanen voelden zich onterfd door
blanke kolonisten die uitgestrekte gebieden in pacht hadden, en stortten
zich in een guerrilla-opstand, de Mau Mau. De opstand werd militair verslagen en in december 1963 kreeg het land onafhankelijkheid.

Wat de onafhankelijkheid van al de genoemde landen waard is, kan alleen
bepaald worden na een concreet onderzoek. Een oppervlakkige, maar niet
zinloze test is bij een bezoek aan deze landen de wijken te bezoeken waar
de welgestelden wonen; in de jaren zeventig waren die bijvoorbeeld in
Nairobi nog zeer overwegend bewoond door blanken.

Ghana werd al in 1957 onafhankelijk onder de charismatische Kwame
Nkruma. Het verdient de aandacht omdat we hier een land zien waar het
sovjetimperium vaste voet zou proberen te krijgen. Anders dan Stalin, van
wiens misdaden hij zich niet zonder risico probeerde te distantiëren, geloofde Chroestsjow in een zich vernieuwend socialisme, dat de potentie had
snel op gelijke voet met de Verenigde Staten te zullen kunnen wedijveren
en zich wereldwijd te verbreiden. Ghana was een vluchthaven voor tal van
onafhankelijkheidstrijders uit andere Afrikaanse landen.
Nkruma was uitgesproken antikoloniaal en antineokoloniaal; in tal van geschriften legde hij zijn concepties vast. Zijn staat noemde hij Afrikaans-so-
cialistisch en deze conceptie propageerde hij in het hele continent. De poging liep, zoals in zoveel andere staten, vast in een corruptief systeem waarvan partij-activisten, bureaucraten en handelslieden het meest profiteerden.
Nkruma werd in 1966 afgezet; in 1972 viel de burgerregering door een militaire coup, iets wat in de Afrikaanse staten meer regel dan uitzondering
zou worden. Niettemin is Ghana illustratief voor een land waar Moskou in
Afrika aanknoopte. Landen als Ethiopië, Somalië (beide wisselend in de
invloedssfeer van de USSR of de VS) Angola en Mozambique zouden volgen. De methode was steeds daar waar zich een "socialistisch" noemend
bewind voordeed en iets als staatssocialisme begon, voet te vatten en ook
door middel van pers, audio- en visuele propaganda grotere bevolkingsdelen te bereiken. Waren de Verenigde Staten hierin reeds decennia lang ware meesters, radio Moskou zou in steeds meerdere talen en op steeds meer
frequenties zich laten horen. In navolging van de VS die reeds vlak na de

Tweede Wereldoorlog begon duizenden studenten, persmensen, vakbonds-
leiders, enz. voor langdurige studie of kortere oriënteringsreizen uit te nodigen, werden door de Sovjet-Unie vooral in Afrika, maar ook in andere
zogenaamde ontwikkelingslanden, tienduizenden uitgenodigd om in Moskou
of in andere steden van de Sovjet-Unie te komen studeren. De satellietlan-
den in Oost-Europa werd aangespoord hetzelfde te doen. Lenen deed de
USSR niet. Voor haar schenkingen in de vorm van installaties, fabrieken,
enz., poogde ze in het algemeen militaire steunpunten en aanloopplaatsen
voor haar zeemacht en handelsvloot te verkrijgen. Ook de binding van een
land aan de voortdurende verwerving van bepaalde wapensystemen vormde een centraal onderdeel van de sovjetpolitiek.

Multiculturen in Afrika, speelgrond van buitenlandse machten

Ter voorbereiding van dit hoofdstuk ben ik voor een reeks van de genoemde
Afrikaanse staten de ontstaansgeschiedenis als zodanig, dus als onafhankelijke politieke eenheden, nog eens nagegaan. Dit steeds aan de hand van
overwegend Engelse en Amerikaanse Afrika-deskundigen, gespecialiseerd
op de landen waarover zij schrijven. Herhaalde malen wijzen zij op de uitzonderlijke moeilijkheid, die het bijeen wonen van vele, vaak tientallen,
verschillende etnieën - van stammen mag men niet meer spreken - met zich
brengt. Ook godsdienstige verschillen - verschillende varianten van christendom, islam en animisme - oefenen vaak een destructieve invloed uit op
de fragiele samenhang van deze staten. Nergens, maar dan ook nergens las
ik ooit van de bevruchtende invloed van al die onderscheiden culturen op
elkaar. Wel wordt geregeld gewezen op de nadelige gevolgen van gebrek
aan homogeniteit. Dit geldt niet alleen anno 2000. In de jaren zestig volgde ik het dekolonisatiegebeuren in Afrika en elders op de voet, maar steeds
werd de multiculturaliteit in de betrokken landen gezien als een hun ontwikkeling belastende factor; spoedig zou ze ook oorzaak worden van tal
van burgeroorlogen, spoedig zou blijken dat het bestuur over tal van multiculturen zou falen. Dit alles doet mij opnieuw verzuchten: welke kort-
zichtige dwazen zijn er toch aan het bewind, in dat kleine landje aan de
Noordzee, die Marokkanen, Ghanezen, Nigerianen, Somaliërs, Soedanezen,
Turken, Irakezen, Afghanen, Sri Lankanen, Vietnamezen, Filippino's, enz.
enz., willen laten samenleven *"met behoud van heel hun cultuur"*? Beseft
men dan volstrekt niet dat deze "volken" reeds bestaan uit allerlei elementen die niet of nauwelijks een geïntegreerde cultuur vormen? Beseft men
dan niet hoe het al een titanentaak is één of enkele van die groepen te doordringen van de meest fundamentele waarden waarop onze cultuur rust? Dat
vrijheid van godsdienst, gewetensvrijheid en eerbied voor de wet tot de basis van de samenleving behoren...is het ook de Nederlandse leidslieden nog
duidelijk? Dat samenleven door ons niet mogelijk is met groepen in wier
cultuur het gewoon is machettes en messen - tegenwoordig revolvers - te
trekken zodra de eer is gekwetst, die hun vrouwen afzonderen en verminken, die menen dat hun godsdienst heel de samenleving zou moeten beheersen en die dat in de landen van herkomst ook met fysieke macht af-

dwingen. Wie zegt het hen alles? Wie staat op en spreekt het duidelijk uit: aan dit grondmotief van onze samenleving dient u zich hier aan te passen; zo niet, verdwijn dan alstublieft, gaarne met medeneming van de predikers van de pseudo-religie der multicultuur zelf.

Anno 2000 verschuift de eis tot behoud van *heel de cultuur* van een reeks buitenlanden, naar de gedachte dat Nederlanders *elementen* van al hun culturen zouden moeten opnemen; een nauwelijks realistischer gedachtespinsel.

Denkend aan de ontwikkelingen in Afrika en elders dringen deze overwegingen zich onafwendbaar op. Ook ontkomen wij er niet aan te wijzen op de voortgaand destructieve macht die het westers economisch motief vanaf het prille begin van de onafhankelijkheid van de nieuwe staten, de gehele eeuw door, is blijven spelen. Er zijn tientallen voorbeelden te kiezen maar we bezien er zeer kort één.

Kongo is een land dat zeer rijk is aan mineralen waarvan voor de bewapeningsindustrie essentiële. Rond 1950 ontwierpen verlichte Belgen een dekolonisatieplan dat een dertigjarige ontwikkeling omvatte. Rationeel gezien niet onverstandig: het land ontbeerde nog vrijwel geheel een eigen intellectuele elite. Meegenomen echter door de dekolonisatievloedgolf die over het continent sloeg, was België genoodzaakt 31 juni 1960 de kolonie soeverein te verklaren. De radicale nationalist Patrice Lumumba werd na de eerste verkiezingen premier. Dit bleek niet te stroken met de belangen van de koloniale zakenwereld. Binnen één maand had Lumumba te maken met muiterij in het leger en een afscheidingsbeweging in Katanga onder Moise Tshombe, beide op touw gezet en gefinancierd door buitenlandse mijnbelangen, gesteund door Belgische troepen en blanke huurlingen. Door Lumumba gevraagde VN-interventie brandde zich niet aan de zaak en plaatste zich, opnieuw onder westerse invloed, niet achter de wettige regering. Lumumba verzocht en kreeg daarop steun van de Sovjet-Unie. Dit bezegelde zijn lot. Op 17 juni 1960 werd hij door zijn tegenstanders op instigatie van de CIA vermoord.

Het is hier niet de plaats om de gehele geschiedenis van de 'onafhankelijke' Kongo na te gaan. Geconstateerd moet worden dat het nu aangegeven patroon zich meerdere malen zou herhalen. Van 1965 tot 1992 was en bleef het land in handen van de tiran Mobutu die, buitenlandse belangen beschermend, deze belangen tevens uitperste. Met het verworven geld kocht hij zich een brede kring van binnenlandse cliënten die decennialang zijn macht overeind zou houden. De massa van het volk werd voortdurend gemaltraiteerd op een schaal en wijze zoals bijna nergens ter wereld. Het aantal moorden, buitengerechtelijke executies, massaslachtingen onder burgers, martelingen, willekeurige arrestaties en verbanningen naar afgelegen delen van het land, was zo enorm en de reeks zo lang dat de buitenlandse pers het moe werd erover te berichten - of van hogerhand aanwijzingen kreeg er niet te veel aandacht aan te besteden. Geen enkel land zag zich geroepen de VN te vragen in te grijpen; het 'wereldgeweten' was zeer selectief en bleef dat. Na Mobutu's val zou de machtsstrijd tussen verschillende facties met hun buitenlandse protagonisten op de achtergrond worden hervat; een reeks van Afrikaanse landen koos partij, schoof of werd geschoven.

In het kader van dit overzicht kon het "geval Kongo" één alinea krijgen omdat het exemplarisch was. Houdt men dit goed in beeld dan heeft men een indruk van het gebeuren in heel zwart Afrika. Uitgezonderd de verrassende abdicatie van "de blankes" in Zuid-Afrika, veranderde er in dit deel van de wereld niet veel.

Waarschijnlijk veranderde in Afrika ten zuiden van de Sahara het minst in de externe verhoudingen omdat aan de interne verhoudingen weinig veranderde. Heersen in een land corruptie, fraude, cliëntisme, haast onoverbrugbare tegenstellingen tussen stammen, de verhouding met buitenlandse machten zullen door dezelfde verschijnselen worden beïnvloed, zo niet bepaald.

Liep in de jaren zestig het koloniaal-imperialisme ten einde, een verschijnsel dat steeds aan kracht zou winnen kwam vaak als het ware als een geboorte uit een haast stervend lichaam ter wereld. Waarin onderscheidde zich het kind - het neokolonialisme - van de moeder? In het algemeen noteren we de volgende verschijnselen:
1. Het burgerlijk bewind, wordt door inheemsen uitgeoefend. In - zeer variërende mate - blijven buitenlanders meestal als 'adviseurs' op de achtergrond.
2. Buitenlandse kapitaalmacht blijft dominant. Ze vertoont echter een meer gevarieerd beeld. In het algemeen: naast de oorspronkelijke kolonisatoren, die vroeger hun posities monopoliseerden, worden ook banken, handelshuizen en andere ondernemingen uit andere landen in het betrokken land actief.
3. De gewapende macht staat vaak nog onder buitenlandse leiding, zij het op de achtergrond. Als zij zich hiervan emancipeert, worden door inheemsen geleide strijdkrachten vaak een lastige, niet goed berekenbare factor.
4. Intellectuele groepen - zo reeds enigermate present - in het algemeen: opkomende middengroepen, vormen voor de nieuwe heerschappijvorm enerzijds een onmisbare, anderzijds een bedreigende macht.

Noordelijk Afrika past niet in dit beeld. Hoe onderscheiden ook, de Noord-Afrikaanse staten stellen zich in de internationale politiek zelfbewust op. Alle mengen ze zich in de problematiek van het Midden-Oosten. Tunesië was een tijdlang gastheer van Jasser Arafats hoofdkwartier (vanaf 1982); in Libië ontwikkelde Muammar Kaddafi een geheel eigen soort "islamitisch socialisme"; het land zou het centrum worden van islamitisch getint terrorisme; de Marokkaanse koningen trachtten steeds de rol van algemeen verzoener te spelen, hoewel zij zich toch door de bezetting van de vroegere Spaanse Sahara partij maakten, door zich in deze vierkant tegen Algerije op te stellen.

Algerije nam een heel bijzondere positie in. De langdurige bevrijdingsoorlog (november 1954 tot maart 1962) had een diepgaande invloed, ook in Europa. Lang bleef Frankrijk vasthouden aan de fictie dat dit land beschouwd moest worden als een Franse provincie: van de circa 10 miljoen inwoners waren 10% etnische Fransen. Het werd een van de wreedste oorlogen van de eeuw met veel moorden en martelingen aan beide zijden. Anders dan elders, vocht de koloniale macht niet in een louter vreemde, vijandelijke omgeving. Het miljoen Fransen, waarvan velen ook gewapend, gaven de honderdduizenden uit Frankrijk gezonden militairen ook stevige steun in de rug. Winnen konden ze de oorlog echter niet, maar ook het guerrillaleger dat tegenover hen stond, kon geen doorbraak forceren. Terugblikkend is het eenvoudig alles beter te zien, maar de opeenvolgende regeringen in Parijs waren de wanhoop nabij. In 1956 gaf men Tunesië en Marokko onafhankelijkheid, wat de situatie voor de Fransen nog slechter maakte. De Algerijnse weerstandsorganisatie FLN kreeg de gelegenheid sterke bases in de grensgebieden te vestigen.

Ten einde raad, vanwege een opstand onder de bevolking van de Algerijnse hoofdstad, riep Parijs de man die zonder schroom zichzelf steeds de belichaming van Frankrijk had geacht. Hij zou de hem aangeboden macht aanvaarden, echter op zijn voorwaarden. Op de Franse rol in Europa en de wereld zou dit grote invloed hebben. Heel rechts - afgezien van fascistisch rechts - zag De Gaulle als haar exponent. Zo dit juist was dan slechts ten dele. De Gaulle, zonder twijfel een van de belangrijkste Europese leiders van de 20ste eeuw, was slechts een romantisch nationalist binnen de grenzen van het juist nog, nuchter bezien, mogelijke. De knappe strateeg en wijdblikkende politicus moest zijn Pieds-Noirs teleurstellen. Al onderhandelend met de FLN-leiding had hij in 1960 nog een opstand in Algiers te verwerken en in Frankrijk een coup (1961). Maar hij zou het voor iedere andere Fransman onmogelijk zware karwei klaren, om daarna nog tot 1969 leiding te geven aan de Franse natie en ingrijpende beslissingen te nemen met name ten aanzien van Frankrijks positie in de NAVO en tijdens de tumultueuze 'gebeurtenissen' van mei 1968. Steeds zou hij, vaak tegen krachtige binnenlandse en buitenlandse invloeden in, zijn wil weten door te zetten, niet terugschrikkend - zo in 1968 - voor dreiging met militair geweld, waarvan men wist: bij dreigen zal hij het niet laten. Hij was en bleef een uitzonderlijk voorbeeld van de invloed die een enkele persoon met een vaste overtuiging en een ijzeren wil in de geschiedenis kan uitoefenen.

Was Algiers een zaak die Washington aan Parijs overliet, de kwestie Vietnam zou hij spoedig monopoliseren. April 1954, met de nederlaag in Dien Bien Phu nabij, adviseerden Franse en Amerikaanse militairen een "massieve" Amerikaanse luchtaanval ter ontzetting van het Franse garnizoen. Na intensief overleg in Washington, ook met de leiders van het Congres, weigerde president Eisenhower; tenzij de Fransen het dekolonisatieproces zouden versnellen, en tenzij Groot-Brittannië aan de operatie zou deelnemen. Op geen van beide eisen werd ingegaan.

Frankrijk adviseerde en had naast de terugtocht naar het vaderland van honderdduizenden militairen en kolonisten, ook die van honderdduizenden Vietnamezen te verwerken. Begin jaren zestig had het land al eens een grote intocht van Fransen uit Algerije en van honderdduizenden Algerijnen die de Franse politiek hadden gesteund, meegemaakt. Dit gaf aanleiding tot de nodige moeilijkheden die echter in de eerste plaats psychisch waren - het verlies van hun imperium was voor zeer veel Fransen schokkend - ook financieel moest men de nodige offers brengen, van etnische wrijvingen was nog geen sprake. Al de niet-Fransen die uit Indo-China en Algiers vluchtten naar de metropole waren zozeer gedompeld in de Franse cultuur - door onderwijs, taalbeheersing, ook eet- en leefgewoonten, dat zij naar hun gevoel als het ware in hun tweede en reeds vertrouwde vaderland belandden. Moeilijkheden met immigranten uit Afrika en georganiseerd politiek verzet daartegen begonnen pas bij de instroom van minderontwikkelden, die culturele botsingen teweegbrachten en door wie Franse arbeiders zich bedreigd voelden. Pas in de jaren tachtig toen de kwalen van niet streng in de hand gehouden immigratie voor veel Fransen merkbaar werden (verloedering van wijken, sterke stijging van misdadigheid) werd het Front National van enige betekenis.

Vietnam: een steeds voortdurend trauma

De gehele langdurige bemoeienis met Vietnam van 1954 tot april 1975 toen de laatste vluchthelikopters van het dak van de Amerikaanse ambassade in Saigon opstegen, en schreeuwende en huilende Vietnamezen moesten worden weggedrukt, was één grote tragedie. Het werd voor de machtigste mogendheid ter wereld zijn "langste oorlog en eerste nederlaag". Al in 1954 was Washington diep in de Franse poging geïnvolveerd in Azië "het communisme te stuiten": 80% van de kosten van de Fransen ter plaatse nam de VS voor zijn rekening. Na de akkoorden van Genève (1954) werd Vietnam in tweeën gedeeld, waarbij het door de communisten geleide Noorden in hun handen bleef en enkele cliënten van de Verenigde Staten achtereenvolgens vanuit Saigon het Zuiden trachtten te beheersen. De Noordelijken waren gemotiveerd, gewelddadig in hun optreden, bereid en in staat de wapens die hen vanuit de Sovjet-Unie, en ten dele China, ter beschikking werden gesteld, effectief te gebruiken. De Zuidelijken, verdeeld, corrupt, en gedemoraliseerd, werden constant bedreigd door plaatselijke guerrilla's die eerst werden bevoorraad, later ook in toenemende mate personeel gesteund door het Noorden. Bij hun toenemende hulp aan het Zuiden, ontbrak bij de VS het inzicht en het vermogen ergens een streep te trekken; zij werden steeds verder bij een strijd betrokken waarvan zij zelf zich in toenemende mate afvroegen: waarvoor voeren we hem eigenlijk? Er waren meerdere antwoorden mogelijk:
1. Om bondgenoten en bases te houden
2. Om de communistische opmars te stoppen

56

3. Om te verhinderen dat het zogenaamde domino-effect zou kunnen optreden: als één land in communistische handen zou vallen, zo luidde de theorie, zouden de andere als dominostenen over elkaar tuimelen.
Nu kon men de antwoorden natuurlijk zeer wel combineren en aanvullen. Het stoppen van communistische wandaden was voor velen die de politiek gaarne door morele motieven gedragen zien, een krachtig argument. Na de overwinning in 1954-'55 werd in Noord-Vietnam een landhervormingsprogramma in Chinese stijl opgezet, waarbij weerspannigen werden geëlimineerd. Naar schatting tussen 10 en 15 duizend tegenstanders lieten daarbij het leven. In 1956-'57 erkende de regering fouten, ontsloeg een aantal leiders van de acties en begon een rectificatiecampagne. Tegenstanders van Washingtons politiek vroegen zich af of het Zuidelijke bewind beter was; tegen de eigen bevolking werd, vaak wreed en vol wantrouwen opgetreden; rekruten waren nauwelijks in het leger te houden, na korte tijd was steeds de helft of meer verdwenen. Ook vroeg men zich in heftige polemieken af waarom Washington wél veel misbaar maakte over slachtoffers van het communisme, maar niet over slachtoffers van heersers als Mobutu, de slachter van Oeganda Idi Amin, later: het bewind van Videla in Argentinië met zijn tienduizenden vermoorden en het Pinochet-regime met zijn duizenden doden en tienduizenden gemartelden.

Hoe meer de Amerikaanse betrokkenheid groeide des te sterker werd ook het verzet in de thuisbasis en over heel de wereld. In 1960 besloot Hanoi de oorlog ter bevrijding van het Zuiden op te voeren. De VS verhoogde het aantal vrijwilligers dat naar Vietnam werd gestuurd. Met vrijwilligers viel het echter niet meer te klaren en van jaar tot jaar kondigde de Amerikaanse legerleiding aan dat de overwinning zeker zou zijn als nogmaals vijftigduizend of honderdduizend man meer in de strijd geworpen zou worden. Uiteindelijk stonden er in 1966-'67 550 duizend Amerikaanse militairen in het veld; toen trok president Johnson, maart 1968, een streep. Het door studenten geleide verzet in de Verenigde Staten had inmiddels doden geëist en de vredesbeweging claimde bij iedere schijn van een Amerikaanse concessie succes. Dat deed zij tot lang na 1975. Aan beide kanten van het front binnen de Westerse wereld was het geloof in het eigen gelijk zeer sterk. De autoriteiten geloofden ook toen zij sterk gingen twijfelen aan de effectiviteit van de ongeveer 7 miljoen man die ten slotte in Vietnam hadden gediend, nog steeds in de effectiviteit van hun luchtmacht; de vredesbeweging - ook in Nederland - sprak nog lang over wat zij had bewerkt: de nederlaag en terugtocht van de sterkste supermacht, "niet door macht noch door geweld", maar door massaal protest.

De nuchtere waarnemer moet voor heel het gebeuren in de 20ste eeuw echter vaststellen: hoezeer uit moreel oogpunt wellicht te betreuren, het meest massale protest bereikte maar marginaal iets. Zie Berlijn, Boedapest, Praag, maar ook Vietnam. Een feit is dat Amerikaanse presidenten zich fundamenteel niet lieten beïnvloeden en zoveel aan manschappen en materiaal in de strijd wierpen dat het met een strategisch rationele verdeling van hun strijdkrachten over de wereld, niet meer te rijmen was. Ondanks alle protest werd de oorlog in 1970-1971 uitgebreid over Cambodja en Laos. President Nixon, pas herkozen in november 1972, laat het Noorden in december bombarderen, zoals nog nimmer - ook niet in de Tweede Wereldoorlog - gebeurd was, ondanks alle protesten. Wat de "vredespartij" ook vergat: de publieke opinie in de Verenigde Staten vertoonde *constant* een meerderheid, tegen elke terugtocht, als die tot een nederlaag zou kunnen leiden.

Het debat over "Vietnam en de gevolgen" ging in de VS voort tot op deze dag. Ook in de voortgaande vernieuwing van de strijdkrachten zou de les van Vietnam tot uiting moeten komen. Men koos voor steeds verfijnder technieken die met name de luchtmacht in staat zou stellen de vijand uit te schakelen, een oorlog te winnen uit de lucht. Zo werd de bevrijding van Koeweit en de vernietiging van grote delen van Saddam Hoesseins leger een toetssteen, een met graagte aangegrepen mogelijkheid voor revanche op Vietnam nog in de 20ste eeuw. President Bush triomfeerde letterlijk: "Het spectrum van Vietnam is voor altijd begraven in het woestijnzand van het Arabisch schiereiland".

Het is nodig hier grote vraagtekens bij te zetten. De bommentapijten op vrijwel alle Duitse steden tijdens de Tweede Wereldoorlog verwoestten deze wel voor 60 à 90% maar de Duitse oorlogsproductie bereikte zomer 1944 zijn hoogtepunt. Vietnam toonde aan dat een betrekkelijk klein volk dat vastberaden is en bereid tot grote offers en door bondgenoten op de achtergrond voorzien van moderne wapens de machtigste mogendheid ter wereld tot de terugtocht kan nopen. *Zeker als die niet (meer) bereid is op het land te vechten.* Hier toonde ook de Golfoorlog een groot manco. Zeker, het was in 1999 niet in het belang van de Verenigde Staten door te stoten naar Bagdad en Saddam Hoessein ten val te brengen. Wat te doen in het zeer verdeelde land? Zelf gaan regeren? De woestijnlinies waar generaal Schwarzkopfs troepen overheen gerold waren, werden slechts verdedigd door de tweede garnituur en waren ten dele al ontruimd. In een confrontatie met Saddam Hoesseins beste troepen zouden aanzienlijke verliezen niet te vermijden zijn geweest. Bovendien is het bezetten van steden - of maar delen daarvan - voor het Pentagon een blijvend schrikbeeld. Tegen een stadsguerrilla kan men betrekkelijk weinig aanvangen en zeker als islamieten die guerrilla beoefenen staat men al gauw met heel zijn overmacht op verlies - zeker tegenover het thuisfront. Een goede illustratie hiervan biedt het Amerikaanse ingrijpen in Libanon. Ook daar intervenieerde de VS, de vroegere Franse militaire aanwezigheid compenserend. In 1982 was een pro-Israël regering aan de macht geholpen. Syrië dat steeds overwegende invloed in het land had gehad, was ter zijde gedrukt- de helft van het Libanese gebied door Israëlische troepen bezet. Amerikaanse land- en zeestrijdkrachten traden op ter versterking van de zwakke regeringstroepen. Toen Libanees-islamistische verzetsgroepen, bewapend door Syrië, tot een offensief overgingen, drong één van hun vrachtauto's, afgeladen met springstoffen, door tot op het binnenplein van het Amerikaanse hoofdkwartier. Daar werd de wagen tot ontploffing gebracht; het resultaat: meer dan 200 doden. De VS trok zich terug uit dit wespennest om er niet meer te verschijnen. Iets van dezelfde categorie zou zich in Somalië herhalen toen strijdgroepen van verschillende krijgsheren elkaar ten dode toe de staatsmacht bevochten. Zelfs vijanden verenigden zich tegen de Amerikaanse vredesmacht en op het thuisfront zag men de lijken van de jongens gesleept door de straten van Mogadisjoe. De expeditionaire macht werd teruggetrokken.

Wij stuiten hier op een verschijnsel dat niet alleen typisch Amerikaans is, maar meer en meer representatief voor het hele Westen: het thuisfront wil alleen militaire expedities en oorlogen als er maar geen doden vallen. Dit is te duiden als teken van beschaving: men hecht veel waarde aan het leven van de enkele mens. Het past echter niet bij de hardheid en offerbereidheid die onontbeerlijk zijn in een wereld waarin geweld vaak een doorslaggevende rol speelt en ook zij die vrijheid, recht en orde wensen, niet uitkomen zonder toepassing daarvan. Ook in Nederland zien velen dat niet duidelijk meer; Karremans uitspraak "het hemd is nader dan de rok" sprak boekdelen.

Verdwenen bipolariteit schept geen stabiliteit

Vanaf 1985 werd duidelijk dat de wereld niet langer in een staat van koude oorlog zou behoeven te leven. De nieuwe secretaris-generaal van de CP-SU ontvouwde zijn visie op een reeks van conferenties en in enkele boeken. Eigenlijk zei Gorbatsjov gewoon wat iedere aardbewoner wist die een weinig op de hoogte was. Het evenwicht van de afschrikking met nucleaire wapens lag op een zo hoog niveau dat beide supermachten elkaar meerdere malen volkomen konden vernietigen. Dus na een onverhoedse aanval zou het aangevallen land, ofschoon grotendeels vernietigd, in staat zijn de tegenstander hetzelfde lot te kunnen aandoen, deze zou dan alsnog vanuit zijn atoomvrije commandobunkers een nieuwe lading kernraketten kunnen lanceren, enz. Nuchter bezien was de wereld in een volstrekt krankzinnige toestand geraakt en dat door toedoen van heel intelligente mensen. Toch hadden zij het goed bedoeld: het evenwicht van gegarandeerde wederzijdse vernietiging zou ervoor zorgen dat geen der supermachten het atomaire wapen tegen de ander zou gebruiken. Hoogstens zou men ermee dreigen, maar dan tegen een land van de tweede of derde rang. Erkend moet worden dat de grote antagonisten voorzichtig met elkaar waren omgegaan, elkaars essentiële belangen ontziend. Zij hadden dit zeker gedaan daar waar die belangen en hun grenzen duidelijk waren vastgelegd. Men zat elkaar alleen dwars in de Derde Wereld, en eigenlijk alleen daar waar het niet echt véél kwaad kon. Een uitzondering scheen de Cubaanse rakettencrisis in 1963 te vormen. Later bleek echter dat ook hier voortdurend contact tussen Kennedy en Chroestjov bewerkt had, dat men in feite alleen van onderhandelen op het scherpst van snede kon spreken. De raketten op Cuba werden uitgeruild tegen die in Turkije en de Verenigde Staten zegden toe het van kernwapens ontdane Cuba niet te zullen aanvallen.
Hoe voor de hand liggend ook, Gorbatsjovs voorstel: laten wij primair de

duivelskring der verschrikking doorbreken en de niveaus van de kernwapenarsenalen verlagen om vervolgens de conventionele bewapening te verminderen, betekende toch een geheel nieuw begin. Hoe weinig geacht hij in de Sovjet-Unie ook was en bleef, de geschiedenis zal hem blijven zien als de staatsman die de eerste stap durfde te doen en met de aangekondigde deëscalatie te beginnen.

Een moeilijk te plaatsen geval vormde China, een land dat nog weinig "meespeelde". Weliswaar zou dit volkrijkste land ter wereld, in het bezit van een steeds moderner toegerust leger plus een operabele kernmacht, in staat zijn offensief regionale oorlogen te voeren – dit was reeds aangetoond - tot een wereldwijd, optreden was het niet in staat, zeker niet gezien de vele problemen thuis. Maar toch, ondanks Mao's richtlijn: "streef nooit naar hegemonie" kon China het in de jaren zestig tot Mao's dood in 1976 niet laten Moskou en daarmee soms ook Washington, ver van eigen kust dwars te zitten. In de jaren vijftig en zestig had de VS en China zelfs geen formele diplomatieke betrekkingen en zagen elkaar wederzijds als dodelijke gevaren voor 's werelds veiligheid. Wat concrete strijdpunten aangaat kan men wijzen op Taiwan, door de Verenigde Staten tot een bastion gemaakt, maar door Peking én Taipei constant gezien als onvervreemdbaar Chinees gebied. Iets enigszins vergelijkbaars deed zich voor met Tibet; dit zeer uitgestrekte, door 6 miljoen mensen bewoonde "dak der aarde" had eeuwenlang onder Chinese schatplichtigheid geleefd. Op de Nederlandse scholen leerde men een halve eeuw geleden al: "In Tibet stuiten de Engelse en Chinese invloedssferen op elkaar". Goed bezien werd Tibet door China alleen helemaal met rust gelaten toen Tsjang Kai-sjek zijn handen vol had met andere dingen.

Voorts deed zich een merkwaardig voorbeeld van de stelling voor: de vijand van mijn vijand is mijn vriend in Cambodja. Toen de betrekkingen van Moskou met het China van Mao grimmig waren, en Moskou zich na een tijdelijke détente in de Koude Oorlog weer uitdagender tegenover het Westen opstelde, achtte president Nixon het tijd een "opening" naar China te zoeken, voorbereid door zijn speciale adviseur Henry Kissinger. Nixon bezocht Peking in 1970; er scheen een "renversement des alliances" gaande, die met vroegere renversements gemeen had wat wij al vaker constateerden: internationale politiek heeft slechts een verwijderd verband met moraal en ideologie. Dit werd nog eens duidelijk gedemonstreerd in Cambodja. Daar was in 1975 een pro-Vietnam en pro-Sovjet -tak van de communistische partij aan het bewind gekomen. Jarenlang hielden de VS en China samen een anti-Pnom Phen-leger in het oerwoud op de Thaise grens in stand, waarin vorst Norodom Sihanoek een bijrol en Pol Pot en de zijnen de overhand had. Zonder scrupules steunen van een groep die de dood van enkele miljoenen Cambodjanen op zijn geweten had en dat samen met, althans naast de Chinezen, de haat van Washington tegen Vietnam dat de oorzaak was van hét trauma van de eeuw, ging heel ver.

We zien dat er een soort driehoeksverhouding totstandgekomen was tussen

Washington, Moskou en Peking, waarbinnen elk dezer machten, op allerlei op een zeker moment opportune gronden, positie kon kiezen. Terzelfdertijd dat Moskou met nieuw élan in de Derde Wereld naar nieuwe bondgenoten ging zoeken onder alles wat zich "socialistisch" noemde, verschenen in die landen de Chinezen met hun ontwikkelingsaanbod. De stromen studenten uit de Derde Wereld naar de Verenigde Staten en de Sovjet-Unie kregen een parallel richting Peking. Chinese arbeiders, uit streken waar men gewend is aan tropische omstandigheden, verzorgden allerlei werken ter verbetering van de infrastructuur. Tienduizenden arbeiders en ingenieurs zwoegden jarenlang in de oerwouden tussen Tanzania en Zambia aan een spoorweg die heel Oost-Afrika zou moeten verbinden. Slechts langzaam distantieerden Peking en Washington zich van het zogeheten Democratische Kampuchea op de Thaise grens. Nog tot 1990 bezette die groep Cambodja's zetel in de Verenigde Naties. Pas eind van de eeuw werd zij ontbonden en stierf Pol Pot onder onduidelijke omstandigheden, verlaten van de steun van de Verenigde Staten, Thailand en China.

In de laatste decennia van de eeuw naderden Peking en Moskou elkaar weer behoedzaam. Gorbatsjov bezocht Peking in 1989 te midden van massale studentenbetogingen op en rond het Plein van de Hemelse Vrede, die een normaal bezoek onmogelijk maakten. De ontbinding van het sovjetimperium en de gevolgen daarvan gaf de Chinese leiding te denken. Vooral de blijkbare machteloosheid van Gorbatsjov en de zijnen om van de voorgestane herstructurering (perestrojka) ook maar een begin te realiseren, terwijl een leiding aan de macht kwam gelieerd aan onderwereldfiguren, die vrijheid interpreteerden als vrijdom tot het uitplunderen van de Russische staat en het Russische volk, deed de Chinese regering haar autonomie hoger schatten dan ooit. Even naderde men Moskou weer ad hoc toen Jeltsin persoonlijk naar Peking kwam om een gemeenschappelijke houding in de Kosovo-kwestie te bespreken.

Elders in de wereld bleef, na de ontbinding van de Sovjet-Unie de hegemonie van de Verenigde Staten vrijwel onaangevochten, hoewel toch minder goed doorvoerbaar dan men zich theoretisch had gedacht. Frankrijk bleef een eigen plaats innemen met een eigen kernmacht, een eigen gemenebest van vroegere koloniën bekend als "Francofonie". Niet ongeneigd de kern te vormen, samen met de Bondsrepubliek Duitsland, van een meer zijn eigen weg gaand Europa, stuitte men steeds weer op de grenzen die een veeleisende bevolking oplegde. Beperkte werktijden, lange vakanties, een sterk beschermende wetgeving in de sociale sfeer van de staatsburgers en in de economische sfeer van hun ondernemingen, hadden Frankrijk de hele eeuw gekenmerkt. Binnen de Europese Gemeenschap, later de Europese Unie, zou men langzaam zijn egelstelling prijs moeten geven. In weinige tientallen jaren veranderde het landschap rond de steden radicaal: duizenden boerenbedrijven verdwenen, andere moesten hun productie wijzigen, en dat verschillende malen als gold het een industrie; industriële bedrijven en massaal-grote supermarkten rezen op uit weidegebieden; op hun beurt deden zij honderdduizenden kleine zelfstandigen de das om. Het moderniseringsproces was verlaat, aanzienlijk later bijvoorbeeld dan in Duitsland dat in 1945 na het puinruimen met de nieuwste Amerikaanse technologie toegerust kon opbouwen. Opnieuw tien à vijftien jaar later zou hetzelfde proces zich in Spanje voordoen, dat voor zijn herstructurering vele miljarden euro's verkreeg van de Europese Unie en in 1986 als volwaardig lid kon toetreden. Ook dit land kon profiteren van wat de wet van de vertragende voorsprong is gaan heten. Frankrijk, dat op Spanje voorlag, had bijvoorbeeld al sinds de Tweede Wereldoorlog goede wegen vanuit een reeks van Zuidfranse steden naar de grens aangelegd; aan de andere kant van de Frans-Spaanse grens volgden dan als regel wegen die het gevoel gaven te stammen uit een geheel ander tijdperk. Vanuit die voorsprongsituatie deed Frankrijk niet veel meer aan zijn kant van de grens: verdere verbetering werd vertraagd. Spanje daarentegen zorgde binnen weinige jaren voor met de nieuwste wegenbouwmachines en materialen aangelegde bredere wegen die over de hele linie de Franse overtroefden. Hetzelfde gebeurde met de Spaanse woningbouw die met enkele sprongen een West-Europees peil bereikte. Het was de democratisering in dit land die in Latijns-Amerika niet zonder invloed zou blijven.

De losmaking van het Franco-bewind voltrok zich - afgezien van het terrorisme van de Baskische afscheidingsbeweging - zonder enig geweld. Dat was geen vanzelfsprekendheid. De Spaanse burgeroorlogen in de 19e eeuw en die van 1936-1939 waren zeer bloedig en wreed. Het verzet tegen toelating van linkse partijen in het algemeen eerst, en van de communistische partij alleen later, schiep na Franco's dood (1975) een hachelijke situatie. Aanhangers had de enige onder Franco toegelaten partij, de Falange, weinig meer. De hogere clerus en de adel hadden in het voorgaande tijdvak zeer aan invloed ingeboet. Carlisten vormden nog slechts een splintergroep; jonge officieren - vaak in het Westen getraind - stonden niet meer voor de oude concepties, industriëlen waren het in zichzelf gekeerde naar autarkie neigende Spanje moe. Niettemin: de krachten van het verleden namen in leger en bestuur nog een reeks sleutelposities in. De centrum-democraat Adolfo Suarez kwam met een treffend goede tactische vondst. "Wij zijn nu een democratie", stelde hij, "en dus moet iedere partij van uiterst rechts tot uiterst links kunnen meedoen". Het resultaat was dat de opvolger van de Falange, het Frente Nacional, niet voldoende stemmen kreeg voor ook maar één zetel in de volksvertegenwoordiging. Het vraagstuk van de autonomie van de regio's werd op een vergelijkbare wijze opgelost. De regio's die steeds reeds onder de Republiek autonomie hadden gehad, herkregen die, maar terzelfdertijd, werd een negental andere regio's in het leven geroepen plus een vijftal autonome provincies. Ook al wilden die nieuwe regio's die autonomie eigenlijk niet, iedere regio kon zich gelijk berechtigd voelen en er redelijk mee leven. Bovendien schiep de autonomie vele ambtelijke posten, dit ten gerieve van de partijen die aan de macht zouden komen, wel echter ten laste van de toch al steeds zwaarder belaste schatkist. Maar ook dit zou zich ontpoppen als een nieuwe schrede op het pad, van de moderniteit. De onder Franco rommelige en vaak verwaarloosde belastinginning zou langzaam maar zeker zich ontwikkelen in de richting van wat in West-

Europese landen al vele tientallen jaren gebruikelijk was. Een volk dat meer dan een eeuw in Europa bekend had gestaan als chaotisch, anarchistisch, niet tot constructieve politiek in staat, wonend in een uithoek en al maar terend op een groots verleden, bleek in de afgelopen kwarteeuw opmerkelijk evenwichtig, gematigd, georganiseerd, bekwaam om met goede prestaties mee te gaan doen in Europa en op de wereldmarkt, gereed ook staatslieden te leveren die in NAVO en Europese Unie gezag afdwongen. Datzelfde volk was steeds nauwe banden blijven onderhouden met het werelddeel dat de Verenigde Staten als hun achtertuin beschouwden; geschiedenis, taal, heel veel cultuur, familiale banden, het was en is er allemaal. Zijn Latijnse volken dan toch niet tot inferioriteit gedoemd? Hoewel Spanje een ander voorbeeld gaf en men mocht verwachten dat de verhouding VS-Latijns-Amerika die we bij het begin van de eeuw al bezagen, wat meer op voet van gelijkheid zou komen, werd teleurgesteld. Het machtspatroon in dat werelddeel veranderde slechts weinig.

Latijns-Amerikaans tuinhek gaat op een kier

De Monroe-doctrine was in de eerste helft van de eeuw uitgegroeid tot de gedachte dat geen Europese of andere mogendheid iets in Latijns-Amerika te maken had. Al die landen met Spaanse of Portugese achtergrond behoorden tot de achtertuin waar noordelijke bankiers, kooplieden en industriëlen als dat nodig was ook militairen vrij spel zouden moeten hebben. Kenmerkend is die houding al heel vroeg. Ze blijkt reeds uit de naamgeving: de Verenigde Staten noemden zich officieel The United States of America. Welk Amerika eigenlijk? Om het een ander duidelijk te laten zeggen: Lars Schoultz, specialist op het gebied van de Latijns-Amerikaanse studies, zegt: "Rustige diplomatie en wederzijds respect" wordt in de weg gestaan door "denigratie van Latijns-Amerika", "Noord-Amerikanen beschouwden Latijns-Amerikanen als inferieure wezens met inferieure sociale systemen". "Het strategisch uitsluiten van buitenstaanders was vereist omdat Latijns-Amerikanen gedesorganiseerd waren en gedegenereerd; ze kunnen zich niet verdedigen tegen een aanval van buiten of tegen subversies, ze hebben de hulp van de Verenigde Staten nodig". Het is een visie die grenst aan racisme. Puur racisme is dan het geloof, de overtuiging, dat een bepaald volk *erfelijk* bepaalde eigenschappen, heeft die niet door sociaal-culturele veranderingen, waarvoor mogelijk een zeer lange termijn vereist is, zouden kunnen veranderen. Zo en niet anders, verstond Hitler zijn rassenleer en een visie als de geciteerde komt daar dichtbij. Overigens zijn ook in andere werelddelen vergelijkbare verschijnselen niet zeldzaam. In Israël hoorde ik uitingen over de Palestijnen en de Arabieren in het algemeen, die sterk aan het geciteerde herinneren; Tutsi's achten zich verre de meerderen van Hutu's; Tamils achten zich alleen al vanwege hun lichtere huidskleur de meerderen van Shingalezen. Dit is slechts een kleine greep. Men zou allen die in Nederland de multiculturele samenleving zo innig liefhebben een langer verblijf toewensen in één van de genoemde landen of bijvoorbeeld in een willekeurig Afrikaans land: binnen de grenzen van één zo'n land kunnen zij dan genieten van rijke multiculturen en hun gevolgen.

Latijns-Amerika bleef ook in de tweede helft van de eeuw achter ons de achtertuin van de Verenigde Staten, waarvan op het eind van de eeuw het tuinhek maar op een kier open zou gaan. Daarbij deden zich een hele reeks van militaire ingrepen en politieke machinaties voor die, zouden zij door andere mogendheden elders zijn gepleegd, tot de scherpst mogelijke kritiek van Washington hebben geleid.

Proberen we een korte opsomming. De enige democratische regering die Guatemala in de hele eeuw had, democratisch totstandgekomen in vrije verkiezingen, staande voor de grondrechten en sociale wetgeving, werd in 1954 door een coup georganiseerd door de CIA ten val gebracht. Daarop regeerde een reeks van militaire dictaturen het land die steeds op verzet stuitten. De Indios, die de meerderheid van de bevolking uitmaken, werden steeds weer neergeslagen, wat honderdduizenden doden en meer dan 1 miljoen van hun land verdrevenen eiste. Tot in de jaren negentig werden geen oppositiepartijen geduld. Ook incidenteel optredende burgerlijke regeringen staan onder militaire controle.

Honduras: het politieke leven wordt, hoewel sinds 1988 enkele presidenten middels vrije verkiezingen hun ambt verkregen, beheerst door "caudillos" en militaire "sterke mannen" die nauw met de VS en zijn belangen - koffie- en bananenteelt en -handel - gelieerd blijven.

El Salvador: kleinste, maar dichtstbevolkte Midden-Amerikaans land (circa 5 miljoen inwoners); overwegend extreem arme Mestizos (gemengd blank-Indiaanse bevolking). In 1984 kreeg het land zijn eerste gekozen burger-president in 53 jaar. Verzet tegen de oligarchie, die naast het leger privé-doodseskaders inzette kwam, beïnvloed door de boodschap van de Latijns-Amerikaanse bisschoppenconferentie van 1968, in toenemende mate van kerkelijke zijde. Honderden religieuze leiders, waaronder aartsbisschop Oscar Romero, werden vermoord. Hoewel Washington steeds was voortgegaan het leger te bewapenen en te trainen (kosten 2 miljard dollar) brachten aard en wijze van het optreden tegen de kerk en het verzetsfront FMLN enige verdeeldheid in Washington. Men stuurde aan op bemiddeling door de Verenigde Naties die in 1990 tot stand kwam. Na 11 jaar burgeroorlog zou in 1992 een vredesovereenkomst worden gesloten, waarin onder Washingtons zegen aan de massale schending van de mensenrechten een eind werd gemaakt. Het was een "wolkje als eens mans hand" in een land, dat constant aan zijn monocultuur, de koffieteelt, gebonden bleef. Sindsdien verdween El Salvador weer uit het nieuws. Van gering belang als landen in Midden-Amerika in wereldperspectief zijn, hebben de internationale media er in het algemeen weinig te zoeken. Verschuivingen in politieke en sociale structuur, in welke richting ook, die voor land en volk zelf van groot belang kunnen zijn, worden in de internationale media vaak pas na jaren gesignaleerd. Toen de guerrillastrijd op zijn hevigst was, was de belangstelling voor El Salvador kortstondig massaal: achter en tussen de fronten liepen de media uit een reeks van landen elkaar en de strijdenden haast in de weg. De krachten achter de doodseskaders stelden dit niet op prijs; ook Nederlandse journalisten vonden de dood.

Nicaragua: dit land werd reeds vroeg in de 20ste eeuw door de Verenigde Staten van grote betekenis geacht. Het kreeg dan ook van 1912 tot 1925 een Noord-Amerikaanse bezetting omdat men in Washington zijn plannen voor een kanaal door dit land en zijn positie in de buurt van het Panamakanaal wilde versterken. In 1936 greep de door het marinierscorps van de VS getrainde Nationale Garde onder Anastasio Somoza naar de macht, die de familie Somoza 43 jaar zou behouden, steunend op allerlei vormen van geweld en corruptie. De aardbeving van 1972 die de hoofdstad Managua voor een groot deel verwoestte, verarmde het reeds straatarme volk nog meer. De schending van de mensenrechten namen dusdanig toe dat in 1977 de VS zijn steun introk. Een kleine linkse guerrillabeweging (FSLN) nam in enkele jaren sterk in kracht toe en bracht in 1979 de gehate familie ten val. Het revolutionaire bewind -gesteund door Cuba, de USSR en allerlei elementen uit links Europa - werd al spoedig geconfronteerd met een contraguerrilla, bestaande uit oud-Somozistas als kern, die geholpen werden door de USA - zonder veel militair succes overigens. Zoals vrijwel alle vergelijkbare regimes - waar ook ter wereld - werd de revolutionaire regering onder Daniel Ortega wél een succes in gezondheidspolitiek en onderwijs, maar ging zij aan monopolisering van de macht, vergaande bureaucratisering en onvermogen de bevolking tot economische prestaties te brengen, ten gronde. Uiteraard bracht ook de strijd tegen de contra's en het door de VS afgekondigde handelsembargo het bewind de nodige schade toe. De verkiezingen van 1990 brachten de verenigde oppositie (20 partijen) aan de macht. De FSLN bleef de sterkste politieke partij.

Costa Rica is "een Europese natie die bij vergissing in Midden-Amerika terecht is gekomen", aldus een plaatselijk grapje. Daar zit wel wat in. Wie op de helft van de eeuw een lijstje met democratische Amerikaanse staten opstelde, was snel klaar: naast de Verenigde Staten en Canada stonden daar Costa Rica en Uruguay - "het Zwitserland van Latijns-Amerika" - op; het laatstgenoemde land moest in 1972 van het lijstje worden afgevoerd, maar Costa Rica bleef er steeds op staan. Na een korte revolutie in 1948 werd het algemeen kiesrecht ingevoerd, een reeks sociale wetten kwam tot stand en wat geen staat in de wereld dit land nadeed: het leger werd afgeschaft. Factoren die een rol hebben gespeeld bij de constante politieke rust in dit land zijn de volgende:
a. in tegenstelling tot Nicaragua en Panama was het land geografisch niet geschikt voor kanaalbouw; het hield zich tot voor kort verre van elke internationale politieke problematiek, juist en vooral in Centraal-Amerika; het heeft een in vergelijking tot de omliggende landen in hoge mate homogene blanke bevolking. Nu alle studie naar de invloed van etniciteit sinds 1945 uit den boze is verklaard, is men sindsdien vragen die hier opdoemen systematisch uit de weg gegaan, het zijn ook geen gemakkelijke vragen:

hoe abstraheert men van allerlei culturele en sociale factoren en bepaalt men wat genetisch is gedetermineerd? In de komende eeuw zullen deze vragen zeker, hopelijk rustig, evenwichtig en ver van het marktgeschreeuw van de politiek onderzocht kunnen worden. Een illusie werd mij ontnomen toen ik Costa Rica in 1974 bezocht. Ik sprak met enkele goedingevoerde Nederlanders ter plaatse en noemde de hele reeks uit een geraadpleegd handboek op: faire verkiezingen, handhaving van de mensenrechten, corruptievrij. Ik werd in de rede gevallen: "vrij van corruptie niet, en het erge is dat die corruptie 'boven' in de maatschappij begint en naar beneden doorsijpelt". Ik heb hier nog vaak aan moeten denken: wat vertoonde Nederland in de tweede helft van de eeuw?

Wie Panama zegt, zegt: het kanaal. We hebben gezien hoe dit in de eerste helft van de eeuw het lot van Panama bepaalde, in zekere zin het land deed ontstaan. Het is de economische controle op, de ligging van de Kanaalzone als handels- en doorvoergebied die ook de sociale samenstelling van de bevolking beïnvloedde. Bestond in andere Latijns-Amerikaanse landen de elite in de eerste plaats uit personen met een machtsbasis in het grote landbezit, hier baseerde een groep van blanken en licht gekleurde mulatten aan de top zich voornamelijk op handel - verder is het percentage negroïden zeer hoog. De inhoud van het Panamakanaal-verdrag van 1903 was driekwart eeuw lang een steen des aanstoots voor de Panamezen. Opmerkelijk is dat zij hierbij andere Latijns-Amerikaanse staten achter zich kregen, die de afdracht van alle "rechten, macht en autoriteit", in feite dus van de soevereiniteit over de Kanaalzone, te ver vonden gaan. Na allerlei protesten en opstootjes kwam het in 1964 tot een treffen dat 24 doden kostte. Washington verklaarde zich tot heronderhandeling van het verdrag bereid, maar stelde dit steeds weer uit tot de Panamese president Omar Torrijos kortweg verklaarde dat Panama's geduld op was. President Carter, van oordeel dat het gevaar van aanslagen op het kanaal te groot zou worden als niet werd onderhandeld, kwam op 7 september 1977 met Torrijos een verdrag overeen dat voorzag in een geleidelijke overdracht van het kanaal tot ultimo 2000. Terzelfdertijd werd een Verdrag over de Permanente Neutraliteit van het kanaal gesloten. Dit verdrag kent aan de Verenigde Staten en Panama het recht toe, *zo nodig unilateraal*, het kanaal na 2000 te verdedigen. Maar al voor het jaar 2000 ging het mis. In 1989 kwam Manuel Noriega aan de macht; deze was voor de VS een in verschillende opzichten gevaarlijke figuur. Als Torrijos' veiligheidschef eerst, toen als opperbevelhebber langdurig (vanaf ongeveer 1965) samenwerkend met de CIA[2] en de Drugscontrole Dienst, wist hij te veel. Hij kende bovendien de Amerikaanse veiligheidsopleidingen onder andere voor antiguerrilla- en psychologische oorlogvoering uit eigen ervaring en werd zelf specialist in "psychologische operaties". Washington zou in verschillende opzichten door deze man, op een uiterst centrale post, te chanteren zijn. Men achtte dan ook een complete invasie gerechtvaardigd om Noriega te pakken te krijgen. Het daarmee gepaard gaande bombardement van Panama-stad, eiste naast een grote destructie, officieel 550 doden, volgens onofficiële bronnen circa 2000. Noriega verdween in een Noord-Amerikaanse gevangenis, veroordeeld als drugsdealer, wat hij zoals vele "staatslieden" in dit deel van de wereld, ongetwijfeld ook was.

Het bovenstaande lijkt een schandaalkroniek en dat is het ook. De VS voerde in de 20ste eeuw in heel Latijns-Amerika een politiek van de harde hand, steeds ten bate van eigen macht en die van de banken en ondernemingen van haar eigen burgers, nauwelijks bewogen met welke mensenrechtenschendingen ook, mits begaan door haar welgevallige regeringen. Niet alleen in Argentinië en Chili, wat ik al aanstipte, maar in letterlijk alle andere landen van Zuid-Amerika werden autoritaire regimes gesteund, zelfs in het zadel geholpen, hoe corrupt, hoe wreed ook, hoezeer plunderaars van het eigen volk, mits ze maar aan Washingtons eisen voldeden.

Niettemin is het eind 20ste eeuw duidelijk geworden dat de politiek van de sterke en lange arm niet overal meer voldoet. In de Organisatie van Amerikaanse Staten, opgericht in 1948, was ondanks de formele belofte van niet-inmenging in binnenlandse aangelegenheden van de partnerlanden, de VS steeds overal en dominant aanwezig. Een afwijking vormde de in 1983 opgerichte Contadora Groep gevormd door Colombia, Mexico, Panama en Venezuela, die de Verenigde Staten opzettelijk buitensloten. De Groep formuleerde 21 principes die alle gericht zijn tegen de Midden-Amerikaanse politiek van de Verenigde Staten. Ze nam het initiatief te bemiddelen tussen de VS en de Sandinistas in Nicaragua en had een beperkend effect op de manoeuvreerruimte van Washington in Centraal-Amerika in het algemeen. Een tweede blijk van een zekere autonomie leverden in 1987 vijf Midden-Amerikaanse staatshoofden die een akkoord sloten ter waarborging van de vrede in en samenwerking tussen hun staten, waarbij uitdrukkelijk werd gesteld dat ingrepen van buiten, bijvoorbeeld assistentie aan groepen als de contra's in Nicaragua, van welke staat dan ook komend, als onwettig zouden worden beschouwd.

De financieel-economische factor

Nu hebben dergelijke onafhankelijke opstellingen niet veel meer dan "tekenwaarde" als ze niet in de materieel-technische en economische sfeer en liefst ook militair geschraagd kunnen worden. En wat mochten de Latijns-Amerikanen verwachten, steeds debiteurlanden, vrijwel altijd beheerst door elites die telkens als er van enige economische opleving sprake was, of van een maar iets beter gevulde staatskas, altijd wegen en middelen vonden om miljarden dollars veilig op hun privé-rekeningen in het buitenland onder te brengen? Het is een van de ernstigste manco's van de economische en financiële politiek van hen die altijd en overal vrije markten (ook voor geld en kapitaal) voorstaan, dat zij nimmer een doordacht politiek-sociaal antwoord weten te geven op de ergste noden die het kapitalistisch stelsel door manipulaties als deze te voorschijn roept.

Bezien we enkele cijfers: in 1998 ontdekken we onder de 30 grootste economieën van de wereld 3 Latijns-Amerikaanse staten: Mexico, Brazilië en Argentinië die tezamen nauwelijks een bruto sociaal product hebben als Frankrijk alleen. Daarbij komt dat de verdeling van het nationale vermogen in deze landen steeds abominabel is: slechts 1 à 2% is in handen van de armste 20% der bevolking.

Een eeuw van vergaande beheersing door de USA had omstreeks 1986 in het zuiden weinig verandering gebracht. De corrupte regeringen en dito bedrijven lieten het aankomen op bijna-faillissementen. Grootscheeps moest het Westen, de VS voorop, schulden schrappen of herstructureren. Wat een lust leek zolang Latijns-Amerika zijn torenhoge schulden en de renten daarop maar afloste en betaalde, werd een last. Na de val van het sovjetimperium veerde de financiële kracht van de Verenigde Staten wel op, maar het bleef een feit dat Washington, mede door de zeer zware bewapeningslasten die, zij het op een wat lager niveau, ook na de Koude Oorlog bleven drukken, het financiële primaat niet meer overal ter wereld kon handhaven. De dollar had zijn positie als reservevaluta van de wereld moeten opgeven. Is de dollar aanvang 2000 weer gestegen tot ƒ 2,25, velen zijn vergeten dat zijn waarde, lange tijd gehandhaafd op ƒ 3,60 voor meer dan de helft verdween. In de loop van de Koude Oorlog deed zich een opmerkelijke discrepantie voor op het politiek-militaire gebied ener- en het financieel-economische gebied anderzijds. De Verenigde Staten versterkten gestaag zijn politiek-militaire positie als leider van het Westen. Anderzijds kon men een financieel-economische machtsverschuiving constateren van de VS naar het zich langzaam aaneensluitende Europa, economische machten dus die na de Tweede Wereldoorlog, beginnend met vrijwel niets, mede met hulp van grote Amerikaanse kredieten waren opgebouwd. In de jaren vijftig en zestig stonden enorme Amerikaanse kredieten uit in de hele niet-communistische wereld. Tevens was er een permanente neiging tot overbesteding in de VS. Ook na de Koude Oorlog kampt nagenoeg de gehele middenklasse met aanzienlijke privé-schulden wat, krijgt de economie een terugslag, de zich steeds vergrotende kloof tussen arm en rijk nog zal verwijden. De oorlog in Vietnam, de nucleaire bewapening en de daarbij behorende luchtvloot en zeemacht, vooral echter de noodzaak telkens nieuwe generaties wapens waarin de laatste wetenschappelijk-technische verworvenheden werden verwerkt, te produceren, deed het staatsbudget onder de militaire lasten kreunen. De val van de Sovjet-Unie kwam ook in dit opzicht als een ware verlossing. Gedacht kon worden aan een militair optreden in het Midden-Oosten, met als bekroning van het slagen daarvan een wereldwijde verkoop van de succesvol gebleken wapens. Op het eind van de eeuw echter wordt de dreiging van "terroristische" staten zo sterk geacht dat men een beperkt antiraketsysteem tegen eventuele aanvallen uit die richting overweegt. Het militair-industrieel complex voorziet in steeds nieuwe verdedigingsbehoeften, bestaand dan wel denkbaar.

Ook de uitgaven voor sociale doeleinden stegen in de Verenigde Staten. Al onder president Johnson kwam een reeks sociale wetten tot stand. De "oorlog tegen de armoede" laat zich moeilijk vergelijken met de Nederlandse sociale wetgeving, maar mocht in de Amerikaanse context van betekenis heten: een banencorps voor de jeugd zonder werk, "community action", voedselbonnen, een bescheiden medische verzekering voor de ouderen, hier hoort men in de periode Johnson (1963-1969) voor het eerst van. Met de wetten op de burgerrechten van 1957 en 1960 werd voor het eerst sinds 80 jaar gebouwd aan een wettelijk kader waarbinnen het zwarte bevolkingsdeel zich zou kunnen emanciperen, zulks met steun van overheidsgelden op tal van gebieden. De interne sociale veranderingen die men hiervan verwachtte, hebben zich aan het eind van de eeuw nog maar zeer ten dele gerealiseerd. Alleen het integreren van grote aantallen zwarte Amerikanen in de lagere bureaucratie en in de krijgsmacht, kon een succes worden genoemd. Terzelfdertijd was het vooral Frankrijk dat zijn best deed het machtsevenwicht zodanig te beïnvloeden dat Washington gedwongen zou worden steeds meer naar zijn Europese partners te luisteren. Aan het bewind was Charles De Gaulle, dezelfde "lastige" man die Churchill en Roosevelt in de Tweede Wereldoorlog al zo grondig verwensten. Financieel kon Europa trachten de VS te overtroeven. Alle genoemde uitgavencategorieën die tezamen de schatkist belastten, hadden gezorgd voor een grote uitzetting van de - papieren - dollaromloop, die nog altijd gedekt werd door de befaamde goudreserves van Fort Knox. Aangevoerd door de Fransen, begonnen Europese banken grote hoeveelheden gedevalueerd papier in te wisselen voor goud. Lange tijd hadden de Europese centrale banken hun dollars, onder druk van de Verenigde Staten, niet voor goud ingewisseld. De convertibiliteit van de dollar kwam zo ten einde; formeel werd ze in augustus 1971 opgeheven. De Gaulle trad in 1969 af, maar vanaf dan is het ongeacht de politieke richting van de zittende president en regering steeds Frankrijk dat voorgaat bij het afknabbelen van de machtsposities van de protagonist die in 1991 de enig overgebleven supermacht zou worden, maar die, of ze nu door "vrienden" dan wel vijanden daarin werd gehinderd, toch nauwelijks als zodanig kon triomferen.

Strategie op het einde van de eeuw

De Golfoorlog werd zeer nodig geacht. In 1973 en 1979 had een consortium van olieproducerende landen het Westen een enorme schok toegebracht door te dreigen de oliekraan dicht te draaien. De machtigste mogendheid ter wereld had hier geen adequaat antwoord op. Het machtsevenwicht moest worden hersteld. Tevens: er was 15 jaar verstreken na het einde van de oorlog in Vietnam: hele nieuwe generaties vliegtuigen, bommenwerpers, raketten, tanks en andere wapens waren ter markt gekomen, maar niet in een oorlog beproefd. De Golfoorlog zou hiervoor worden aangegrepen of misschien zelfs uitgelokt. Kort voor de Irakese inval in Koeweit had de Amerikaanse ambassadrice in Baghdad Saddam Hoessein het sein gegeven dat de Verenigde Staten in Koeweit niet zeer geïnteresseerd was. Dit is door Washington nooit duidelijk weersproken. Van een principieel vijandige houding tegenover Irak was geen sprake geweest; in de oorlog tegen Iran (1984-1988) was Baghdad nog van vele Amerikaanse wapens voorzien. In feite werd Irak omworven: ook de Sovjet-Unie verdiende veel aan die oorlog tegen het fundamentalistische Iran dat door het Westen diep werd gehaat. Die haat was overigens wederzijds: door Teherans straten scandeerden honderdduizenden dat zij "de grote en de kleine satan" (de VS en Israël) de dood toewensten. De door president Carter gestuurde luchttroepen ter ontzetting van de Amerikaans ambassade in Teheran, beten in de Perzische woestijn in het zand.

Als gevolg van de Golfoorlog en de wijze waarop die door generaal Schwarzkopf - alleen misschien nog overtroffen door Jamy Shea in 1999 - werd "gebracht", kreeg de Amerikaanse bewapeningsindustrie een stortvloed aan orders. Het was een van die zeldzame oorlogen waar een grote mogendheid winst uit haalde. De politieke winst bleef - ook na herhaalde bombardementen in 1997 - twijfelachtig. Saddam bleef in het zadel, ondanks alle pogingen voorshands niet verwijderbaar, niet effectief te controleren, een permanente bedreiging voor zijn omgeving en vooral voor Washingtons sterkste bondgenoot en begunstigde in de regio: Israël.

De al begin van de jaren negentig geconstateerde tendentie: de alleen overgebleven supermacht heeft weliswaar geen evenwaardige macht meer tegenover zich, maar is toch met handen en voeten gebonden, zette zich in de jaren daarop door. De terroristisch geachte staten: Irak, Iran, Afghanistan, Syrië, Libië, Noord-Korea gaven afzonderlijk of tezamen aanhoudende zorg. Hoeveel steun hadden Irak en Iran en de Afghaanse islamitische guerrilla's niet geëist, en wat vergden contra-acties tegen hen later weer toen zij een schuilplaats boden aan een van de gevaarlijkst geachte islamitische terroristen en de zijnen. De hegemoniale macht kon zijn operaties niet meer uit eigen middelen financieren, moest sterk op de internationale geldmarkt steunen en liet zijn westerse en Arabische verbondenen fors meebetalen.

Kosovo werd een ander voorbeeld van de duidelijke beperkingen waaraan de machtsuitoefening van de grootste en machtigste mogendheid ter wereld ging lijden. Opnieuw werd bewezen - zoals in Vietnam en aan de Golf - dat louter vanuit de lucht een vijand niet verslagen kan worden. Na 11 weken rond de klok bombarderen op Kosovo en Servië, wisten de staven het nauwelijks meer en bombardeerden dezelfde doelen nog maar eens een keer. Toen een overeenkomst daar was verlieten - naar westerse schattingen - 80% van de Servische troepen in goede orde en met medeneming van hun wapens het gebied.

Dit alles laat zien hoe louter militaire macht in de tweede helft van de eeuw weinig resultaat opleverde. Amerikaans militair ingrijpen in welk werelddeel dan ook, liet een bittere smaak achter: van smadelijke aftocht, schaakmat opleverende situaties en haat en afkeer (ook in Latijns-Amerika) bij naties die - voor hoelang? - in het gareel konden worden gebracht. Hoe verzwakt ook, de Sovjet-Unie was er in dit opzicht niet slechter aan toe: Cuba en Afghanistan - bodemloze putten - had men als militair noch economisch essentieel los weten te laten. De Unie was en bleef zelfvoorziend op het gebied van alle strategisch belangrijke grondstoffen. Ook daarom kon Gorbatsjov de gehele statengordel in Oost en Midden-Europa zijn eigen weg laten gaan. In Gorbatsjovs denken zou een politiek en cultureel vrijere en economisch efficiëntere Sovjet-Unie het, waar nodig, tegen de Verenigde Staten kunnen blijven opnemen. Tot op zekere hoogte bleef dit ook zo nadat de Sovjet-Unie uiteenviel. De voor Rusland belangrijkste staat is economisch met dit land vergroeid. Waarheen zou de Oekraïne anders moeten met zijn landbouwgewassen? En vanwaar zou ze beter olie en gas kunnen betrekken? Rusland zou niet als supermacht meer, maar wel als een blijvende hoofdrolspeler kunnen voortgaan, nucleair bewapend, desnoods het opnemend tegen de oude antagonist. Het land zou echter uitgeschakeld zijn, als het financieel zou worden gedestabiliseerd en als tevens de aanvoer van olie en andere grondstoffen vanuit de Kaukasus zou worden afgesneden. Het eerste gelukte met hulp van een maffia, die zijn vertakkingen had tot in de presidentiële familie, een heel stuk - het deed denken aan Latijns-Amerikaanse toestanden. Met het tweede is een begin gemaakt door de afscheidingsbeweging in Tsjetsjenië: dit land beheerst een aantal passen over het Kaukasusgebergte en tevens door anti-Russische activiteiten in de staten Georgië en Azerbeitsjan.[3]

Als een grote mogendheid niet meer bereid is het leven van eigen militairen in te zetten, behalve op beperkte schaal: Grenada 1983, Libië 1968, Panama 1989 - liggen nog enkele andere wegen open om effectief invloed te krijgen. Men kan zoals in Afghanistan groepen guerrillastrijders bewapenen. Dit bleek een tweesnijdend zwaard. Nadat de islamitische strijders nagenoeg het gehele land - op enkele streken grenzend aan Turkmenistan en Tadzhikistan na - hadden veroverd, konden zij tot basis worden voor opleiding en bewapening van andere islamitische terroristen. De Verenigde Staten kregen hiermee al in de vorm van aanslagen op enkele ambassades te maken. 11 September 2001 bracht waarschijnlijk dezelfde terroristische beweging het hart van het Noord-Amerikaanse imperium – nimmer belaagd door een aanval op het eigen vasteland – een vernederende klap toe. Op de drempel van de 21e eeuw concludeerde Bush junior dat zijn land zich 'in oorlog' bevindt. Gevreesd moet worden dat het opnieuw een oorlog wordt die niet (Vietnam) of maar half (de Golf) of slechts schijnbaar (Bosnië, Kosovo) gewonnen kan worden. Blijft uiteraard de mogelijkheid bondgenootschappen te smeden of te versterken en vooral daarin financieel economisch een stevige invloed te houden.

NAVO's doeleinden en Europa's aspiraties

Vooral de NAVO-bondgenoten werd in een lange reeks van jaren gemaand meer en beter aan het bondgenootschap bij te dragen; daarbij toonde Washington zich niet beducht voor een eventuele zelfstandige Europese organisatie. Nu de Europese Unie, na die eigen verantwoordelijkheid decennia lang voor zich uitgeschoven te hebben, daaraan op de drempel van de 21ste eeuw zegt te willen voldoen, klinkt uit Washington waarschuwend dat men zich toch moet bezinnen alvorens eigen staven enz. op te bouwen;

71

doubleren van de NAVO-structuur is nu, volgens Washington, ook niet nodig. In het bijzonder de Kosovo-oorlog bracht echter verschillen tussen Amerikaanse en Europese visies aan het licht, die tendenties in de richting van de vorming van een eigen Europese strijdmacht kunnen versterken. Europeanen hebben in het algemeen beter door dan de VS dat men niet moet trachten een groot volk, waarmee men hoe dan ook moet samenleven, al te zeer te vernederen en op de knieën te dwingen. Zelfs de Britten voelen hier niet voor. Een zeer symbolische betekenis had het toen de Britse generaal Jackson, die van het Amerikaanse NAVO-opperbevel de opdracht had gekregen de Russische pantserwagens van het vliegveld van Pristina te verwijderen, insubordinatie pleegde met de woorden: "Ik ga hier niet de Derde Wereldoorlog ontketenen". Wat de Frans-Duitse component van een mogelijk nieuwe machtsconstellatie aangaat, is het duidelijk dat het Europa dat 50 jaar geleden nog uitgeteld was, nu een kern vormt waarom zich de andere Europese naties kunnen groeperen als een macht die zich tot de evenknie van de Verenigde Staten zal kunnen ontwikkelen.

Duitsland heeft geleerd dat achter Polen Rusland ligt en weet wat dat betekent. Op het gebied van de geavanceerde rakettechniek is dit land nog niet uitgeteld; zou de NAVO zich als instrument van een politiek ontpoppen ter verdere destabilisatie van Rusland, dan zouden de Duitsers zich hieraan onttrekken.

Ook het Verenigd Koninkrijk richt zich op bewapeningsgebied meer naar het vasteland. Het is niet langer weigerachtig aan de kern van een Europese strijdmacht deel te nemen. Tien jaar geleden zou het geen vraag geweest zijn als Groot-Brittannië had moeten kiezen tussen in de Golfoorlog beproefde wapensystemen en de ontwerpen op papier van een Europees consortium. Anno 2000 echter kiest het voor een contract met de Europese partners op het gebied van de raketbewapening. Een hele reeks van Europese toppolitici dringt er bij Londen op aan de Europese defensiecapaciteit te versterken. Het blijft Londen veel moeite kosten tot een historisch noodzakelijke keuze te komen.

De huidige technologie, de wapentechnologie voorop, eist zulke grote investeringen dat slechts weinig machten ter wereld in staat zijn deze alleen te dragen. Europese consortia zijn bezig bepaalde raketten én het vliegtuig dat ze moet vervoeren te produceren. Waarom geen Amerikaanse raketten kopen? De redenering is de volgende: een Europees vliegtuig heeft een Europese bewapening nodig. Het gaat hier niet om louter technische en financiële maar ook om machtspolitieke vragen. Zou het Amerikaanse Congres op een gegeven moment bijvoorbeeld de export van raketten of onderdelen daarvan blokkeren, dan zou dit niet alleen de Europese militaire capaciteit ondermijnen, maar eveneens de mogelijkheden van export van vliegtuig en raketten fnuiken. Het gaat om enorme bedragen: voor de Europese jager plus de daarbij behorende bewapening denkt men in eerste instantie al voor een waarde van 30 miljard dollar in het Midden-Oosten en Azië te verkopen. "Wij Europeanen kunnen ons niet afhankelijk maken van

Amerikaanse exportvergunningen als we Europese gevechtsvliegtuigen aan andere landen verkopen; daarmee zouden we onze soevereiniteit prijsgeven", aldus de directeur van een grote Duitse productiemaatschappij. Deze woorden behelzen een program.

De strijd om het wereldwijd veroveren van productiecapaciteit en markten strekt zich ook uit tot Latijns-Amerika. Een opmerkelijke rol speelt Spanje; nog 30 jaar geleden was het tot geen enkele economische expansie in staat. Sinds eind van de jaren tachtig richt het zich op economische en politieke penetratie in Zuid-Amerika, door geen Monroe-doctrine meer gehinderd. Spaanse maatschappijen - inclusief enkele die ten dele in overheidshanden, zijn - slaagden erin binnen 15 jaar de grootste telefoonmaatschappijen, elektriciteitsmaatschappijen en waterwinningmaatschappijen in Chili in handen te krijgen; Spaanse banken controleren 40% van de Chileense markt. Ook in Brazilië kwam een grote telefoonmaatschappij in Spaanse handen. Alleen in 1999 investeerde Spanje in Zuid-Amerika voor 20 miljard dollar. In het jaar daarvoor lagen investeerders uit de VS nog voor met 14,3 miljard tegenover 11,3 miljard Spaanse investeringen.

Duidelijker was nog dat de Spaanse koning op de Ibero-Spaanse top die in 1999 in Havana gehouden werd, louter door daar het woord te voeren, een van de hardnekkigste standpunten van Washington wraakte: Cuba moet geïsoleerd blijven, mede door instandhouding van het handelsembargo tegen dat land. Nog 20 jaar geleden zou dit optreden van Juan Carlos als een onmogelijke uitdaging van Washington zijn beschouwd. Gedurende heel het laatste decennium van de eeuw hielpen Spaanse banken Cuba door er voortdurend te investeren. De Spaanse premier Aznar legde nog eens een blok op het vuur door te verklaren dat hij "bezorgd was over de overweldigende macht van de Verenigde Staten". Ongeveer tegelijkertijd zei de Franse eerste minister Jospin nog duidelijker dat hij "Amerikaanse hegemonie vreest". Genoeg om duidelijk te maken dat ook anno 2000 machtsconstellaties geen permanente grootheden zijn, dat verschuivingen in militaire en economische macht zorgen voor gedaantewisseling in lange tijd voor massief gehouden bondgenootschappen.

De economische machtsverschuivingen op lange termijn zijn treffend. In 1948 was circa 60% van de gehele industriële productie van de wereld in het bezit van de USA; begin van de jaren negentig was dit gedaald tot 25%. Kenmerkend voor Japans positie is dat het in 1998 een waarde produceerde groot ruim 46% van de productie van de Verenigde Staten; rond 3,8 biljoen dollar. Vijf Europese landen: Engeland, Frankrijk, Duitsland, Italië en Spanje kwamen tot rond 56% van de Amerikaanse productie, China tot 12%, Brazilië tot 9,75%, India tot 5,5%, de Russische Federatie tot omstreeks 4,9%, Nederland tot circa 4%. Telt men heel de productiekracht van de Europese Unie tezamen dan is het duidelijk dat als de Europese economieën verstrengeld zijn, het vereende Europa het volwaardig tegen Amerikaanse concurrentie zal kunnen opnemen. Het integratieproces is echter moeizaam en wordt doorkruist door per natie verschillende materiële

73

belangen, maar ook wat betreft het sociale en politieke klimaat. De Britse houding wordt nog steeds tweeslachtig gevonden, hoewel ze rond het jaar 2000 vrij sterk naar Europese eenheid neigt.

Vermogens- en inkomensverdeling als factoren in de wereldpolitiek

Politieke en economische eenheid kan inmiddels niet zonder een sociale component. Globaal gezien staat Groot-Brittannië in Europa in dit opzicht nogal alleen. De sociale wetgeving in alle EU-landen, hoe verschillend ook, tendeert naar een afvlakking van grote welvaartsverschillen. Het Verenigd Koninkrijk steekt daarbij af met een sociale wetgeving die nog duidelijke kenmerken van het Thatcherisme draagt en van het sociale beleid in de Verenigde Staten. Dit brengt reeds verschijnselen teweeg als de volgende. In Spanje hebben zich de afgelopen 15 jaar vele duizenden arme of ver-armde Britten gevestigd, ook jongere. Men krijgt daar een sociale verzor-ging waarvan men "thuis" niet dorst te dromen. Gratis onderwijs met veel-al gratis schoolmaaltijden, een medische verzorging die kosteloos of nage-noeg kosteloos is, basisvoorzieningen bij werkloosheid die nog gunstig bij de Engelse afsteken. Het is evident dat, zouden emigratiebewegingen als deze omvangrijk worden, een land als Spanje beperkende maatregelen zou moeten gaan nemen. Hetzelfde geldt als de Europese Unie zou worden uit-gebreid met Oost-Europese landen en dat in zeer veel sterkere mate; zon-der bijzondere maatregelen teneinde massale migratie uit te sluiten zal toe-treding van die landen nog vele jaren moeten worden uitgesteld.

In het algemeen is het vraagstuk van de welvaarts- en inkomensverdeling een van de zwaarste waarvoor wij aanvang 21ste eeuw staan. Uit alle werelddel-len melden de statistieken dat de kloof tussen arm en rijk steeds groter wordt. In India waarschuwde de president aan de vooravond van de 50[ste] viering van de onafhankelijkheid dat "miljoenen worden achtergelaten in ellende en an-alfabetisme terwijl terzelfdertijd een opzichtig consumentisme van de nieu-we rijken heerst dat op de golven van de door de markt gedreven economie tot stand is gekomen. De ene helft van onze samenleving drinkt Spa-water, terwijl de andere het moet doen met modderwater uit een palmblad. Wij heb-ben een van 's werelds grootste reservoirs aan technisch personeel, maar te-vens 's werelds grootste aantal analfabeten en mensen onder de armoede-lijn; het grootste aantal aan ondervoeding lijdende kinderen".

In China is het lot van honderden miljoenen nog bitter hard; de resultaten van de opmars van het economisch liberalisme komen kleine minderheden ten goede. In de landen van de ex-Sovjet-Unie is de grote meerderheid on-tevreden omdat zij het aanzienlijk slechter heeft dan voor 1990, terwijl een nieuwe elite zich erger verrijkt dan ooit de managers en bureaucraten on-der Stalin en zijn opvolgers.

Afrika speelt in de wereldeconomie een haast verdwijnende rol. Het gehele werelddeel genereert 1% van de wereldhandel, terwijl het 10% van de wereldbevolking telt en 30-40% van 's werelds natuurlijke hulpbronnen op zijn gebied heeft, die echter, op hoge uitzonderingen na, in handen zijn van buitenlandse machten. De interne verbindingen in Afrika zijn nog altijd slechter dan de verbindingen tussen de Afrikaanse landen en hun vroegere Europese meesters. Meer dan 40% van de bevolking leeft in absolute armoede; de levensverwachting ligt bij 40 jaar, voornamelijk ten gevolge van aids.

Ofschoon men officieel altijd ontkent dat het iets met elkaar van doen heeft: in heel Latijns-Amerika staat gekleurd - Indio, Mesties, Zwart - als regel voor arm; blank, eventueel licht gekleurd, als regel voor welgesteld, respectievelijk rijk. Volgens gegevens van de Wereldbank zijn de rijkste 10% in Brazilië in het bezit van 50% van het totale vermogen in die staat, de armste 10% bezitten 1% van dat vermogen.

Ook in de westelijke wereld neemt de inkomens- en vermogensongelijkheid toe. In het land dat leeft in de grootste economische boom van de eeuw - de Verenigde Staten - nam van 1996 tot en met 1998 bij hen die aanvang 1996 minder dan 10.000 dollar per jaar verdienden, het gemiddelde inkomen af tot gemiddeld 6.600 dollar. Huishoudens met inkomens tussen 10.000 en 25.000 dollar per jaar gingen vooruit met een bescheiden gemiddelde van haast 7% in deze drie jaren. Huishoudens met een inkomen van 100.000 dollar sprongen in drie jaar omhoog tot een gemiddeld inkomen van meer dan 300.000 dollar.
Eenzelfde effect hadden de enorme koerswinsten in een land als Nederland. Mensen met een normaal inkomen uit arbeid en wellicht enige rente uit spaargelden, profiteerden weinig of niet van het gunstige economische getij; personen met enig vermogen kregen vaak in weinige jaren vele tien- of honderdduizenden in de schoot geworpen; bij de duidelijk rijken ging het om winsten van soms vele miljoenen. Dit ging nog gepaard aan het vooruitsnellen van de inkomens van hen die in staat zijn het eigen salaris vast te stellen, plus - door dezelfde categorie - het uitdelen, in de eerste plaats aan de eigen groep, van aandelenopties.
Het Institute for Policy Studies in Washington berekende op basis van gegevens van het Noord-Amerikaanse ministerie van Financiën dat een directeur van een toponderneming in 1990 gemiddeld 85 maal zoveel inkomen genoot als een fabrieksarbeider, 10 jaar later krijgt hij 419 maal zoveel.

Het "sociale vraagstuk" dat begin van de eeuw als een "brandend vraagstuk" werd gezien, was dat eind van de eeuw nog steeds en in bepaalde opzichten in verhevigde mate. Dit betrof de kloof tussen westerse en Japanse concentraties van productieve en innovatieve macht enerzijds en de nog steeds arme, grondstoffen leverende landen in Afrika en Latijns-Amerika anderzijds, maar ook in al die landen tussen de sociale groepen, waar dan ook.

Een economische "globalisering" zal die machtsverdeling er zeker niet zonder meer beter op maken. Ze betekent namelijk niet meer of minder dan een wereldwijde vervlechting van kapitaalbelangen. De grote internationale onderneming die vermogen en winst dirigeert waarheen hij maar wil, ontsnapt ook wat de belastingbetaling betreft in hoge mate aan nationale wetgeving. Met nationale belangen in het algemeen en die van werknemers in het bijzonder, heeft men alleen iets van doen zo die belangen zich op een of andere wijze weten door te zetten. Opmerkelijk blijft in dit verband Japan. De economie in dat land wordt nog maar voor 1,66% door buitenlandse ondernemingen beheerst. Reeds enkele malen "open gebombardeerd", laat dit land alleen toe wat het in eigen belang sociaal-economisch en politiek aanvaardbaar acht of het nu ondernemingen dan wel immigranten betreft. Wie deze politiek overwegend ten goede komt is zeer de vraag. Zeker niet de doorsnee consument.

In de Verenigde Staten zijn de ondernemingen voor circa 6,5% in buitenlandse handen, in Nederland voor ongeveer 17%. Naast andere gevaren: het terroristisch moslimnationalisme, gehele staten die men terroristisch kan noemen, de bedreiging die uitgaat van de nationale samenhang ondermijnende multicultuur, moet in een tijdperk waarin grote oorlogen niet waarschijnlijk zijn, verwacht worden dat op dit sociaal-economische terrein zich in de 21ste eeuw, niet zonder botsingen, verschuivingen zullen gaan voltrekken.

Ten slotte: ik zou blij zijn als een kind als ik hen zou kunnen bijvallen die stellen dat wij kunnen schuilen bij een grote imperiale macht, "met wie we samen elk gevaar ter wereld, aankunnen, en dat alles in dienst van vrede, vrijheid en gerechtigheid"[4]. Het voorgaande heeft deze voorstelling grondig aangetast, uitgaande van nuchterheid en werkelijkheidszin. Zonder scrupules schuiven grote machten elkaar opzij, bespioneren zij elkaar, bouwen posities op elkaars grondgebied, militair en economisch. Ook Nederland werd in het huidige Indonesië door de VS terzijde geschoven. Of dat terecht was is hier niet de vraag, maar in elk geval geschiedde het vanuit de wereldwijde belangenafweging van een supermacht. Thucydides (rond 450 voor Christus), die als de grootste Griekse historicus beschouwd wordt, concludeerde al: "grote staten zullen doen wat zij willen en kleine staten zullen accepteren wat zij moeten".

Noten
1. Na het einde van de koude oorlog verschuift er in dit opzicht iets. Vooral Duitsers houden zich, mede daartoe beter in staat gesteld door openbaar worden van archieven in Oost en West, diepgaand bezig met eigen misslagen en misdaden. Ger R, Überschär und Wolfram Wette (ed.), *Der deutsche Überfall auf die Sowjetunion. Unternehmen Barbarossa 1941.* Frankfurt/Main 1999. Uitvoerig gedocumenteerd.
2. Een lijst van honderden CIA agenten van chauffeurs, diplomaten tot Latijns-Amerikaanse presidenten geeft Philip Agee in zijn boek: *CIA. Werkwijze, organisatie en machtsbereik van de Amerikaanse Geheime Dienst.* Schrijver was 12 jaar agent van de CIA in verschillende Latijns-Amerikaanse staten; 400 bladzijden met feiten over een overal dieppenetrerende en agiterende organisatie.

3. Men bezie hierbij vooral een goede atlas en leze zorgvuldig de artikelen van de heer J.J.A. van Rooijen in het maandblad *STA VAST* nr. 12, 1999 en nr. 1/2, 2000. Van generaal Gallois, reeds tientallen jaren bekend als een eminent strateeg met uitgebreide contacten, mag men met een hoge mate van waarschijnlijkheid verwachten dat hij een realistisch beeld van de worsteling om de macht in allerlei landen en regio's geeft.
4. Leon Everaert in het maandblad *STA VAST* 1/2, 2000, blz. 46

Afgezien van in de tekst genoemde werken waren de volgende handboeken de voornaamste geraadpleegde bronnen bij het schrijven van de beschouwingen over het 20ste eeuwse imperialisme.

Martin Gilbert, *A History of the Twentieth Century,* 3 delen, New York/London, 1997

Eric Hobsbawn, *Een eeuw van uitersten*; *de twintigste eeuw 1914-1991*, London, 1994, onder de titel: *Age of Extremes: the short twentieth century 1914-1991*, 3e Nederlandse druk, het Spectrum, 1999

Joel Krieger (red.), *The Oxford Companion to Politics of the World*, New York/Oxford, 1993

Jan Palmowski (red.), *A Dictionary of Twentieth-Century World History*, Oxford/New York, 1997.

Hoofdstuk 4

IDEOLOGIE ALS MACHTSFACTOR
IDEOLOGIE EN UTOPIE

Voor velen is het streven naar macht en de uitbreiding daarvan de drijvende factor in de geschiedenis. Zo kan men de wereldomspannende ontwikkelingen in de eeuw achter ons beschrijven aan de hand van opkomst en verval van onderscheiden imperia: het Engelse, Franse, Nederlandse, Portugese, Duitse, Italiaanse, Oostenrijkse, Russische, Japanse, in de tweede helft van de eeuw uitmondend in het conflict tussen de twee overblijvende superimperia: dat van de Sovjet-Unie en de USA met bijkans de gehele wereld gegroepeerd rond deze supermachten. Zo'n benadering is zeker zinvol. Men komt dusdoende een heel eind met het verhelderen van de machtsverschuivingen en gedaanteveranderingen op het internationale toneel, louter uitgaand van botsend streven naar macht-om-de-macht. In een volgend hoofdstuk hoop ik dit aan te tonen.

De plaats van ideologie en utopie

Welke plaats echter toe te kennen aan de ideologie? Velen gaan louter uit van de bekende stelling van de socioloog Karl Mannheim (1893-1947). Voor hem zijn ideologieën gedachteconstructies ten behoeve van bepaalde politiek-sociale machtssystemen. Zij moeten het streven naar macht om de macht verklaren, bemantelen, aanvaardbaar maken. Utopieën daarentegen zijn bij hem denkbeelden ingegeven door het verlangen bepaalde machtsconstellaties te veranderen. Het is mogelijk de politiek-ideologische stelsels die de wereldpolitiek in de 20ste eeuw hebben beheerst, zoals communisme, fascisme en liberaal-kapitalisme, vanuit beide gezichtspunten te bezien. Dit gaat echter niet zonder protest van de betrokkenen. Zij hebben hun ideologieën steeds gezien als het geheel van hun gedachtegoed dat de bronnen verschafte op grond waarvan ieder de eigen utopie nastreefde. Maar ook bij het woord utopie rijst meteen verzet. Karl Marx deed zijn heftigste kritiek neerkomen op alle 'utopistische' socialisten die hem voorgegaan waren. Zijn maatschappij-analyse achtte hij de enig wetenschappelijke: op grond van het historisch-materialisme ontwikkelde hij de gedachte dat elke maatschappij wetmatig bepaalde stadia moet doorlopen, om via een socialistisch stadium een communistische eindtoestand te bereiken.

Ook fascisten hebben hun systemen niet als utopieën in de zin van Mannheim gezien. Wat hen vereent is vrij moeilijk te definiëren. Alleen als wij van een Marxistische definitie uitgaan zouden we snel klaar zijn. Volgens het Marxisme is "...het fascisme een extreme variant van het kapitalisme, uit de nadagen van dit stelsel, waarmee de heersers de arbeidersmassa's denken te kunnen breidelen". Het is een propagandistische definitie die ons niet ver brengt.

Als eerste benadering is te zeggen dat de onderscheiden fascismen autoritair en totalitair zijn (waren), hoewel het laatste in verschillende mate. Als men bijvoorbeeld de kerk, of kerken, een eigen machtsbereik laat of soms erkent dat de staat zich ten aanzien van bepaalde vraagstukken bij het woord van de kerk zal moeten neerleggen, is een belangrijke bres geschoten in wat overigens een totalitair stelsel kan zijn. Tevens als gemeenschappelijk kenmerk vinden we een mythisch zelfbesef van naties die zichzelf dusdanig opblazen dat het soms komisch aandoet. In de jaren vijftig het Portugal van Salazar bestuderend, stuitte ik op een reeks van Portugese geschriften die Portugal zo ongeveer beschreven als navel van de wereld.

In het algemeen valt het fascisme terug op het verleden en de toenmalige grootsheid van een natie. In dit opzicht is het vaak reactionair. Ziet men alleen of overwegend slechts de grootheid van eigen natie of "ras" dan doen wij beter de betreffende variatie van het fascisme steeds bij de eigen naam te noemen. Hitler en de zijnen verabsoluteerden de kwaliteiten, het streven, de "mythen" van het Germaanse "ras" dusdanig dat het een categorie vormt op zichzelf. De boodschap luidde Duitsland - of Germania - eenzaam boven alles. We hebben dan ook te doen met een nationaal-socialisme[1] dat weliswaar prototype was voor andere nationaal-socialismen, maar dat toch als uniek verschijnsel begrepen moet worden. Dat bijvoorbeeld het Nederlandse nationaal-socialisme qua ideologie sterk van het Duitse afweek, zullen we nog in het vervolg zien.

De derde grote speler op het wereldtoneel, aan het eind van de 20[ste] eeuw is volgens sommigen de enig "overlevende": het liberaal-kapitalisme. Ideologie of utopie? Voor velen zijn dit zinloze vragen. Maar weinigen richten zich tot dit stelsel met dezelfde mate van kritische zin die zij aan communisme, fascisme en nazisme wijden. Parlementaire democratie, vrije markt en rechten van de mens, ziehier de slagwoorden die de liberaal-kapitalistische ideologie kenmerken. Behoeven wij geen onderzoek naar haar bronnen, naar haar doelen? Anno 2000 klinkt het antwoord haast wereldwijd: neen, we hebben hier met geen ideologie in Mannheims zin te maken, onze ideologie is "a self-evident truth", zoals de Amerikaanse onafhankelijkheidsverklaring van 1776 al zegt, een vanzelfsprekende waarheid die geen nader onderzoek behoeft.

Zoveel is wel duidelijk: wij doen goed de term ideologie te begrijpen zoals ze in het algemeen spraakgebruik door de dragers daarvan is bedoeld: het geheel aan ideeën, aan gedachtegoed, waaruit een politiek-sociaal systeem put. In hoeverre deze ideeën dan dienen als bemanteling van machtsstreven op zich, moet dan blijken uit een analyse van wat zij in de praktijk opleveren. Het begrip utopie is toepasbaar als de ideologie elementen bevat die de politiek-sociale status quo ondermijnen en gericht zijn op wezenlijk nieuwe politiek-sociale constellaties.

De zin van ons onderzoek

Ter afsluiting van deze inleiding moet de vraag gesteld worden: zullen we op de scheiding der eeuw ons wel bezighouden met wat achter ons ligt? Het fascisme en nationaal-socialisme zijn verslagen, het communisme tevens, laten we ons richten op de toekomst, op de ontwikkeling van ons "eigen" liberaal-democratische systeem. Het antwoord is tweeledig. Allereerst zijn fascisme, nazisme en communisme ontstaan als reacties op het liberaal-kapitalistische stelsel. In grote delen van de wereld zijn deze systemen evident, in andere delen net even onder de oppervlakte nog levend. Elk ogenblik als het ware kunnen in Afrika en Latijns-Amerika groeperingen aan de macht komen die gedragen worden door centrale elementen van het fascistisch denken, in het Westen zijn, hier wat zwakker daar sterker, allerlei groepen virulent die teruggrijpen op fascistisch dan wel nationaal-socialistisch gedachtegoed; al noemt men het geheel anders, communisten zijn nog in een kleine reeks landen aan de macht, in andere staan zij in de coulissen: was president Jeltsin er niet met allerlei machinaties in geslaagd de man die de immuniteit voor hem en zijn vriendenkring moet veilig stellen aan de presidentiële zetel te helpen, in Moskou zou er begin 21ste eeuw een communistische president zijn geweest. Natuurlijk zijn er in het Westen velen die het boek van de 20ste eeuw het liefst zouden sluiten met een zelfgenoegzaam: "Wij hebben gewonnen". Die houding zal weinig baten: de geschiedenis gaat door en ook allerlei ideologische dialoog en gewapende strijd. De indringende vragen waarvoor de genoemde stromingen ons plaatsen, blijven in ons midden liggen.

Ten slotte is er een praktisch punt. Over het communisme en zijn geschiedenis zijn er bibliotheken vol geschreven. Over fascisme en nazisme veel minder. Het is echter een misvatting te denken: nu weten wij het wel. Juist in het afgelopen decennium is allerlei materiaal gepubliceerd dat ons helpt onze beeldvorming aan te passen en te verscherpen. Na de val van de muur is het Bundesarchiv in Berlijn begonnen met publicatie, gedeeltelijk tentoonstelling, van tal van documenten die een niet te ontwijken scherp licht werpen op allerlei facetten van de geschiedenis die binnen Duitsland, maar ook daarbuiten nog duister of betwist waren. Daarenboven komen, hoe wonderlijk dit ook moge klinken, nog steeds nieuwe getuigenissen, bijvoorbeeld over de moord op joden en anderen openbaar, die op beslissende punten belangrijke aanvulling geven op reeds lang bestaande visies. Sinds 1985 - en sinds 1991 nog in toenemende mate - kwam in Rusland archiefmateriaal vrij waarop bijvoorbeeld geheel nieuwe biografieën van Stalin gebaseerd konden worden. Ook over de gebeurtenissen in Nederland komen nog steeds nieuwe studies uit die vooral voor de periode 1940-1945 van grote betekenis zijn. Ten slotte is de liberaalkapitalistische maatschappij geen statische verworvenheid, naar een dynamisch project dat constant debat en onderzoek vraagt.

Fascisme en nationaal-socialisme

In een tijd waarin een gewaand progressieve "gedachtenpolitie" willekeurig een ieder met de termen fascist of racist bekladt die niet in haar lijn denkt, is het vereist zo scherp mogelijk te onderscheiden. Ongetwijfeld is het nazisme een fascisme, maar van zeer specifieke aard. Ook andere fascismen verschillen aanzienlijk van elkaar. Het is niet eens zo makkelijk te omschrijven wat verschillende fascismen gemeen hebben. Vaak is het eenvoudiger te formuleren waar het fascisme in het algemeen tegen was dan waar het voor was. Als gemeenschappelijke kenmerken van waar het tegen was noemen we:

1. de onmacht van de parlementaire democratie, vooral in de nasleep van de Eerste Wereldoorlog;
2. het ontbreken van krachtig visionair leiderschap dat een duidelijk toekomstbeeld schept;
3. het ontbreken van een adequate economische politiek met name van een conjunctuur- en werkgelegenheidspolitiek;
4. het gebrek aan saamhorigheidsbesef binnen de naties, de versplintering in gezindheids- en belangengroepen van hele volken;
5. het met punt 4 gepaard gaande kleine gekuip, de corruptie en het gebrek aan wil om de natie weerbaar te maken.

Ik stel deze kritiek bewust voorop; hoe de historische omstandigheden ook veranderd mogen zijn, zaken worden aangeroerd die ook heden tot de open zenuwen van het vigerende sociaal-politieke stelsel behoren.

Wat hadden de fascisten in positieve zin gemeen? Vaderland en vlag, een nieuwe impuls voor een oud patriottisme dat, aangescherpt en gericht op feitelijke of vermeende vijanden, verwordt tot een min of meer extreem nationalisme. Het fanatieke nationalisme is doortrokken van verzet tegen een vaag humanisme, tegenstander van het internationalisme van de Volkenbond, tegenstander ook van het - ook internationale - bolsjewisme. Maar dan zijn we weer bij het negativisme beland. Niet voor niets kenmerkten tegenstanders fascisten als reactionairen.

Voorts: verheerlijking van het eigen verleden en dat van grote geesten in eigen geschiedenis en Romeinse oudheid, is onder fascisten in hoge mate gemeenschappelijk. Dan is er het streven naar vorming van een voornamer, edeler, sterker mensentype - soms "ras" - soms sluit men aan bij het behoud nastrevende groepen bijvoorbeeld in de Rooms-Katholieke Kerk en bij de adel. Met beide laatstgenoemde kenmerken hebben we echter het terrein van de gemeenschappelijke kenmerken der fascismen al duidelijk verlaten. Goed bezien kenden landen als Italië, Spanje, Portugal, Hongarije, Polen, Roemenië en tal van landen in andere werelddelen ieder hun eigen type fascisme, wat vanzelfsprekend is als men beseft hoezeer zij zich concentreerden op eigen cultuur - soms "bloed en bodem" - op eigen verleden en de grootse momenten daarin. Ook leidende personen en de wijze waarop zij aan de macht komen, verschillen sterk. Hitler en Mussolini waren charismatische leiders; als zodanig kan men Franco niet bestempelen noch de teruggetrokken professor Salazar, die niettemin langer dan de andere dictators zijn volk in een ijzeren greep van politieterreur hield. Het Spaanse fascisme was niet racistisch, maar leunde sterk tegen kerk en adel en werd daarom door Hitler bitter verwenst. De Italiaanse en Portugese fascismen kenden een maatschappijordening volgens corporatistische ideeën; het Italiaanse fascisme grijpt terug op de Romeinse oudheid en het Portugese op een roemrijk koloniaal verleden en de daarbij uitgevoerde beschavingsmissie. Voldoende om te concluderen dat het spreken en schrijven over fascisme-in-het-algemeen niet bijzonder verhelderend is.

Doordat het een reeks van de genoemde kenmerken mist, maar andere zeer scherp naar voren doet komen, neemt het nationaal-socialisme als tak van fascisme een geheel unieke plaats in. Dit is overigens in lijn met Hitlers visie. Uitdrukkelijk stelt hij dat het nationaal-socialisme niet geëxporteerd kan worden. Het is gericht op het ontwaken van het Duitse volk en van de Germaanse volken in het algemeen.

Biologisch-genetische fundering van het antisemitisme

Germanen zijn een "heersersras" dat gezuiverd moet worden van elementen van "minderwaardige rassen", gezuiverd van hun "bloed". Het nationaal-socialisme gaat hierin verder dan enige andere vorm van fascisme. Tot de kern behoort een biologisch fascisme dat teruggrijpt op ideeën uit de eugenetiek, die filosofisch aansluiting vertonen bij de denkbeelden van Darwin en Nietzsche. Het minderwaardige "ras" is niet minderwaardig op grond van zijn minderwaardig geachte cultuur die zich nog tot hoger niveau zou kunnen ontwikkelen. Het is niet minderwaardig op grond van laakbaar moreel gedrag, dat onder omstandigheden anders gericht zou kunnen worden, het is minderwaardig omdat het genetisch, blijvend, erfelijk zo is. In het geschiedproces worden de minderwaardigen door constante strijd gedecimeerd. Waar humanisme en christendom de neiging hebben het zieke, het zwakke, het achterblijvende, voortdurend als objecten van zorg en medelijden te zien, handelen ze in strijd met de natuurwetten en zijn als zodanig verwerpelijk. De "volkse staat" heeft de roeping de natuurlijke processen te helpen en de minderwaardigen uit te roeien. De joden gaan als erfelijk minderwaardigen steeds voorop, echter, ook de Slaven dienen gedecimeerd te worden. Het oordeel dat Hitler over hen velt is niet gunstiger dan dat over de joden[2]. Het is alleen opmerkelijk dat hij in de eerste jaren van de oorlog over Polen en sovjetburgers steeds spreekt in de meest laatdunkende termen, maar dat als zijn successen aan het front verleden tijd zijn, er zo nu en dan enige woorden van waardering voor de prestaties van Stalin en de zijnen af kunnen. In overeenstemming hiermee worden in het eerste halfjaar van de veldtocht in het Oosten enige miljoenen krijgsgevangenen door dodenmarsen, onthouding van voedsel en medicijnen aan de dood prijsgegeven; pas in de laatste jaren, als ook slavenarbeid van de krijgsgevangenen uit het Oosten onmisbaar wordt, worden zij onder aanwijzing van de Rijksminister voor Bewapening Speer in de bewapeningsindustrie ingeschakeld. Ook de overgebleven joden werden onder afschuwelijke omstandigheden uit de kampen in het Gouvernement Generaal naar meer westelijke gebieden verplaatst, waar zij hun laatste krachten moesten inzetten in de wapenindustrie.

Wie nagaat hoe Hitler ertoe komt de joden speciaal tot onderwerp van haat en verachting te maken, komt met zijn geschriften in de hand een heel eind, maar blijft dan staan voor een onontwarbare samenzweringstheorie waarin hij zich vastbijt. Hitler komt in Wenen aan als voorstander van "algemene verdraagzaamheid". Het gaat niet aan een bepaalde godsdienstige groep apart te zetten en te bestrijden, vindt hij. Dan echter ontdekt hij "de jood" als aparte categorie, als producent en verspreider van minderwaardige kunstproducten en in de pers als hun promotoren, leiders van prostitutie en vrouwenhandel, maar bovenal sterk vertegenwoordigd in de publiciteit en leidende posten in de sociaal-democratie en de vakbeweging. Vervolgens noemt hij het marxisme joods: het ontkent "het aristocratische principe der natuur" en "zet op de plaats van het eeuwig voorrecht der kracht en der sterksten, de massa van het aantal en hun dood gewicht."

Op dit punt gekomen, zou men willen vragen: als joden zich dan algemeen als leiders manifesteren, is daarmee hen de lauwerkrans der sterksten niet toegevallen? Velen hebben gewezen op het feit welke vooraanstaande plaats joden bekleden in filosofie en literatuur, in tal van takken van wetenschap, hoe aan hen, veel meer dan evenredig aan hun aantal, Nobelprijzen ten deel zijn gevallen. Hitler begeeft zich echter niet in een gedetailleerde verdediging van zijn als dogma's geponeerde stellingen. Hij beschrijft "de jood" als woekeraar-door-de-eeuwen-heen en dit in algemene termen waaraan, nuchter denkend, niemand houvast heeft. In aansluiting daarop zien wij "de jood" ook opduiken als leider van het "kapitalisme" of de "plutocratie". Dat dit kapitalisme wél in zekere zin Darwinistisch is - de sterken doet winnen - deert Hitler niet. Ten slotte ziet het eerlijke maar misleide volk zich geconfronteerd met een totaal aan krachten die onderling tegenstrijdig zijn (varianten van socialisme en kapitalisme) maar die zich toch tot een "samenzwering tegen de mensheid" verbonden hebben.
Een doordachte kritiek helpt tegen dit alles niet. De strijd tegen "de jood", maar ook tegen het bolsjewisme, het maaksel van de jood, tevens tegen het kapitalisme, ook zijn product, is geworden tot een mythe. Hitler: "Door mij te verweren tegen de jood strijd ik voor het werk des Heren." Het is "het bloed" - de genetica was nog niet ver - dat deze "verwekkers van de ziekte der volkeren" - "ware duivels" - voortplant, zodat een "strijd met alle wapenen" tegen hen "de enig reddende weg is" [3].

Beïnvloedbaarheid van de massa's, een blijvend verschijnsel

Is er een les die wij uit dit alles kunnen trekken? Wat vermag het rustig analyserend verstand? En een daarop gebaseerde voorlichting? Hitler heeft bewust de mythe van de jood opgevat - ze bestond al eerder - uitgewerkt en als speerpunt van zijn streven gebruikt. Ook de expansie in het Oosten, is, als identiek met "de strijd om zelfbehoud" in *Mein Kampf* aangekondigd. Deze expansie op het gebied van het minderwaardige ras der Slaven legitimeert zich eenvoudig met de proclamatie van de Germanen als "de hoogste mensensoort op aarde".

Heel deze theorie van Hitler heeft iets onaanvaardbaars door alle stellingen die zij als dogma poneert, maar ook iets raadselachtigs omdat zij bij machte blijkt de beweerde minderwaardigheid van joden en Slaven, waarvoor hij in feite geen bewijzen aanvoert, bij grote massa's voetstoots aanvaard te krijgen.

Hitler prefereert het gesproken woord verre boven het geschrevene. In *Mein Kampf* ontwikkelt hij dit standpunt al als hij de betekenis van de redevoering en de vraagstukken van propaganda behandelt. De goede redenaar beperkt zich in zijn onderwerpen, hij behandelt ze stap voor stap, hij verklaart talloze malen dezelfde zaken. Het zijn verstandige raadgevingen. Hitler schat het opname- en verwerkingsvermogen van de massa's in het algemeen, en ook van zijn aanhangers, niet hoog. Hij doet dan ook steeds een beroep op het "oerinstinct van de kuddegemeenschap", op instincten in het algemeen, waarbij hij erin hamert dat "het joodse volk instinctief naar de wereldheerschappij streeft". Het is duidelijk, dat niet bewezen stellingen als deze in het Duitsland van de jaren '20 en '30 reeds in vruchtbare aarde gevallen moeten zijn.

Hitler gelooft niet in gemeenschappen van gelijkwaardigen. In een tafelgesprek (van 11 april 1942) zegt hij "het eeuwige geschetter over gemeenschapszin ... doet me glimlachen". "Niemand kan het verdragen dat zijn buurman meer verdient dan hijzelf, en hoe meer de mensen leefden als een gemeenschap, hoe scherper hun vijandschappen zouden worden". "De opvatting van menselijke solidariteit werd door geweld opgelegd aan de mensen en kan alleen door dezelfde middelen worden gehandhaafd."

Wie dit alles op zich laat inwerken, herhaalt de gangbare vraag: heeft men in Duitsland en daarbuiten van heel deze "Weltanschauung," van Hitler dan geen kennis genomen? Van *Mein Kampf* werden vele miljoenen exemplaren gedrukt, waarvan honderdduizend in het Nederlands. Anno het jaar 2000 is het verhandelen ervan nog strafbaar. Wie er heel besmuikt mee omgaat kan nog net straf ontlopen. Moeten wij dit met lichte spot passeren? Helaas niet. Wij hebben hier te maken met een van de mechanismen die de dictaturen in de eeuw achter ons in het leven hielpen en hielden. Het was censuur in allerlei vormen die de dictaturen kenmerkten. In nazi-Duitsland was dit in hoge mate een informele censuur, maar enthousiaste boekverbrandingen getuigden ervan hoe diep de indoctrinatie was doorgedrongen: wat de partij voor "ontaard" verklaarde was dat. Het meest schrikwekkende is hierbij de enorme suggestibiliteit, de hondentrouw - zonder zelf te lezen en te keuren, zonder scherp toe te horen en toe te zien, zonder eigen geweten te laten spreken, die miljoenen kenmerkte. Het is ook opvallend met hoe weinig personen de tak van het Sicherheitshauptamt die belast was met het verzamelen van inlichtingen over het doen en laten van en de stemming in de eigen bevolking, bezet was. Hitler zag in menig opzicht scherp: gemeenschap, rechten van zelfbewuste enkelen...? Ach, geef ze brood en spelen, een eenvoudig te isoleren vijand, een straffe leiding, en de massa marcheert, onder voortdurende zelfverdoving en zelfcensuur.

Nederlandse parallellen

Men oponeert misschien dat dit niet Nederlands is. Wie iets weet van hoe het er achter de schermen van onze organisaties, politieke partijen, kerken, enz. aan toegaat, zal dit niet snel herhalen. Onder enige druk en dreiging - niet met kerker of concentratiekamp - maar van negatieve beïnvloeding van zijn carrière, volgen ook anno 2000 velen de leiding, de opiniemakers die posten te verdelen hebben, kandidatenlijsten beslissend kunnen beïnvloeden. De zelfcensuur, het al spiedend naar links, rechts, onder of boven carrière maken, steeds zorgvuldig afwegend hoe aan de kant van de macht te blijven, is ook in een gewaande superdemocratie als de onze virulent. De macht van serviele bureaucraten en rechters haakt daar soepel op in. De "gedachtenpolitie," beoordeelt de mate van liefde voor de multicultuur; dienstbare redacteuren verklaren artikelen over levensbelangen van ons volk taboe totdat enkele "ankermannen" van de politieke macht het sein op groen zetten. Dagbladen zetten dan de deur op een kier. In Trouw van 1 april 2000 bijvoorbeeld, mocht een der redacteuren - na decennia - een artikel publiceren onder de kop: "Hoeveel immigranten willen wij?" Hij somt daarbij een groot aantal dooddoeners op die in de loop der jaren gebezigd zijn om discussie over deze vraag af te stoppen. Loffelijk! Op het eind van zijn betoog echter stelt hij dat zo'n open discussie weleens in plaats van vermindering van het aantal immigranten tot vermeerdering zou kunnen leiden. Kennelijk een toevoeging onder invloed van een GroenLinkse lobby waarvan de opvattingen ook diep in de zich op allerlei mogelijke wijzen als kampioenen van de humaniteit opwerpende christenen zijn doorgedrongen. Wie denkt dat de discussie inderdaad open is gesteld, vergist zich deerlijk. Men wijst nu weer artikelen af waarvan de "toegevoegde waarde" niet voldoende zou zijn, terwijl de argumentatie die in de artikelen geboden wordt nog nimmer in Trouw werd gepubliceerd. Qua tactiek hebben wij - het overgrote deel van de pers in gewaand progressieve handen zijnde - met een censuur en zelfcensuur te doen die herinneren aan de duisterste perioden van de 20ste eeuw.

Opmerkelijk bij dit alles is dat men niet gewend is of was het materiaal van de tegenstander zelf te bestuderen. In verschillende werkkringen waarin ik samenwerkte met personen die zich aan enige vorm van politieke studie en publiciteit wijdden, moest ik vaststellen dat zij die bijvoorbeeld Hitler of Marx of Stalin zelf gelezen hadden tot de uiterst weinige uitzonderingen behoorden. Het was eenvoudig: wie zou daarmee kunnen scoren? Belangrijker was het de tekens van "boven" in regering, politieke partij, vakbeweging enz. op te vangen, die erop duidden hoe de windhaan zou gaan draaien.

Ik kan niet nalaten op dit punt een enkele anekdote te vertellen. Het was omstreeks 1950 en de Koude Oorlog laaide in het Verre Oosten heet op. Op een dag kocht ik bij Pegasus, de communistische boekhandel in de Leidsestraat in Amsterdam, enkele werken die ik nodig achtte voor een zelfstandige studie van het communisme. Daarna bezocht ik een collega-student die ik 's morgens op college had ontmoet. Toen ik hem, na zijn desbetreffende vraag, vertelde wat ik in de tussentijd gedaan had, hield hij mij in volledige ernst voor: "Is dat wel verstandig? Weet je dan niet dat wie bij Pegasus koopt, genoteerd wordt?" In elk geval houden ze - bedoeld was de BVD - die zaak in de gaten. Hijzelf zou daar nooit een voet over de drempel zetten. Er ontspon zich een gesprek over intellectuele onafhankelijkheid. Ik verdedigde het standpunt dat onafhankelijk denkenden de roeping hebben voor te gaan in de instituties (partijen, enz.) en daarbuiten. Mijn gesprekspartner was het er niet mee eens. "Je moet je ideeën voor je houden en eerst een maatschappelijke positie verwerven; van binnenuit kan je dan invloed uitoefenen". Ik voorspelde dat je dan zo aangepast zou zijn dat je ter wille van je carrière eerst naar alle kanten zou uitkijken, alvorens maar iets te zeggen of te schrijven dat als "brisant of gevoelig" zou kunnen worden aangemerkt.

Het deed mij genoegen dat ik kort erna op een college aan de VU van de hoogleraar Economische Politiek, prof. Van der Kooij, een verhandeling hoorde over Josef Stalins "Problemen van de kostprijscalculatie onder het socialisme". Van der Kooij besprak een reeks van boeken met de meest verschillende ideologische achtergrond, rustig en precies nagaand wat de auteur wilde zeggen, zelf hier en daar een opmerking makend. Een geleerde zoals een werkelijk vrije, open maatschappij die brood nodig heeft. Helaas speelt het eerste voorbeeld niet in een afgesloten verleden. In heel mijn carrière zou ik nog menigmaal op vergelijkbare situaties stuiten, tot op deze dag.

Terugkijkend naar de tussenkop aarzel ik even: de vele enkelingen blijken even beïnvloedbaar en manipuleerbaar als de massa. In feite zagen we wat nu precies als 50 jaar geleden de democratie bedreigt: niet alleen de beïnvloedbaarheid van de "massa's", maar ook "het verraad der klerken". Wat ik continu als huiveringwekkend ervoer was het bukken voor censuur, soms het toepassen van zelfcensuur, het elkaar napraten en nadoen, waarbij alle kritische zin terzijde wordt gesteld en dat letterlijk overal een rol speelt[4]. Het zonder duidelijke verdediging door politieke leiders omzwaaien naar andere standpunten, waarbij ik personen die haast een gevolg van dienstknechten leken, zo geruisloos mogelijk de wending zag meemaken, stemde mij niet optimistisch. Vaak verbleekt de ideologie, maar blijven louter persoonlijke tegenstellingen en machtsbegeerten een centrale rol spelen. De binnenste cirkels van de autoritaire systemen vertoonden hiervan onthutsende voorbeelden, maar hun gewaande democratische tegenstanders vertoonden vaak hetzelfde beeld.

Hitlers visie op mens en samenleving blijkt bepaald niet geheel onrealistisch. De mens streeft naar macht, tot hij er bijkans bij neervalt, lijkt het. Instincten drijven hem meer dan verstand. Het is een zich oneindig herhalend verhaal.

Noten

1. Waarschijnlijk is het beter steeds het nationaal-socialisme aan te duiden met "nazisme" als het de Duitse variant betreft. De Tsjechoslowaakse president Benesh stond aan het hoofd van een nationaal-socialistische partij; de NSB -leider Mussert ook. Beiden, hoe verschillend ook, stonden ver van het nazisme van Hitler verwijderd.
2. Hitlers ongetemperde haat tegen joden, Slaven en christenen komt steeds weer in zijn *Tafelgesprekken* naar voren. Deze gesprekken, pas in 1980 in een eerste Nederlandse uitgave verschenen bij Van Holkema en Warendorf, vormen samen met *Mein Kampf* onmisbare bronnen voor het doorgronden van Hitlers denken.
3. Het is mode geworden te spreken en schrijven over de "sjoa" of de "holocaust". Het gebruiken van deze termen acht ik minder juist. Enerzijds hebben ze iets bemantelends. Maar weinigen weten wat ze betekenen. Anderzijds hebben ze iets geheimzinnigs, wat als functie kan hebben het toch al afschuwelijke nog duisterder en erger te maken dan het al is. Men noeme het feit bij zijn naam: "moord op de joden" of "jodenmoord."
4. Dat politieke taalmanipulatie niet louter praktijk is van autoritaire systemen laat Prof. S.W. Couwenberg helder zien in *Taalmanipulatie als politiek wapen,* Sta Vast, april 2000. Hij constateert dat anno 2000 steeds meer "bespreekbaar" wordt, wat tot voor kort door taboes werd omgeven. De "gelijkheidscultus" mag weer worden bekritiseerd, "selectie en elitevorming zijn weer volop salonfähig", "het taboe op het denken in termen van behoud en ontwikkeling van de eigen Nederlandse identiteit is verdwenen". Het zijn inderdaad "wolkjes als eens mans hand", een aanvang van een vrije discussie; mijns inziens niet meer.

Hoofdstuk 5

IDEOLOGIE ALS MACHTSFACTOR
HET NAZISME

De twee politieke ideologieën die in de twintigste eeuw dictatoriaal geleide staten belichaamden: nazisme en communisme, kunnen wat de fundamentele denkbeelden waarop zij steunden betreft, vrij lastig vergeleken
worden. Het nazisme levert geen moeilijkheden op: met drie of vier bronnen waarin Hitler schrijft of spreekt en enkele geschriften van tijdgenoten
en analyses van historici, komt men een heel eind. Het communisme daarentegen wordt in zijn meer dan 70-jarige praktijk - en 150-jarige theorievorming - begeleid door een reeks denkers die ieder hun eigen kijk op theorie en praktijk hebben. In de Sovjet-Unie alleen al: Stalin, Trotski, Boecharin,
Chroestsjov, om maar enkele namen te noemen en dan ontbreken nog de
'vaders': Marx, Engels, Lenin, Mao en tal van andere ideologen die vaak
op kardinale vragen weer andere antwoorden hebben. Hier ligt mijns inziens dan ook een eerste eenvoudig antwoord op de vraag: waarom had het
communisme onder de denkende en schrijvende elite zoveel meer aantrekkingskracht dan het nazisme? Het antwoord luidt: het gaf zoveel meer
te denken, vooral over de maakbaarheid van mens en maatschappij van de
toekomst. Bovendien toonde het een sympathieker gelaat in de studieuze
vaderlijke Marx, zijn zeer veelzijdige vriend Engels, de uiterst begaafde
debater Lenin; zelfs Stalin steekt als keiharde werker, volhardend syste-
maticus en breed ontwikkeld mens, nog aantrekkelijk af tegen de mono-
mane, van haat vervulde Hitler en de troep ongeregeld aan zijn zijde. We
zullen deze vraag later opnieuw tegenkomen.

Het nazisme als specifiek racistisch socialisme

Het nazisme is een geheel eigen soort fascisme dat met de meeste andere
fascismen weinig gemeen heeft. In zijn fanatieke, tot het uiterste doorgevoerde rassenhaat, zijn brutaliteit en gewelddadigheid ontplooit het een uitzonderlijk willekeurige irrationaliteit waarbij een reeks van Stalins misdaden nog als redelijk beredeneerd afsteken. Zoals we al zagen was Hitlers
antisemitisme nauwelijks rationeel ondersteund, evenmin was zijn anti-
Slavische instelling dat. Waarschijnlijk heeft hij deze opgedaan in Wenen
waar zich allerlei elementen bevonden uit het volkerenmozaiek dat de
Habsburgse monarchie vormde. Bij dergelijke minderheidsgroepen is de
trek naar de grote steden dominant; als regel trekt de grote stad zowel hun
eliten als hun onderproletariaat aan. Huidige migratiebewegingen geven
daarvan ook treffende voorbeelden.

Verbazingwekkend is dat de toch in menig opzicht goed onderlegde Führer

- tijdens de tafelgesprekken geeft hij blijk van een brede kennis - volstrekt onwetend schijnt te zijn als het gaat om de culturele erfenis en prestaties van de Slavische volken. Hij heeft ze eenmaal als 'Untermenschen' gedefinieerd en houdt zich steeds angstvallig bij die definitie. Nooit en te nimmer geeft hij enig blijk van kennis van enig voortbrengsel van de Slavische cultuur: zij het bellettrie, zij het schilder- of beeldhouwkunst, muziek, architectuur, ballet, maatschappij- of natuurwetenschappen; Hitler schijnt het alles een 'zwart gat' te hebben gelaten, om maar bij zijn fundamentele afkeer te kunnen blijven. Pronkstukken van Europese cultuur zoals Leningrad moesten volledig vernietigd worden. Het duistere, demonische aspect van Hitlers karakter en streven dat hier al zichtbaar was, ontplooit zich in ieder aspect dat wij behandelen: de nazi-gemeenschapsidee en de plaats van leider en volk daarin, de nazi-visie op het geschiedproces, op de religie en op de wetenschap.

De roep om een sterke man met een duidelijke gemeenschapsvormende idee kwam in het Europa van tussen de beide wereldoorlogen niet uit de lucht vallen. Een reeks van filosofen en staatkundige denkers had haar voorbereid, van Plato tot Nietzsche. Bovendien viel ze speciaal in Duitsland in vruchtbare aarde. Gobineau en Chamberlain ontwikkelden elementen van een rassenleer die in Duitsland veelvuldig navolging vond. Hetzelfde was het geval met de these van Darwin over de natuurlijke selectie en de altijddurende strijd der soorten. De etnische trots te behoren tot een edel ras met als mythisch centrum de bergen en valleien van Midden-Europa werd tot uitdrukking gebracht door de schilder Meckel; Karl Haushofer, mentor van Rudolf Hess, ontwikkelde zijn leer van de geopolitiek die Hitlers eisen om Lebensraum enige grond scheen te geven, ofschoon Haushofer zelf afstand van Hitler nam toen hij zag wat dit in de praktijk uitwerkte. Jonge conservatieven leunden sterk op de ideeën van Moeller van den Bruck, die in zijn *Das Dritte Reich*, 1925, een naam geeft aan het rijk dat Hitler zal scheppen. Hij kent elk volk een "levende ziel" toe die "van vreemde smetten gevrijwaard moet blijven". Hartstochten en instincten zullen "het winnen van de tirannie van de rede"[1]. Duitsland is overbevolkt en dit reeds rechtvaardigt expansie. Hitler compileert al deze elementen.

Met dit alles als achtergrond, kwam de smadelijke vrede van 1919, zijn economische, sociale en morele ontreddering. De Duitse economie stortte in elkaar. De bovenlaag die op enigerlei manier over dollars kon beschikken leefde in een onwezenlijke weelde. 1 november 1922 stond de dollar op 4.450,— Mark, 1 januari 1923 op 91.500; 7 augustus 1923 op 3,3 miljoen Mark; 22 augustus 1923 op 40 miljard Mark. De economische ineenstorting was het gevolg van de Franse bezetting van het Ruhrgebied, als represaille wegens achterstallige herstelbetalingen. November 1923 kostte 1 pond suiker 250 miljard Mark, een brood 260 miljard Mark, een pond vlees 3,2 biljoen Mark. Het dagloon van een arbeider bedroeg omstreeks 5 biljoen Mark. De ellende van de overgrote meerderheid van de bevolking stak zeer scherp af tegen de weelde van hen die over buitenlandse valuta's beschikten - waaronder veel joden met buitenlandse contacten.

De grond was rijp. Het "Deutschland erwache" werd een wekroep die boven de elkaar verketterende politici uit weerklonk. Communisten en socialisten bestreden elkaar als nooit tevoren. De roep van de nazi's om als één volk aan het werk te gaan en de oude scheiding tussen standen en klassen af te breken, vond steeds meer weerklank. Industriëlen zagen met ontzetting de wegvoering of vernietiging van het gros van hun werktuigen en machines. Dit deed hen uiteindelijk voor Hitler kiezen, ook zonder bijzondere concessies zijnerzijds.

De Führerstaat als sociale staat

Van 1924 tot 1929 beleefde Duitsland een economisch herstel, gedragen door een herwaardering van de Mark. Op 20 november 1924 wordt de dollarkoers op 4,2 biljoen papiermark gefixeerd. De Wallstreet-crash van 1929 doet zich in Duitsland scherp voelen; het regent faillissementen, de werkloosheid loopt in enkele jaren op tot 5,7 miljoen. Als Hitler - nadat zijn partij in juli 1932 de sterkste in de Rijksdag geworden is - op 30 januari 1933 kanselier wordt, is het werkloosheidscijfer de 6 miljoen gepasseerd.

De parlementaire democratie was voor Hitler en de zijnen - maar niet alleen voor hen - een makkelijk te treffen tegenstander. Zij hield het volk verdeeld, ontwikkelde geen visie op lange termijn en ondermijnde het Duitse zelfbewustzijn. Men stelle zich de welzijnstoestand van dit volk voor ogen. Ik herinner aan de gegevens met betrekking tot inkomens, consumptie en huisvesting die ik voor Nederland gaf in het eerste hoofdstuk. Men doe daar nog het nodige van af, denke aan de miljoenen weduwen en wezen, de miljoenen oorlogsgewonden, die het allen matig tot zeer slecht hadden in een samenleving met een financiële toplaag voor wie het leven één groot feest scheen.

Het "ontwaakte volk" krijgt arbeid, een sterk versneld woningbouwprogramma en meer consumptiemiddelen. Wie nooit vakantie had krijgt ze nu; wie zich bewijst in de praktijk, niet per se de persoon met de beste diploma's, krijgt, ongeacht zijn afkomst, de beste kansen. Het klopt niet dat dit alles "slechts propaganda" was. Echter, het werd realiteit in een volksgemeenschap die spoedig klemde als een stalen band en waarvan alle niet "zuiver-volkse" elementen waren uitgesloten.

Vaak is gesteld dat Hitler met ondersteuning van het grootkapitaal aan de macht heeft kunnen komen. Een auteur die alles uit de kast haalt wat maar mogelijk is om deze stelling te ondersteunen[2], komt niet verder dan enkele schenkingen à 50.000 Mark en een krediet van 250.000 Mark van de industrieel Thyssen; hij voegt eraan toe dat "volgens kenners" het om een som van 1.250.000,— Mark gegaan moet zijn. Wie die kenners zijn kon anno 1986 blijkbaar nog niet worden geopenbaard. Verder heeft Thyssen naar eigen zeggen Göring driemaal 50.000,— Mark geschonken. Gesuggereerd wordt verder dat Thyssen helpt in de persoonlijke sfeer - bijvoorbeeld met salarissen voor Hitlers secretaris, chauffeur en lijfwacht en dat hij ook het partijblad "Illustrierter Beobachter" helpt financieren. Dit blad is intussen snel uit de rode cijfers. Bovendien levert het Hitler - die nimmer enig salaris van de partij aanneemt - een aardig inkomen aan honoraria voor zijn artikelen. Inmiddels loopt de verkoop van *Mein Kampf* als een trein. Het boek kost 10 à 12 Mark en Hitler krijgt 15% aan royalty's. Daarenboven int hij 10% royalty's van de foto's waarvan de partijfotograaf Hoffmann het alleenverkooprecht heeft. Hoffmann die al in het begin van de jaren twintig tot de partij behoorde, toont zich steeds een goed zakenman. Van de foto die hij neemt als Hitler in 1924 de vesting Landsberg verlaat, verkoopt hij er zoveel dat dit Hitler 40.000,— Mark oplevert. In 1930 worden meer dan 54.000 exemplaren van *Mein Kampf* verkocht; na dat jaar stijgt de omzet met tienduizenden per jaar. Het is eenvoudig te berekenen dat Hitler alleen al aan de genoemde royalty's miljoenen verdiend moet hebben. Eenmaal president geworden, verkrijgt hij nog het *beeldrecht* voor zijn foto's die op postzegels worden afgedrukt. Het betreft slechts een fractie van 1% van de opdrukprijs, maar ook dit heeft vele miljoenen opgeleverd. Als hij leider en rijkskanselier wordt is Hitlers financiële toestand al sterk te noemen. De partij heeft dan meer dan 800.000 leden en haar persorganen maken voortdurend stijgende grote winsten. Hitler overweegt enkele jaren salaris als regeringsleider en president niet op te nemen. Dan gaat hij er toch toe over, voor het aanschaffen van kunstwerken, voor het door hem geplande museum te Linz kan hij moeilijk genoeg geld hebben. Aangetoond is echter voldoende dat al in een vroeg stadium van steun van industriële zijde geen sprake behoefde te zijn. In 1944 liggen alleen aan royalty's voor *Mein Kampf* 5.525.811,— Mark op Hitler te wachten; over 1943 had hij op de betrokken rekening 592.212,— Mark opgenomen. Zijn overige bezittingen aan saldi uit beeldrechten wordt op het tienvoudige geschat.

Communisten maakten, al dan niet bewust, een fout Hilter voor te stellen als gekocht door "het kapitaal". James en Suzanne Pool hebben in hun studie *Wie financierde Hitler?*[2a] voldoende duidelijk gemaakt dat industriëlen en bankiers bij verkiezingen allereerst alles wat rechts was steunden, maar niet Hitler. I.G. Farben kwam pas in Hilters kamp *toen hij al president was.* Voordien financierde de geldadel overwegend de Duits-nationalen en andere rechtse groepen teneinde Hitler te weren. Onder de kleine reeks partijen die bij verkiezingen door industriëlen gesubsidieerd werden, kwam de NSDAP, zo al, op de laatste of een van de laatste plaatsen. *Na de machtsovername* waren *nationale en internationale* financiers bereid tot ruime leningen voor tal van projecten.

De Führer-staat: een massatoneelfaçade

Menig auteur wijst erop dat in 1933 voor allerlei zaken: de Autobahnen, de sociale woningbouw "de plannen al gereed lagen". Het ging echter om het DOEN en dat bracht de grote meerderheid - vele ex-communisten en ex-socialisten inbegrepen - tot laaiend enthousiasme en geloof in de toekomst en aan hun Führer. De bewapeningskosten gedurende de eerste jaren van Hitlers bewind bleven bescheiden: nog in 1939 is het leger op een sterkte waarmee velen in de generale staf de aanval op Polen nauwelijks aandurven[3]. Het nationaal-socialisme toonde zich een sociaal-revolutionaire beweging waarin de massa-organisaties zorgden voor homogenisering. De massa kon haar charismatische leider, "de man uit het volk" zien als "een van ons"; Hitlers zorgvuldig opgebouwd image speelde hier volledig op in. De door de "voorzienigheid" gezonden Führer die met zijn fascinerende redes hoog boven de in strakke orde opgestelde honderdduizenden onder een zee van vlaggen de weg wees, was dezelfde man die eenvoudig tussen zijn "familie" van adjudanten en secretaresses de maaltijd tot zich nam, of ergens in het veld bij zijn troepen. Een asceet: geen drinker, geen roker, wel vegetariër en kinder- en dierenvriend. Het was dezelfde man die buitenlandse staatslieden intimideerde. Hij kon, zoals hij zelf meerdere malen getuigde, tot tierende razernij raken, vooral in contact met leden van de "oude legerleiding". Het was opnieuw dezelfde man die zich krachtens hun getuigenissen, steeds vriendelijk en attent toonde tegenover zijn personeel, soms duidelijk begaan met hun lot.

Het nationaal-socialisme was een socialisme, echter exclusief ten dienste van één "raszuivere" natie, die zichzelf gelegitimeerd achtte hele volken en rassen uit te roeien.

Die strakke orde en regie waarin honderdduizenden manifesteerden, is echter voor wie achter die façade zich een evenwichtig geordende strakgeleide hiërarchie in partij, staat en maatschappij denkt, misleidend en bedrieglijk. Hitlers Führerstaat had iets chaotisch. Hij roept zijn medestanders op de macht te grijpen waar zij daartoe maar de kans zien. De sterke, dat betekent bij Hitler ook de meest brutale en harde, wint en dat komt hem ook toe. Het staatsapparaat blijft weliswaar bestaan, maar wordt op centrale punten bezet door medestanders. Toch wekt het voortdurend Hitlers wantrouwen: regelmatig laat hij zich laatdunkend uit over de formalistische, fantasieloze bureaucratie. Boven de staatsorganen schuift zich als het ware de machtsstructuur van de partij. Daarbinnen groeperen zich allerlei organisaties, steeds onder leiding van Reichsleiters of Reichsführers: de regionale partijorganisaties, de SA en de SS, de Arbeidsdienst, het Kraftfahrerkorps, de Hitler-Jugend (manlijk), de Bund Deutscher Mädel (keurig gescheiden, de Führer kende het meisje en de vrouw een strikt ondergeschikte plaats toe), de Bund Deutscher Frauen, Kraft durch Freude, voor de vrijetijdsbesteding, verbonden voor ondernemers, opvoeders, medici, de door Hitler geminachte juristen, enz. enz.

Communistische staten hebben een ordelijk staatsrecht waarin bijvoorbeeld in de opvolging van het staatshoofd is voorzien; ook de opvolging in de partijtop is nauwkeurig omschreven. Dit neemt natuurlijk niet weg dat in de praktijk een en ander met allerlei gekuip en zelfs moord gepaard kon gaan. In Duitsland bestond in dit opzicht een vacuüm. Wij moeten Hitlers visie hierover vernemen als hij op 31 maart 1942(!) zijn gasten bij het diner een uitvoerig college staatsrecht geeft. Wat hij over de monarchie zegt is te curieus om het hier niet te herhalen: "De erfelijke monarchie is een biologische blunder, want een man met dadendrang kiest zich normaal gesproken een vrouw met wezenlijk vrouwelijke kwaliteiten en de zoon erft zijn moeders mildheid en passieve dispositie." Met betrekking tot de regering van Duitsland is de Führer tot de volgende conclusies gekomen:

1. Het Reich moet een republiek zijn met een gekozen leider, bekleed met absolute autoriteit.

2. Een instelling die het volk vertegenwoordigt moet fungeren als correctief. De vertegenwoordiging moet het staatshoofd steunen, maar moet ook kunnen ingrijpen ingeval daar behoefte aan bestaat. (Een rijkelijk vage bepaling).

3. Het staatshoofd zal niet door de volksvertegenwoordiging worden gekozen, maar door een senaat. Deze wordt benoemd (door wie?) uit verschillende beroepsbeoefenaars en heeft een steeds wisselende samenstelling. Zij moet er zich van bewust zijn dat de Führer altijd de beste man moet zijn(!)

4. De verkiezing vindt plaats *In Camera*. Hitler verwijst hier met zoveel woorden naar de wijze waarop pausen worden verkozen (en dat voor deze fanatieke antipapist).

5. Partij, leger en ambtenaren moeten aan de nieuwe leider de eed van trouw afleggen binnen drie uur na de verkiezing. (Hitler kan zich een meerpartijenstaat principieel niet indenken, maar ziet de zijne blijkbaar niet als zeer stabiel).

6. De soevereine wet voor de nieuwe leider moet zijn: de ingrijpendste scheiding tussen de wetgevende en de uitvoerende organen. (Een sterke machtsverschuiving naar de partijbureaucratie dus).

Georganiseerde chaos en structurele verandering

Bron van het Führer-principe is, dat zoals overal in de natuur, ook in de samenleving de strijd de sterksten en besten doet winnen. Hitler spoort de zijnen dan ook aan van jongsaf bij zichzelf de "Wille zur Macht" te ontplooien en hard te worden als staal. Jongeren leiden in de Hitler Jugend steeds hen die enkele jaren jonger zijn dan zij. Leiders worden in een concurrentieproces gevormd. Een zekere mate van chaos moet er voor zorgen dat verschillende organisaties en instanties niet inzakken en verbureaucratiseren. Van de vaak door medestanders verheerlijkte gemeenschapsidee verwacht Hitler weinig. "Geeft men de mens volkomen vrijheid van handelen, hij zou zich onmiddellijk als een aap gaan gedragen. Niemand kan het verdragen dat zijn buurman meer verdient dan hijzelf, en hoe meer de mensen leefden als een gemeenschap, hoe scherper hun vijandschappen zouden worden... Het eeuwige geschetter over gemeenschapszin die de mensen uit eigen vrije wil tezamen brengt doet me glimlachen".

Een streng gezag moet de samenleving dus bijeenhouden. In plaats van de verwachte van bovenaf strikt gedicteerde orde, vinden we in feite een complex van elkaar gedeeltelijk overlappende diensten en organisaties. De Führer heeft niet minder dan vier Kanzleien onder zich die ieder vertegenwoordigd zijn door een verbindingsman in zijn staf. De Reichskanzlei dient Hitler in zijn functie als president; de Staatskanzlei staat hem bij als eerste minister - van een kabinet dat na 1936 nooit meer vergadert (Hitler ontbiedt nu en dan een of twee ministers). Voorts is er de Parteikanzlei en een persoonlijke Kanzlei. Ze krijgen alle bepaalde orders, vaak mondeling, die door de betrokken verbindingslieden worden opgevangen; niet zelden echter heeft meer dan één Kanzlei over dezelfde zaak een "Führer Anweisung" ontvangen of meent deze ontvangen te hebben. Het is een systeem dat bij Hitlers karakter en filosofie past, dat voor de handhaving van zijn primaat geschikt leek, maar ook veroorzaakte dat diensten en ministeries betrekkelijk los van elkaar werkten en soms min of meer tegen elkaar in. Een en ander had dus aanzienlijke nadelen. Populair gezegd: Hitler liet zeer belangrijke opdrachten en processen vaak te veel "wielen". Op bewapeningsgebied bleek dit lange tijd uiterst nadelig. Te lang bleven allerlei bedrijven en uitvinders naast elkaar bezig met het ontwikkelen van nieuwe generaties van bepaalde wapens, zonder de broodnodige coördinatie. Te veel typen kwamen ook in productie. Duitsers vinden daarbij ook steeds dat een wapen mooi en fijn afgewerkt moet zijn. Geheel anders in de Sovjet-Unie. Daar werd onder straf toezicht van het opperbevel gewerkt aan de vervolmaking van een beperkt aantal typen wapens. Deze, vaak wat lomp en ruw van uiterlijk, waren als regel net iets beter, onder alle omstandigheden te bezigen en net iets minder kwetsbaar dan de Duitse. Dit werd pas gecorrigeerd toen in 1942 Albert Speer het bevel kreeg over de gehele Duitse bewapeningsindustrie.

De in oorlogstijd bestaande staats- en maatschappijstructuur is min of meer al improviserend ontstaan. Precies zoals bij zijn ideeën voor een verkiezing van een toekomstig staatshoofd blijft Hitler in volle oorlogstijd over de maatschappij van de toekomst filosoferen. De bodem behoort aan de natie, stelt hij. De pacht van grondstukken mag niet versnipperd worden: slechts één boerenzoon zal het bedrijf van het gezinshoofd kunnen voortzetten. "De leiding die we nu in oorlogstijd aan de economie geven, moeten we niet meer loslaten". Aan het privé-bezit van grote bedrijven in de vorm van aandelen zal een eind worden gemaakt. Zuivere speculatieve inkomens, waar geen inspanningen tegenover staan, dienen te verdwijnen; dat soort winsten behoort aan de natie. Het familiebedrijf dat werkt met eigen geld zal blijven voortbestaan. Een maatschappij op aandelen (NV) echter, "moet geheel onder de staat gesteld worden". Aandelen zullen worden omgezet in obligaties. Arbeiders moeten in grote bedrijven medezeggenschap hebben. De waarde van het geld dient met kracht te worden gehandhaafd.

Hitler die al voor de oorlog voorzichtig genoeg was zich niet van "het kapitaal" afhankelijk te maken, geeft hier duidelijk aan: hij is een nationaal-*socialist*. In plaats van een beroep te doen op het idee van de bedrijfs "gemeenschap", met welk begrip hij niet veel op heeft, de mens blijft een egoïst, zien we hem hier als voorstander van structurele verandering.

Hitlers tijdbesteding is opmerkelijk. In de jaren van zijn bitterste nederlagen gaat hij steeds voort met het ontvouwen van zijn denkbeelden over de vorming van het nieuwe rijk, en besteedt zeeën van tijd aan architectonische ontwerpen voor het Berlijn, Linz, enz. van de toekomst. Nog in april 1945 bekijkt hij in de bunker onder de Reichskanzlei maquettes die hij door Speer daar heeft laten opstellen. Terzelfdertijd houdt hij star vast aan zijn dogmatische uitgangspunten die zijn land naar de ondergang brengen.

Zelfs een eerdere totale mobielmaking van Duitsland en inschakeling van vazalregeringen in het Oosten, die men voldoende competentie en waardigheid had moeten geven, had een uiteindelijke Duitse nederlaag niet kunnen verhinderen. Speer berekende in zijn capaciteit van minister van Bewapening midden 1942 dat als alle mogelijke inspanningen geconcentreerd zouden worden, Duitsland pas in 1947 een atoombom zou kunnen hebben. Gedurende de voorziene vijf jaar, zouden echter de voorraden aan een reeks van essentiële grondstoffen zijn uitgeput, zodat men in het geheel niet in deze termijn kon denken. Intussen kon niet worden ingeschat dat de Verenigde Staten al in 1945 over atoombommen zou beschikken. Het feit dat de ideologie voorschreef allerlei in principe inzetbare krachten niet te activeren, is niet voor de Duitse nederlaag, maar wel voor het totale karakter ervan, verantwoordelijk geweest.

Wetenschappelijk onderzoek als staatsvrije sfeer

De totalitaire staat, zoals Hitler die ontwierp, kende intussen wel een staatsvrije sfeer. Verdedigers van een "Arische Wetenschap" vonden bij de nazileiding geen onverdeelde steun. Zeker op natuurkundig gebied was er aarzeling vast te stellen over wat ideologisch gezien als correct moest worden beschouwd. De zogenaamde "Arische fysici" moesten proberen op eigen kracht binnen het geheel van elkaar bestrijdende nazi-bureaus en concurrerende nazi-belangen, protectie te verkrijgen[4].

Hoe evidenter Hitlers Blitzkrieg doodliep, des te meer was hij genoopt een beroep te doen op ingenieurs, natuurkundigen, maar ook leraren, geestelijken en andere specialisten, die wel kennis hadden die voor de voortzetting van de oorlog onontbeerlijk was, maar weigerden politieke verordeningen te gehoorzamen. In dezelfde mate waarin de noodzaak van dit beroep toenam verminderde de ideologische druk.

Op 16 mei 1944 zegt Hitler categorisch het volgende: "Onderzoek moet vrij en onbeïnvloedbaar blijven voor iedere bemoeienis van de staat. De feiten die het vaststelt, vertegenwoordigen de waarheid en de waarheid is nooit slecht." De staat moet het onderzoek steunen ook al zullen de resultaten pas betekenis hebben voor de generatie van de toekomst. De vrijheid van onderzoek moet niet beperkt blijven tot de gebieden van de natuurwetenschappen: "Het zou eveneens het domein van het denken en de filosofie moeten omvatten[5]."

Wel wordt scherp onderscheiden tussen onderzoek en onderwijs. Het laatste wordt door de staat beheerst. Wij kunnen aannemen dat, indien vergelijkend etnisch onderzoek zou leiden tot de stelling dat men verschillende menselijke rassen potentieel of in de actualiteit als gelijkwaardig dient te zien, dit niet in onderwijs of voorlichting zou hebben kunnen doordringen. Wij moeten vrezen dat de betrokken onderzoeker(s) in een concentratiekamp zou(den) zijn beland.
Hitler toont op tal van punten, zo ook in dit aspect, een zekere dubbelheid. Hij theoretiseert rustig voort over de samenleving van de toekomst, heeft het anno 1943 en 1944 zelfs over het toekomstige geslacht, terwijl hij weet dat de oorlog verloren is[6], en hij tevens wenst dat het Duitse volk met hem ten onder zal gaan. Steeds, ook in de goede dagen, was zijn denken doortrokken van het besef van een nabije dood: "Ik zal niet oud worden". Ook de zijnen gaat hij voor in een ziekelijke gerichtheid op de dood in de strijd. Veel partij- en jeugdliederen zingen het uit: "Wij volgen Adolf Hitler tot in het graf" en dat in allerlei varianten.

Als we ons dit goed indenken en leer en toekomstverwachting van het communisme hier naast leggen, wordt duidelijk dat velen nu nog nauwelijks begrijpen dat de leer van de "nieuwe mens" in een "stralende harmonieuze toekomst" moeilijk minder schuldig geacht kan worden dan die der nazi's.

Hitlers religie een antichristendom

Dubbelheid vinden we ook in de nazi-opvattingen over religie. Allereerst zijn er verschillende stromingen. Himmler c.s. is voorstander van een met allerlei riten omgeven dienst die refereert aan oud-Germaanse goden en geesten. Hitler drijft de spot hiermee: "Juist zijn wij joodse en christelijke godsvoorstellingen kwijt, of we zouden terugvallen op dergelijk achterlijk gedoe. Dan is het veel beter te blijven bij de rituelen van de kerk der eeuwen en de wijding die daarvan uitgaat." Doel is de Rooms-Katholieke Kerk en de Protestantse Kerken te verenigen onder de vaan van "één Duits christendom". De "verdoemde papen" (priesters, bisschoppen) zijn hiervan uitgesloten. "Als de oorlog voorbij is, zal ik ze aanpakken op een manier die ze nooit voor mogelijk hebben gehouden". De kerken kunnen dus nog - tijdelijk - functioneren voorzover ze nuttig kunnen zijn. Hitler zelf heeft de r.-k. kerk nooit verlaten; hij was een pantheïstisch gelovige, het alomvattende dat hij "voorzienigheid" noemt, kent eeuwige wetten. Met vragen als: wat fundeert onze vrijheid als mens en burger, heeft Hitler zich nooit bezig gehouden. Bezien we één treffend voorbeeld.

De Nederlandse Nationaal-Socialistische Beweging begon als een groep die wees op gebreken van de parlementaire democratie, gebrek aan daadkracht van regering en parlement, gebrek aan saamhorigheidsgevoel in de natie. Daarna schoof men op richting Italiaans fascisme, getuige leidersbeginsel en streven naar een corporatieve vertegenwoordiging. Dan komt '40-'41: leider Mussert laat zich meetrekken in de kruistocht tegen het bolsjewisme en - wat hem betreft aarzelender - in het antisemitisme. Toch blijft hij zich, precies als de verzetsgroepen - men zie de ondergrondse pers uit die tijd - bezinnen op wat historisch de kern uitmaakt van de vrijheidsrechten binnen de Nederlandse natie. Na onze onafhankelijkheidsoorlog kenden wij geen democratie in de zin van: alle stemmen gelden gelijk. Wel: iedereen heeft recht op gewetens- en godsdienstvrijheid. Deze vrijheden dienen volgens Mussert gewaarborgd te worden in de Germaanse Statenbond waarin na de oorlog de Germaanse volken zullen samenwerken. Het is 1944(!). Mussert schrijft in deze geest een memorandum[7] voor de Führer en verzoekt door hem ontvangen te worden teneinde dit stuk te bespreken. Voor het gesprek zijn 2 uur uitgetrokken. Na een monoloog van Hitler die een uur duurt en het memorandum negeert, komt eindelijk het stuk ter sprake. Hitler, die als hij wilde heel tactisch kon zijn, gaat niet op de duidelijk gegeven probleemstelling in. Zou hij dit gedaan hebben, dan zou zijn antwoord begonnen zijn met: "Het geweten wordt genormeerd door de belangen van ons ras". Hitler weet echter: het is onnut dit Mussert voor te houden. Seyss Inquart had gelijk: de Nederlandse leider is een "burgerlijk nationalist", die niets van het nationaal-socialisme begrijpt. Daarom antwoordt Hitler met een aantal ontwijkende en vage formules. Maar Mussert hoort erin wat hij wil horen en verklaart na terugkomst dat de Führer het eens is met de door hem ontwikkelde denkbeelden.

Als Albert Speer enkele dagen voor het einde Hitler opzoekt in zijn Berlijnse bunker om afscheid te nemen, biecht hij op gedempte toon op[8], dat hij gedurende de laatste zes weken de bevelen van de Führer niet heeft opgevolgd. Het gaat over de richtlijn overal in Oost en West bij de terugtocht letterlijk alles te vernielen of onbruikbaar te maken wat de vijand ten dienste zou kunnen zijn. Voor ze afscheid nemen praten de beide mannen die elkaar zo na stonden, nog wat over het verleden, hun gemeenschappelijke plannen voor groot-Berlijn en Linz. Het afscheid is echter zeer koud en als Hitler zes dagen later zijn testament schrijft, ontslaat hij daarin Speer uit al zijn functies. "Speer stelde dat hij mijn bevelen niet heeft doorgegeven omdat zij de resten van de bestaansbasis zouden vernietigen, die het Duitse volk bij de opbouw nodig zal hebben. Het heeft die echter niet nodig; het is niet waard verder te leven. De sterkere zal zijn plaats innemen". Hitlers Götterdämmerung moest ook die van het Duitse volk zijn.

Noten

1. Over andere cultuurhistorische elementen op de achtergrond van nazisme: Raymond Poidevin en Sylvain Schirmann, *Geschiedenis van Duitsland*, Utrecht, 1996. Tevens: Perry Pierik, *Hitlers Lebensraum; de geestelijke wortels van de veroveringsveldtocht naar het Oosten*, hoofdstuk 3, Soesterberg, 1999.
2. Wulf Schwarz Wäller, *De Miljoenen van Hitler,* Baarn, 1986.
2a. J. en S. Pool, *Wie financierde Hitler?*, Amsterdam, Brussel, 1979.
3. Bij het begin van de oorlog, 1 september 1939, telt het hele Duitse leger nog slechts 4 gemotoriseerde infanterie-divisies, 6 pantserdivisies en 35 divisies ongemotoriseerd voetvolk dat allerlei benodigdheden voor een deel nog in boerenwagens met zich meevoert.
4. Uitvoerig hierover: Alan D. Beyerchen, *Wetenschap in nazi-Duitsland; de roep om een Arische fysica,* Het Spectrum, 1982.
5. Alle citaten van Hitlers uitspraken zijn ontleend aan: *Hitler's Tafelgesprekken*, 1941-1944, Amsterdam, 1980.
6. Hitler is zich veel vroeger ervan bewust geworden dat hij de oorlog niet zou kunnen winnen, dan vrij algemeen wordt aangenomen. Uiteraard sprak hij slechts met enkelingen of in zeer kleine kring in realistische termen over het verloop van de oorlog, terwijl tezelfdertijd de met klaroengeschal omlijste legerberichten nog voortdurend overwinningen meldden. Het besef dat de oorlog in het Oosten niet volgens plan verliep en dat men hoogstens nog op een vrede met één van de partijen mocht hopen, was al vroeg doorgedrongen. 22 juni 1941 stelde het oppercommando van de landmacht dat de operatie "Barbarossa" half september 1941 kon zijn beëindigd. Hitler sprak met Goebbels over een oorlog van vier maanden. Hitler, de grote "Hochstapler", had al voor de 22ste juni het gevoel zich "voor een gesloten deur" te bevinden en sprak over "een groot risico ". "Als dit verkeerd afloopt, dan is hoe dan ook alles verloren". Philippe Burrin* ontleent dit aan Hewel - verbindingsman in Hitlers staf voor buitenlandse zaken - en aan het dagboek van Goebbels.

* Uit de *Akten zur Deutschen Auswärtigen Politik*, Teil 13, Dok. 50, blz. 47 citeert Burrin gegevens over een gesprek van Hitler met Mussolini. Al 30 juni 1941 laat Hitler zijn bondgenoot weten dat hij, hoe snel de opmars ook verliep, verbaast was over de "hoeveelheid wapens die de vijand had, zijn reserves. zijn hardnekkigheid en strijdlust". Keitel, geciteerd door Klaus Reinhardt, vermeldt dat de Führer op 25 juli zich bezorgd afvraagt: "hoeveel tijd heb ik nog om af te rekenen met Rusland en hoeveel tijd heb ik nog nodig? Op 20 augustus stelt Keitel een memorandum op, waarin hij erop zinspeelt dat de "weerstand van de Russen tot een onbepaalde verlenging van de oorlog leidde". Hitler vermijdt op dat moment het memorandum te bespreken, maar laat kopieën sturen aan de leiding van de drie Wehrmachts-staven en Ribbentrop. Hitler toont zich in die tijd, dus al in de maanden augustus/september, ontredderd en spreekt herhaalde malen over een mogelijke vrede met Stalin; ook de mogelijkheid van vrede met Engeland sluit hij niet uit: "misschien zou Churchill ten val komen".

Hitler leefde in een wereld van zelfkwelling afgewisseld met vlagen van hoop. In die tijd verhardde zijn houding tegenover de joden zich. Tot dan toe was hij nog steeds niet zeker wat het lot van de Westerse joden zou worden. Steeds had hij op vragen van onder meer Goebbels geantwoord, dat de deportatie van Westerse joden na de oorlog zou plaatsvinden. Al twee maanden voor het Duitse offensief volledig is vastgelopen, wijzigt Hitler zijn standpunt en geeft Himmler bevel nog voor het einde van het jaar te beginnen met de verplaatsing van joden - in de eerste plaats uit het Reich en uit Bohemen en Moravië. Het inzicht de oorlog niet meer te kunnen winnen, schijnt hier een doorslaggevende rol te hebben gespeeld. Nog in november waren reeds uitgeputte en zwaar door de weersomstandigheden geteisterde Duitse eenheden in de aanval **. Op 15 december echter opende het Rode Leger zijn eerste grote tegenoffensief dat ten zuiden van Moskou de Duitsers plaatselijk meer dan 100 kilometer terugwierp. In oktober en november was het directe contact tussen Hitler met Himmler en Heydrich zeer intensief. De "Tafelgesprekken" vermeldden het tweetal herhaalde malen als gasten aan de maaltijd na exclusieve conferenties met de Führer alleen. De teerling was geworpen: mocht Hitler verliezen, de joden zouden in elk geval nog vernietigd moeten kunnen worden. Op 20 januari 1942 werden op de Wannsee-Conferentie de uitvoeringsmaatregelen vastgelegd.

* Philippe Burrin, *Hitler et les Juifs; Genèse d'un genocide*. Paris, 1989. Vertaling: *Het Ontstaan van een Volkerenmoord*, Amsterdam, 1990, geeft een bijzonder nauwkeurige kroniek waarin wordt aangetoond dat Hitlers beslissingen met betrekking tot de joden, doorslaggevend beïnvloed zijn door de stand der krijgskansen.

** Het gebeuren aan de fronten is precies te volgen aan de hand van Barrie and Frances Pitt, *The Chronological Atlas of World War II*, London, 1989.

7. Jan Meyers, *Mussert; een politiek leven*, Amsterdam, 1984, blz. 231 e.v. Meyers merkt op dat Musserts verblinding aangetoond wordt door het feit dat hij Hitler in de rol van apostel der verdraagzaamheid kennelijk een natuurlijk verschijnsel vond. Wat Mussert niet kon weten was dat Hitler ruim een half jaar eerder in de kring van zijn getrouwen bij tenminste twee gelegenheden duidelijk had gezegd dat Nederland zou worden ingelijfd.

8. Albert Speer, *Inside The Third Reich*, London, 1970, blz 480 e.v.

Hoofdstuk 6

IDEOLOGIE ALS MACHTSFACTOR
DE SOVJETUTOPIE

Er bestaat geen twijfel over dat de communistische ideologie in de gedaante waarin zij zich in de Sovjet-Unie belichaamde verre staat van de drijvende instincten en denkbeelden van het nazisme. We hebben te maken met geheel andere werelden. Hitler achtte door permanente strijd tegen andere rassen, zo ook door een - door hem of een opvolger - beheerste strijd om de macht van nazileiders onderling, een staatsstructuur denkbaar die "duizend jaar" zou kunnen bestaan. Over "vooruitgang" blijkt hij niet onverdeeld optimistisch. Strijd behoort onlosmakelijk tot de "eeuwige levenswetten". Wie denkt over vooruitgang in democratische zin, over de ontplooiing van mensen die steeds meer hun lot in eigen hand nemen, begeeft zich in een geheel andere denk- en gevoelswereld. In zoverre Hitler enig idee van vooruitgang erkent, zal die komen langs de weg van de toegepaste wetenschappen, vooral via verbetering van het ras, 's mensen biologische en geestelijke hoedanigheden, de wil vooral.

Revolutionaire verandering

In het communisme hebben we te maken met een menselijke natuur die geen voor altijd gefixeerde eigenschappen heeft; in het marxisme-leninisme is de menselijke natuur het product van de sociale omgeving. Als Marx' uitgangspunt geldt de stelling: "De filosofen hebben de wereld geïnterpreteerd, het gaat erom haar te *veranderen*"; waarop de tweede stelling aansluit: "In het proces van de revolutionaire verandering van zijn omgeving, verandert de mens zichzelf". Waarom revolutionair? Marx en Engels zien de menselijke geschiedenis als een opeenvolging van fundamenteel onderscheiden samenlevingstypen. Van civilisatie kan nog nauwelijks gesproken worden voor er sprake is van een min of meer systematische, productieve landbouw. In die oertoestand leefde de mens - jager en/of verzamelaar - in een stamverband met zeer vrije, zij het vaak ruwe zeggenschapsrelaties. Het was een primitief soort communisme, waarin al de jachtgronden en hun opbrengsten gemeenschappelijk waren; men paarde naar lust en inval, zij het binnen de stam; voor kinderen was ieder volwassen stamlid verantwoordelijk. Niemand noemde iets zijn persoonlijk eigendom. Dit schijnbaar idyllische levenspatroon werd als het ware door de natuurlijke stand van zaken opgelegd: het kostte de onbeperkte inzet van allen om de hele groep in leven te houden.
Volgens Engels[1] werden de stammen opgebroken in kleinere eenheden waarbinnen zich groepshuwelijken ontwikkelden. Het waren de vrouwen die rond hun hutten of holen begonnen met de eerste landbouw. De sterk-

ste mannen maakten zich daarna meester van de sterkste en meest productieve vrouwen. De eerste grote omwenteling was begonnen: de toe-eigening, het privé-bezit van vrouwen en hun product.

Als de productie vermeerdert, behoeft niet iedereen zich aan de materiële productie te wijden. Bepaalde personen richten zich geheel op de organisatie van de verdeling van de productie, de arbeidsverdeling, de rechtspraak, het contact met de hogere machten. Er ontstaat een arbeidsverdeling die steeds verfijndere vormen aanneemt. Sommigen concentreren zich op de vervaardiging van werktuigen, anderen geven leiding bij de bouw van woningen, terwijl zij daarnaast ook hun werk in jacht en/of bewerking van de grond blijven waarnemen; zij die kennis van de natuur en haar vruchten hebben opgedaan specialiseren zich als verzamelaars van geneeskrachtige kruiden. Wie erkend wordt als stamhoofd of -oudste distantieert zich langzamerhand van lichamelijke arbeid. Dit vormt bij Marx een beslissende ontwikkeling: een verdeling tussen sociale functies welke het belang van de deling in beroepen met ieder hun fysieke en mentale capaciteiten vragende eigenschappen, sociaal en economisch verre te boven gaat.

Het ontstaan van de klassenmaatschappij; de toe-eigening van de meerwaarde

Op deze basis doet de *klasse* zijn intrede in de samenleving. Zij die erin slagen zich de meerwaarde van het product van anderen toe te eigenen worden de uitbuitende klasse genoemd; zij die voor het ontstaan van het materiële product zorgen zijn de uitgebuite klassen.[2]

Het moge wat overijld schijnen Marx en Engels hier al in de rede te vallen. Feit is echter dat reeds dit stukje theorie de hele 20ste eeuw door gedoceerd is en zijn invloed heeft gehad tot in de poriën van de economieën van de landen die zich socialistisch noemden, in het oostelijk blok, maar ook overal waar men zich naar het marxisme-leninisme richtte.

Wat schort er reeds in dit stadium aan de theorie? De rol van de werkers is duidelijk: zij produceren in leidende dan wel uitvoerende functies *materiële* waarden. Leidinggevend ingenieur of machinebankwerker werden in socialistische staten steeds goed beloond. Hoe echter de tussenhandelaren te kwalificeren, de vertegenwoordigers, alle werkers in het steeds groter fijnmazige net dat productie-eenheden verbindt, allen die ervoor moeten zorgen dat eindproducten de detaillisten bereiken. Wie deze vragen wil beantwoorden stuit op de stormachtig in tal en omvang toenemende en groeiende bureaucratieën die leiding geven aan de planning van heel de economie, van het delven van grondstoffen tot de aflevering van werktuigmachines tot haarspelden. Waar geen materiële waarde wordt toegevoegd kan in de marxistische theorie geen waarde ontstaan. Daar door nationalisatie - in Marx' ogen beter: "vermaatschappelijking" - van de kapitaalgoederen de meerwaarde aan "de gemeenschap" komt, kan men moeilijk allerlei tussenschakels en handel in privé-handen laten om daar privé-ondernemers zich een meerwaarde te laten toe-eigenen die zijzelf niet scheppen. "Dus" wordt ook allerlei administratief werk, dienstverlening, werk in het onderwijs, de gezondheidszorg enz. in vergelijking tot beloningen in het Westen voor deze categorieën arbeid, sterk onderbetaald.

Maar zien we verder naar Marx' ontwikkelingstheorie: het matriarchale tijdperk wijkt voor het patriarchale als mannen zich van vrouwen en het product van hun arbeid meester maken. Accumulatie van grond en goed in weinige handen maakt dat grote huishoudingen ontstaan waarin slaven al het fysieke werk doen, maar soms ook tot hoge rang kunnen opklimmen, bijvoorbeeld major domus worden. Alle beschavingen ter wereld hebben op slavenarbeid berust. Marx onderstreept dat slavernij in principe *niet* gepaard gaat met slechte behandeling van de slaaf. De slaaf was een werktuig waarin de meester geïnvesteerd had; een dwaas was hij die door slechte behandeling van de slaaf zijn eigen kapitaalverlies bewerkte[3]. In Europa werd na de val van Rome de slavernij vervangen door het vazallensysteem (feodalisme). Naast de vazallen (edelen) en de lijfeigenen, die gebonden waren aan hun grond, werden kooplieden, handelaren, vrije boeren en ambachtslieden vaste segmenten van de maatschappij. De heersers hoefden de nieuwe klassen niet langer te voeden, kleden en huisvesten zoals ze de slaven hadden gedaan; de efficiëntie van de slavernij was dusdanig afgenomen dat de productie van de slaven gedaald was tot onder de waarde van hun levensonderhoud. Met andere woorden: ze leverden een negatieve meerwaarde. Uitbreiding van de bevolking, kruistochten, ontdekkingsreizen en handel, de opkomst van het handelskapitaal, de handelsklasse, drukt de feodale klasse terug en onderwerpt door haar geldpolitiek (woeker) koningen, prinsen en edelen aan haar maatschappelijke eisen.

Het ontstaan en de groei van de steden maakt de bescherming door leenheren van lijfeigenen overbodig; de burgerlijke orde die ontstaat en de "stadslucht die vrijmaakt" doet het feodalisme verdwijnen. De nu vrije, verkoopt *zijn capaciteit tot werken* aan de werkgever: in toenemende mate eigenaars van manufacturen, werkplaatsen, fabrieken. In deze bedrijfsgebouwen en hun inrichting met eerst eenvoudige werktuigen, dan steeds verder ontwikkelde machines, concentreert zich kapitaal. De waarde van de capaciteit der arbeiders staat gelijk aan de waarde van de levensbenodigdheden die de arbeider voor herstel van zijn arbeidskracht nodig heeft. De opbrengst aan productie neemt toe dankzij de grotere efficiency van de kapitaalgoederen en de grotere gespecialiseerdheid en geschooldheid van de arbeid. Door concurrentie tussen de arbeiders echter blijft het arbeidsloon op een minimum laaggehouden. De opbrengst van de kapitalist stijgt intussen. In marxistische termen: met het toenemen van de meerwaarde stijgt de uitbuitingsgraad.

Marx: de proletarische revolutie als voertuig van de democratie

Zo ontstaan twee "antagonistische" (tegengestelde) klassen. De kapitalistische klasse wordt steeds kleiner door accumulatie en concentratie van het kapitaal. De arbeidersklasse wordt steeds groter en omvat ook de geproletariseerde zelfstandige handwerkers, de uit de markt gedrukte ondernemers in midden- en kleinbedrijf, zo ook de grote massa van de boerenstand die de industrialisatie van landbouw en veeteelt niet kan bijhouden: men moet het veld laten aan weinige grote boeren. Op deze wijze wordt de klassenstrijd ten slotte beslist in een omwenteling waarbij "het proletariaat" de macht aan zich trekt. Of deze omwenteling al dan niet gewelddadig zal (moeten) zijn, laat Marx open. Wie even met Marx meedenkt wordt het ook duidelijk, dat hij de afloop van de strijd - de overwinning van het proletariaat en de "onteigening van de onteigenaars" - vanuit democratisch oogpunt zeer gerechtvaardigd acht. Uiteindelijk behoort namelijk haast iedereen tot het proletariaat en vormen de kapitalisten slechts een zeer kleine minderheid. De proletarische revolutie doet de overweldigende meerderheid aan de macht komen; zij is het voertuig van de democratie.

Deze theorie heeft heden 150 jaar lang een diepgaande en verreikende invloed uitgeoefend en hele hoofdstukken ervan staan nog overeind. Veel bleek goed bestrijdbaar, zo Marx' stelling dat de arbeiders tot absolute "Verelendung" zouden vervallen. Dit werd echter met name verhinderd nadat in partijen en vakbonden tientallen miljoenen arbeiders zich zo sterk hadden gemaakt dat zij via politieke en maatschappelijke actie (stakingen) vergaande verbetering in hun positie konden afdwingen. Toch zien wij anno 2000 accumulatie en concentratie van kapitaalmacht ver over grenzen van staten en bedrijfstakken heen onstuimig toenemen, terwijl een, zowel binnen de naties als ook in wereldverband gezien, kleine groep miljardairs zijn bezittingen ziet vermeerderen in een tempo waarvan Marx en zijn tijdgenoten nog niet de flauwste notie hadden. Inmiddels heeft Lenin in zijn tijd deze tendentie reeds in zijn aanvang geanalyseerd en behandeld in zijn bekende *"Het imperialisme als hoogste stadium van het kapitalisme"*. Gelijk ook met deze accumulatie en concentratie verwijdt de kloof tussen arm en rijk in de staten en daartussen. Het is opmerkelijk dat de grote ondernemers na de ontbinding van het Oostblok en van de Sovjet-Unie, dus in de afgelopen 10 jaar, steeds driester zijn geworden met het verhogen van eigen salarissen, tantièmes en - laatste trend - uitdelen van aandelenopties. Ver is de tijd dat in de jaren '50-'60 de toenmalige leider van de Nederlandse Antirevolutionairen stelde dat er een bepaalde verhouding vastgesteld zou moeten worden tussen de inkomens van de bedrijfstop en de geschoolde fabrieksarbeiders; dr. Bruins Slot dacht aan de verhouding 3 (hoogstens 4): 1. Heden is die verhouding 17:1 in Nederland[4]. Sterke toeneming van het aantal miljardairs wordt niet in evenwicht gebracht door de stijging van het aantal miljonairs: tienduizenden Nederlanders met een eigen huis en enig aandelenvermogen zijn bijvoorbeeld net statistisch gezien 'miljonair' geworden door de stijging van de onroerendgoedprijzen.

Twee andere antagonismen

Naast de strijd die zich toespitst tussen de twee klassen, staan Marx en

Engels uitvoerig stil bij twee andere antagonismen die weliswaar onderge-schikt zijn aan de algemene klassenstrijd, maar afzonderlijke analyse ver-dienen. Er gaapt een brede kloof tussen stad en platteland. Het laatste is achterlijk; de onontwikkelde boer met zijn primitieve werktuigen leeft in een andere wereld dan een stedeling die - hoe dan ook - steeds meer deel krijgt aan de vruchten van de industrieeltechnologische ontwikkeling en het daarop gebaseerde beschavingsproces. Die tegenstelling moest worden opgeheven. Men dacht aan het bouwen van kleine agrosteden, waarin de boerengezinnen zouden leven in stadse flats; in de periferie van de stad wer-den de stallen, machinestations, enz. gesitueerd. In de Sovjet-Unie is het bij plannen gebleven. Het verst vorderde Roemenië in deze richting, waar onder taai verzet van de plattelanders een aantal van hen in agrosteden werd samengebracht waarna hun traditionele woningen met de grond gelijk wer-den gemaakt.

Ook in de Sovjet-Unie kwam het nooit meer goed met de boeren. Door de decennia heen werd hun cultureel niveau sterk verhoogd: er verrezen dorps-scholen, crèches, jeugdhonken, bibliotheken. Toch waren het steeds de boe-ren die de grootste lasten te dragen kregen. De revolutie scheen voor hen zo goed te beginnen. Het grootste deel van het uit boeren bestaande leger was in 1917 de oorlog doodmoe. Met zijn leuzen belichaamd in de eerste twee decreten van de revolutionaire regering: 1. over de beëindiging van de oorlog; 2. over de onteigening van het grootgrondbezit, kreeg Lenin de landelijke massa's achter zich. De direct daarop ontbrande burgeroorlog (1918-1921) bracht de jonge sovjetrepubliek op de rand van de afgrond. "Witte" legers ondersteund door Engelse, Franse, Amerikaanse en Tsjechische detachementen sloten de republiek aan vier kanten in; haar ge-bied werd door de "Witten" gereduceerd tot op een kwart van dat van het keizerlijke Rusland. De boeren werden in alle opzichten het slachtoffer. Aanvankelijk moesten de Roden zich verdedigen met een ongeregeld aan resten van tsaristische troepen die hun zijde kozen en milities uit de steden. Trotski moest onder de slechtst denkbare omstandigheden een leger op-stellen en deed dit met behulp van tsaristische officieren. Als bijzonder ge-volmachtigde van het politbureau trad Stalin op, nu in het zuiden dan in het bedreigde Petrograd, vervolgens weer in het oosten, waar er maar bressen dreigden te ontstaan en de bevoorrading van het front en/of Moskou be-dreigd werd. Daar bewees hij zich als een meedogenloos leider met bijna onuitputtelijke werkkracht, weinig woorden en veel doeltreffende daden. Hier deed hij allerlei ervaringen op die hem in de jaren '41-'45 de achter-grond gaven om tot in detail, ook militair, leiding te kunnen geven.
Hoe konden de Roden winnen? De geallieerden zonden naast beperkte ei-gen contingenten (naar schatting circa 50.000 man) de volledige bewape-ning en uitrusting voor 1.000.000 Witten. Zij vervreemdden de platte-landsbevolking echter van zich door hun land aan de onteigende groot-grondbezitters terug te geven. Daarom deserteerde het landvolk in menig-te uit de Witte legers, kwam in allerlei streken in opstand of sloot zich aan bij de Roden, ofschoon ook die hen omvangrijke afdrachten oplegden.
Wij kunnen de geschiedenis van het lot der boeren hier niet vervolgen.

Lenins leus had hen misleid, Stalin zou hun verzet tegen de collectivisatie met uiterste wreedheid onderdrukken, hun onderwerping bereiken ten koste van vele miljoenen mensenlevens[5]. Ook nog vandaag is in West-Europese landen de agrarische producent veel meer de evenknie van zijn stadse collega dan waar ook in wat vroeger het Oostblok was.

De opheffing van het antagonisme tussen fysieke en intellectuele arbeid

Met het bovenstaande is tevens een andere antagonistische tegenstelling aangeraakt die binnen het algemene thema van de klassenstrijd, volgens Marx en Engels zou verdwijnen: die tussen fysieke en intellectuele arbeid, beide in de breedste betekenis van het woord. Begint de mens in een primitieve samenleving met weinig kapitaal zijn tijd te besteden in een regime zonder arbeidsverdeling, dan betekent dit dat hij een geringe productiviteit heeft, maar wel een grote vrijheid. Allerlei economische en niet-economische handelingen kan hij, afgezien van hun bepaaldheid door omgevings- en seizoensinvloeden, op één dag achtereenvolgens verrichten. 's Morgens jaagt hij wellicht een paar uur, weeft dan een visfuik, 's middags wijdt hij zich aan de zorg voor een akkertje, begeeft zich dan in een grot om daar een tekening te maken, terwijl hij 's avonds vergezeld van allerlei riten en bezweringen een jachtbuit zal doden. Er ontstaan dan allerlei vormen van arbeidsverdeling en arbeidsdeling die de huidige specialismen in het leven roepen, waarbij de werker vervreemd wordt van zijn product en van zijn medemensen. De socialistische samenleving, die opgevolgd wordt door de communistische, brengt de mens uiteindelijk weer daar waar hij in zichzelf opnieuw allerlei capaciteiten integreert, dus (delen van) verschillende beroepen, kunsten, sporten, hobby's naast elkaar beoefent. In de praktijk heeft dit in de Sovjet-Unie geleid tot een polytechnisch onderwijs, waarin eenieder in principe zo wordt opgeleid dat hij/zij de grondslagen van ten minste twee beroepen meester is. Tezamen met het gegeven dat volgens de communistische leer niet-productieve beroepen (o.m. in onderwijs en gezondheidszorg) veel lager beloond worden dan bijvoorbeeld werk aan een draaibank voor fijnmechaniek, zorgde deze theorie ervoor dat in de Sovjet-Unie wat in het Westen standsbarrières waren of zijn, veelvuldig werden doorbroken. Nog anno 2000 worden in westerse tijdschriften gevallen als van een vrouwelijke arts die getrouwd is met een loodgieter nog min of meer als een rariteit behandeld. Nog kortgeleden hoorde ik een studente in een van de praatvakken zeggen: "Stel je voor dat ik met een timmerman zou trouwen." Ook bij vele ex-koloniale volken zit de geringe achting voor lichamelijke arbeid diep ingekerfd. Een driedelige tv-reportage over een vrijwel uitsluitend door allochtone kinderen bevolkte school voor voorbereidend middelbaar beroepsonderwijs maakte dit mei 2000 zeer duidelijk. Een reeks van leerlingen die van de rector als advies voor de komende jaren meekreeg voor een technische opleiding te kiezen zei dat ze liever "iets" op een kantoor of in een winkel wilden worden. Het hoofd van de school wees er daarna op dat bijvoorbeeld een elektromonteur vaak veel beter verdient dan een winkelbediende. De leerlingen keken weinig begrijpend.

Desgevraagd lieten ze vrijwel unaniem horen iets te willen verrichten waarbij de handen schoon zouden blijven, want: "dat is hoger".

Volgens Marx, Engels en alle sovjetpedagogen die hen gevolgd zijn verwordt het onderwijs en de vorming van de massa's onder het kapitalisme tot een training van het vermogen om te produceren, maar faalt het de latente vermogens tot begrip van samenhangen en evaluatie te ontwikkelen. De kapitalistische opvoeding durft een *sociale* toewijding aan de ontwikkeling van de *volledige* capaciteiten van de werkende klasse niet aan, stelt Marx; dit zou de doctrine van de noodzaak van de *individuele* strijd op basis van "natuurlijke" talenten onhoudbaar maken. Daarom behoort tot het socialistische opvoedingssysteem naast intellectuele vorming ook training in talrijke lichamelijke vaardigheden en is het vele decennia lang regel geweest dat eenieder zich één of twee jaar aan werk in fabrieken, mijnen of op het platteland wijdde.

Aan de versterking van het antagonisme tussen de klassen heeft ook diep tot in de 20ste eeuw een vooral in godsdienstige kring taai verdedigd standsdenken doorgewerkt. In het onderwijs en vanaf de kansel weerklonk niet zelden de raad "in de eigen stand te blijven". Om duidelijk te maken wat bedoeld wordt een persoonlijke herinnering. Het was 1941 en ik moest, na de onderbouw van het christelijk lyceum in het Gooi doorlopen te hebben, kiezen tussen gymnasium alfa, bèta, HBS A of HBS B. Ik koos voor het laatste. De rector ontbood daarop mijn vader en vroeg naar de reden van de keuze. Het antwoord luidde: het is een vrij korte studie die toch toegang geeft tot een ruim aantal universitaire studies. De reactie van de rector (nogmaals: anno 1941) was: "Bedenk u wel: als u uw zoon naar een universiteit laat gaan, de praktijk bewijst het, als regel kijkt zo'n jongen later op zijn ouders neer". Ik denk aan deze en dergelijke aan stand dan wel aan klasse gebonden uitingen nog wel eens als ik probeer te verklaren waarom niet weinigen uit christelijke kring later zo ver naar links en naar schijnprogressief zijn omgeslagen en mijns inziens doorgeslagen. Zij deden dit uit vrees en/of schuldgevoel. Precies zoals zij of hun kinderen iedereen in dit land welkom willen heten en willen laten blijven - we waren namelijk niet mededogend genoeg tegenover de joden - werd iedereen uit de zonen en dochters van dit volk die men vroeger bij de 'lagere standen' had ingedeeld na de oorlog en zeker in de jaren '60 en '70 behandeld of hij/zij voor de hoogste opleidingen geschikt zou zijn. Bleek dit niet het geval dan deugde er iets niet aan die opleidingen, die dan ook in meerderheid hun niveau verloren.

De onderdrukkers, de 'witte' terroristen hadden de omwenteling met zijn 'rode' terreur aan zichzelf te danken. Zo werd ook voor niet weinigen nazisme iets waarvoor men zich eeuwig zou moeten schamen, zeker tot in het tweede of derde geslacht, terwijl het aanhangen van enige vorm van communisme - ondanks alle donkere zijden daarvan - iets goeds en edels had. De honderden standbeelden van Lenin in Rusland verkondigen het nog steeds: de rechterhand getuigend en wegwijzend, "vooruit en omhoog", en tientallen liederen zongen daarover.

De ultieme utopie: een maakbare mens

Leest men Marx, Engels, Lenin, Krupskaja (Lenins vrouw die pedagoge was) en laat zich doordringen van een beeld dat zij zich vormen van mens en maatschappij van de toekomst, dan valt steeds op hoe mateloos optimistisch dit beeld is, en utopisch. Handel en commercie, zoals in het kapitalisme gebruikelijk in termen van geld, winst en kapitaal zullen niet meer bestaan. Een groot maatschappelijk plan op basis van de beslissingen van allen(!) en objectieve analyses van feiten en alternatieven, beslissen over de maatschappelijke consumptie en productie. Wij merken terzijde op dat men dit ook in het tijdperk waarin de Sovjet-Unie over geavanceerde computers beschikte, niet bij benadering voor elkaar heeft gekregen. Maar het gaat ons hier om de mens, zijn vermogen te groeien in kennis en al die menselijke eigenschappen die het mogelijk moeten maken van alles te verrichten, capaciteiten te hebben voor bezigheden op het gebied van beheer, het analytisch denken, de kunst, de sport, enzovoort, zoals bijvoorbeeld ook Lenin ons dat voorhoudt. Volgens alle "vaders van het marxisme" zullen mens en maatschappij terugkeren naar de toestand waarin het menselijk leven zijn aanvang nam, dus allerlei bezigheden parallelliserend, maar dan, in deze eindtoestand van het bestaan, op een veel hoger niveau. Dit geldt ook voor het bestuur. Lenin schrijft letterlijk dat in de maatschappij van de toekomst het bestuur van allerlei collectieven in staat, stad en bedrijf, zo doorzichtig zal worden dat ook een kokkin aan het bestuur zal kunnen deelnemen. Hij voorziet *in het algemeen* de ontwikkeling van werkers die naast hun beroep - of beroepen - aan allerhande vormen van bestuur leiding zullen geven. Hier liggen aanzetten tot een radicale democratisering die ook in de 21ste eeuw als een complex van opdrachten voor ons ligt. Zonder vérstrekkende nuchterheid, doorzichtigheid, eerlijkheid en consistentie in probleemstellingen, zonder de vrijheid van onderzoek en publiciteit van onafhankelijk denkende burgers, is de verwerkelijking van de voorgegeven idealen van de liberaal-kapitalistische samenleving slechts een holle leus; een terrein waar bedrieglijke propagandadokters - of ze nu Jozef Goebbels of Jamy Shae heten - het inzicht verduisteren en het functioneren van de democratie, voorzover die al bestaat, verlammen. Als wij alleen maar eens konden beginnen met aan een aantal min of meer *formele* criteria te voldoen. Enorm snel worden mensen tot gemanipuleerde dienaars. Had Lenin nog een aantal collega's met wie hij vaak fel in debat was, van wie hij het soms in stemmingen verloor, de uiterst geslepen Stalin zag zich omringd door hielenlikkers en jaknikkers en deze weer door een legioen van "gewillige volstrekkers".

Het steeds weer te constateren zwakke punt bij al de genoemden en hun navolgers is dat zij, meestal meer impliciet dan expliciet, uitgaan van het ontbreken van een menselijke natuur met een min of meer gefixeerde kern, en daarmee ook van 'eeuwige' waarheden en regels voor de moraal. Tevens lijkt de mens vrij van grenzen die hem door geërfde eigenschappen en capaciteit zijn gesteld. *Ieder* menselijk wezen schijnt een kneedbare entiteit met schier onbeperkte mogelijkheden te zijn. Van allerlei voor de maat-

107

schappij van de toekomst nodige eigenschappen lijkt ieder mens de kiemen in zich te dragen die slechts om ontwikkeling vragen.

We herinneren ons Marx' grondstelling: de mens wordt gevormd door zijn omgeving. Geboren misdadigers bestaan in dit stelsel niet. Ver over alle grenzen heen heeft dit denken zijn invloed gehad op een bepaald humanisme en een bepaald geseculariseerd christendom dat de mens opvoedbaar acht in al zijn aspecten en hoedanigheden, dat opvoeding en omgeving in het algemeen beslissend vindt voor wat een mensenkind zal zijn en worden: voor 80, 90% misschien vormbaar, opvoedbaar, voor slechts 10, 20% misschien bepaald door natuur en erfelijkheid. Stalin, die een trouw volhardend gelovige was in wat, in het Westen de "nurture theory" zou gaan heten, bleef schutspatroon van de sovjetbioloog T.D. Lysenko, die decennialang proeven deed om te bewijzen dat middels gewijzigde natuurlijke omstandigheden in planten verwekte veranderingen, blijvende, dus erfelijke eigenschappen door die planten zouden kunnen worden overgedragen. De implicatie was duidelijk: eenmaal toepasbaar op de mens, zou bewezen zijn dat deze geheel door opvoeding en omgevingsfactoren in het algemeen, maakbaar is.

De erfelijkheidsleer van Lysenko, hoe onbewezen deze ook bleef, had, zij het in wat minder rigide vormen, verreikende invloed in Oost zowel als West. Wie de pedagogische handboeken[6] uit die tijd doorwerkt, vindt zelden verwijzingen naar het belang van de erfelijke aanleg van kinderen. Zij lijken allen uit hetzelfde materiaal te bestaan dat de goede pedagoog naar believen kan vormen. Moge het grote sensibiliteit betreffen, eigenzinnigheid, wispelturigheid, luiheid, domheid: steeds wordt de oorzaak louter gezocht bij externe factoren.

Eén leerboek stelt: "Als het kapitalistische systeem van de arbeidsdeling de persoonlijkheid psychisch zowel als geestelijk misvormt dan kunnen ze (die misvormingen) net zo goed in de loop der historie weer afgeschaft worden."

"Alle eigenschappen zijn het product van milieu en opvoeding." "Vanuit de natuur is een filosoof", schreef Marx, "niet half zo verschillend in talent en intelligentie in vergelijking tot een zakkendrager als een huishond verschilt van een windhond." Een staand gezegde in de Sovjet-Unie was dan ook: "Er zijn geen slechte leerlingen, wel slechte leraren."

Edel, maar utopistisch

Goed bezien hebben velen hun vroegere 'geloof' aan het sovjetcommunisme, al de wreedheid en onderdrukking die het voor tientallen miljoenen met zich bracht als "noodzakelijk" aanvaardend, dit niet op een lijn willen stellen met de schuld die (ex-)nazi's op zich laadden. Zij stonden zeker in het in de laatste paragraaf behandelde, dichter bij de communisten en staan dit vaak nog. Wat is er mooier, vinden zij, dan dat ook de grootste seriemoordenaar niet behoeft te worden afgeschreven, dat - *zij gaan verder* - allerlei heel- of halfdebielen naast normaal begaafden op de schoolbanken zitten, dat diepzwakzinnigen als "gelijkwaardige mensen" worden beschouwd. Er zijn nooit slechte leerlingen, nooit in de kern slechte mensen, nooit minderwaardigen: de omgeving, alles wat doceert en opvoedt, "de maatschappij" deugt niet. "Edeler" maar ook utopischer kan het niet. Vandaar ook het hardnekkig en onderdrukkend verzet dat wetenschappelijke onderzoekers in Nederland en elders moesten ondervinden als zij maar onderzoek naar een eventueel verband tussen erfelijkheidsfactoren en misdadigheid wilden doen. Onderdrukkend: iemand als prof. Buijkhuizen werd met hoon en smaad overladen en bedoeld onderzoek praktisch onmogelijk gemaakt. De leer: "Ieder mens - wat men daar ook onder moge verstaan - is gelijkwaardig", is evenzeer een leus van het geseculariseerde zich op de ethiek terugtrekkende christendom als van het eens atheïstische, maar recentelijk meer ethicerende communisme. Men treft elkaar nog steeds bij het ondersteunen van een van de pijlers van de marxistische filosofie: de mens is product van zijn omgeving, hoe achterhaald wetenschappelijk gezien deze stelling ook is.

Reeds sinds tientallen jaren heeft onafhankelijk onderzoek in meerdere landen bewezen dat de eigenschappen en capaciteiten van de mens voor 70 à 80% bepaald worden door erfelijke factoren[7] en voor de rest door allerlei omgevingsfactoren (de maatschappelijke constellatie, opvoeding, onderwijs). Toch hebben geleerden die deze stelling verdedigen het ook in het Nederland van het jaar 2000 nog moeilijk. Een verdienstelijk denker als dr. C.W. Rietdijk werd een wetenschappelijke carrière ontzegd en als "zwart schaap" voor de camera's gebracht.
Hoop op de vorming van een beter toegeruste mens in de 21ste eeuw is nauwelijks te putten uit nog weer wat sleutelen aan het onderwijs, nog weer wat extra steun en opvang voor randsocialen, nog wat meer geld voor allerlei speciale preventie- en opvoedingsinstituten. Om Marx te parafraseren: door de revolutionaire verandering van zijn genen, zal de mens zichzelf veranderen.

Noten
1. Friedrich Engels: *L'origine de la famille, de la propriété privé et de l' Etat*, Zürich 1984; daarna vele drukken in vele talen.
2. De economische theorie van het marxisme is diepgaand, maar beter toegankelijk dan in Marx' kapitale werken, weergegeven door Ernest Mandel, *De economische theorie van het marxisme,* deel I en II, Baarn, 1980. Eerste uitgave in 1962 te Parijs. Mandel geeft allerlei praktische toepassingen van de theorie tot circa 1960.
3. Prof.dr. P.C. Emmer: *De Nederlandse slavenhandel 1500-1850,* Amsterdam 2000. Zonder de slavenhandel te vergoelijken corrigeert de auteur het te zwarte beeld dat in onze tijd vaak van de rol der blanken hierbij wordt geschilderd. Slavenhouderij door koningen, stamhoofden e.d. was in Afrika vele eeuwen lang normaal; zo ook het verhandelen van Afrikanen door Afrikanen aan Arabieren en Europeanen. In die tijd werd circa 40% van de Afrikaanse slaven naar het buitenland verhan-

deld. Europeanen roofden de slaven niet, maar betaalden meer voor ze dan Afrikaanse handelaren. Dat veel slaven omkwamen tijdens de zeereis klopt, maar dat was ook het lot van de Europese zeelieden. De aandrang om in Nederland schuldbelijdende monumenten op te richten is volgens schrijver "overgewaaid uit Amerika". Nu men na de wetten op de burgerrechten van 1964 in de USA ziet dat de zwarten bij andere minderheidsgroepen ten achter blijven, wordt opnieuw de schuld gegeven aan de 135 jaar eerder afgeschafte slavernij en boetedoening geëist.

4. Elsevier d.d. 27 mei 2000, ontleend aan bronnen van de Amerikaanse vakverbond AFL-CIO. De volgende ratio's tussen inkomsten van de top en de werkvloer werden gevonden in: Zwitserland 11:1; Japan 11:1; Duitsland 13:1; Italië 20:1; Verenigd Koninkrijk 24:1; Singapore 44:1; Mexico 46:1; Brazilië 49:1; VS 475:1.

5. In zijn uitvoerig gedocumenteerde studie *Marx against the peasant*; a study in social dogmatism, University of North Carolina Press, 1961, stelt David Mihany dat: "Marxistische theorie en praktijk een diepere kloof geslagen hebben tussen stad en platteland dan enige sociale stroming voor of na de oktoberrevolutie."

6. Bijvoorbeeld: B.P. Jessipow en N.K. Gontscharow, *Pädagogik; Lehrbuch fur Pädagogische Lehranstalten,* 1950. Duitse vertaling Berlijn 1954; L.T. Ogorodnikow en P.N. Schibirew, *Lehrbuch der Pädagogik,* Duitse vertaling Berlijn 1954. In deze boeken vindt men nergens ook maar enige behandeling van erfelijke aanleg en onderscheiden intelligentieniveaus van de kinderen. Zij lijken allen uit hetzelfde 'materiaal' te bestaan dat een goede pedagoog naar believen kan vormen.

7. De Nederlandse natuurkundige en sociaalfilosoof dr. C.W. Rietdijk heeft hierop in verschillende publicaties gewezen, zo in zijn *The scientifization of Culture; thoughts of a physicist on the techno-scientific revolution and the laws of progress.* Van Gorcum, Assen, 1994. De studie van het DNA maakt dermate grote vorderingen dat de erfelijke predisposities voor allerlei ziekten en afwijkingen reeds in de genen van het ongeboren kind zullen kunnen worden vastgesteld; de volgende stap is de verbetering van de mens door verbetering van zijn genenbestand.

Hoofdstuk 7

IDEOLOGIE ALS MACHTSFACTOR
LENIN, IDEOLOGIE EN PRAKTIJK

De hoofdtrekken van de politieke filosofie van Marx en Engels die we in het vorige hoofdstuk weergaven, zijn door Lenin in talrijke geschriften, toespraken, resoluties, enzovoort, toegepast en uitgewerkt. Zijn schriftelijke nalatenschap is enorm. Van 1924 tot 1980 werden zijn verzamelde werken in 39 delen uitgegeven.1) Daarenboven gaf hij van 1917 tot zijn dood in maart 1924 dag in dag uit leiding aan de praktische strijd voor het ontstaan en de ontwikkeling van de sovjetstaat. Als iets bewijst dat een enkele persoon - gegeven geschikte politiek-maatschappelijke verhoudingen - een doorslaggevende invloed kan hebben op de ontwikkelingen in een heel tijdperk, dan is het wel het leven van deze rusteloze van zijn werk bezeten man.

Niet de staat, maar de wereld

Logisch denkend op basis van de door Marx en Engels gelegde fundamenten was het Lenins opgave zijn conceptie van de revolutie in Rusland en de wereld te ontwikkelen binnen de realiteit zoals die zich voor, tijdens en na de oktoberrevolutie ontplooide. Marx volgend, dacht hij zich de al sterker dan Rusland industrieel ontwikkelde landen als een spoedig belangrijker strijdtoneel dan het eigen land. Erop hopend dat een revolutie in Rusland zou werken als een vonk voor een revolutionaire brand in Europa, in de eerste plaats in Duitsland, was geen offer hem te veel om te komen tot een vrede die de boeren aan zijn kant zou brengen. Ook in de linkse gelederen stuitte hij daarbij niet alleen onder sociaal-democraten (mensjwieken) en socialisten-revolutionairen maar ook binnen de eigen bolsjewistische partij (vanaf 1918 communistische partij genoemd) op krachtige tegenstand. Zowel de SR-partij, die de meerderheid van het platteland vertegenwoordigde, als de mensjwieken, zagen de voortzetting van de oorlog, dus een gezamenlijk optrekken met de westelijke geallieerden tegen de centrale machten – Duitsland en Oostenrijk – als mogelijk en vereist. Lenin had de stemming onder het boerenleger goed ingeschat. De overgrote meerderheid weigerde zich verder op te offeren voor een staat die ondanks de voorgaande burgerlijke revolutions (1905 en maart 1917) toch een instrument bleef van adel en hogere bourgeoisie. Toen binnen de SR-partij die stemming dan ook niet duidelijke politieke vorm kreeg, was het met haar kracht in de vertegenwoordigende organen snel gedaan. Met sterk uitgedunde aanhang, zou zij alleen nog van marginale betekenis blijken bij het uitoefenen van terreur. In feite ging het om een min of meer anarchistische beweging, die zijn wortels had in dezelfde groepen die in de 19de eeuw reeds tsaar en adel door hun aanslagen hadden doen beven. Hoewel volstrekt niet afkerig van terreur als het ging om tegenstanders van een proletarische dictatuur als maatschappelijke groep, hadden de communisten zich altijd afkerig getoond van willekeurige liquidaties van individuele personen.

Letterlijk tegen elke prijs zou Lenin vrede met Duitsland sluiten. Het doodmoede, slecht gevoede en slecht uitgeruste boerenleger wilde naar huis, ook om de tweede leus van de revolutie eigenhandig te verwerkelijken: het land uit handen van de landadel en aan de boeren te brengen. Het ging Lenin geenszins om behoud van het rijk binnen zijn oude grenzen. De wens van bepaalde naties zich uit dit rijk los te maken, werd op grond van de revolutionaire principes gehonoreerd. Finland werd zelfstandig op 23 november 1917, Litouwen op 28 november, Letland op 30 december, de Oekraïne op 9 januari 1918, Estland op 24 februari, Transkaukazië op 22 april, Polen op 3 november 1918. Toen Lenin inzag dat de revolutie in Midden- en West-Europa voorlopig zich niet zou realiseren, wendde hij zijn hoop en aandacht naar Azië, waar hij landen als India, China en Indo-China rijp zag worden voor de revolutie. Zijn politiek in de Sovjet-Unie bleef steeds de ideologie die de wereldrevolutie voorstond, in het oog houden.
Twee dingen vallen op. In 1917, maar ook gedurende zijn hele leven als leider van de communistische beweging bevond Lenin zich binnen het Centraal Comité van zijn partij en het Politbureau (een soort dagelijks bestuur) ten aanzien van de belangrijkste beslissingen vaak in een minderheidspositie.[2] Het beloofde einde van de oorlog kon slechts bereikt worden na moeizame en langdurige partijstrijd over aanvaarding van de vergaande Duitse eisen. Ook valt het op hoe Lenin, trouw volgeling van Marx' leer, erin slaagde die praktische toepassingen te vinden die door de machtspolitieke realiteit werden vereist, waarbij vaak 'kronkelende wegen', stappen voor- maar dan weer achteruit, niet konden worden geschuwd. Als voorbeeld van het eerstgenoemde verschijnsel nemen wij de ware worsteling die zich rond het sluiten van de vrede met de Centralen afspeelde.

Op weg naar Brest-Litovsk

Zonder een koloniaal imperium waarmee ze het tegen Engelsen en Fransen konden opnemen in andere werelddelen, zagen de Duitsers steeds naar het oosten om daar de grondstoffen te verkrijgen die nodig waren voor de status van imperiale macht. Voor Duitse bankiers en industriëlen was de grote Eurasische landmassa een surrogaat voor koloniën elders, maar dan in hun 'eigen achtertuin'. Lenin had van zijn primaire revolutionaire doeleinden geen geheim gemaakt: vrede, het land aan de boeren, vrijheid voor de volkeren van het tsarenrijk. Daarom had de Duitse leiding er belang bij Lenin en een aantal medestanders die zich in exil in Zürich bevonden, in een verzegelde treinwagon door Duitsland te laten reizen om - via Finland - Petrograd te bereiken. Ondanks keizer Wilhems dynastieke banden met de Romanovs, zette de Duitse leiding op het uiteenvallen van het tsarenrijk en een afzonderlijke vrede met een geruïneerd Rusland. De Oekraïense onafhankelijkheidsbeweging had hen daarbij al in de kaart gespeeld. Sinds

1915 was Berlijn met haar leiders in gesprek geweest. November 1917 verklaarde de Rada de Oekraïne tot onafhankelijke republiek. De nationalisten zagen economische uitlevering van hun land aan Berlijn als een kleiner kwaad dan onderworpen blijven aan Petrograd.

Sinds 20 november onderhandelde een Russische delegatie onder leiding van Yoffe, Kamenev en Karakhan in Brest-Litovsk, waar zij - spelend voor tijd - probeerden een wapenstilstand voor 6 maanden te verkrijgen. Duitsland stond, 2 december, slechts één maand toe.[3] In het zo ontstane "Kerstreces" begaven de leiders van de Rada zich naar Brest-Litovsk waar ze een afzonderlijke vrede tekenden. De Rada werd erkend als wettige regering van de Oekraïne die, onmachtig zich te verdedigen tegen de Duitsers noch tegen de sovjets, zich hiermee onder Duits protectoraat plaatste. Sovjettroepen die zich hadden verzameld in Charkov, hoofdstad van de oostelijke Oekraïne - een gebied dat overwegend door Russen bewoond werd en wordt - deden nog een aanval op Kiev dat zij op 9 februari 1918 bezetten, maar werden 3 weken later daaruit door Duitsers en Oostenrijkse strijdkrachten verdreven. De omstandigheden waren voor het sovjetbewind dramatisch. Trotski, commissaris (minister) van Buitenlandse Zaken, nam de leiding van de delegatie in Brest-Litovsk over, waar hij de tegenpartij verleidde tot uitvoerige uitweidingen over onderwerpen variërend van algemene principes van de diplomatie tot gedetailleerde bijzonderheden van militaire tactiek. De hoogbegaafde Trotski, volgens alle deelnemers ook oratorisch briljant, slaagde erin de onderhandelingen een aantal dagen te vertragen. Dit in overleg met Lenin, die nog hoop had op de revolutes die zich in Europa zouden kunnen doorzetten. President Hindenburg en generaal Ludendorff hadden het spel echter door. Tekenen dat oorlogsmoeheid en verzet tegen het opofferen van miljoenen mannen groeide, werden in Duitsland merkbaar en de Duitse leiding moest er rekening mee houden dat zij haar greep op het westelijk front en de bevolking zou kunnen verliezen. Onder deze omstandigheden was het nodig de onderhandelingen te forceren en dusdoende troepen vrij te maken voor het westelijk front. Met de Oekraïne al in hun machtsbereik, konden de Duitse eisen hard zijn: Polen, voor 1914 voor een groot deel behorend onder de tsarentroon, Litouwen en Letland (grotendeels), zouden aan Duitsland moeten worden afgestaan. Trotski keerde voor overleg terug naar Petrograd. Daar werden de Duitse eisen door een sterke meerderheid afgewezen. Op 11 januari 1918 kreeg de groep Boecharin 32 van de 63 partijleiders achter zich. Boecharin wilde een "revolutionaire oorlog", een oorlog in guerrillastijl, tegen Duitsland voortzetten. Dit, zo meende hij, was de best begaanbare weg ter stimulering van een arbeidersopstand in het Westen. "Wij moeten naar de socialistische republiek kijken vanuit internationaal oogpunt", aldus Boecharin, "laat de Duitsers aanvallen, laat ze nog 100 mijl oprukken, wat ons interesseert is het effect op de internationale beweging". Trotski's groep in het Centraal Comité omvatte 18 leden. In Boecharins ideeën voor een boerenguerrilla zag Trotski c.s. geen heil. Hij stelde een wonderlijke manoeuvre voor: de sovjetdelegatie zou te Brest-Litovsk moeten verklaren dat de Russische zijde de oorlog beëindigde om daarna, zonder een verdrag waarin enorme landsdelen zouden worden afgestaan te tekenen, de vergadering uit te lopen. Lenin, met 5 andere leden van het CC (waaronder Stalin en Zinoviev) betoogden dat de voorstellen van de anderen onrealistisch waren.

Op een haar na

De sovjetstaat had geen keus. Het niet onderschrijven van een vrede onder beschamende voorwaarden zou het later wegvagen betekenen van het sovjetbewind ten bate van een zeer onzekere hoop op een revolutie in het Westen. Bovendien: de wederopbouw van Rusland en de eisen van de burgeroorlog tegen de Witten die al begonnen was, zouden alle krachten vergen. Met slechts 15 van de 63 stemmen achter zich was Lenin gedwongen zich bij het standpunt van Trotski aan te sluiten. Trotski's leuze: "noch oorlog, noch vrede" werd door het CC aanvaard en hiermee keerde hij terug naar Brest-Litovsk vergezeld van de opdracht de besprekingen zoveel mogelijk te rekken. Drie weken lang slaagde hij hierin. Toen ontving de Duitse delegatie een telegram van de keizer waarin deze bevel gaf de Duitse eisen als een ultimatum te formuleren. Als de volgende dag dit ultimatum niet zou worden aanvaard, zouden de Duitse en Oostenrijkse legers hun opmars vervolgen. De volgende dag verklaarde Trotski dat Rusland "de oorlog zou verlaten" zonder te tekenen, waarop de Duitse diplomaten stom vielen en een Duitse generaal luidkeels "unerhört" riep. Niettegenstaande groeiende vrees voor een revolutie in Berlijn verklaarde het Duitse opperbevel dat het op 18 februari de operaties in oostelijke richting zou hervatten. In Petrograd vergaderde de bolsjewistische top in paniek. Lenin stelde voor het Duitse dictaat onmiddellijk te tekenen, maar bleef in het politieke bureau van het CC met 6 tegen 5 stemmen in de minderheid. Opnieuw schaarde een meerderheid zich achter Trotski die voorstelde pas te tekenen als het Duitse offensief was begonnen. Trotski, hoewel hoogintelligent, had een meer romantische, minder realistische instelling dan Lenin. Hij hoopte dat het beeld van het weerloze Russische volk, aangevallen door hun troepen, de Duitse werkende klasse tot rebellie zou leiden, wat opnieuw een fata morgana bleek. Natuurlijk rukten de Duitsers prompt die 18de op en na een offensief van 5 dagen waren zij ongeveer 200 kilometer gevorderd - precies zoveel als de Duitse legers in de drie voorgaande oorlogsjaren gevorderd waren. In Petrograd vergaderde het Politbureau onder voorzitterschap van een woedende Lenin. Hij voorzag een Duitse opmars ter inname van de hoofdstad om daar de regering omver te werpen en stelde voor onmiddellijk een telegram te sturen waarin de vredesvoorwaarden werden aanvaard. Trotski en Boecharin echter wilden dit uitstellen, wat Lenin buiten zichzelf maakte van woede. Maar opnieuw verloor hij bij stemming: 7 tegen en 6 voor in zijn nadeel. De bolsjewistische leiding stond voor een fatale splitsing in het gezicht van een even fatale militaire nederlaag. Pas de volgende morgen, toen nadere berichten over de Duitse opmars bekend werden, schoof Trotski op in Lenins richting. Men zou de Duitsers moeten vragen hun voorwaarden te herformuleren. Lenin zag dit als een dwaas spel dat de Duitsers eenvoudig zouden ignoreren. Er volgde opnieuw drie uur verhit debat. Op het

114

laatste moment ging Trotski over naar Lenins kant: met 7 tegen 5 stemmen werd met onmiddellijke aanvaarding van de Duitse voorwaarden ingestemd. Trotski had een fatale breuk in de partij willen vermijden. Had hij zich aan Boecharins zijde geschaard dan zou Lenin zich waarschijnlijk, zoals hij gedreigd had, uit de leiding hebben teruggetrokken om daarna een beroep te doen op de "partij in het land". Daar had Lenin zonder twijfel een grote meerderheid achter zich. Zonder Lenin, zou Trotski's plaats aan de top uiterst kwetsbaar zijn, zoals latere gebeurtenissen zouden bewijzen. De sovjetrepubliek was op een haar na gered. Maar de vrede die eindelijk op 3 maart werd getekend, was buitengewoon hard. De sovjetrepubliek verloor 34% van haar bevolking, 32% van haar landbouwgrond, 54% van haar industrie en 89% van haar kolenmijnen.

Lenin, ideologie en praktijk

Het leek mij vereist dit gehele gebeuren vlak na de bolsjewistische machtsovername precies weer te geven omdat het verschillende aspecten van het karakter en de politiek van de leidende figuren duidelijk in het licht stelt, maar ook om hun machtspositie aan te geven. Om met het laatste te beginnen: soms ziet men, voornamelijk in geschriften van meer populaire aard, Lenin aangeduid als dictator en zijn handelen als dictatoriaal. Reeds in het bovenstaande is aangetoond dat zijn standpunt in leidende organen herhaaldelijk de nederlaag leed en dat hij zich tot het uiterste moest inspannen voldoende stemmen aan zijn zijde te krijgen - en dit was niet de enige keer. Zeer vaak werd zijn 'lijn' op de meest belangrijke punten aangevallen. Voor de revolutie, na de revolutie, tijdens de burgeroorlog en erna, tot aan zijn dood.

Op grond van de praktische omstandigheden en vanuit de noodzaak theoretische leiding te geven, bewoog Lenin het centrum van het marxistisch denken uit het krachtenveld van de natiestaat naar dat van de gehele wereld van het internationale kapitalisme. Hierin volgde hij het Communistisch Manifest. Men leze dit manifest, speciaal de paragrafen volgend op de stelling: "De arbeiders hebben geen vaderland...". Marx zag zich nimmer als een groot partijleider of organisator van directe acties. Lenin daarentegen was de leider van een militante partij, aan de macht gekomen in een land waarin onwaarschijnlijk primitieve omstandigheden heersten, de ontwikkelde, bewuste arbeidersklasse klein was en de boerenmassa nog in hoge mate van ontwikkeling verstoken. Veel van zijn geschriften slaan dan ook op praktische problemen, zonder systematische principiële uiteenzettingen. Details over de maatschappij van de toekomst kon hij evenmin geven als Marx en Engels. Toch bevatten werken als *De Staat en Revolutie* en *Imperialisme, het hoogste stadium van het kapitalisme*, trekken van het algemene mens- en maatschappijbeeld waarop hij zich uiteindelijk richtte, hoeveel tijd, hoeveel tactisch gemanoeuvreer ertussen het nu en eens ook nodig zou kunnen zijn.[4] Uiteindelijk gaat het om een toekomst van vrede, rationaliteit en natuurlijke democratie. De mens te definiëren los van het begrip arbeid, is onmogelijk. Die arbeid zou recht doen aan ieders capaciteiten, met die van anderen harmoniëren, niet langer dusdanig opgesplitst zodat de arbeider slechts één deeltaak verricht, niet onderworpen aan de macht van het kapitaal. Lenin ziet de arbeid in de toekomst als een natuurlijke behoefte die geen speciale beloning behoeft. Zeker, de maatschappij zal eerst het stadium van het socialisme moeten doormaken; in dit stadium presteert eenieder naar zijn capaciteiten en ontvangt in overeenstemming met wat door hem is geproduceerd. De maatschappij van de toekomst zal zo een overvloed aan vervaardiging van alle mogelijke productie- en consumptiegoederen opleveren, dat, terwijl de norm: eenieder geeft aan werkvermogen naar zijn capaciteiten gehandhaafd blijft, de norm: eenieder ontvangt naar zijn prestaties, vervangen zal kunnen worden door de norm: een ieder ontvangt naar zijn behoeften. Dan, zo zei reeds Marx, zou het rijk van de vrijheid zijn aangebroken. Tot nu toe - Marx schreef dit ongeveer 150 jaar geleden en Lenin 80 à 90 jaar - heeft de mensheid slechts een voorgeschiedenis doorgemaakt. De mens van de toekomst heeft zijn deelname aan het leven, aan het menszijn-in-gemeenschap als eerste levensbehoefte. Hij werkt daarom ook geenszins omdat hij zou hongeren of iets zou ontberen als hij het niet zou doen. Leefden de vaders van het marxisme-leninisme vandaag, dan zouden zij geconfronteerd worden met het voor hen raadselachtige en afschuwwekkende verschijnsel dat niet weinigen wel al hun behoeften door de gemeenschap gedekt zien, terwijl ze toch geen aandrift vertonen in enig opzicht sociaal nuttig te zijn. Maar tussen het tijdvak van de revolutie die een "nieuwe mens" zou vormen en het ik-tijdperk dat het onze is, ligt een eeuw en meer.

Het marxistisch-leninistisch arbeidsbegrip is echter veelomvattend: een ieder heeft greep op de gemeenschappelijke werkelijkheid. Klassen van kapitalisten en grondbezitters bestaan niet meer. Syndicaten van werkers, burgers, zullen participeren in de systemen van algemene planning, controle en accounting. Dat dit alles een sterke verhoging van het intelligentie- en kennispeil vereist, is door de theoretici van het marxisme slechts in algemene termen gesuggereerd; het vraagstuk is nooit grondig onderzocht, noch is ook maar een begin aangegeven van een weg naar concrete verwezenlijking. Wie, begin 21ste eeuw, ook in een land als Nederland ziet hoezeer velen op het gebied van de meest nodige algemene kennis grote lacunes vertonen en ook niet of maar moeilijk in staat zijn de eenvoudigste administratieve verrichtingen op juiste wijze uit te voeren, vraagt zich af hoe hier en elders ooit het ideaal van een veelomvattende reële democratie kan worden bereikt.

Volgens het marxisme-leninisme zullen vertegenwoordigende lichamen bemand door weinigen terwijl de rest eens in de 4 of 5 jaar zijn stem mag uitbrengen, verdwijnen. De Raden - op plaatselijk, districts en nationaal niveau - zullen bij roulatie worden bezet en werkende organen zijn. Het marxisme-leninisme veronderstelt dus het verdwijnen van de machtenscheiding en een ineenschrompeling van de bureaucratie. Zonder op dit alles in te gaan, moet vastgesteld worden dat hier menig punt wordt aangeraakt dat ook in de 21ste eeuw tot de centrale politieke vraagstukken zal behoren.

Het gemenebest volgens Lenin

Opmerkelijk is dat alle leidende marxisten-leninisten de geschetste denkbeelden trouw zijn gebleven. Ook bijvoorbeeld Stalin zag in de bureaucratie een negatieve factor binnen het socialisme die hij soms uitvoerig gispte en dat terwijl heel zijn staat een grote bureaucratie met een enorme inefficiency en leegloop geworden was.

"Socialisme en communisme", zegt Lenin, "moeten gebouwd worden met instellingen die reeds onder het kapitalisme zijn ontwikkeld". Voor de arbeidersklasse behoren vakverenigingen hiertoe, die omgevormd moeten worden tot "scholen van het communisme" onder leiding van de partij. In het na-revolutionaire tijdperk zal de vakbeweging hele industrieën organiseren en daadwerkelijk controleren. Bekend is dat dit denkbeeld zowel onder Chroestjov als Gorbatsjov weer naar voren werd gehaald, waarbij in plenaire vergaderingen van alle werkers in een bedrijf gesproken werd, ook over onderwerpen waarbij bijvoorbeeld de fabrieksleiding en de leiding van de vakbeweging openlijk van verschillen van mening blijk gaven.

Lenin laat er geen twijfel over bestaan dat grootschalige toepassing van machines in industrie en landbouw, dringend de vraag naar publieke supervisie en regulatie van de productie met zich brengt. Hij is, te midden van al de ongezonde productiemethoden en onhygiënische toestanden die zijn tijdperk kenmerkten, zijn tijd zeer vooruit als hij erop wijst dat het behoud van de kwaliteit en de regeneratie van de grond vereist dat het verwerken van stedelijk vuil en afval strikt geregeld moet worden en dat voor het behoud van de organische balans in de natuur ook de toepassing van anorganische meststoffen beheerst moet worden. Elektriciteit zal allerlei dingen die het leven op het niveau van de industriële maatschappij mogelijk maken, vergemakkelijken en veraangenamen, van de stad naar het land brengen en ertoe bijdragen één van de grote, reeds door Marx en Engels besproken, antagonismen te doen verminderen. De bevolking zal zich verspreiden; steden met geweldige bevolkingsconcentraties en industriële complexen zullen zowel om esthetische als productieve redenen geleidelijk in omvang afnemen; een evenwichtige spreiding van de bevolking over het gehele land zal het gevolg zijn. Opnieuw, steeds in lijn met Marx en Engels, voorziet Lenin - in de verre toekomst - het afsterven van de staat. Dit denken gaat zeer ver in zijn utopisme. Men komt juist uit een toestand waarin nog 80% van de bevolking - hoewel in 1861 de lijfeigenschap was afgeschaft - nog een leven moest leiden dat met Tolstoi's woorden het best met dat van "natuurlijke wilden" vergeleken kan worden. Van de resterende 20% van de bevolking heeft een aanzienlijk deel rechtstreeks zijn wortels op het platteland. Meestal ver van de steden, gebonden, ook na 1861, aan de grond van de landeigenaar was voor de plattelanders het leven er een van onderworpenheid en zware, vaak 12 uur per dag durende arbeid met primitieve werktuigen. Begin van de eeuw liep het aantal werkloze plattelanders op tot 10 miljoen. Tegenover sterke verhogingen van de grondpachten stonden zij machteloos. Hongersnoden, onder meer in 1895, 1896, 1897 en 1901

117

decimeerden hun rijen, wat ook het geval was bij de in aantal toenemende boerenopstanden. Bij de opstand van 1902 bijvoorbeeld werd de bevolking van hele dorpen gefusilleerd of gegeseld. Intussen moesten de graanexporten doorgaan, honger of niet. Er is hier een duidelijke parallel aanwijsbaar met de praktijken onder Stalin. Terwijl de boeren honger leden tot de dood toe of gedeporteerd werden en zelfs hun zaaigoed werd geconfisqueerd, ging het sovjetbewind door met graanexporten die deviezen moesten opleveren voor de opbouw van de zware industrie. Opvallend is dat waar hier een duidelijke parallel voorhanden is, sommigen het deel van de geschiedenis vóór de revolutie behandelen, terwijl anderen de volle nadruk laten vallen op de ellende van de boeren ná de revolutie. Iets dergelijks geldt voor de cijfermatige benadering van aantallen slachtoffers. Tot in de jongste tijd treffen we complete becijferingen aan over het aantal slachtoffers dat "het communisme" maakte. De uitkomst wordt dan eventueel vergeleken met de slachtoffers van het nazisme en het fascisme. Billijk lijkt mij zich ook in te zetten voor een berekening van al de slachtoffers van het halffeodalisme en vroege kapitalisme die vielen als gevolg van de exploitatie van werkers binnen de "beschaafde wereld" en in de koloniën. Verdergaande zou het leerzaam zijn na te gaan hoeveel slachtoffers, ook in de 20ste eeuw, vielen als gevolg van kapitalistische veroverings- en interventieoorlogen ten bate van verwerving van grondstoffen en markten. Het was niet alleen Hitler en de zijnen die massaal doodden op een wijze die de "gewillige voltrekkers", zoveel mogelijk het gevoel gaf schone handen te houden. Het steeds meer inschakelen van de luchtmacht waarbij het personeel het gevoel kan houden met schone handen te werk te gaan bij zogenaamde precisiebombardementen en het uitstrooien van giftige stoffen, die nog geslachten lang voor tienduizenden verminkten zorgen, ligt in dezelfde lijn. Maar terug naar de boeren.

Eerst ontwikkeling, dan zelfbestuur

Als men bij klassieke Russische schrijvers als Dostojewski en Gorki leest over hun leven en lot, als men enkele harde statistische gegevens daarbij voegt, dan wordt duidelijk voor welk een herculische taak Lenin en de zijnen zich plaatsten door hen - de boerenmeerderheid - met de werkers in de steden te trachten mee te doen bouwen aan hun ideaal: een gemenebest van zelfbewuste werkers die in alle aspecten van de samenleving concreet zouden plannen, leiden, controleren. Lenin was realistisch genoeg om dit alles te zien voor wat het was: een trouwbetuiging aan de orthodoxe ideologie. Belangrijker is dat hij erop bleef hameren dat het startpunt voor de nieuwe Res Publica moest zijn: "Tracht de boeren te leren lezen en schrijven, zodat ze hun boerderij en hun staat kunnen verbeteren". Hij sprak over mensen die voor de revolutie van 1905 nog onderworpen waren aan de willekeur van de zogenaamde "Kapiteins van de tsaar" - het waren er 2000 - die pas in 1917 allen het veld moesten ruimen. Hun bevoegdheden omvatten het recht besluiten van dorpsraden te vernietigen, gekozen boerenafgevaardigden af te zetten, juridisch en administratief gezag uit te oefenen. Tot

118

1905 konden zij boeren voor kleine vergrijpen in het publiek laten geselen. Het was in die tijd, dus in het begin van de eeuw, dat één van de vier jonggeborenen stierf in het eerste levensjaar. Wie dit jaar overleefde kon rekenen op een leven in slechte gezondheid, van gemiddeld 35 jaar. Het boerenleven in Rusland was smerig, bruut en kort. Zoals oorlogen wel meer sociale veranderingen hebben gestimuleerd, ging het ook hier. Miljoenen jonge boeren, die anders nauwelijks ooit hun duffig dorp verlaten zouden hebben, zagen nu de wereld van grotere en kleinere steden, maakten kennis met andere volken uit het rijk, konden zich dankzij de al na 1905 in gang gezette alfabetiseringscampagnes vaak lezend kennis vergaren. In 1911 ging 50% van de plattelandsjeugd naar de lagere school. Het Rode Leger - tijdens de burgeroorlog op een maximale sterkte van 3 miljoen - deed er het mogelijke aan de soldaten allerlei vormen van onderwijs en voorlichting te geven. Het waren juist deze jongeren, kritischer dan ooit tegenover de dorpse toestanden onder het tsarisme die, eenmaal weer thuis, de motoren vormden voor de vernieuwing op het land. Massaal lieten ze de socialisten-revolutionairen vallen, die ook in de steden het onderspit dolven. Opmerkelijk waren de verkiezingsuitslagen voor de gemeenteraad van Moskou. Op 11 juni 1917 nog in het bezit van een absolute meerderheid van 56% van de uitgebrachte stemmen, vielen de SR op 24 september terug op 14%, de bolsjewisten daarentegen sprongen van 11% in juni naar 51%; de mensjewieken vielen terug van 12% op 4% De ontstane polarisatie werd duidelijk in het stempercentage van de kadetten, een groep waarin "rechts" zich concentreerde: hun stempercentage liep op van 17% in juni tot 31% in september.

Lenins overtuiging dat een lange ontwikkelingsperiode nodig zou zijn tot het volksbeheer en de volkscontrole zouden kunnen werken, toonde hem als realist. Toch is het opvallend dat hij in al zijn theoretische geschriften met kennelijke overtuiging het utopisch toekomstbeeld is blijven verdedigen. Lenins nadruk op die lange periode werd ingegeven door de praktijk. Direct na de machtsovername in oktober 1917 hadden de arbeiders daadwerkelijk een aantal belangrijke bedrijven in Petrograd en elders overgenomen. Het werd een totale mislukking. Nog afgezien van gebrek aan de nodige kennis voor het plannen, calculeren en leiding geven, was het met de arbeidsdiscipline en de algehele moraal treurig gesteld. Grote percentages arbeiders meldden zich terecht of ten onrechte ziek. Het stelen van grondstoffen en halffabrikaten uit de fabrieken om ze zelf te verhandelen of er bijvoorbeeld eenvoudige werktuigen van te maken, werd een toenemende praktijk die alleen met de strengste straffen terug te dringen was. Dit euvel zou de sovjeteconomie de hele eeuw blijven aankleven.

Bovendien stond de regering - waarin naast communisten ook enkele socialisten-revolutionairen zaten - voor haast onoverkomelijke moeilijkheden. Zij kon haar beste aanhangers, de geschoolde arbeiders, moeilijk aan de fabrieken onttrekken - vooral niet aan de wapenfabrieken - maar tezelfdertijd konden dezelfde mannen, die tot de harde revolutionaire kern behoorden, node gemist worden aan de fronten die al spoedig tegenover de zich groeperende Witten moesten worden gevormd. Trotski, nu als commissaris voor verdediging, bracht het haast onmogelijke tot stand door uit gehavende in lompen gestoken resten van het boerenleger plus een aantal beroepsofficieren, die "specialisten" werden genoemd, een leger te vormen dat in de loop van de burgeroorlog aanzwol tot 3 miljoen man en dat ook nog eens door de eigen fabrieken bewapend, gekleed en gevoed moest worden. Men kan niet zeggen dat het sovjetvolk geen school van lijden en offers achter zich had toen het 20 jaar later opnieuw met miljoenen sterke legers zou moeten aantreden.

Gegeven een bepaalde situatie kon Lenin zeer snel zijn politieke koers wenden. Hij gaf allerlei misslagen toe. De staat zou voorshands de rol van economisch en politiek leraar en beheerder op zich moeten nemen alvorens er sprake zou kunnen zijn van een toestand waarin "het volk in staat zou zijn zijn eigen zaken te regelen". Dit was niet voldoende: mei 1920 werd het systeem van regeringsbenoemingen op alle posten van enig belang in ere hersteld en zelfs "een geest gestimuleerd van vijandschap tegen de overblijfselen van de befaamde democratie der arbeiderscontrole".

Noten

1. De verzamelde werken van Lenin zijn van 1924 tot 1984 in 39 delen in verschillende talen uitgegeven door de Staatsuitgeverij te Moskou. Uiteraard zijn vele stukken opgenomen die louter gelegenheidskarakter hadden. Tevens verschenen door het Instituut voor Marxisme-Leninisme van het Centraal Comité van de CPSU geselecteerde werken in drie delen in het jaar 1960. In deze delen zijn onder meer alle belangrijke grotere werken van Lenin opgenomen. In deel I van de Engelse uitgave vinden we What is to be done (blz. 123-284); One step forward, two steps back (blz. 285-472); The right of notions to self-determination (blz. 631-684); Imperialism the highest stage of capitalism (blz. 707-815). Deel II bevat onder meer het boek The state and the revolution (blz. 294-400); The declaration of rights of the working and exploited people (blz. 568-570) en Left-wing childishness and petit-bourgeois mentality (blz. 137-173). Deel III bevat onder meer Left Wing communism, an infantile disorder (blz. 371-460) en Lenins laatste "brieven aan het Congres" waarin hij o.m. aangeeft dat men goed zou doen Stalin als secretaris-generaal te vervangen en aanwijzingen geeft voor versterking van het Centraal Comité met arbeiders van de werkvloer (blz. 791-795).

2. Lenins politieke leven is vastgelegd in talrijke werken. Voor de "officiële" versie zie men: *W.I. Lenin*, Biografie van het Instituut voor Marxisme-Leninisme bij het Centraal Comité van KPDSU geschreven door een groep historici, Moskou, Berlijn, 1961; verschillende talen. Een uitvoerige geschiedenis van de Russische revolutie waarin de rol van Lenin vaak anders wordt belicht dan in het eerstgenoemde werk is van Leo Trotski; eerste Nederlandse uitgave, Amsterdam, 1936, herdruk Amsterdam, 1977, 3 delen.

Verschillende waarderingen van Lenin en zijn werk vindt men in *Lev*

Trotski en Maxim Gorki, Herinneringen aan Lenin, Amsterdam, 1967 en 1980.

3. De geschiedenis van de onderhandelingen, zoals hier weergegeven, is ontleend aan Orlando Figes, *A People's Tragedy; the Russian Revolution, 1891-1924*, Random House, London, 1986. Volgens Eric Hobsbawm, zelf een groot historicus, heeft dat boek hem geholpen de Russische revolutie beter te begrijpen dan enig ander boek dat hij kent.

4. De toekomstvisie van alle belangrijke theoretici van het marxisme-leninisme van Marx tot Stalin en andere denkers tot ongeveer 1960, is zeer helder en goed leesbaar weergegeven door Theodore Denno, *The Communist Millennium; the Sovjet View,* Den Haag, 1964.

Hoofdstuk 8

IDEOLOGIE ALS MACHTSFACTOR
WAAROM DE WITTEN NIET KONDEN WINNEN

Men vraagt zich voortdurend af hoe leidende sovjetfiguren in de baaierd van concrete problemen die hen omspoelden nog tijd vonden voor meer abstracte bespiegelingen. Lenin torende met zijn ijzeren wilskracht en enorme inzet boven hen allen uit: werkdagen van 13 à 14 uur waren voor hem normaal. Maar ook mannen als Trotski, Boecharin en Stalin stonden bekend om hun veelzijdigheid en daadkracht. De toestand van de sovjetrepubliek scheen catastrofaal: de burgeroorlog werd aan beide zijden gevoerd met haast onvoorstelbare wreedheid; men denke aan de ergste misdaden die de recente etnische oorlogen in ex-Joegoslavië lieten zien, maar dat op een veel grotere schaal. Opmerkelijk is hoe verschillende schrijvers zich opstellen als zij het doen en laten van beide partijen beschrijven. Orlando Figes heeft in zijn moeilijk te overtreffen werk uit 1997 *A People's Tragedy, the Russian Revolution 1891-1924,* alles nog eens gedetailleerd en vanuit verschillende aspecten belicht. Generaal Kornilov die in het Dongebied de Witten aanvoerde, had zich tot doel gesteld de Constituerende Assemblee die berustte op de revolutie van februari-maart 1917 te herstellen. Duister bleef echter wat dat zou moeten beduiden; getalsmatig was de SR bij de laatstgehouden verkiezingen gedecimeerd en aanslagen op Lenin en een aantal medestanders hadden hen er niet populairder op gemaakt; van de Kadetten, die de industriëlen en de Tsaristische beambten vertegenwoordigden, wilde de generaal niets weten; de terreur die hij op 'zijn' gebied toeliet stemde grote delen van de bevolking negatief. Generaal Denikin, die het zuidfront van de Witten beheerste, vormde een regering van monarchisten en Kadetten; beide groepen deden alles om hem in volle oorlogstijd in hun eigen richting te manipuleren. Zo gaat Figes alle Witte groepen na. Voortdurend hoort men hem denken: deden ze maar wat om de bevolking te winnen, al was het maar het inperken van de roofzucht van hun troepen. Niets echter daarvan: landeigenaren werden in hun rechten hersteld; de legers waren topzwaar van officieren; roof en brandschatting, gedwongen rekrutering, het steeds weer eisen van voedsel van boeren die zelf nauwelijks meer iets hadden, dit alles maakt deel uit van het constante beeld. De conclusie luidt: de Witten, hoezeer ook een tijdlang militair de meerderen, goed toegerust door de westelijke machten met aan hun zijde een zeer gedisciplineerde en getrainde Tsjechische eenheid van 35.000 man, konden eenvoudig niet winnen, omdat zij geen beduidende groepen van het volk vertegenwoordigden en bovendien moesten steunen op kleinere detachementen vreemdelingen (Amerikanen, Engelsen, Fransen, Italianen, Japanners) die weliswaar zelf niet aan de strijd deelnamen, maar verbindings- en aanvoerlijnen verzorgden. De Witten waren te zeer geworteld in het oude tsaristische Rusland; zelfs zeer gematigde burgerlijke groepen waren hen te links. Hun houding tegenover het platteland - waarin zij hadden moeten kunnen 'zwemmen' - deed de deur toe. Daarom deserteerde de boerenjeugd en masse uit hun gelederen, waarbij velen rechtstreeks naar de Roden overliepen. Ook de laatsten werden intussen geplaagd door allerlei boerenopstanden in de rug van hun front. Trotski, die zeer bekwaam maar tevens hard leiding gaf, kon ook niet onvoorwaardelijk op het boerenelement in zijn leger vertrouwen. De tegenstelling tussen stad en platteland waarvan de theorie zo goed wist, bleef in de gehele 20ste eeuw groot en werd na Stalins collectivisatie, het felle verzet daartegen en de daaropvolgende hongersnood en deportaties, nog verhevigd. Anderzijds: wie aan de hand van de bronnen de levensomstandigheden rond het begin van de revolutie beziet, en in de afgelopen 50 jaar de Sovjet-Unie meerdere malen heeft bezocht, kan niet anders zeggen dan dat ondanks alles, heel het levens- en ontwikkelingspeil enorm ten goede veranderde. Het is belangrijk dat heel deze periode door foto's en films - niet alleen van sovjetpropagandisten - werd gedocumenteerd. Dat dit voor anderen niet goed mogelijk geweest zou zijn, is zwaar overdreven. Precies zoals verhalen waarin werd gesuggereerd dat iedere bezoeker op een of andere wijze door de KGB in de gaten werd gehouden. Zelf bezocht ik de Sovjet-Unie tussen 1961 en 1989 5 maal en kon mij daarbij - meestal in een groep reizend - zonder enige moeite aan zo'n groep onttrekken, om te zien wat en te bezoeken wie ik wilde en overal te fotograferen.

Uitsluiting van facties, een fatale beslissing

De gehele periode van de burgeroorlog bleef de partij een mengsel van verschillende opvattingen over de meest onderscheiden problemen. Het debat daarover ging bijkans continu voort, hoe ook de situatie van de economie, hoe ook die aan het front was. Trotski, van oorsprong een mensjewiek, verdedigde een sterk autoritaire lijn die niet losstond van zijn ervaring als opperbevelhebber. Theodore Denno[1] noemt hem de meest verbeeldingrijke leider als het gaat om zijn visie op de maatschappij van de toekomst. Hij is minstens zo extravagant als Lenin over de komende era waarin een ieder in feite alles zal kunnen doen. "Iedereen zal vitaal betrokken zijn bij alle levensfacetten, inclusief de cultivatie van het land, het bouwen van theaters, methoden kinderen sociaal op te voeden, wetenschappelijke vraagstukken en bovenal een nieuwe structuur van de aarde". Zijn Lenin, Boecharin en andere leidende denkers de opvatting toegedaan dat de politiek met de staat zal afsterven, Trotski heeft een tegengestelde opvatting. Partijen in de traditionele zin zullen niet bestaan, maar de bevolking zal "partijen of promotiegroepen" vormen rond belangrijke publieke vragen als de vorming van verkeerssystemen, de bouw van steden en hun architectuur, de verdeling van het beschikbare aardoppervlak, beïnvloeding van het klimaat, enz. Men moge het in veel opzichten met Trotski's concrete handelen tijdens de burgeroorlog oneens zijn, in dit alles legt hij precies die problemen ter tafel die zeker in West-Europa, maar in het algemeen waar dan ook ter wereld, in het brandpunt staan of nog zullen komen te staan. Wat immers heeft

de gewone kiezer bijvoorbeeld in te brengen over de structurele inrichting van ons land, wat over de uitbreiding van vliegvelden, havens, steden, waar mag de Nederlander meebeslissen over de vraag hoeveel ruimte in de breedste zin van het woord in onze steden en dorpen nog afgestaan mag worden aan vreemdelingen, waar kan hij, die gewone burger, meebeslissen over de voornaamste vragen ten aanzien van beheer en ontwikkeling van de cultuur van ons land. Zelfs over de meest importante punten als de mate van overdracht van soevereiniteit aan bovenstatelijke organen, is de Nederlandse en de burger in westerse democratieën in het algemeen, overgeleverd aan de uitkomsten van achterkameroverleg tussen enkele politici, en vaak nog meer aan wat enkele ambtenaren hebben bedacht. De Nederlander is en blijft voorlopig het recht van referendum onthouden als het gaat om de meest essentiële zaken van het Gemenebest. De Russen schijnen de gave te hebben met heel hun samenleving, door ellende en bloed wadend, na te denken over vragen die in hun omstandigheden luxeproblemen geleken moeten hebben. Niettemin waren de leidende figuren van de revolutie van mening dat zij straks als de voorziene era van overvloed gekomen zou zijn, voor deze vragen zouden staan. De competitie van personen en ideeën zal niet ophouden, maar bevrijd zijn van "individualistische economische strijd".
Inmiddels groepeerden binnen de partij zich facties rond vraagstukken van meer urgente aard. In een stad als Petrograd raakte het verzet tegen de voortgaande arrestaties van niet-communisten en het ontmachten van de arbeidersraden, op een kookpunt. De matrozen van de in Kronstad gelegen vloot, overwegend anarchisten, met hun vergaande vormen van democratie, kwamen fel met hun eisen naar voren. Waar was de geest van de revolutie gebleven? De sovjets verbureaucratiseerden, de communistische bazen maten zich een feodale levensstijl aan. De matrozen hesen de vlag van de opstand, riepen de burgers van Petrograd op tot staking voor vrije verkiezingen en nieuwe raden, gelijke rantsoenen voor iedereen, vrijheid van het woord, pers en vergadering. Meer dan de helft van de communisten in Kronstad voegde zich bij de anarchistische meerderheid. De muiterij nam dusdanige vormen aan dat pogingen ze te sussen vergeefs waren. Op 7 maart 1921 openden eenheden onder leiding van Trotski de aanval op de vesting; het verzet was na 10 dagen gebroken. Het was een veeg teken voor alles wat met de revolutie was misgegaan. In deze context vergaderde het Tiende Partij Congres op 8 maart in Moskou; men werd geconfronteerd met twee facties die duidelijk van de partijlijn afweken. De "Democratische Centralisten" die Trotski's lijn van een strikt gecentraliseerd leiderschap volgden en de "Werkers Oppositie" met als belangrijkste exponent Alexandra Kolontai. De laatste ondersteunde een goed deel van de eisen van de arbeiders in Petrograd. Lenin brandmerkte Kolontai's stellingen voor vrije werkersorganisaties als een "syndicalistische afwijking". Er vormde zich een "platform van tien" dat een compromis totstandbracht. De partij bleef bij de éénhoofdige leiding van de bedrijven die men gezien vaak chaotische toestanden wel had moeten herinvoeren, de vakorganisaties zouden, bij benoemingen op hoger niveau, worden geconsulteerd.
Deze en andere interne partijtwisten ergerden Lenin inmiddels zo, dat hij overging tot een fatale stap. Hij bracht het congres ertoe op 16 maart in te

stemmen met een resolutie waarin de formering van alle partijfacties onafhankelijk van het Centraal Comité werd verboden. Bij 2/3 meerderheid in
het Centraal Comité zouden zulke facties uit de partij kunnen worden verwijderd. Het congres, ongeduldig en geprikkeld door de veelvuldige fac-
tiestrijd, stemde toe, maar durfde het betrokken besluit niet publiek te maken. Het slechte geweten was terecht: men had voor de leiding de weg naar
de dictatuur geopend. Stalins opmars naar de macht was hiermee gebaand.
Op hetzelfde congres werd een resolutie aangenomen die het systeem van
de voedselrequireringen afschafte. De boeren zouden in het vervolg een
matige belasting in natura betalen. De rest konden zij verkopen zoals zij
wilden, ook op de herleefde vrije boerenmarkten. De Nieuwe Economische
Politiek was geboren, die het ook kleine zelfstandigen mogelijk maakte
weer voor eigen rekening te werken. Nu de burgeroorlog ten einde was,
kwam er voor boer en burger eindelijk wat lucht.

Lenins laatste strijd

In 1921 begon Lenin te klagen over hoofdpijn en uitputting. Niet eens zozeer zijn ambitie, maar zijn gehele persoonlijkheid, zijn neiging alles en
met allen steeds weer te bespreken, zijn vermogen logisch, duidelijk en eenvoudig ingewikkelde vraagstukken en hun oplossingen te verklaren, zijn
bereidheid om naar anderen te luisteren, weinig retorisch, maar met indringende overtuigingskracht zonodig steeds weer met andere woorden ook
aan massale vergaderingen duidelijk te maken waarover het ging, hadden
hem tot de natuurlijke leider van de beweging gemaakt. Vanaf de oktoberrevolutie van 1917 had hij bijna voortdurend werkdagen gemaakt van 16
uur. Boerenopstanden, de muiterij van Kronstad, hadden hem zeer aangegrepen; de kogels van de aanslag in augustus 1918, waarvan een in zijn nek,
leverden hem voortdurend last op. Op 25 mei 1922 had Lenin zijn eerste
herseninfarct; een tijdlang kon hij niet spreken. Daardoor realiseerde hij
zich hoe dringend het was partij en staat die structuren te geven waarmee
men voort zou kunnen na zijn dood. Steeds ondergeschikt aan de partij, waren de staatsorganen met behulp van velen uit de oude bureaucratie weer
op gang gebracht. Ook dit had voet gegeven aan allerlei kritiek. Was het
besluit factievorming te verbieden uit democratisch oogpunt moeilijk te
verdedigen, de concentratie van een enorme macht in handen van het secretariaat-generaal van de partij was een tweede noodlottige stap op weg
naar de dictatuur. De secretaris-generaal - een nieuwe post - zou in staat
zijn de agenda te regelen, en allerlei benoemingen, slechts na formele sanctie achteraf, zelf te verrichten.
In zijn laatste jaren, door herhaalde beroerten buitenspel gezet, probeerde
Lenin zijn opvolging te beïnvloeden. In zijn laatste geschriften verklaart
hij zich voor voortzetting van het collectieve leiderschap. Een groot strui-
kelblok was steeds de rivaliteit tussen Trotski en Stalin. De laatste had tijdens de burgeroorlog op alle fronten gewerkt aan de logistiek - een door
velen onderschatte opdracht op de achtergrond, terwijl de arrogante Trotski
het toneel moeiteloos voor zich had veroverd, hoewel hij ook met zijn dan-

dy-achtige en veeleisende levensstijl, de afkeuring van grote delen van het publiek had geoogst. De leiders van meerdere facties waren er zeker van dat zij bepaalde andere factieleiders niet aan de macht zouden dulden. Dat de post van secretaris-generaal van zo'n topbelang was geworden, had Lenin aan zichzelf te danken. In de schaduw van anderen, steeds rustig en bescheiden, had Stalin gewerkt aan een accumulatie van functies die in eerste instantie niemand anders wenste. Hij was commissaris (minister) voor de nationaliteiten, lid van de Revolutionaire Militaire Raad, van het Politbureau, het Orgbureau, ten slotte voorzitter van het secretariaat-generaal en had nog enkele minder in het oog lopende functies. Lenin meende dat deze bescheiden, zachtsprekende man de geschikte figuur zou zijn om een zo ambitieus en vaak in zichzelf verdeeld gezelschap bij elkaar te houden. Alle studies over de gebeurtenissen in die tijd zijn het eens: de partijleiders maakten stuk voor stuk dezelfde fout. Ze onderschatten Stalins geestkracht, zijn ambitie, zijn sluwheid, de macht die in zijn handen was geconcentreerd en bovenal zijn wil die macht met alle middelen te versterken en tot gelding te brengen. Lenin was minstens zo schuldig als de rest. Daar de andere potentiële kandidaten voor het secretaris-generaalschap elkaar het licht in de ogen niet gunden, Stalin nooit sterk met zijn opinies naar voren kwam en zich vrijwel steeds bij Lenin aansloot, achtte deze de Ossetiër (autonoom gebied binnen Georgië) zijn beste keus. Lenin had bovenal ingestemd met Stalins grote benoemingsbevoegdheden als tegenwicht voor de overal, maar vooral in de Oekraïne, sterk groeiende "Werkers Oppositie". Gedurende 1922 was Stalin druk bezig overal waar maar mogelijk, partijfunctionarissen te ontslaan om hen door eigen stromannen te vervangen. Ook zette hij, geholpen door Kamenev en Zinoviev, zomer 1922 Trotski praktisch buitenspel. Ziet men dit alles onder het hoofdstuk machtspolitiek beschreven, dan vraag ik mij toch nog vaak af: waartoe dit alles als er geen diepgaande principiële verschillen in het spel zijn. De eeuwen door, in democratieën of zogenaamde democratieën, in welk bestuurssysteem ook, ziet men van de bescheidenste organisatie tot de machtigste trust het louter denken in termen van macht om de macht vaak een beslissende rol spelen, IK, waarom of waartoe dan ook, moet op die post en niet hij.

Toen Lenin zomer 1922 aan de beterende hand was en doorzag wat er gebeurde, meende hij het beste te doen de machtsbalans te herstellen door Trotski aan te bieden zijn plaatsvervanger te worden als hoofd van de sovjetregering, wat deze weigerde onder een zwakke argumentatie. Waarschijnlijk was de post hem te min. Volgens Figes was Trotski's inschatting onjuist en "...had Lenin altijd meer waarde gehecht aan het werk in de Raad van Volkscommissarissen dan aan dit van de partij zelf". Zo dit al juist zou zijn - Figes geeft voor deze belangrijke mededeling geen enkele vindplaats - had Lenin in de perioden van revolutie en burgeroorlog in elk geval steeds het werk van de partij op de eerste plaats gezet. Van de partijorganisatie die Stalin tot in alle hoeken en gaten kende, was Lenin toch tamelijk slecht op de hoogte. Het wekt verbijstering als hij, lente 1921, ontdekt wat het leiden van het Orgbureau allemaal inhoudt en dan tegen Stalin zegt: "Ik moet toegeven dat ik niet vertrouwd ben met de schaal van het toewijzingswerk van het Orgbureau." Figes vervolgt dan: "Dit was Lenins tragedie. Pas gedurende de laatste maanden van zijn politieke activiteit, toen hij greep kreeg op het probleem van de groeiende macht van leidende partijlichamen, zag hij in toenemende mate de Raad van Volkscommissarissen als instrument om de macht tussen partij en staat te delen." Wat hiervan zij, in elk geval kwam hij met pogingen in deze richting te laat. In de Sovjet-Unie werd tot het einde de partij steeds gezien als het leidend en de staat als het uitvoerend orgaan.

Lenins ziekte en zijn terugtocht uit de politiek verhinderde dat de status van de Raad van Volkscommissarissen nog opgewaardeerd kon worden. In dezelfde maand stelde Stalin voor Trotski uit het Politbureau te verwijderen "...als straf voor zijn arrogante weigering van de regeringspost". Genoodzaakt het vergaderen tot 3 uur per dag te beperken, werd Lenin langzaam aan de kant gedrukt. Op 15 december schakelde een tweede herseninfarct hem opnieuw uit. Stalin trachtte Lenin daarop te isoleren door te verhinderen dat hij ook maar door iets of iemand in contact met de politiek zou worden gebracht. In de loop van 1923 herstelde Lenin weer enigszins en in december van dat jaar begon hij binnen de korte tijdsperioden die de medici hem toestonden een serie notities te dicteren onder de titel Brief aan het Congres; de laatste fragmenten die van maart 1924 dateren werden bekend als zijn politiek testament. In dit 'testament' geeft hij een beoordeling van de eigenschappen van een aantal leden van de sovjettop. Het is merkwaardig dat er op alle topleiders vrij zware kritiek is. "Boecharins theoretische beschouwingen kunnen alleen met reserve als marxistisch worden beschouwd; Kamenev en Zinoviev hebben al in oktober 1917 onjuiste standpunten ingenomen; Trotski, persoonlijk misschien de meest capabele man, heeft een excessieve zelfverzekerdheid en is te zeer in beslag genomen door de louter administratieve kant van het werk". Over Stalin is het oordeel eigenlijk nog het mildst. Zijn ruwheid en gebrek aan tolerantie zijn niet te accepteren bij contacten buiten de partij, schrijft Lenin in een 4 januari 1924 toegevoegde korte nota. De kameraden zouden moeten denken over een manier om hem van zijn post te verwijderen.

Stalin en zijn machtsconcentratie onderschat

In de loop der decennia is er steeds weer over geschreven dat Stalin deze brief zou hebben verdonkeremaand. Dit is niet juist. Hij werd echter niet aan de congresleden ter hand gesteld, maar door speciaal daarvoor aangestelde mensen aan de afzonderlijke delegaties voorgelezen. De brief werd niet in het plenum besproken. Vele afgevaardigden redeneerden wellicht zo: Stalin afzetten betekent erkennen dat Trotski gelijk heeft, dus...zand erover. In het Centraal Comité werd de brief wel besproken. Stalin beloofde zijn leven te zullen 'beteren' en wees erop dat de beschuldigingen van Lenin die hem aangingen toch eigenlijk niet zo'n zwaar karakter hadden. Niettemin bood Stalin het CC zijn ontslag aan. Zijn berekening ging op: de kampioen van de eenheid van de partij, de heerser over het apparaat, leek reeds in 1924 onmisbaar: het ontslag werd geweigerd.

Naast Stalin-biografieën als die van Isaac Deutscher[2], die in 1962 verscheen maar zich nog altijd als een standaardwerk staande houdt, kwamen er na het uiteenvallen van de Sovjet-Unie enkele nieuwe biografieën uit, waarvoor vroeger niet toegankelijke archieven konden worden geraadpleegd. Dmitri Volkogonov besteedt uitvoerige aandacht aan de vragen die de machtsaccumulatie van Stalin oproept. Hij wijst erop dat op het 13de partijcongres (1925) Kamenev, Zinoviev c.s. alles in het werk stelden opdat Lenins dringende aanbeveling Stalin te ontslaan als secretaris-generaal niet zou worden uitgevoerd. Zij leidden persoonlijk het bewerken van de grote delegaties, waardoor zij de opzet van Lenin dat de partij in de aanvang van haar congres zou kunnen oordelen, tegenwerkten, terwijl ook geen publicatie in de pers plaatsvond. Volkogonov merkt op dat Lenins 'testament' halverwege de jaren 20 nog enkele keren opdook in de strijd binnen de partij en in Bulletin 30 van het 15e congres (1927) werd afgedrukt in een oplage van 10.000 exemplaren, welke binnen de partij verspreid werden. De Prawda drukte daarop een deel van de brief af op 2 november 1927. Het is dus niet juist te zeggen dat partij en volk onwetend bleven.

Volkogonov heeft zich beziggehouden met Stalins eigen bibliotheek die hij eind jaren 80 in het Kremlin aantrof en geheel heeft uitgekamd. Stalin blijkt een grondig en herhaald lezer geweest te zijn, vooral van de werken van Marx, Engels en Lenin. Hij onderstreepte steeds wat hem opviel, bij verschillende lezingen in verschillende kleuren en maakte niet zelden aantekeningen bij bepaalde passages. Een ding dat opviel: Stalin onderstreept steeds nadrukkelijk waar Lenin de "dictatuur van het proletariaat" vermeldt, maar laat dit consequent achterwege als hij schrijft over "democratie" of "democratisering". De schrijver acht dit zowel voor Stalin als Lenin typerend. Hij behandelt dan ook wat Lenin in zijn laatste geschriften naar voren bracht om de democratie in de partij te herstellen. Lenin vroeg "vernieuwing van de bestuursorganen en betrokkenheid van de massa bij staatszaken"; hij bepleitte een aanzienlijke uitbreiding van het CC met 50 à 100 leden. De nieuwe leden zouden moeten komen uit de rijen van hen die het arbeidsleven kennen: arbeiders en boeren. Zowel op het 12de als op het 13de congres werd een uitbreiding gerealiseerd, echter: de grote meerderheid bestond uit beroepspartijfunctionarissen. Lenin opperde leden van het CC permanent het recht te geven vergaderingen van het Politbureau bij te wonen. Tevens zou het CC het recht krijgen alle documenten te inspecteren. De Centrale Controle Commissie bestaande uit 300 tot 400 "bewuste werkers" zou het recht krijgen de uitoefening van alle bevoegdheden van het Politbureau te controleren. Lenin hield zich ook bezig met de nationaliteitenkwestie. Hij stelde voor dat de Unie een verband zou moeten worden waarin de cultuur der naties zou worden beschut, terwijl de 13 - later genoemde - "Unie-Republieken", het recht van afscheiding zouden moeten hebben.

De parallelle kritiek als werktuig

Een van de belangrijkste werktuigen die een onafhankelijk politiek analist heeft, teneinde ontwikkelingen in hun juiste perspectief te plaatsen en politieke strevingen evenwichtig te waarderen, is het parallelle onderzoek, het parallelle denken. Hierbij is men even kritisch ten aanzien van toestanden en ontwikkelingen 'thuis' als met betrekking tot toestanden en ontwikkelingen elders. In concreto: menig auteur heeft kritiek op Lenin omdat hij en de zijnen de aanhangers van de Tsaar en de zogenaamde Kadetten monddood maakten, hetzelfde deed met die sociaal-democraten die de neiging hadden zich terwille van "de democratie" aan de zijde van de eerstgenoemde groepen op te stellen, terwijl de socialistenrevolutionairen na hun terroristische aanslagen, onder meer op Lenin, zichzelf uitschakelden. Alleen de democratie binnen de partij werd gehandhaafd. Men denke aan Lenins diepgaande polemieken met o.a. Trotski, Boecharin, Kamanev, Zinoviev en Kolontai. Een schrijver als Figes verklaart dan zonder enige aarzeling dat de sovjetrevolutionairen geen democratie wensten, daarbij duidend op de regeringsvorm die ten tijde van de geboorte van de Sovjet-Unie bijvoorbeeld in Engeland, Frankrijk en de Verenigde Staten bestond. Het kritische parallelle denken stelt hier de eis dat men de kwaliteiten van die westerse democratie, in die tijd, dan ook onderzoekt. Zonder ook maar enigszins compleet te zijn moet erop gewezen worden dat de westerse staten nog in hoge mate werden gedomineerd door conservatieve en liberale regenten, die door middel van beperkt (census)kiesrecht andere groepen verre hielden van de centra van politieke en economische macht. Algemeen kiesrecht en sociale wetgeving kwamen later, mede onder druk van hetgeen in de Sovjet-Unie gebeurde, of geacht werd te gebeuren. Nog heden moet men zich afvragen hoe democratisch het Engelse kiesstelsel wel is, hoe democratisch het geacht kan worden dat het kiesstelsel in Frankrijk herhaaldelijk gewijzigd kon worden ten bate van in een zeker tijdperk aan de macht zijnde partijen. Hoe democratisch is het wel dat de Noord-Amerikaanse president gewoonlijk door niet meer dan omstreeks 25% van het volk wordt aangewezen? Het klasse- en standsdenken wierp in de westerse staten - om van de rest van de wereld te zwijgen - zware en moeilijk te verwijderen barrières op, waarvan resten nog in het heden doorwerken.

Ik herinner mij hoe wij in het Adviescollege van de AR-partij 40 à 50 jaar geleden spraken over de positie van de "factor arbeid" binnen de natie en daarbuiten. Wat het eerste betreft, meenden exponenten van de werknemersvakbonden langzamerhand voldoende zeggenschap te zullen verwerven. In het komende - federaliserende - Europa zag men toen al de factor kapitaal beginnen met kartelvorming, fusies. Op Europees niveau, zo stelde men vast, zou de factor arbeid een stevig tegenwicht moeten vormen. Men zou samen concerns over grenzen heen moeten aanspreken op hun personeelsbeleid, hun investeringsbeleid, enzovoort. 50 jaar later zijn de internationale banken, industriële- en handelsconcerns meer vervlochten en machtiger dan ooit. Belastingen ontwijken ze, vreemde arbeid importeren ze en dumpen ze na gebruik, geholpen door een liberaal-kapitalistisch ingestelde staat, die het volksbelang te zeer uit het oog verliest. De "arbeidersbeweging" staat er machteloos bij. Terwijl in land A fabrieken van een bepaald concern worden gesloten, is men in land B alleen maar blij als men bij hetzelfde concern 'mag' blijven doorwerken.

De "vrijgestelden" van de vakbeweging werden steeds meer personen die van de collegebanken rechtstreeks achter de bureaus van de bonden geraakten, en nimmer, zoals althans een deel van hun voorgangers, het reële arbeidsleven uit eigen ervaring leerden kennen. De meeste politici kennen anno 2000 reële arbeidssituaties alleen van bezoekjes, hoogstens werkweekjes, dat wil zeggen ze kennen ze in feite niet.

Van het marxisme-leninisme ging overal ter wereld een grote wervende kracht uit juist omdat het door zeer velen - in de eerste plaats intellectuelen en kunstenaars - als democratisch bij uitstek werd gezien. Het ging erom heel het volk, alle mensen, als lid van een werkende gemeenschap een greep te geven op alles wat bij het bestaan van die gemeenschap een rol speelt.

Het democratiebegrip bij Stalin

Het is Denno's verdienste dit denkbeeld, zoals door meerdere leidende communisten in onderscheiden varianten uitgewerkt, duidelijk in beeld te hebben gebracht. Ook Stalin heeft zich zonder voorbehoud gesteld achter de marxistisch-leninistische toekomstvisie. Hij schrijft: "Er zal geen klasse- noch staatsmacht meer bestaan; het werkende volk in industrie en landbouw zal de economie leiden als een vrije associatie van werkende mensen." Hij herhaalt ook de leer over de antagonismen die zullen verdwijnen, de beloning naar behoeften die realiteit zal worden. "De individu, bevrijd van zorg om zijn dagelijks brood en van de noodzaak zich aan te passen aan de bestaande machten zal werkelijk vrij worden"[3].

Het doet misschien vreemd aan, maar het is niettemin waar dat met Marx en Lenin ook Stalin de bureaucratie is blijven zien als een van de grootste bedreigingen van hun conceptie van de - komende - democratie. In zijn rede op de 23ste partijdag, 26 januari 1934, staat Stalin lang stil bij fouten in de organisatorische leiding en de negatieve rol van de "bureaucratie- en de kanselarijmentaliteit". Hij noemt in dit verband veertien te nemen maatregelen: onder meer het verplaatsen van gekwalificeerde werkers van de Kanselarijen naar het productiewerk, de verwijdering van personen met een bureaucratische mentaliteit uit de bestuursorganen, inperking van het personeelsbestand van de sovjet- en economische organisaties, een sterke controle op de bureaucratie door een commissie voor partijcontrole, benoemd door en alleen verantwoording schuldig aan het partijcongres[4].

Wie dit alles overziet - en het is maar een kleine greep - kan zich niet aan de indruk onttrekken dat een van de grootste tirannen van de eeuw, oprecht bezig was te streven naar democratisering. Dit, onder andere, heeft ook vele westerse waarnemers, die zich niet zelf ter plaatse grondig op de hoogte stelden, maar zich slechts lieten fêteren, verblind. Verblind voor de totalitaire trekken die het sovjetbewind steeds meer ging aannemen, verblind voor de dictatuur die Stalin in de jaren na 1929 met een ontstellend gemak aan zich kon trekken, blind en doof voor het lijden dat deze dictatuur met zich bracht. Terecht merken velen eind 20ste eeuw op dat leidende westerse communisten, maar ook andere meelopers, te makkelijk en te snel - ook in Nederland - de handen in onschuld konden wassen, hun jasje keren, om bijvoorbeeld in Nederland via GroenLinks naar hoge posities op te klimmen. Anderzijds: ik meen in dit korte bestek duidelijk gemaakt te hebben dat de 'schuld' van de ex-communisten niet te vergelijken is met die van ex-nazi's, hoewel ook in dat kamp veel eenvoudige zielen diep geloofd hebben in de Führer, die toch niet de uitroeiing van hele volken kon hebben bevolen.

Bij een vergelijkende beschouwing van de nazi- en sovjetsystemen valt overigens het volgende op. In de aan het nazisme gewijde hoofdstukken hebben wij gezien dat achter de façade van een schijnbaar gedisciplineerde monolithische eenpartijstaat, tal van soms tegengestelde krachten werkten, wat tot min of meer chaotische toestanden leidde. Veel voorlichting over de Sovjet-Unie heeft ons ook een beeld geschilderd van een monolithische staat onder een een-partij-regime, uiteindelijk van de jaren '30 tot '54 onder dictatuur van één persoon: Stalin. Bij nader inzien kan ook dit beeld niet standhouden. In het enorme land met zijn vele organisatiestructuren, met elkaar doorkruisende formele en informele verbindingen, konden alle pogingen alles en allen op één lijn te krijgen, slechts bij verre benadering slagen. Onder Lenin dienden zich daarenboven openlijk verschillende stromingen aan die de laatste in woord en schrift bestreed; men denke aan zijn opstellen over "rechtse en linkse afwijkingen". Dezelfde personen bleven na Lenins dood nog geruime tijd deel uitmaken van de leiding. Als steeds liet Stalin anderen in de leidende organen als eersten aanklachten uiten; langzaam en bedachtzaam maar zeker, bereidde hij de eliminatie voor van die personen en groepen die - in de partij - als oppositie werden gezien. Bij stemmingen over personen liet Stalin vaak zijn stembiljet blanco. Uiteraard had hij bij de uitvoering van zijn politiek velen van harte achter zich. De verschillen van mening over centrale onderwerpen van binnenlandse en buitenlandse politiek waren reëel, precies zoals ze dat onder Lenins leiding waren geweest, toen dezelfde leidende personen binnen de partij als woordvoerders van verschillende facties optraden: het ging erom wát te collectiviseren, wát privé-bezit te laten, in hoeverre invloeden van arbeidersraden toe te laten; het al dan niet voortzetten van een gedeeltelijke vrije marktpolitiek (NEP, nieuwe economische politiek). Midden jaren dertig was de situatie rijp, had Stalin zijn positie dusdanig geconsolideerd om een reeks van oude medestrijders die genoeg aanzien en intellect hadden om wellicht eens zijn positie te bedreigen, uit de weg te doen ruimen.

In Machiavelli's traditie

Velen in de Sovjet-Unie en daarbuiten hebben aanvankelijk geloofd dat de beschuldigingen tegen Stalins tegenstanders geheel of ten dele op waarheid berustten. Maar de geruchten die varieerden van psychologische druk ten bate van het voortbestaan der partij via dreigementen met arrestatie en vervolging van familieleden tot marteling, bleken op waarheid te berusten. Niettemin is niet alles in de beschuldigingen als onwerkelijk voorgekomen. Men had meegemaakt dat de linkse socialisten-revolutionairen door westerse geheime diensten zich tot een verbond met aartsconservatieven en liberale kapitalisten hadden laten verleiden. Men had te maken gehad met een rechtse oppositie die, geholpen door westerse machten van 1917-1921 een burgeroorlog hadden gevoerd die de sovjetrepubliek op de rand van de afgrond had gebracht. Men had te maken met miljoenen ontevreden boeren. Sommige oud-tsaristische officieren waren niet te vertrouwen. Trotski - in 1929 verbannen, wat Stalin later speet, hij liet hem in 1940 in Mexico-stad vermoorden - bleef in Rusland een belangrijk aantal aanhangers behouden.

De beschuldigingen waren echter te opgeblazen en absurd om waar te kunnen zijn. Deutscher, die alles nauwkeurig behandelt, bevestigt op één punt dat er inderdaad sprake was van een samenzwering: die van opperbevelhebber Toechatjewski met een kleine strikt geheim werkende groep. Deze miste echter elke band met het volk. Daarin lag haar noodlottige zwakte, aldus Deutscher[5]. Anderen (zo Edward Radzinski) achten het mogelijk dat de Duitsers Stalin vervalst "bewijsmateriaal", hebben toegespeeld of dat Stalin dit - zogenaamde Duitse materiaal - zelf deed vervaardigen. Er resulteerde een "zuivering" van het Rode Leger die circa 80% van het oude officierskorps omvatte, een zuivering die zeker in het belang van de Duitsers was, hetgeen in 1941 bleek.

Uit het voorgaande is één ding duidelijk. Iemand als Stalin deed het uiterste om hoe dan ook alle koorden van de macht in handen te krijgen om zijn ideologische visie te laten zegevieren. Dit ideologisch motief raakte regelmatig verstrengeld met het machtsmotief, ook waar het de buitenlandse betrekkingen betrof. De rechte leer - ideologie - vraagt om een machtsbasis in een staat die wereldwijde invloed kan uitoefenen. Daarvoor was bijvoorbeeld het "Duivelspact" nodig met de Duitsers die in de periode 1922-1933 ten nauwste met het Rode Leger hebben samengewerkt[6].

De Reichswehr die bij het Verdrag van Versailles verboden was zwaardere wapens te ontwikkelen en te testen en wie ook elke activiteit ter voorbereiding van een chemische oorlogvoering volstrekt was verboden, kreeg in de Sovjet-Unie ruime faciliteiten ter beschikking. In ruil daarvoor hielpen zij de staf van het Rode Leger aan kennis en vaardigheden op technisch en chemisch gebied. Hitler maakte in 1933 aan deze geheime samenwerking een einde.

Wij doen er verkeerd aan Stalin als een uitzinnig ideoloog en moordenaar apart te zetten; hij staat in de traditie van Machiavelli: sluw, bedachtzaam, intelligent, steeds die machtsposities kiezend die, alles beschouwd, optimaal waren. Vandaar ook zijn keuze voor het Molotov-Ribentrop Pact - in feite een pact met Hitler - van 23 augustus 1939. Zijn tegenstander was in menig opzicht ook qua karakter zijn tegenpool: als orator was Hitler verre de meerdere tegenover de haast steeds zacht en vlak sprekende man in het Kremlin, maar zijn mindere als irrationeel rassenideoloog, zijn mindere ook als leider die niet goed naar anderen kon luisteren. Vriend en vijand prijzen Stalin die, alvorens beslissingen te nemen, zijn bevelhebbers hun opvattingen rustig deed ontvouwen en die zelf als dé grote deskundige op logistiek gebied optrad; een terrein waar hij zeer veel tijd aan besteedde. Typerend is dat Hitler nimmer van logistieke problemen wilde horen, ze waren hem, die zichzelf als suprème tacticus zag, als het ware te min. Enig logistisch inzicht had hem kunnen leren nooit aan de vernietigingsoorlog in het Oosten te beginnen, of er tijdig mee op te houden toen hij nog vele miljoenen mensenlevens kon sparen en het Reich behoeden voor een verpletterende nederlaag.

Wij behoeven niet terug te grijpen op Hitler om aan te tonen dat fanatisme elders tot kwantitatief vergelijkbare mensenoffers heeft geleid. Heden woeden in verschillende landen in Afrika, Azië en Europa etnisch gekwalificeerde oorlogen waar Europa en de VS alles mee te maken hebben. De ethische norm der multiculturaliteit plus het streven zoveel mogelijk staten te incorporeren in één wereldwijd aan liberaal-kapitalistische normen beantwoordend systeem - dat vooral door Washington vaak tegen alle redelijkheid in wordt doorgedrukt - vormt een opmerkelijk aandachtspunt voor hen die 50 of 70 jaar geleden het verderf louter projecteerden in Stalins Sovjet-Unie en Hitlers Duitsland. Het valt buiten het kader van dit hoofdstuk, maar één ding zij hier opgemerkt: die norm der multicultuur wordt opgelegd voorzover ze de belangen van één grote macht kan dienen; ze komt niet aan de orde indien dit niet het geval is: wie ziet de Verenigde Staten Turkije dwingen haar wetgeving in multiculturele zin te herzien, of Israël? Of Saoedi-Arabië? Ideologie en machtsstreven zijn nauw verstrengeld, waarbij pure macht om de macht uiteindelijk wint.

Nog één opmerking over de ethische diskwalificatie van hen die - te lang - Stalins politiek dekten. Stalin heeft politieke tegenstanders laten vermoorden of onder barre omstandigheden ten onder laten gaan; het waren bepaalde exponenten van bepaalde klassen. Hitler richtte zich op de uitroeiing van gehele volken. Klassen hebben in de loop van de ontwikkeling een verschuivend karakter; het uitroeien van gehele volken is van een geheel andere dimensie en kwaliteit. Polen, Russen, Oekraïners en andere Slaven bestempelde Hitler allen als Untermenschen. Veel te weinig is in het Westen in de eeuw die achter ons ligt tot uiting gekomen dat ook ten aanzien van de slavische volken een actieve uitroeiingspolitiek op grote schaal werd toegepast. Volgens Oekraïense berekeningen zijn tijdens de Tweede Wereldoorlog meer Oekraïners omgekomen - 7 miljoen - dan joden. Hitler heeft miljoenen sovjetburgers en krijgsgevangenen door executie en dodenmarsen moedwillig de dood ingedreven. Dit stond dus volledig los van de slachtoffers die de oorlog eiste. Het strekt de joden en hen die onconditioneel achter hen staan niet tot eer dat zij "het grote lijden" als het ware voor zichzelf hebben gemonopoliseerd. Hier ligt voor onderwijs en voorlichting een groot op evenwichtige wijze te behandelen gebied.

Stalins grondwet

De vraag dringt zich op: hoe heeft Stalin de ideologische tour de force volbracht zijn schrikbewind als het toppunt van democratie te afficheren? Terwijl de vervolging, de gedeeltelijke uitmoording van zijn tegenstanders in volle gang was, maakte hij november 1936 in een toespraak tot het 8e sovjetcongres het ontwerp voor een nieuwe grondwet bekend. Lenins verkiezingsstelsel dat de arbeidersklasse bevoorrecht had, zou vervangen worden door stemrecht voor iedereen. Immers, aldus Stalin, de klassenstrijd liep in de Sovjet-Unie teneinde. Indirecte, getrapte, verkiezingen die tot dan toe openbaar waren, werden vervangen door directe geheime verkiezingen. Stalin verwierp een amendement dat het veelkoppig presidium van de Opperste Sovjet wilde vervangen door één president. Eén persoon als president zou zich, aldus Stalin, kunnen ontwikkelen tot dictator. Witgardisten en priesters kregen opnieuw stemrecht. Het monddood maken van de politieke oppositie en van alle vrije uitingen van intellectuelen en kunstenaars werd echter officieel bezegeld: iedere oppositie werd grondwettelijk verboden. Voor iedereen met eerlijke bedoelingen zou er plaats zijn in de partij, terwijl ook partijlozen in de vertegenwoordigende organen zouden kunnen worden opgenomen.

Was dit alles bestemd om nog fraaiere façaden op te trekken dan al aanwezig? Dit was niet het geval. Stalin deed een massale poging om, door inschakeling van de massa van gewone partijleden de positie te ondergraven van de gevestigde belangen van het partij- en het staatsapparaat. De partij was volgens Stalin verworden tot een systeem van "gesloten familieklieken" en netwerken; de leiders daarvan stuurden nu en dan zelfverheerlijkende rapporten over hun successen naar Moskou. Kritiek van andere partijleden en partijlozen werd onderdrukt. In 1937 deed het Centraal Comité gedetailleerde instructies uitgaan naar alle partijorganen met betrekking tot het organiseren van interne verkiezingen. Het opstellen van lijsten van kandidaten door de leiding werd verboden; stemmen bij hand opsteken eveneens. Ieder partijlid moest tegenkandidaten kunnen stellen; alle kandidaten moesten individueel worden besproken en desgewenst bekritiseerd. Niet ten onrechte merkt John Löwenhardt op: "Wie de instructies van 1937 legt naast de partijreglementen van onze hedendaagse politieke partijen, zal waarschijnlijk tot zijn verbazing constateren dat, op papier althans, de communistische partij van de Sovjet-Unie op het dieptepunt van de terreur een toonbeeld van democratie bleek te zijn geworden"[7].

Ook na de val van Stalin bleef men in de Sovjet-Unie met deze problematiek worstelen: met name wilde Chroestsjov en later Gorbatsjov de partij-en staatsorganen dynamisch en initiatiefrijk zien, terwijl zij tezelfdertijd te veel weerstand ondervonden om de centrale leiding met voldoende souplesse te laten ageren. Ook Gorbatsjov hield daarbij aanvankelijk nog vast aan het idee dat hij allerlei stromingen die door zijn glasnost publiek waren geworden, in één partij zou kunnen blijven bundelen, waarbij terecht of ten onrechte, Lenins voorbeeld werd aangegrepen.

Gorbatsjovs en Lenins wensenlijst

Niet ten onrechte is in de jaren 1985-1990 veel gewezen op de parallellen die de hervormingsplannen van Gorbatsjov met Lenins wensenlijst vertonen. Niet weinigen wezen er echter op dat de praktijk van het bewind onder Lenin alle elementen bevatte voor de dictatuur die zou volgen. Het laatste is slecht vol te houden. Stalins toenemende vervolgingswaanzin is moeilijk met de politieke dictatuur onder Lenin in verband te brengen. Dat de

134

oktoberrevolutie en wat erop volgde een tijdlang toestanden van rechteloosheid schiep en veel slachtoffers maakte, heeft ze gemeen met veel revoluties. De dwangstaat van Stalin zou zeker niet wetmatig gekopieerd zijn door wie van zijn collega's ook. Vast staat wel dat de zeer snelle ontwikkeling van de zware industrie en met name de wapenindustrie, door wie dan ook geleid, zeer grote offers van boeren en stadsbevolking zouden hebben geëist. De gebeurtenissen in de jaren 1941-1945 toonden aan dat deze offers noodzakelijk waren geweest, en dat men zich geen langzamere ontwikkeling had kunnen veroorloven. Na Stalins dood werd de Sovjet-Unie weer geleid door een collectief bestuur dat allerlei pogingen tot liberalisatie beproefde, waarvan helaas weinig gelukten.

Aan het eind van de eeuw werden collectieve eigendommen van het Sovjetvolk voor luttele bedragen verkwanseld aan "businessmen", die men het beste kan vergelijken met "robberbarons" en magnaten met maffia connecties. Honderden miljoenen in het buitenland geleende dollars en marken ter financiering van liberaalkapitalistische hervormingen verdwenen via Moskou of niet eens dat, naar privé-rekeningen in belastingparadijzen. De Russische burger "won". Zijn "welvaart" is weliswaar geringer dan 20 jaar geleden, maar hij mag, precies als wij, eens in de 4 of 5 jaar parlementariërs kiezen. Laten we hopen dat het daar zowel als hier mensen zijn die komen van de werkvloer van het werkelijke leven.

Noten

1. Theodore Denno, *The Communist Millennium; the Soviet view*, Den Haag, 1964.
2. Stalins rol wordt duidelijk beschreven in de volgende werken: Isaac Deutscher, *Stalin; een politieke biografie*, deel I, II en 111; oorspronkelijke uitgave Oxford University Press, 1962; vertaling: Hilversum, 1963; Dmitri Volkogonov, *Triomf en Tragedie; een politiek portret van Josef Stalin*, Moskou, 1989 vertaling: Houten 1990; Edward Radzinski, *Stalin; onthullingen uit geheime privé-archieven*, Moskou, Amsterdam, 1996.
3. Josef Stalin, *Interview met de eerste Amerikaanse arbeidersdelegatie*, Moskou, 1954.
4. Josef Stalin, *Fragen des Leninismus*, Moskou, 1947, blz. 577 e.v.
5. Isaac Deutscher, *Stalin; een politieke biografie* deel II, blz. 82.
6. Men zie hierover gedetailleerd het zeer belangrijke werkje van Sebastian Haffner, *Het Duivelspact; De Duits-Russische betrekkingen van de Eerste tot de Tweede Wereldoorlog*, Haarlem, 1989.
7. John Löwenhardt, Democratisering zonder terreur; democratisering en zuiveringen onder Stalin en Gorbatsjov in: *Gorbatsjov en Stalin's Erfenis*, Utrecht, 1989, blz. 85.

Hoofdstuk 9

POLEN EN DE SOVJETVOLKEN
GEEN SLACHTOFFERS TWEEDE KLAS

Reeds lang stoort het mij, dat bij allerlei herdenkingen en in allerlei ge-schriften en films weinig of geen aandacht wordt geschonken aan de offers van Polen en sovjetburgers gedurende de Tweede Wereldoorlog.

Hun lijden en offers lijken een soort tweede of derde rang in te nemen, zo ze al vermeld worden. Ik denk bijvoorbeeld aan herdenkingen in 1995 rond onze bevrijding en de val van het nazisme. Amerikaanse of Engelse doden schenen zwaarder te wegen dan Poolse of Russische en dat terwijl eerst-genoemde geallieerden hun doden bij honderdduizenden telden en laatst-genoemden bij miljoenen. Wij mogen nooit nalaten het te herhalen: om-streeks twintig miljoen sovjetsoldaten en burgers vonden de dood in de "Grote Vaderlandse Oorlog" die ook voor onze bevrijding de doorslag gaf. Volgens hun opgaven verloren de Polen ongeveer zes miljoen mensenle-vens terwijl 2,8 miljoen Poolse dwangarbeiders naar Duitsland werden ver-sleept.

Maar de joden krijgen in allerlei vormen van herdenken, studies, docu-mentaties, enz. over de Tweede Wereldoorlog veruit de meeste aandacht. Zij die overleefden en hun nazaten houden met een zekere krampachtig-heid hieraan vast. Zo bijvoorbeeld in de pas afgesloten onderhandelingen in de VS over schadevergoeding voor joodse dwangarbeid in enigerlei vorm aan joodse overlevenden, hun erfgenamen of joodse gemeenschappen.

Terug naar de Polen. Meteen toen de veldtocht in Polen begon, rukten di-rect achter het front SS-eenheden op, maar ook speciale eenheden van le-ger en politie. Op verschillende wijzen richtten zij massaslachtingen aan waarbij joodse en niet-joodse Polen in principe niet systematisch uit elkaar werden gehouden. Er waren uiteraard meer niet-joodse dan joodse Polen. Daarom bestond de eerste categorie slachtoffers uit intellectuelen, politie-ke en maatschappelijke leiders, officieren, enz., kortom de elite.

Het lot van de niet-joodse Polen: dood, slavernij of germanisering

Zien we naar enkele aspecten. Het in Duitse handen gevallen deel van Polen werd in drie gebieden opgesplitst. West-Polen (het deel dat nog in 1914 tot Duitsland had behoord) werd bij het Reich gevoegd en verdeeld in twee 'gouwen': de gouw Pommeren-Dantzig en de zuidelijke Warthegau. Het resterend gebied, waar Warschau en Krakau net binnen vielen, werd, als Gouvernement Generaal onder Hans Frank gesteld. Behalve Auschwitz - net buiten de grens van dit gebied - bevonden zich hier alle vernietigings-kampen. Allereerst werden nu miljoenen Polen uit het 'Reichsgebiet' ver-dreven en eenvoudig in het Gouvernement Generaal gedumpt, zonder eni-

ge vorm van beschutting of opvang. Hierdoor ontstonden in dit gebied overbevolking en tekorten aan de meest primaire voedingsmiddelen en medicijnen. Vervolgens werd de Polen al hun onderwijs en cultuuruitingen ontnomen; medische en voedselrantsoenen waren al gauw - niet pas in 1943/44
- ontoereikend; kinderen in het rijksgebied werden op hun raciale kenmerken onderzocht: zij die geschikt werden bevonden en er voldoende 'arisch'
uitzagen werden aan hun ouders ontnomen en ergens in Duitsland bij pleeg-
ouders opgevoed, onwetend van de verblijfplaats en het lot van de eigen
ouders, die op hun beurt hun kinderen vaak voor altijd uit het oog verloren.
Voortdurend werd, terwijl het tempo van de moord op de joden werd opgevoerd, ook gewerkt aan het decimeren van de Polen. In de Reichsgauwen
en de in het oosten te veroveren sovjetgebieden zouden Duitsers, andere
Germanen en gegermaniseerden worden gevestigd. Het Gouvernement
Generaal diende als slachtplaats en leverancier van arbeidskrachten die niet
meer geleerd werd dan korte Duitse aanwijzingen te ontcijferen en tot 500
te tellen. De proclamaties, "Bekanntmachungen", "Befehle" die de Duitsers
ophingen waren steeds gericht tot "Juden, Polen und Zigeuner". Duidelijk
werd dat de drie genoemde groepen alleen als onderscheiden werden gezien in zoverre de nazi's niet bij machte waren ze tegelijkertijd in hetzelfde tempo uit te roeien of ze voorshands nog niet als slavenarbeiders konden missen.
Men kan over de mate van het lijden van het Poolse volk van mening verschillen, vaststaat dat dit eeuwenlang door Duitsers, Oostenrijkers
(Habsburgers) en Russen gemaltraiteerde volk (van 1783 tot 1919 was Polen
134 jaar door de drie genoemde machten verdeeld) hier op het dieptepunt
van zijn vernedering en martelgang was beland.

Het besluit tot vernietiging en de afwijkingen daarvan

Hoezeer Hitler al in *Mein Kampf* de joden de schuld had gegeven van heel
de ellende die in 1918 en daarna over het Duitse volk gekomen was, ook
de Slaven en de "bourgeois plutocraten" wekten zijn grondige verachting
en haat op. Al in *Mein Kampf* worden de oostelijke Slavische gebieden gezien als territoir waar het Duitse volk de nodige "Lebensraum" zou kunnen
vinden. In concreto stond echter niet a priori vast wie als eersten als slachtoffer moesten vallen. Duidelijk is, dat na 1933 als eersten tienduizenden
communisten, socialisten en cultuurdragers uit linkse kring in de concentratiekampen verdwenen. Zonder dat echter over de gehele linie hun fysieke vernietiging beoogd werd. Velen kwamen soms na maanden, soms na
jaren weer vrij. Terzelfdertijd echter was in de jaren 1933 tot 1939 het honderdduizenden joden mogelijk Duitsland en later ook Oostenrijk te verlaten; had men die joden dus willen vernietigen, dan was dit mogelijk geweest. Op opportuniteitsgronden liet men hen - met achterlating van vele
bezittingen - gaan. John Lukacs1) komt aan de hand van de uitvoerige li-
teratuur- en documentatiestudie die hij maakte, tot de conclusie, dat er sprake was van een ontwikkeling in Hitlers politiek tegenover de joden, waarvan de stadia vrijwel parallel liepen met de keerpunten in zijn leven en car-

rière. Hitlers eerste optie was verbanning: alle joden zouden gedwongen worden Duitsland te verlaten om zich in Palestina, op Madagaskar of in Guyana te vestigen. Tot in 1941 speelde Hitler in een van zijn "Tischgespräche" met het Madagaskar-project[2]. Geen geschikt tijdstip overigens daar dit eiland toen al aan de macht van de Vichy-regering was onttrokken. Wat de openbare uitingen van Hitler betreft, die erop konden wijzen dat hij vernietiging van de joden beoogde, is slechts een tweetal bekend. Hoewel ze vaak worden herhaald in boeken, filmdocumentaires, enz., lijkt het mij goed ze hier weer te geven. Op 30 januari 1939 zei hij in een rede in Berlijn het volgende:

"Vandaag wil ik opnieuw profeet zijn. Als de internationale joodse financiers binnen en buiten Europa er weer in zullen slagen de naties in een wereldoorlog te storten, zal het resultaat niet de bolsjewisering van de wereld en de overwinning van de joden zijn, maar de vernietiging van het joodse ras in heel Europa." Men merke op, dat op het tijdstip waarop de vergaande veroveringsplannen in het oosten van Europa reeds vaststonden, deze bedreiging toch voorwaardelijk is. Het staat nog steeds niet vast of een uitspraak als deze in zijn duidelijke voorwaardelijkheid louter tactisch was of dat, zoals sommige onderzoekers menen te mogen stellen, Hitlers uitspraken op de momenten waarop hij ze deed steeds overeenstemden met wat hij meende en geloofde.

De tweede en ook laatste keer dat Hitler in het openbaar duidde op de mogelijke uitmoording van de joden, was op 8 november 1942. Hij verwees toen nadrukkelijk naar de bovengeciteerde uitspraak en voegde eraan toe: "Velen die toen nog om mijn woorden hebben gelachen, is inmiddels het lachen vergaan en degenen die het nu nog zouden doen, zullen binnenkort ook zwijgen." Inmiddels waren de massale uitroeiingen al een tijdlang aan de gang.

Tot nu toe is nergens een schriftelijk bevel van Hitler voor de vernietiging van de joden gevonden; alles verliep via mondelinge bevelen aan Himmler[3]. Al het mogelijke werd gedaan om het aantal getuigen, ook van de bevelen, zo gering mogelijk te houden. Alles moest zo snel en geruisloos mogelijk afgehandeld worden. Hitler wist dat zijn tijd beperkt was. In de winter 1941/42 kwam hij tot de conclusie dat de oorlog - in ieder geval op zijn voorwaarden - niet meer te winnen was. In een gesprek met de Finse president, maarschalk Mannerheim, dat door de Finnen op een band was opgenomen en pas enkele jaren geleden publiek gemaakt, zegt hij over het Rode Leger: "Ik heb ze onderschat, honderden divisies, tienduizenden tanks, duizenden vliegtuigen heb ik vernietigd, maar steeds komen ze weer en vallen aan met nieuwe divisies en wapens." Lukacs stelt, dat ergens in september/oktober 1941 Hitler bevel tot de "Endlösung" gegeven moet hebben, of er toen mee heeft ingestemd. Von der Dunk[4] echter maakt het aannemelijk dat dit bevel al vrij kort na de inval in de Sovjet-Unie gegeven moet zijn. Rudolf Höss, commandant van Auschwitz, getuigde dat hij zomer 1941 bij Himmler geroepen werd, die hem meedeelde dat de Führer de "Endlösung der Judenfrage" had bevolen en dat de SS die taak diende uit te voeren. Gegeven de laatste tijdaanduiding zou de zogeheten Wannseeconferentie op 20 januari 1942, waar Himmler, Heydrich, Kaltenbrunner,

Eichmann en anderen de nodige instructies opstelden, vrij laat zijn georganiseerd, ná de winterslag voor, benoorden en bezuiden Moskou die het voor eenieder duidelijk maakte dat de nazi's, nuchter gezien, de oorlog gingen verliezen.

Hitlers vijanden: joden, christenen, bolsjewieken en plutocraten

Uit reconstructie van Hitlers denken, zoals dat blijkt uit *Mein Kampf* en zijn Tischgespräche, komt in hoofdtrekken naar voren wat zijn ware doeleinden waren, wie hij als zijn voornaamste vijanden zag en hoe tegen hen zou moeten worden opgetreden. De grote vlakten in het oosten, Polen werd niet of nauwelijks genoemd, het was immers in de jaren vanaf 1783 tot 1919 overwegend als staat non-existent geweest, zouden gekoloniseerd worden door Duitsers en andere Germanen. Onder de laatsten groepeerde Hitler ook Kroaten en Esten en tevens Letten en Litouwers, hoewel hij Litouwers minder zuiver achtte. Na de overwinning zouden grote steden gebouwd worden omringd door gebieden met fraaie dorpen in cirkels van 30 à 40 kilometer diep rond die steden. Vanuit deze weer-eenheden zouden de raciaal minderwaardigen die nog in leven waren bij pogingen tot verzet vernietigd worden. De Slaven die letterlijk slaven dienden te zijn (Polen, Russen, Oekraïners dus) zouden gedwongen worden hun geboorten te beperken; onthouding van medische verzorging zou de sterfte doen stijgen, zodat door al deze maatregelen tezamen het Germaanse overwicht versterkt zou worden en het aantal "Untermenschen" beperkt tot het nodige minimum. "Onderwijs" zou onderworpenen slechts de meest primaire kennis en vaardigheden mogen bijbrengen. "Onderworpenen hebben geen rechten, als zij maar weten dat Berlijn de hoofdstad van de wereld is." Dat was voldoende volgens Hitler.

Na de volstrekte onderwerping van de Slaven zouden de christenen aan de beurt komen. Hitler liet hen voorlopig een zekere speelruimte; hen frontaal aanvallen zou te veel onrust scheppen. De opkomst van het christendom was "de grootste klap die de mensheid ooit had getroffen". Als het nationaal-socialisme lang genoeg aan de macht zou zijn geweest, zouden godsdiensten uit zichzelf doodbloeden. Het bolsjewisme, een "onwettig kind van het christendom", had harde wapenmacht die Hitler wel moest vernietigen, maar die hij ondertussen sterk onderschatte. In beide vijandelijke kampen, het christelijk-westerse bourgeois kamp en het bolsjewistische kamp, kwam hij intussen dezelfde vijand tegen in leidende posities: "Juda". Hoe exotisch barbaars dit alles moge klinken (Hitler had overigens geen bezwaar tegen de aanduiding "barbaar") laatstgenoemde constatering was juist: het eerste politbureau van de Communistische Partij van de USSR bestond zeker voor 50% uit joden. Hun invloed op de radenopstanden in Boedapest, München en Berlijn, was groot; anderzijds was en bleef de joodse invloed in het westen vooral via de banken, de grote concerns, de handel, de exploitatie van kunst en cultuur, aanzienlijk.

Overzien wij dit alles dan blijkt echter uit niets dat andere tegenstanders een beter lot beschoren zou zijn dan de joden. De tijd drong en er moest gekozen worden. Weliswaar werden ook miljoenen Polen en Oekraïners afgemaakt - sommige groepen vergast - maar het bevel tot de Endlösung met betrekking tot de joden kon niet eens meer worden volbracht. In de Oekraïne waren Hitlers eenheden pas 1 jaar goed in actie, toen al duidelijk werd dat het voortzetten van de oorlog daar nog slechts één hoofddoel kon hebben: het zo veel mogelijk dekken van de voortgang van de massamoord op alle Europese joden, voorzover onder Hitlers machtsbereik.

Wat wij nu weten over de ware bedoelingen van de nazi's werd 60 jaar geleden door allerlei vormen van misleiding en camouflage geheimgehouden. De vraag rijst in hoeverre Hitler Polen en andere Slaven ontsnappingsmogelijkheden heeft willen laten die hij - zij het vaak slechts verbaal - joden wel gaf. Wij behoeven op dit punt niet te denken aan opvliegingen van menslievendheid. Als regel werd bij het doen van concessies de Duitse en de buitenlandse publieke opinie scherp in de gaten gehouden. Weinig Duitse joden ontkwamen hun lot, bijvoorbeeld omdat zij in de Eerste Wereldoorlog heldhaftig aan de zijde van de Centralen gevochten hadden; enkele geleerden en kunstenaars waren door Hitler tot ere-ariër benoemd. Anderen werden gespaard omdat zij met een arische partner getrouwd waren. Nog in 1939 konden velen het Reich verlaten. Verdienstelijke geleerden, artiesten en andere personen die tot de joodse elite behoorden werden vooral in Theresiënstadt in het protectoraat Böhmen und Mähren ondergebracht. Dacht Hitler c.s. ze nog te kunnen gebruiken, zij het in hun beroep, zij het als ruilobject? In elk geval lijkt de politiek tegenover de joden ondanks zijn radicaliteit toch niet vrij van een zeker opportunisme. Een aantal biografen constateert een zekere dubbelheid in Hitlers uitspraken. Tijdens een tafelgesprek op 21 juni 1941 suggereerde Hitler dat de joden naar Siberië zouden kunnen worden verbannen. September 1941 verbood hij Himmler de overgebleven joden in Duitsland en met name in Berlijn te deporteren. Op 27 januari 1942 brengt hij opnieuw in een tafelgesprek Siberië als een geschikte verbanningsplaats voor de joden ter sprake. Inmiddels draaide terzelfdertijd de vernietigingsmachine op hoge toeren; op 20 januari was op de Wannsee-conferentie de fase van de massale vergassing voorbereid. Van Himmlers ruilplannen, joden tegen vrachtwagens, en van het stopzetten van de vergassingen in november 1944 moet Hitler hebben geweten. Toch ontlast dit hem geenszins. Dat er niet meer Polen, Russen en Oekraïners vermoord werden ligt er alleen aan, dat hij de tijd er niet voor kreeg.

Hitler, de joden en andere Untermenschen

Over Polen en Russen sprak Hitler zo mogelijk nog denigrerender dan over joden. Russen waren niet in staat naar een hogere maatschappijvorm te streven, niet in staat uit zichzelf op de gedachte te komen te gaan werken; ze waren "zonder zelfdiscipline" "steeds terugvallend in primitieve levensvormen", "Wodka is hun belangrijkste bijdrage tot de beschaving", enzovoort. Deze onderschatting van de vijand werd hem fataal. De "Mongoolse sovjethorden" waren in 1943 en erna bewapend met betere tanks, raketwerpers en machinegeweren dan de Duitsers en hun bondgenoten.

Wat de Polen betreft, die in principe geen betere behandeling konden verwachten dan Russen en andere Slaven, opperde Hitler in de tafelgesprekken dat hun deportatie naar Brazilië zou kunnen worden overwogen. Ook hier moeten wij mogelijk denken aan een afleidingsmanoeuvre die hoewel het idee in zeer kleine kring gebracht werd, als camouflage voor de politieke hoofdlijn moest dienen: ontruim het oosten, maak het vrij voor Germaanse kolonisatie en decimeer de gevestigde bevolking. Waarschijnlijk is, dat de plaats van de joden alleen in zoverre verschilde van de andere "minderwaardigen" dat zij als eersten massaal vergast werden. Geheel zeker is het echter niet dat Hitler niet serieus in zijn verschillende vestigingsplannen voor joden, Polen en anderen geweest zou zijn; breed en diepgaand in de materie ingewerkte historici wijzen steeds op Hitlers dubbelheid ter zake. Mogelijk stonden soms verschillende politieke keuzen voor hem open, in elk geval is het niet onaannemelijk dat hij steeds op een bepaald moment geloofde in wat hij zelf zei. Hij moet dan wel aan een hoge mate van zelfdeceptie geleden hebben. De gehele Duitse politiek in 1938/39 tegenover de Polen was een grote misleidings- en zelfrechtvaardigingsmanoeuvre. Officieel ging het Hitler slechts om de Duitse stad Dantzig en een corridor door de in 1919 voor Polen geschapen uitgang naar zee die Pommeren van Oost-Pruisen scheidde. Met als achtergrond de informatie die wij heden hebben uit de tafelgesprekken en de nog steeds groeiende documentatie die Duitse instanties publiceren[5], is het een volstrekt uit te sluiten mogelijkheid dat Hitler b.v. Opper-Silezië dat op 20 maart 1921 in een onder internationale controle gehouden volksstemming besloten had bij Duitsland te blijven, aan Polen zou laten (de verhouding was 60% tegen en 40% voor Polen[6]. Hij was zonder meer besloten tot oorlog, de rest was tactiek.

Het is de tragiek van het Duitse volk geweest dat het zijn lot in handen had gelegd van een fascinerende en in menig opzicht hoogbegaafde man, die echter bezeten was van een anderen, het een eigen volk en tenslotte zichzelf verterende haat. Deze haat had ten dele goede gronden, zij sloeg echter door in een redeloos racisme dat - maar dat is er het centrale kenmerk van - de ander, het andere volk, erfelijk minderwaardig acht en zichzelf daarom bevoegd alle minderwaardigen uit te roeien of minstens tot slaven te maken. Het is verbluffend dat Hitler zichzelf deze mythe heeft kunnen inprenten. Reeds de nuchtere, juiste constatering dat in twee van de leidende vijandelijke staten, de USSR en de VS, joden, in veel grotere mate dan hun aantal zou doen vermoeden, invloed hadden uitgeoefend of dit nog deden, zou hem hebben moeten doen beseffen hier eerder met een meerder- dan met een minderwaardig "ras" van doen te hebben. Misschien heeft hij zijn these over de raciale meer- of minderwaardigheid zelf maar ten dele of in het geheel niet geloofd en schiep hij haar overwegend ter versterking van zijn "Wille zur Macht". Ook de enorme prestatie van het Poolse volk, dat steun uit het westen ontberend, onder de hardst mogelijke omstandigheden vrijwel uit louter ruïnes zijn dorpen en steden herbouwde, mooier dan ooit, zou elke racist te denken moeten geven.

Geen lijden heiliger dan het andere

De Duitse regering heeft er goed aan gedaan reizende exposities samen te stellen met documentatiemateriaal dat bewijst hoe het allemaal precies toeging, toen, van 1939 tot 1945. Veel was nog te onbekend en werd nog bestreden als bedrieglijke "beeldvorming van de vijand". Inderdaad volvoerden niet alleen de SS maar ook politie- en Wehrmachtsonderdelen de volkerenmoord in grote delen van het bezette Oost-Europa. Zoals bekend is dit bij neonazi's maar ook in bepaalde andere - voornamelijk militaire - kringen slecht gevallen. Prijzenswaardig is, dat de autoriteiten besloten door te zetten; verschillende deelexposities reizen nu door het land. In de St. Michael kerk te Jena zag ik kortgeleden een fotodocumentatie met vele authentieke teksten, die zich uitsluitend richt op de veldtocht tegen Polen en wat daarop direct volgde. Zoals wij boven zagen, heeft Hitler nooit publiek gemaakte moordbevelen gegeven maar werden deze steeds mondeling verstrekt. Slechts één door Hitler getekend bevel is bekend, waarin hij de euthanasie van zwakzinnigen beveelt, een onderwerp dat met racisme niets van doen heeft. Men kan tot nu toe slechts bij benadering vaststellen wanneer Hitler tot de "Endlösung der Judenfrage" besloot of erin toestemde. Krachtens een document dat ik aantrof op genoemde tentoonstelling en dat ik nooit elders genoemd of geciteerd vond, staat vast, wat Hitler met de Polen voorhad (en met andere Slaven). Wij zagen dit boven reeds in grote trekken, hier echter volgt de tot dusver geheime tekst die Hitler in het hoofdkwartier van de Duitse strijdkrachten op 14 augustus 1939 voor de verzamelde opperleiding van de Wehrmacht uitsprak:
"Onze sterkte ligt in onze gezwindheid en onze bruutheid. Djengis Khan heeft miljoenen vrouwen en kinderen de dood ingejaagd, bewust en met een blij hart. Zo heb ik, voorlopig alleen in het oosten, mijn Totenkopfverbände in gereedheid gebracht met het bevel, onbarmhartig en zonder medelijden, man, vrouw en kind van Poolse afstamming en taal de dood in te sturen".
Ik keer terug tot de aanvang van dit hoofdstuk. Hitlers racistisch gefundeerde haat trof naast de joden minstens alle Slavische volken met even grote felheid. Negers en Aziaten waren nog te ver buiten zijn bereik. Er bestaat geen principieel verschil tussen de behandeling die hij voor joden en Slaven de juiste achtte. Voor het voortdurend naar voren schuiven van de joden als waren zij kampioenen van het lijden, bestaat geen goede reden. Men kan stellen dat zij volgens de nazi's als eersten voor algehele vernietiging via gaskamers in aanmerking kwamen. Anne Frank merkt in haar dagboek niet ten onrechte op dat dit haar nog een vlugge dood leek. Dat was het zeker als men denkt aan de 150.000 joden die door wreedheden, executies, uithongering en dood door "arbeid", vernietigd werden. Naast de joden van Poolse nationaliteit – 3 miljoen – brachten de nazi's 3 miljoen niet-joodse Polen om het leven. Van de 20 miljoen sovjetburgers die het leven verloren, zijn er alleen al miljoenen als – onnutte – krijgsgevangenen aan de dood overgegeven. Zowel bij de Duitse opmars als bij hun terugtocht werden miljoenen burgers vermoord door executies; in duizenden dorpen werd de gehele bevolking in kerken of schuren bijeengedreven, waar-

na de gebouwen in brand werden gestoken. Waarschijnlijk zijn meer sovjet non-combattanten door de nazi's vermoord dan joden. Wellicht houden de laatsten daarom krampachtig vast aan het aantal van 6 miljoen vermoorde joden. Historici van naam als H.W. von der Dunk vermelden schattingen die variëren van 4,5 tot 6 miljoen joodse slachtoffers[7].

Zoekend naar een oorzaak voor het feit dat Polen en Sovjet-Russen en hun lijden onder de nazi's, nu reeds een halve eeuw zoveel minder aandacht krijgen dan joden, komt men op de gedachte dat in deze misschien het anti-semitisme onder deze volken en met name onder Polen en Oekraïners, een rol kan spelen. Te denken valt aan pogroms die nog tussen de beide wereldoorlogen plaatsvonden en aan de hulpdiensten die bepaalde elementen uit deze volken de nazi's in de vernietigingskampen verleenden.

In de eerste plaats echter maakt dit Hitlers wandaden tegen de Slavische volken er niet minder om. Voorts kan erop worden gewezen dat ook bijvoorbeeld Engelsen en Noord-Amerikanen veel anti-semieten in hun midden hadden, hetgeen er onder meer toe leidde dat zij in de meest kritische jaren, toen vlucht uit Duitsland nog mogelijk was, en deze zelfs door de nazi's werd gestimuleerd, de immigratie op allerlei wijzen probeerden af te remmen. Het heeft iets bitters dat bijvoorbeeld de Engelsen en het Vaticaan rustig met Hitler cum suis mee-theoretiseerden waar het ging om het zoeken naar exotische hervestigingsplaatsen voor de joden. Hans Jansen geeft terzake in zijn chronologie[8] een aantal treffende voorbeelden. Hier volgt er één.

Churchill schrijft op 27 april 1943 in een memorandum dat hij "niet alleen aan een toekomstige joodse staat in Palestina denkt, maar ook aan de mogelijkheden om van twee vroegere Italiaanse koloniën, Eritrea en Tripolitania, twee joodse koloniën te maken, desnoods (als de joden dat willen) als twee koloniën van een joodse staat in Palestina".

Het was niet alleen Hitler die in die tijd dacht zonder meer over het lot van landen en volken te kunnen beschikken.

Voor het vrijwel voortdurend verzwijgen, althans naar de achtergrond drukken, van het lijden, de offers en de moed van de Polen tussen 1939 en 1945 en de ex-sovjets in de periode 1941 tot 1945 zijn geen goede redenen. Als de joodse offers "heilig" zijn, zijn de hunne het evenzeer.

Noten

1. John Lukacs, *The Hitler of History,* 1997; vertaling Antwerpen 1999. Dit boek is zeer instructief. Schrijver behandelt de zijns inziens meest serieuze biografen van Hitler sinds 1945 en geeft aan waar zij op kardinale punten van mening verschillen.
2. In Nederlandse vertaling, Amsterdam 1980, uitgekomen onder de titel: *Hitlers tafelgesprekken* 1941-1944. Het Madagaskar-project is uitvoerig behandeld in Hans Jansen, *Het Madagaskar Plan, De voorgenomen deportatie van Europese joden naar Madagaskar*, Den Haag, 1996.
3. Men zie hoofdstuk 5, noot 6.
4. H.W. von der Dunk: *Voorbij de verboden drempel. De shoa in ons geschiedbeeld,* Amsterdam, 1995, 4de licht gewijzigde druk, blz. 9).

5. *Akten zur Deutschen Auswärtigen Politik,* Berlin, vanaf 1990.
6. Frankrijk wilde de uitslag van het referendum niet erkennen. De zaak werd in handen gelegd van een Volkenbondcommissie die besloot tot een deling van het gebied in de verhouding 6:4.
7. H.W. von der Dunk, idem noot 4.
8. Zie noot 2.

Hoofdstuk 10

DE NEDERLANDSE IDENTITEIT:
GAAT HET NOG ERGENS OVER?

Een volk dat eigen erfenis misacht
Zal meer dan lijf en goed verliezen...

Een kenmerk van het cultuur-relativisme is dat het de geschiedenis van volkeren en etnische eenheden niet in rekening wil brengen. Wetmatig volgt hieruit dat het de eigenheid, de aard, de identiteit van die volkeren moet misachten. Hun wij-gevoel is "eenkennig" en "vals".

Een goed voorbeeld vormt Sophie de Schaepdrijver's "Het valse wij-gevoel - waarom het "volks-denken leidt tot eenkennigheid" (NRC 11-02-1995). Ja, waarom? Aan het einde van het lange stuk is eigenlijk nog geen enkel aspect van die vraag geanalyseerd. Wel heeft de schrijfster uitgeroepen dat het "nergens over gaat" en dat de "pseudo-wetenschappelijke kreten van de identiteitsmafia, niets betekenen". Haar tegenstanders verwijt ze "rijkelijk vaag" te zijn zonder zelf het inzicht te verscherpen. Laat ik hier proberen enkele concrete punten in discussie te brengen.

Zelfbeschikking op eigen grondgebied

Beginnen we met een heel "eenkennig" trekje van de "gewone man" in ons volk te belichten. We naderen de 50-jarige herdenking van de bevrijding en zullen ons dan voor de zoveelste maal afvragen: "Verzetten wij ons toen (in '40-'45) al dan niet genoeg en deden we dat wel op de juiste wijze".

Ik groeide destijds op in een Hilversumse volkswijk die -eerder uitzondering dan regel in die tijd- godsdienstig en politiek zeer gemengd was. Als Duitse troepen weer eens zingend door de straat marcheerden, klonk het menigmaal uit de mond van vrouwen die de stoep boenden, hun tuintjes schoffelden of zich rond een groentekar groepeerden: "Laat ze opdonderen, ze horen hier niet". Natuurlijk was het vocabularium wel rijker. Maar wat altijd weer terug kwam en wat ik me daarom nog zo goed herinner was dat: "Ze horen hier niet; ze hebben hier niets te maken". Het ging om ons land, maar ook om onze eigen wijk.

Waarom hieraan bij al ons herdenken zo weinig is en wordt herinnerd, lijkt mij wel duidelijk. De "politiek correcten" die zich tot onze haast uitsluitende woordvoerders hebben opgeworpen, vinden die "argumentatie" onvoldoende, zo niet verdacht. Maar er is niets aan te doen: de over hun "Heimat" schallende troepen wekten niet allereerst associaties met een verwerpelijke leer, ze vormden primair een vreemde macht die ons grondgebied bezette en ons volk overheerste. "Ga naar jullie Heimat" werd hen nageroepen. Te primitief, te weinig, die roep? Zeker, maar allereerst dit: niet voor niets stelt de Universele Verklaring van de Rechten van de Mens dat ieder volk het recht heeft op zelfbeschikking op het eigen grondgebied. Wat ook impliceert dat het dit volk is dat de vrijheid heeft te bepalen wie, voor hoelang en onder welke voorwaarden het tot dit grondgebied zal toelaten. Dit duidt op een zekere eerbied voor het historische gewordene. Het lot der historie - orthodoxe protestanten sprak vroeger van: "De God der vaderen" - deelde dit volk de delta toe waarop het recht heeft en waarvoor het verantwoording draagt. Grote delen van dit land en binnenkort de meerderheid van de wijken in de grote steden willoos over te laten aan groepen vreemdelingen waarvan een niet onaanzienlijk deel op dit, ons grondgebied, de hoofdkenmerken van de eigen nationaliteit willen handhaven, die zich afgrenzen van Nederlanders en vermenging met Nederlanders tegengaan, betekent abdicatie van een grondrecht van een volk, maar ook verwerping van specifieke verantwoordelijkheden die wij hebben; verantwoordelijkheden voor eigen taal, voor eigen cultuur, op eigen grond.

De eigen cultuur: ging het nergens over en betekent het niets?

Maar natuurlijk was er meer, toen in '40-'45, dan de bezetting van onze "Heimat". Het is haast mode geworden te suggereren dat er niet veel meer was en dat ons volk over de hele linie tekort schoot. Dit wordt dan voortdurend toegespitst op het lot van Joodse Nederlanders die relatief meer dan in andere Europese landen, aan de Nazi's ten offer vielen. Ook hier moet altijd weer concreet worden getoetst. Het gaat bepaald niet over "vage vervaarlijkheden" en zeker niet "nergens over" wanneer ik stel dat het opkomen voor het recht van hen die niet behoorden tot de eigen godsdienstige of ideologische groep, in grote mate deel uitmaakte en maakt van de Nederlandse identiteit. Welk volk was ideologisch beter tegen het nazisme toegerust? Zelf maakte ik '40-'45 zeer bewust mee in gereformeerde kring. Nimmer werd in preken, catechisaties, (clandestiene) vergaderingen ook maar enige twijfel gelaten aan de van God gestelde eis als een muur te staan rond de joodse landgenoten. Ik durf de volgende stelling aan: hadden de joden meer gespreid gewoond en vaker gereformeerde buren en dito contacten gehad, een veel groter aantal van hen zou de mogelijkheid tot onderduiken zijn geboden. Dit dus afgezien van wat 85% andere Nederlanders in principe bereid waren te doen! Rekening moet ook steeds gehouden worden met het feit dat bij een veel groter hulpaanbod, direct, persoonlijk aan de bedreigden gericht, toch een aanzienlijk percentage voor deportatie-ingezinsverband (zoals de Duitsers dat voorstelden) en tegen onderduiken - gescheiden, onder vaak benarde omstandigheden - gekozen zou hebben. De grote meerderheid kon zich immers nog niet het slechts mogelijke lot - de geplande massa-vernietiging - voorstellen.

Een ander hoofdargument om aan te tonen dat het allemaal niet zoveel voor-

146

stelde, dat verzet, vindt men in de herhaalde constatering dat slechts ongeveer 40.000 personen tot de echte "ondergrondse" behoord hebben. Ook
hier zijn correcties op hun plaats. Waarschijnlijk kunnen zij die zo spreken
of schrijven zich de concrete toestanden onder de bezetting en het concrete werk dat verzetsgroepen te doen hadden, moeilijk voorstellen. Wie dit
wel doet, of wie zich tijd en omstandigheden zelf nog heugt, weet dat de
redenering van hen die op grond van de geringe menskracht van het actieve verzet tot kritiek menen te mogen besluiten op een volk dat "maar aan
de kant stond", niet deugt. Onder de gegeven omstandigheden konden namelijk voor de voorhanden taken 40.000 personen zeer wel als voldoende
worden beschouwd.

Iedere uitbreiding van het aantal ingewijden met personen die niet ingezet
behoefden te worden zou slechts kunnen schaden. Ik geef één voorbeeld:
zelf had ik een familielid die in Hilversum, waar zich het Duitse hoofdkwartier bevond, telefoonlijnen van de vijand aftapte en ervoor zorgde dat
de verzetsgroepen van stroom werden voorzien (alle burgers waren de laatste oorlogswinter van elektriciteit verstoken). Deze man koos zich uit de
familie één technisch geschoolde assistent. Zelf kenden wij deze voor het
verzet belangrijke man "slechts" als distributeur van verzetsbladen.
Regelmatig bezorgde hij een pakketje waarvan ik de inhoud 's avonds in
een bepaalde wijk verspreidde. Hier durf ik de volgende stelling aan: ware het nodig geweest, dan had deze ene man zonder veel moeite uit zijn eigen naaste familie en kennissenkring naar believen vijf of tien personen
kunnen rekruteren voor alles wat er in het kader van verzetswerk maar nodig mocht zijn. Het was onder de gegeven omstandigheden niet nodig en
daarom was het wijs de organisatie zo beknopt en efficiënt en de bevelslij-
nen zo kort mogelijk te houden. Het betreft hier een gewoon voorbeeld dat
niets uitzonderlijks aan zich heeft: het ware zonder meer mogelijk geweest
honderdduizenden te "mobiliseren". Overigens: alleen al voor het ondergedoken houden van 350.000 personen, moesten zeker minstens 1.400.000
anderen zich aan gevaren blootstellen.

In dit kader laat ik het bij deze twee belangrijke punten en besluit: toege-
geven, op de Nederlanders en hun verzet, en soms het gebrek daaraan, is
enorm veel aan te merken - zeker achteraf en door mensen die er niet bij
waren. Ook hier uit zich echter die merkwaardige neiging tot onevenwich-
tigheid, tot doorslaan in zelfbeschuldiging, ja zelfkwelling, waarop
Nederlanders, althans leidende figuren die de publieke opinie vormen, wel
het patent schijnen te hebben.

Het Nederlandse wij-gevoel was niet vals, en is het overwegend niet. Het
ging wel degelijk ergens over en het betekende veel. Het hield in dat een
volk, gesplitst in zuilen, ja verdeeld in levensbeschouwelijke bastions, over
de kantelen heen de anderen de hand reikte. Hoeveel te meer, zou men kunnen verwachten, zou dit gevoel inhoud en vorm kunnen krijgen nu die bastions in hoge mate zijn geslecht. Wie zo denkt miskent echter een kenmerk
dat ons volk wel bij uitstek tekent: een altijd en overal de kop opstekende
neiging tot theologiseren. Wij kunnen het niet laten. Mogen de orthodox-

147

theologische burchten goeddeels zijn geslecht, het ethicisme en moralisme is als een veelkoppig monster, dat zich weliswaar regelmatig richt tot machten en krachten buiten dit land die afwijken van de "rechte weg", maar dat meer nog felle beten toebrengt aan het eigen lichaam. Nederlanders lijken zelfkwellers bij uitstek. Men lette bij voorbeeld ook op het verschil in positie die Nederlandse oudstrijders ener- en Franse ancien combattants (ook die uit Vietnam en Algiers) anderzijds innemen.

De zelfkwelling en zelfnegatie bereikte waarschijnlijk zijn hoogtepunt in het doen en laten rond immigranten en vluchtelingen. Waar onderwijs in de eigen, Nederlandse geschiedenis tientallen jaren werd verwaarloosd, moesten immigranten perse hier onderwezen worden in eigen (Turkse, Marokkaanse, Berberse?) geschiedenis en cultuur. Dit terwijl men zichzelf niet of nauwelijks toestaat rekenschap te geven van de betekenis van zijn eigen taal en cultuur - hoe snel staat men niet te boek als nationalist of racist. De vreemdelingen moet vooral kunnen "meedoen en toch zichzelf blijven" (kop boven een rede van Jacques Wallage in Trouw d.d. 23.11.'94) "Zij hebben de steun van hun geloof, van hun geschiedenis, van hun eigen taal en cultuur hard nodig". Hebben we hier te doen met een wij-gevoel dat wél gekoesterd mag worden, met een "volksdenken" dat niet leidt tot "eenkennigheid"? Een nuchtere analist ziet hier slechts een aansporing tot het bunkerbestaan van de zuilen dat zo bij uitstek een kenmerk vormde van de Nederlandse samenleving tot ongeveer 1960.

De volkeren van Europa: eigen identiteiten

Nationale culturen zijn - in al hun veelvormigheid - zorgvuldig analyserend, wel degelijk te onderscheiden. Men moet er enige studie en vooral participerende waarneming aan willen wijden.

Ik stip even aan de rol van het klimaat en die van het natuurlijke en cultuurlijke landschap.

Vaak kunnen buitenstaanders helpen de trekken van een nationale identiteit scherper in het oog te vatten. Ik moet, om een voorbeeld te geven, wat lachen als ik Spanjaarden, uit - om maar iets te noemen - Madrid, Barcelona, Pamplona en Sevilla hoor beweren dat ze hemelsbreed van elkaar verschillen en in wezen tot verschillende volkeren behoren. Natuurlijk is dat één kant van de waarheid. Maar dan kan ik zeggen: jullie zijn door de ban genomen even eigenwijs, trots, wars van buigen voor autoriteit, verre van formeel, wat fors en ruig van manieren; jullie zijn te uitgesproken rechtuit om schijnheilig te zijn, slordig, luidruchtig, wat hangend naar het extreme, traag, maar dan weer flitsend snel in improviseren, fantastisch progressief in het ene, verrassend conservatief in het andere, vrij van superioriteitsgevoelens tegenover de andere volken, behalve dan hen die tot de mede-Spanjaarden behoren. Men neme de proef op de som: men bezoeke vier zo verschillend mogelijke streken in Spanje en doe dan hetzelfde in Frankrijk. De uitkomst zal onmiskenbaar zijn: ondanks interne verschillen kan een ieder constateren dat aan beide zijden van de Pyreneeën twee zeer verschillende nationale identiteiten wonen; het zijn werelden apart. Wij zouden voorbeelden als dit, reizend en waarnemend over de vele grenzen die Europa rijk is, naar believen kunnen uitbreiden. Denkend aan de volken van Europa zien wij een reeks van culturen met geheel eigen identiteiten. Uiteraard gaat het niet om geheel coherente grootheden en niet over als vogelsoorten te beschrijven groepen, een benadering die De Schaepdrijver haar opponenten in de schoenen schuift. Wil men culturen die binnen bepaalde staatsgrenzen dominant zijn vervangen door multi-culturen zoals Wallage en een reeks "nieuwe progressieven", dan provoceert men grote moeilijkheden. Men kan proberen die moeilijkheden uit de publiciteit te houden, waarschuwende stemmen te smoren, men kan roepen dat het "nergens over gaat" en tot dusver reageert een volk als het Nederlandse, gematigd als het is, nog zeer ingehouden. Een volk als het Vlaamse zal na een 150-jarige worsteling om culturele emancipatie en zelfbeschikking niet licht de juist verworven autonome status aan de multi-culturaliteit ten offer brengen. Het is niet voor niets dat de taalstrijd hier in het middelpunt stond.

De taal, hart van een volkscultuur

Het is wonderbaarlijk dat zij die zo moeizaam op zoek zijn naar kenmerken van Nederlandse identiteit zo weinig stilstaan bij de vele aangrijpingspunten die onze taal biedt. Men moet al doof zijn als men niet tot de conclusie komt dat bij het benaderen van de eigenheid van de nationale cultuur de taal een centrale rol speelt. Zij vormt de aard en wijze van ons communiceren, zij kleurt in hoge mate de trant van ons voelen en denken; ze beïnvloedt onze houding, ons gebaar, onze mimiek. Men vergelijke met het Frans en het Spaans en denke daarbij aan de reeks boven opgesomde eigenschappen die Spanjaarden gemeen hebben; men vergelijke hoe Duitsers en Nederlanders bij straat-interviews vragen beantwoorden; men bekijke eens een aantal Amerikaanse en Franse films die bijvoorbeeld in het Duits of Spaans zijn nagesynchroniseerd. De indrukken zijn vaak vervreemdend; het lijkt of men meer naar iets kunstmatigs dan naar kunst kijkt, hoogst ernstige scènes werken niet zelden lachwekkend. De taal moge niet zonder meer "gansch het volk" zijn, zij is draagster bij uitstek van wat groepen mensen samensmeedt of verdeelt. Men kan niet zonder meer zoals bij nagesynchroniseerde films verschillende gedragspatronen, gevoelswerelden, cultuurmilieus, als het ware over elkaar heen schuiven.

Het gaat om heel veel en het betekent heel veel. Het cultuur-relativistisch denken is dit alles worst. Het wij-gevoel moet wel "vals" zijn. "Volksdenken" moet wel "eenkennig" zijn. Ieder cultuurpatroon is immers gelijkwaardig? Botsen de elementen van cultuurpatronen? Wij verklaren die onderwerpen taboe en *als* we ze aanraken slaan we de analyse van het betrokken verschijnsel schielijk over om toevlucht te zoeken tot onze eeuwenoude gastvrijheid en tolerantie.

De Nederlander zal het moeilijker vallen te definiëren wat hem bindt aan land en volk dan de Vlaming. Hij heeft vaak iets cosmopolitisch, wat intussen een sterke *gevoelsmatige* binding aan de Lage Landen niet uitsluit. Door het onderwijs is hij niet verwend met kennis van de essentiële elementen van zijn cultuur en hoe zij in de loop der eeuwen vorm kreeg. Toch is dit meer dan ooit nodig waar de zuilenstructuur vervaagt en nieuwe elites naar voren treden die elkaar vinden op het ethisch vlak in bewogenheid over de verre en nabije naaste. Maar zoals vroeger in de tot het absurde doordachte dogmatiek, schijnt die Nederlandse elite ook nu te moeten doorslaan: essentiële verschillen miskennend - alle mensen en culturen zijn gelijk en gelijkwaardig - lijkt het of men heel het leed van de wereld op zich wil nemen; de werkloosheid, of die nu Anatolië of Noord-Afrika teistert, het liefst hier zou willen oplossen, alle uitgebreide families van de betrokken buitenlanders met open armen ontvangend, terwijl men alles wat zich maar aandient als vervolgd, hier zou willen opvangen en laten blijven, bovendien liefst bij voortdurende groei en bloei van de geïmporteerde exotische culturen. Ongetwijfeld is dit alles typisch Nederlands, in die zin dat een goed deel van onze verwereldlijkte dominees en pastoors met een sterk segment van de media op hun hand - hoever van de realiteit ook - hun boodschap luide kan verkondigen. Pas rond de eeuwwisseling en versneld na 11 september 2001, komt er meer ruimte voor kritische vergelijking.

"Elite" en meerderheid

Maar wat heeft deze elite achter zich? In elk geval niet de meerderheid van het volk, dat vrijgevig is en snel geroerd, maar dat bevoordeling van niet-Nederlanders die ze in menig opzicht als ongerechtvaardigd en onnodig ziet, zat is. Waarom zou men maar steeds onder het hoofdstuk "gezinshereniging" bruiden en bruidegommen moeten toelaten met, zij het op enige termijn, voor hen en hun kroost recht op alles wat dit land maar aan rechten oplevert, en dit terwijl de groep waarvan ze deel uitmaken vermenging met dit volk - essentieel criterium voor integratie - verwerpt? Waarom zou een tijdelijke verblijfstatus niet zo tijdelijk mogelijk gehouden worden en de huisvesting van betrokkenen daar ook op afgestemd? Waarom zou automatisch verondersteld worden dat betrokkenen toch niet naar het land van herkomst zullen terugkeren en krijgen zij behalve woningen ook voorkeur bij sollicitaties, hetgeen hen hier temeer zal binden? In de toch al volle delta moeten tot in het groene hart en de uiterwaarden toe honderdduizenden woningen bijgebouwd worden voor mensen uit landen met uitgestrekte dun bevolkte gebieden waarin Nederland kan worden omgewenteld. En de gewone man vraagt zich af: is het niet beter die mensen dáár te helpen, de miljarden die ze hier kosten daar "te injecteren"? Is het wonder dat de "gewone man" hele groepen vreemden die hij als een soort bezetters ziet van grote delen van zijn stad, langzamerhand wil nopen naar hun nationale huis terug te keren? Is het zo vreemd als hij zich afvraagt of groepen anders-gelovigen in de landen van herkomst zo vrij honderden kerken mogen doen verrijzen als hier moskeeën worden gebouwd: zouden daar die bijvoorbeeld christelijke onderwijzers worden gesubsidieerd en religieuze scholen ondersteund? Bovendien: wij importeren in zekere zin de politieke twisten, mogelijk de burgeroorlogen, van de betrokken naties.

Het advies van de Raad voor Maatschappelijke Ontwikkeling

September 1999 heeft de Raad voor Maatschappelijke Ontwikkeling een advies uitgebracht aan de regering over nationale identiteit.[1] Het Europese eenwordingsproces, aldus de Raad, "met mogelijke beschadiging van Nederlandse belangen, kan leiden tot een versterking van zwakke gevoelens van een nationale identiteit". Aan welke beschadiging van Nederlandse belangen gedacht wordt, is niet voetstoots duidelijk. Wel komt aan het licht dat het Nederlanders zelf zijn die hard aan die "beschadiging" werken. Niet ten onrechte wijst Couwenberg erop dat Nederlanders weinig achting hebben voor hun eigen taal.[2] "Het Nederlands is in die sectoren (wetenschap, technologie en economie) onmiskenbaar op de terugtocht". Couwenberg citeert L. Beheydt "die steeds meer een slaafse onderwerping aan de globaliserende Engelstalige invloed" constateert en stelt voorts dat "ons land plat gaat voor de globaliserende monocultuur van MTV, e-commerce en e-business en de chatters op internet".

Mondiaal gezien wordt Engels onweerstaanbaar de lingua franca. Voor Nederland moge dit opgaan, echter niet als louter gevolg van een voorbestemde onweerstaanbaarheid, maar overwegend als gevolg van het gebrek aan een besliste taal- en cultuurpolitiek. Natuurlijk kan men stellen dat het publiceren in de genoemde sectoren de aantrekkingskracht van het prestige met zich brengt, evenzeer moet worden opgemerkt dat de onderwijspolitiek ervoor heeft gezorgd dat een eenzijdige concentratie op het Engels het studerenden praktisch onmogelijk heeft gemaakt publicaties in andere talen te bestuderen, om van spreken maar te zwijgen. Dit is ook uit wetenschappelijk oogpunt een nadeel. Niet zelden lees ik in het Engels geschreven studies waar, mede uit de lijst van geraadpleegde werken, blijkt dat de schrijver bepaalde Franse en/of Duitse publicaties, die voor het behandelde onderwerp van veel belang zijn, niet kent. Zo "mondiaal" heerst het Engels nog niet. Francofone studenten, handelaren, ambtenaren, beheersen met het Frans nog grote delen van Afrika. Na weerstand tegenover het Duits te hebben overwonnen zijn in de landen die kandidaat staan voor toetreding tot de Europese Unie, met name Polen, Tsjechië, Slowakije, Hongarije, Slovenië, Kroatië en de Baltische Republieken zeer velen te vinden met wie men rustig in het Duits kan communiceren. In grote delen van Latijns-Amerika begint men met Engels weinig. Verwaarlozing van grote cultuurtalen als Spaans, Frans en Duits in ons onderwijs, is kortzichtig en versterkt geenszins ons gewaande cosmopolitisme. In landen als Duitsland en Frankrijk is de algemene stemming wars van de hypertrofie van het Engels in de media. In grote meerderheid blijft men trouw aan eigen muziek, eigen liederen, eigen literatuur. Dit belet niet dat de vroeger vooral in Frankrijk waargenomen arrogantie afneemt. Jongeren zijn meer en meer het Engels meester, zelfs 60- en 70-jarigen die veel meer dan vroeger ook eens reizen buiten Frankrijk, leren iets van een vreemde taal. Het gestegen welvaartspeil bevordert alom de meertaligheid, waarbij het Nederlands niet kansloos is. Tienduizenden middelbare scholieren in Niedersachsen en Nordrhein-Westfalen leren Nederlands; in het gebied met vele productie-, distributie- en verlaadbedrijven dat na de voltooiing van de Kanaaltunnel bij Calais is

151

ontstaan, hebben zich talrijke Vlaamse bedrijven gevestigd; wie daar wil komen werken studeert ijverig Nederlands. Franse en Duitse cultuurinstituten houden overal ter wereld de cultuur van hun landen in de aandacht; TV stations als ARTE en 3SAT tonen het beste van wat Duits- en Franstalige cultuurscheppers voortbrengen. Nederland munt te vaak uit door afwezigheid. Liever schijnen wij ons louter bezig te houden met - in de woorden van de Raad - "versterking van de nationale identiteit als aangrijpingspunt voor de versterking van de sociale cohesie en betrokkenheid van alle burgers". De grondwet moet hierbij gezien worden als "bindend systeem van normen en waarden".

Fraai blijkt hierbij hoe sommigen dit wensen te zien. Mw. drs. J.C.E. Belinfante concludeerde volgens een verslag in Trouw dat "de Grondwet geen statisch gegeven is en mag zijn" "de Grondwet is voor alle groepen van onze samenleving van toepassing *en dient dan ook rekening te houden met de mogelijkheden van deze groepen*", aldus Belinfante. Het zal, deze gedachte volgend, niet lang duren of deze eis wordt zeer concreet getoetst door moslim-geestelijken die homofielen voor psychisch ziek verklaren en de Nederlandse maatschappij en cultuur en de Westerse in het algemeen, met haar excessieve vrijheden, seksisme, hedonisme, en bovendien heel haar culturele en politieke arrogantie door en door verdorven achten en dit ook prediken. Onze aandacht voor deze kritische benadering van onze cultuur en ook van de waarden die onze grondwet verdedigt, moet er zeker zijn en kan binnen het onwijzigbaar kader van onze seculiere staat zonder twijfel van nut zijn. Niettemin is het betreurenswaardig dat de zich hier aandienende interne discussie zo zeer gaat domineren dat het afbreuk doet aan onze zorg voor en steun aan Nederlandse culturele presentie in het buitenland - in de ruimste zin van het woord. Een veel armer land als Polen beschikt over twaalf culturele instituten in het buitenland geheel gericht op kennisverbreiding van de Poolse cultuur, cursussen in de Poolse taal, enz.

De brave "minister voor multicultuur" Van Boxtel meende de vrijheden van religie en meningsuiting door uitspraken van bepaalde mollah's en personen als Belinfante toch "teveel opgerekt te zien naar de maat van de mogelijkheden van bepaalde moslim-groepen". Hoe komt zo'n bewindspersoon zo naïef en zo onwetend? Waarom is hij zo geschrokken? Iedereen die de ontwikkeling in de moslim-wereld enigszins heeft gevolgd, weet dat in de laatste kwart van de 20ste eeuw de invloed van die sector van de Islam die staat voor een geloven en denken dat het westers-democratisch concept zeer vreemd is, voortdurend is toegenomen. Hier is geen plaats voor het denkbeeld van de wereldlijke staat, die niet onder leiding van ayatollah's of huns gelijken bestaat. In Iran deed het fundamentalisme duizenden sterven en tienduizenden het land verlaten; Bahai's en andere "ongelovigen" wordt het leven zeer moeilijk zo niet onmogelijk gemaakt. In Egypte werd Sadat vermoord door de, door de overheid verboden verklaarde, Moslim Broeders die echter steeds in aantal toenamen; Kopten (dus behorend tot de oud-christelijke kerken) worden regelmatig fysiek aangevallen. Ieder moment kan men in dit land nieuwe activiteiten van moslim-terroristen verwachten. De keeldoorsnijders van de GIA in Algerije zijn niet maar een onbeduidend randverschijnsel. In Turkije is de vrijheid van godsdienst steeds een labiele zaak gebleven. Toen ik in 1956 in Istanboel de Oecumenische Patriarch van de Oosters-Orthodoxe kerk een interview mocht afnemen, drukte deze mij zeer beslist op het hart niet te schrijven over de benarde positie waarin de overwegend van Griekse afkomst zijnde orthodoxen zich in Turkije bevonden. Hoe nadrukkelijk Kemal Atatürk de scheiding van kerk en staat ook had geproclameerd (1922) nimmer was deze in de politieke praktijk noch in het dagelijks leven vlees en bloed geworden. In de laatste decennia van de 20ste eeuw groeide het fundamentalisme en politieke exponenten ervan veroverden enkele malen de regeringsmacht in Ankara, steeds beslissend in de weg getreden door het leger. Dit alles, en meer - men denke aan de ook in andere landen, bijvoorbeeld Indonesië wijdverbreide massaprotesten tegen het Amerikaanse optreden in Afghanistan - zou rationelerwijze toch steeds zwaarder mee moeten wegen bij beslissende vragen als: wie laten wij in Nederland al dan niet toe, voor hoelang en op welke voorwaarden. Een reeks van vragen laat zich, een zekere basiskennis voorhanden zijnde, vrij makkelijk beantwoorden. Zo is logisch, maar ook ethisch een dubbele nationaliteit moeilijk te verdedigen als deze veronderstelt dat men tegelijkertijd loyaal zou moeten zijn aan de grondslagen van het recht in twee landen die in belangrijke mate principieel tegengestelde rechtsopvattingen vertegenwoordigen. Het Marokkaanse recht maakt het bijvoorbeeld mogelijk dat een 15-jarig meisje trouwt (wordt uitgehuwelijkt); krachtens het Nederlandse recht is dit uitgesloten. Het is maar één voorbeeld, moeiteloos uit te breiden naar alle gebieden van het recht. De tijd is gekomen zeer zuinig te zijn met de toekenning van het Nederlandschap. Wie Nederlander wil worden, maar *tegelijkertijd* in het thuisland een wetgeving erkent, die personen verbiedt van geloof te veranderen – in principe op straffe des doods – hoort hier niet thuis.

Vrijwel mijn hele leven lang heb ik mij gestoord aan het gebrek aan kennis en inzicht dat onderscheiden religieuze en levensbeschouwelijke groepen in Nederland hebben van wat anderen geloven en als ethisch en rechtsbewustzijn met zich dragen. Tegen alle verzuiling in, waarbij van anderen, buiten de eigen zuil *als* hun overtuigingen al aan het woord kwamen in onderwijs, catechese enz. vaak een karikatuur werd gemaakt, zou mijns inziens het pleit moeten worden gevoerd voor onderwijs op alle niveaus, waarin de leerlingen over de voornaamste godsdiensten en levensbeschouwingen, *uit de mond van aanhangers van die godsdiensten en levensbeschouwingen zelf,* voorgelicht zouden moeten worden. Alleen zo zou langzamerhand een toestand worden bereikt waarin iedere volwassen Nederlander bewust keurt en kiest en ook duidelijk weet te articuleren waarop hij zijn voorkeur respectievelijk afwijzing van een bepaald geloof of levensfilosofie baseert. Alleen zo worden de vrijheden die al bij de geboorte van de natie werden geproclameerd - de vrijheden van geweten en godsdienst - inhoud gegeven door bewuste keuzes. Alleen zo rekt men onze interpretaties van de grondrechten niet op naar "de maat van een bepaalde bevolkingsgroep", maar stelt dit "oprekken" duidelijk buiten discussie.

Openheid als opdracht

Het zou goed zijn nieuwe Nederlanders plechtig trouw te laten beloven aan de wetten van dit land onder afstand van de rechten en plichten zoals die in het land van herkomst gelden, daar waar die met Nederlandse wetten en rechten - gewoonte- zowel als wettenrecht - in strijd kunnen zijn.

Het gaat echter precies de tegengestelde kant op. In alle ernst verdedigt men de constructie van een dubbele nationaliteit met argumenten als de volgende:
- immigranten zouden krachtens het erfrecht in landen van herkomst hun aanspraak op bijvoorbeeld grond kunnen verspelen;
- men zou zich gevoelsmatig nog zo zeer aan het land van herkomst en de familie aldaar verbonden achten dat de stap naar een uitsluitend Nederlands staatsburgerschap daardoor onmogelijk zou worden.
Nota bene: men behoeft zich straks maar op een van deze gronden te beroepen, als men gevraagd wordt: waarom verkiest u eigenlijk een dubbele nationaliteit? En dan zou dit van Nederlandse zijde zonder meer moeten worden gehonoreerd! Het vreemde bij dit alles is dat een Nederlandse regering en een Nederlands parlement deze argumentatie, die stamt uit de kringen van de belangenbehartigers van de buitenlanders, voor zoete koek nemen. Men zou toch rationelerwijs kunnen opmerken:
a. dat het islamitische, op de Koran gebaseerde recht geenszins verbiedt dat ouders bijvoorbeeld reeds voor hun dood vermogensbestanddelen aan hun kinderen overdragen. Wie overigens perse gronden in het land van herkomst wil behouden, hinkt nog op twee gedachten wat de integratie hier juist niet bevordert;
b. als de band aan familie nog zozeer verstrengeld is met die aan een land of streek en de daar heersende zeden, wijst dit ook op een innerlijk niet kunnen of willen kiezen. Men denke hier ook aan het veelvuldig voorkomen van huwelijken binnen de familiekring en hun voor de kwaliteit van de nakomelingen ernstige gevolgen.
Daar het niet in het belang van ons land is dat grote groepen met een gespleten loyaliteit zich hier blijvend ophouden, ligt het voor de hand de betrokkenen op redelijke termijn tot een werkelijke keuze te nopen. De 'keuze' voor een dubbele nationaliteit is immers juist geen keuze.

Waarom zouden overigens steeds zonder meer de belangen van immigrerende individuen en hun families moeten prevaleren? Het is mij nog steeds onduidelijk waarom de traditionele immigratielanden wel het recht hadden de geschiktheid van - ook Nederlandse -kandidaat-burgers op onderdelen te onderzoeken, tot en met hun politieke gezindheid toe! Van een toetsing op geschiktheid voor het Nederlanderschap mag nauwelijks sprake zijn. Zelfs de vroeger vereiste test: een krantenartikeltje te kunnen lezen en in eigen woorden na te vertellen, schijnt geruisloos te zijn verdwenen.

Op al deze vraagstukken zullen de leidende moralisten niet graag ingaan; zij zullen de massa van het volk egoïstisch en eenkennig noemen en zichzelf altruïstisch achten en de openheid zelve. Het laatste is echter al zeer de

154

vraag als de problemen die hier liggen niet zonder enige reserve besproken kunnen worden.

Wie goed toehoort zal merken dat het "volksdenken" allerminst "hol" is. Wie bezorgd is voor het minimum aan inspiratie en cohesie dat een volk gemeen moet hebben, mag men niet "benauwd" noemen. De brede lagen van ons volk die hier hun enig thuis hebben, feitelijk en gevoelsmatig, zijn in hun bezorgdheid nog niet de slechtste wachters voor ons volksbestaan in het Europa van de komende eeuw.

Hoe echter *allen* te brengen tot de nodige *openheid* die steeds kenmerk heet-te van onze volksaard, maar die we waarschijnlijk beter kunnen zien als op-dracht? Wij zullen een eind moeten maken aan de vergaande geestelijke ar-moede die stromen jongeren van L.T.S. tot universiteit tentoonspreiden; mensen zonder weet van de geschiedenis, zonder kennis van de Woorden van Eeuwig Leven die de mensheid de weg wezen en wijzen.

Onze staat is geboren in de strijd voor geestelijke vrijheid, hoeder van die vrijheid, beschermer tegen gewetensdwang. Maar vrij is slechts hij die kent en tussen het gekende kan kiezen.
Daarom mag onze staat niet verbleken in geestelijke en ideologische kleur-loosheid; zij mag niet verworden tot louter verdelings-mechanisme; zij mag niet het registratiepunt blijven dat zij heden is: de balans die doorslaat in de richting waar de "autonome krachten" het meeste gewicht in de schaal leggen; zij dient voor te gaan bij de geestelijke toerusting van ons volk, waar mogelijk cohesie en eenheid van waarden en normstelling bevorde-rend, in elk geval: er voor zorgend dat elke leerling, elke student, tot wel-ke kerk, moskee, of synagoge ook behorend, humanist of atheïst, gedoceerd wordt wat de grote geestelijke stromingen van de mensheid ons als bood-schap brengen. En dat uit de mond van vertegenwoordigers van die stro-mingen zelf. Vrij is slechts hij die kent en tussen het gekende kan kiezen. Die keuze kan ons voeren tot aanvaarding van een eeuwenoude erfenis. Zo zullen wij ook nieuwe Nederlanders tonen dat als iets dit volk kenmerkt het openheid is, openheid allereerst en eerbied voor de bronnen waarzonder wij ons niet moeten verbeelden als natie verder te kunnen.

Oppervlakkigheid troef

Maar er is meer. Het erfrecht en de relatie tot de familie genoemd zijnde, zou men mogen verwachten dat serieus wordt nagegaan aan welke bepa-lingen de kandidaat-Nederlanders die bijvoorbeeld ook de nationaliteit van een islamitisch land behouden, op deze toch zeer gewichtige gebieden in de landen van herkomst rechtens gebonden zijn. In de Kamerdebatten noch in de persbeschouwingen vinden wij hierover echter een woord! Helaas moet geconstateerd worden dat bij de belangrijkste zaken, waar levensbe-langen van ons volk, zijn cohesie, zijn identiteit, zijn voortbestaan op het spel staan, oppervlakkigheid troef is.

Ter zake enkele concrete punten. Zoals algemeen bekend is, staat de Koran het polygame huwelijk toe. Zij het in verschillende vormen en gradaties vindt dit uitgangspunt in de islamitische staten zijn weerslag in de wet. Verschillende - meer vrijzinnige - wetgevers eisen soms toestemming van de eerste vrouw. Evenzeer bekend is dat de Koran de man - en niet de vrouw - toestaat te scheiden door simpelweg de drievoudige verwerpingsformule uit te spreken. In het erfrecht prevaleert de mannelijke lijn. De Koran wijst aan zonen tweederde van de erfenis toe, voor dochters resteert eenderde. De familie van de vrouw is bij vererving achtergesteld bij die van de man. De Koran geeft de man het recht vrouwen lichamelijk te tuchtigen als andere middelen zijn uitgeput. De uitwerking van deze regels in verschillende islamitische landen is complex en divers. Soms is krachtens de zede en het gewoonterecht de uitwerking voor de vrouw gunstiger dat het Koranvoorschrift zou doen vermoeden, maar ook het tegengestelde kan het geval zijn. Behandeling van de relevantie van deze gegevens ontbreekt echter bij de vragen rond de dubbele nationaliteit geheel. De belangenbehartigers, de oppervlakkigen, de bazelaars over de multicultuur vermijden het liever de problematiek aan te raken die zich hier opdringt. Er zal traditionele Moslim-mannen alles aan gelegen zijn hun familie- en erfrechtzaken onder het wettelijke regime van de landen van herkomst te laten; daar ligt immers de basis van hun suprematie over de vrouw, in hun gezin en familie. Terzelfder tijd zullen zij *hier* op basis van *onze* wetten aanspraken doen gelden op heel het scala van individuele rechten, verstrekkingen enz. die hun hier te pas komen, maar die in het kader van de cultuur van het thuisland niet bestaan.

Men zou verwachten dat bijvoorbeeld de Rooie Vrouwen hier een terrein vinden waarop zij honderdduizenden zusters kunnen bijstaan, maar ook vele anderen van links tot rechts zouden hier in koor hun stem kunnen verheffen. De Rooie Vrouwen schijnen hier echter geen taak te zien en heffen zich op, terwijl familie-vriendelijke CDA-ers tevreden zijn als 'nieuwe Nederlanders' verklaren dat zij het oude staatsburgerschap nog niet kunnen missen omdat ze zo gehecht zijn aan hun verwanten in het thuisland...

Men hoeft geen profeet te zijn om te voorspellen dat althans bepaalde van de betrokken groepen, *hebben ze eenmaal voldoende omvang en macht*, invoering en handhaving van eigen rechtspraak op het gebied van familie- en erfrecht door eigen organen als eis naar voren zullen brengen. Dat mag nog 15 of 20 jaar duren, maar dan zullen zij in onze grote steden niet alleen hele wijken beheersen, maar ook de meerderheid van de bevolking in die steden uitmaken. Ook al zullen fundamentalisten niet zonder meer eisen voor een rechtspraak, zoals aangeduid, kunnen doorzetten en ook al zullen zij seculair gerichte immigrantengroepen in deze tegenover zich vinden, wij zullen minstens in een toestand geraken waarin onze cultuur steeds meer verbrokkelt en allerlei politieke, godsdienstige en etnische twisten en strijd naar ons grondgebied worden overgebracht. Zeker, *dan* zal een Nederlandse identiteit een *anachronisme* worden, dan gaat het echt 'nergens' meer over en dan heeft het echt 'niets meer te betekenen'.

Verschuivend waardestelsel

Opmerkelijk bij dit alles is hoe het Nederlanders verre lijkt bij de problemen die zich hier aandienen te denken in termen van macht. Over macht praat je niet, het is een soort 'vies woord', het vormt een taboe. We zien hier alweer een wereldvreemd ethicisme en moralisme opduiken. We zijn politiek nogal naïef en plaatsen ons het liefst buiten de harde werkelijkheid. Als anderen hun groepsmacht zullen tonen, dan 'merken wij het blijkbaar wel'.

Dat ethicisme neemt merkwaardige vormen aan waarop ik hier wil wijzen. Zwijgen we nu even over de mogelijke machtsvorming die van grote groepen immigranten en vluchtelingen zal uitgaan. Laten we ook even geheel achterwege te berekenen wat al die versterking van de tal en last ons volk kost en gaat kosten. Tussen haakjes: goed gegroepeerde berekeningen van de bedoelde kosten ziet men toch al nergens, noch in regeringsstukken, noch in de media. Ook dit soort berekeningen schijnt namelijk onethisch. Zozeer zelfs, dat wie er zich in de publiciteitsmedia mee waagt te begeven, gecensureerd wordt. Maar we laten dit alles dus ter zijde, gaan 'zuiver ethisch' te werk en vragen ons af: 'Waar ligt nu het ware belang van al die honderdduizenden vreemdelingen?' Familie-herenigers bijvoorbeeld uit Marokko of Turkije en vluchtelingen bijvoorbeeld uit het voormalig Joegoslavië, het Midden-Oosten en Afrika. Nu loof ik een fraaie prijs uit voor een ieder die mij ook maar één artikel of boek noemt waarin deze vraag ooit behoorlijk is geanalyseerd. In alles wat mij in vele jaren in onze 'kwaliteitspers' onder ogen kwam, ging men eigenlijk - stilzwijgend - maar uit van één belang: het overwegend individueel materieel belang van hen die hier als lid van een van de aangeduide groepen waren beland of nog zullen belanden. Nimmer ging men uit van de vraag: 'Waar kunnen deze mensen het nuttigst zijn voor hun volk, eventueel stam, waar kunnen zij de ontwikkeling van hun naties het best dienen, hun bekwaamheden optimaal aanwenden, hoe kunnen zij, waar ze werkelijk thuis zijn, zich moreel en cultureel het best ontplooien zodat zij hun naaste tot sterkte kunnen zijn, waar kunnen zij zich intellectueel of doodgewoon handtastelijk het best inzetten?

Bij alle beleden progressiviteit en christelijkheid mag het ontbreken van behandeling van de aangeduide vragen toch vreemd worden genoemd. Was het niet een van de grote opdrachten van onze tijd landen in de Derde Wereld te helpen zich te emanciperen, soeverein te worden, vrij van de heerschappij van vreemde heersers en hun kapitaalmacht? Gold het niet de betrokken volken en stammen te brengen tot 'natie-bouw', hen te bekwamen op alle terreinen van modern vak- en ondernemerschap, bestuur en wetenschap? Het schijnt alles vergeten of in elk geval een heel andere betekenis gekregen te hebben. Van asielanten verwacht men nauwelijks dat zij naar hun landen terug zullen keren, laat staan dat men ze aanspreekt op wat zij voor hun land zouden kunnen betekenen. Het gaat vaak om vakbekwame en niet zelden om academisch gevormde personen. Is hun land, al is het maar in zekere mate, voor hen weer veilig, hoe nuttig en nodig zullen ze er

157

zijn! Toch lijkt het hen die door nieuwe progressiviteit en nieuwe christelijkheid zijn bevangen, blijkbaar voor de hand te liggen niet van terugkeer uit te gaan. De als tijdelijk uitgegeven verblijfstitels worden na zegge en schrijve drie jaar min of meer automatisch door blijvende vervangen. Eind 2001 schijnt er zich eindelijk een wending af te tekenen: in alle partijen, behalve Groen links, komt men nu afgevaardigden tegen die: 1. terughoudendheid wensen bij het verstrekken van blijvende verblijfsvergunningen, 2. het recht tot zogenaamde gezinshereniging voor bezitters van tijdelijke verblijfsvergunningen willen afschaffen.

We kunnen tot geen andere conclusie komen dan dat het gehele waardestelsel danig blijkt verschoven. Werd in de christen-democratische filosofie, maar ook in de socialistische, de individuele persoon gezien als mens-in-gemeenschap, staande in allerlei gemeenschapsverbanden waarvoor hij verantwoordelijk is, maar zij ook voor hem, dit denken schijnt geruisloos te zijn verdwenen. Ging dit 'oude' denken uit van concentrische cirkels rond de eigen groep waarin men onderscheiden 'graden' van 'naasten' onderscheidde, heden is een ieder gelijk en van gelijke rechten. Er kan en mag dus nauwelijks meer onderscheiden worden tussen hen die men vroeger erfgenamen van dit land noemde en 'nieuwkomers', welke dan ook. Over allen welft zich dan een collectief administratief apparaat dat men staat noemt en dat de eenling, wie of van waar dan ook op gelijke wijze in zijn vooral materiële belangen te dienen heeft.

Vreemdelingen-belangenindustrie en ontwikkelingsindustrie naadloos vereend

Na deze ethisch-structurele beschouwing toch nog een enkele opmerking over het kostenaspect. Het Sociaal Cultureel Planbureau rekent over 15 à 20 jaar met een behoefte van 1.100.000 woningen, die nodig zullen zijn *gezien het migratie-overschot*. Op basis van de anno 1995 geldende prijs van een woningwetwoning van ongeveer *f* 150.000 (inclusief grond) zullen deze woningen dus rond 165 miljard kosten. Begin 21ste eeuw is dit minstens 50% meer. Het is redelijk aan te nemen dat in die jaren een aantal landen van herkomst min of meer gepacificeerd zal zijn. In Nederland wonen dan echter inmiddels enkele miljoenen asielanten en andere buitenlanders, op wie weinig of geen druk wordt uitgeoefend naar hun landen van herkomst terug te keren, maar die zeker voor 60 à 70% voor rekening van de Nederlandse gemeenschap zullen komen. Nu lette men wel: tegelijkertijd zal, waar het maar enigszins mogelijk blijkt een klein leger van Nederlandse adviseurs, deskundigen, opbouwhelpers in alle betekenissen van het woord zich opmaken om in de betrokken landen te helpen puin te ruimen en op te bouwen, waar men kan. Natuurlijk zullen 'morele leiders' als Pronk en Scholten geflankeerd door de Raad van Kerken, vooraan staan bij het voortstuwen van deze hulp- en bijstandkaravanen, benevens bij het bijeenbrengen van de nodige miljarden die zeker *elk jaar* nodig zullen zijn. Vele tienduizenden uit de betrokken landen zullen hier in Nederland leven en blijven leven, gehuisvest, gevoed, gekleed, verzorgd op Nederlands welvaartspeil. Voorbereid op hun terugkeer voor dienst temidden van hun volk? Geen mens die erover rept! Het heeft alles iets van een mallemolen, een ziek makend gebeuren. Een gewaande hoge moraal - we zetten ons immers in voor de 'naaste' - versluiert wat in wezen een net van belangen -en machtsposities is; de belangen van de 'asiel- en vreemdelingenindustrie' zal steeds naadlozer gaan aansluiten bij die der 'ontwikkelingsindustrie'. Aan het mondiger, weerbaarder en bekwamer maken, bij de voorbereiding van de terugkeer van tienduizenden vreemdelingen naar landen waar bij uitstek zij de geroepenen zijn om herbouw en herstructurering van de maatschappij weer ter hand te nemen, hebben deze industrieën weinig boodschap. Echt verantwoordelijk zijn voor eigen volk enerzijds en de vreemdeling die hier tijdelijk verblijft anderzijds, impliceert dat de laatste niet gemaakt wordt tot louter object van zorg en bijstand, maar wordt gesterkt in zijn verantwoordelijkheidsgevoel voor eigen land en volk, aangesproken op eigen capaciteiten, getraind in kennis en vaardigheden die straks thuis vereist zullen zijn. De gewaande hoge moraal daarentegen schrijft voor, zonder nauwkeurige overweging van de gevolgen voor eigen land en volk, dat wij hier in Nederland ongelimiteerde massa's moeten opnemen als gelijkberechtigden. Hier zal dan gevormd worden wat lieflijk heet een multi-cultuur te zijn, maar wat in feite neerkomt op een ongestructureerd geheel van etnisch, ethisch en anderszins botsende belangengroepen. Anderzijds zullen krachtens dezelfde gewaande hoge moraal wassende duizendtallen veelal goed betaalde jobs bezetten die voor de leniging van de nood van de verre medemens worden vereist!

Multicultuur als dictaat

Ik merkte al op dat er in dit land een vrij algemene afkeer heerst van denken en spreken in termen van (groeps)macht. Vaak en bij velen heb ik de indruk gekregen dat zij er eerlijk van overtuigd zijn dat bij hen die streven naar politieke en maatschappelijke machtsposities idealisme voorzit. Uiteraard is hieraan de pretentie van partijen en groepen die voorgeven gedreven te worden door fundamentele beginsel-stelsels, niet vreemd. Zeer velen geloofden aan het 'beginsel'. De voormannen waren een voorhoede van onvervaarde strijders die "hun kracht ontwaken deed", "het volk ten baat", "voor Christus-Koning" enz. Weinig geschoold in de theorie van de politieke machtsvorming en meestal niet in staat te zien wat zich achter de schermen afspeelde, kon de gewone man maar langzaam, min of meer gelijk op met het secularisatie-proces door krijgen dat macht voor velen doel op zichzelf is, dat zij corrumpeert, dat met de groei van de verzorgingsstaat een klein leger van bureaucraten, half-bureaucraten en beroepspolitici macht accumuleerde. Een deel van dit conglomeraat zien wij heden opereren als exponenten van de 'vreemdelingen-verzorgindustrie'. Ik meen dat het zin heeft de laatste groep te onderscheiden van de beide machtsgroepen die ik in de vorige paragraaf noemde. Bij departementen, op provinciale en gemeentelijke secretarieën, bij het onderwijs (1.9 x zo goed 'bemand' voor

kinderen van vreemdelingen dan voor Nederlandse kinderen!), in het op-
bouwwerk, de psychische en sociale zorg, het buurtwerk, de arbeidsbe-
middeling, de huisvesting, de vertaaldiensten enz. enz., hebben reeds vele
duizenden dienst ten bate van buitenlanders die een eigen groep vormen
los van die zich bezighoudt met de 'eerste opvang'. Men leze goed: het gaat
hier niet om kritiek op grote groepen mensen die eenvoudig hun taak doen
en daarmee hun brood verdienen. Het gaat - machts-politiek gezien -om
een apparaat dat grote groepen nieuwkomers moet 'begeleiden' en dat onder leiding, althans onder invloed staat van de propagandisten van de multicultuur. Het zijn: de Pronks, de Wallages, de Schmitzs, de Brouwers, de
d'Ancona's, de Scholtens, de Rabbae's. Wat bezielt hen? Ik behandelde deze vraag in eerdere publicaties. Hier vestig ik de aandacht op een sindsdien
scherper naar voren gekomen aspect. Ik wees er toen (juni 1993) reeds op
dat wat ik noemde de 'nieuwe progressieven' steeds nieuwe te verzorgen
groepen niet kunnen missen. Nu de verzorgingsstaat, daar zij tegen haar eigen grenzen gestoten is, op haar retour is gedwongen, vormt de opvang,
begeleiding, sociale en psychische zorg, aparte scholing, huisvesting, enz.,
enz. van honderdduizenden vreemdelingen voor genoemde politieke managers een uitkomst. Hier zullen zij hun afgebrokkelde machtsbasis kunnen versterken, reden waarom zij ook over de hele linie nieuwkomers zo
snel mogelijk voor alle vertegenwoordigende organen stemrecht willen geven. Anderzijds moeten de Nederlanders bukken onder hun dictaat de 'multiculturele samenleving' als een feit te aanvaarden.
Nu 'rammelt' dat begrip al. Het moet mij nog steeds duidelijk worden hoe
men multicultureel kan zijn. Men kan ouders hebben die uit verschillende
culturen stammen, toch is men daardoor niet multicultureel. Wellicht vertegenwoordigt men een nieuw cultuur-type. Waarschijnlijker is echter het
volgende: men leeft in een samenleving met een meerderheids-cultuur, zal
deze cultuur door onderwijs, dagelijkse contacten enz. absorberen, en zal
wellicht enige elementen van de cultuur van moeders of vaders zijde, of
beide, bijbehouden, in zoverre deze elementen zich in de meerderheids-
cultuur laten integreren. Hoe men multicultureel zou kunnen leven, dus o.m.
met *verinnerlijking van verschillende, ten dele strijdige waardestelsels*,
blijft een raadsel. Maar wat bedoelen de genoemde propagandisten van de
multiculturele samenleving dan? Het komt erop neer dat men dit volk dicteren wil dat het vreemde minderheden het recht moet geven zich met heel
hun eigen culturele erfenis hier te vestigen en dit in min of meer gesloten
groepen, die deze erfenis ook voortdragen - denk aan het uitsluiten van huwelijken met Nederlanders door vele immigrantengroepen. Dit wordt herhaaldelijk door de 'multiculturelen' als feit geponeerd, waarover geen discussie meer mogelijk is. En dat terwijl er nog nimmer een behoorlijke publieke discussie over heeft plaatsgevonden. Eindelijk lijkt deze discussie
rond de eeuwwisseling op gang te komen. Fragmenten van een discussie
werden door een meerderheid van de aan de 'multiculturelen' onderhorige
media keer op keer gecensureerd!
Wie dit bedenkt voelt al naar gelang van zijn instelling perplexiteit, verontwaardiging, of woede in zich opkomen; of misschien dit alles tegelijk.
Hoe te verklaren of te verdedigen dat dit dictaat min of meer passief aan-

vaard zou moeten worden? Zonder dat ooit behoorlijk publiek de kwalitatieve en kwantitatieve aspecten zijn geanalyseerd. Hoe te verdedigen dat bij een bevolkingsdruk van 1000 zielen per km^2 in de Randstad - alleen in Bangladesh is het erger - nog eens 'vanwege het migratie-overschot', in 15 jaar 1.100.000 woningen bijgebouwd zouden moeten worden; hoe te verdedigen dat om heel die hier opgepropte bevolking te voeden, elders in de wereld haast 4 x de oppervlakte van Nederland in gebruik moet worden gehouden; hoe het ecologisch te ondersteunen dat, zetten de huidige beslissingsmakers de door hen in gang gezette of getolereerde processen door, bij een bevolking van 17.7 miljoen in 2010 al 20% van dit land verstedelijkt zal zijn (in 1989 was dit 14%)? De huidige politieke leiding schijnt de eenvoudigste volkswijsheden te vergeten: de bomen groeien niet tot in de hemel. Er bestaan ruimtelijke en ecologische optima en maxima die bij voortzetting van de huidige bevolkingsgroei binnen 30 à 40 jaar zullen zijn overschreden. Mag dan ook nog eens gevraagd worden naar de rechten en het lot van al die Nederlandse mensen en hun kroost die in een steeds verdichtende samenleving nu al geconfronteerd worden met de import van politieke strijd van buitenlanders op eigen grondgebied. Denk aan: de twisten en demonstraties van Turkse en Marokkaanse facties, demonstraties voor het ombrengen van Rushdie, voor of tegen de Koerden, acties van groepen Iraniërs, Pakistanen, Palestijnen, ernstige onlusten en vernielingen die onbestraft blijven, enz.

Hier werkt geen vrije markt

Zij die een Nederlandse eigenheid willen bewaren en ontwikkelen zullen dit niet kunnen doen conform aan de regels van de vrije markt. Het Nederlandse liberalisme zal, wil het de stem en de kracht houden die het heden heeft, op dit punt ernstig moeten herzien. De broksgewijs door Bolkestein (en de zijnen?) gegeven aanzetten tot een politieke wending schieten te kort. Reeds zijn schielijk gegeven verzekering dat hetgeen hij voorstelde doorgevoerd zou worden 'op vrijwillige basis', doet ons op drijfzand belanden. Wanneer aanvaardde dit volk vrijwillig aan de hand van heldere cijfermatig ondersteunde alternatieven, liefst nu eens per referendum, wat tot nu toe slechts als een dictaat wordt gevoeld?

Men kan niet zeggen dat de brede massa van ons volk niets van dit alles beseft. In het 'gesprek' rond de identiteit van ons volk en het behoud van zeggenschap op eigen grondgebied, heeft Bolkestein stem gegeven aan miljoenen. Hoe onuitgewerkt en broksgewijs zijn ideeën ook gebracht werden, de kiezer begreep en beloonde hem duidelijk. Nu echter gaat het om concrete maatregelen die systematisch moeten worden ingevoerd en toegepast. Wie het waagt ze duidelijk en samenhangend het volk voor te leggen, zal de Mays, Oostlanders, Pronks, Wallages en Scholtens furieus tegen zich hebben, maar hen tevens nieuwe nederlagen bezorgen.
Ik noem:
- afwijzen respectievelijk afschaffen van elk dubbel staatsburgerschap.

Voorts betreffende vluchtelingen:
- in E.U.-verband vastgestelde quota dusdanig dat asielzoekers gelijk-matig over de landen van opvang worden verdeeld;
- quota voor onderscheiden groepen asielzoekers dusdanig dat in ons land een gelijkmatige spreiding ontstaat en massieve groeps- en gettovor-ming wordt tegengegaan;
- toegelaten vluchtelingen direct confronteren met een politiek die op te-rugkeer - ook na jaren - is gericht.

In dit verband:
- sobere, als tijdelijke herkenbare huisvesting;
- geen opname in het reguliere arbeidsproces;
- geen inburgering, geen verplichte lessen in het Nederlands;
- zoveel mogelijk bijhouden en versterken van de banden met het vader-land; onderzoek naar beroepen, vaardigheden, enz. die bij de heropbouw van het land van herkomst het meest nodig zullen zijn, opleiding en trai-ning daarin;
- voortdurende observatie van de omstandigheden in de landen van her-komst ter beoordeling van de vraag of repatriëring mogelijk is (wordt);
- hulp aan de repatrianten ter plaatse, zo concreet mogelijk, in de vorm van project-gebonden laagdrempelige steun.

Aangaande de immigranten:
- Alleen toelating van immigranten die hier, gezien hun zeer specifieke bekwaamheden, welke moeilijk door Nederlanders aan te leren zijn, no-dig of gewenst geacht worden;
- geen immigranten met beroepen waarvoor voldoende werkloze Nederlandse kandidaten aanwezig zijn;
- immigranten op grond van zogenaamde hereniging van uitgebreide fa-milies - ouders, grootouders, neven nichten enz. - volstrekt uitsluiten;
- immigratie van (kandidaat)-echtgenoten limiteren. Hierbij dient gelet te worden op de sterkte die de betrokken nationaliteit reeds in Nederland inneemt. Richtlijn hierbij: gemeenten en onderdelen van gemeenten die-nen een Nederlandse meerderheid te houden; het totaal aan vreemde-lingen in ons land wordt gefixeerd op een redelijk te absorberen per-centage;
- beperking van de vestigingsvrijheid; met name voor wijken van de gro-te steden zullen quota voor de verschillende nationaliteiten moeten wor-den vastgelegd;
- spreiding binnen de steden en wijken, zodat het contact van buitenlan-ders met Nederlandse gezinnen optimaal bevorderd wordt;
- duidelijke eisen stellen bij verzoeken tot naturalisatie: kandidaten be-horen Nederlands te kunnen spreken en lezen; fundamentele kennis van maatschappij en recht, zeden en gewoonten moet aanwezig zijn. De test mag geen farce zijn. Het Nederlanderschap dient met enige plechtig-heid te worden verleend.
Kandidaten moeten het gevoel hebben iets waardevols te verwerven waarvoor ze hun best moeten doen;

- onderwijs in eigen taal en cultuur alleen in eigen tijd en op eigen kosten.

Samenvattend: laat Nederland geen Madurodam-achtige replica worden van de Verenigde Staten! Laat de Randstad geen New York aan de Noordzee worden! Opdat het straks nog "ergens" overgaat, als we spreken over wat ons eigen is, bedenke men:

Een volk dat eigen erfenis misacht
Zal meer dan lijf en goed verliezen!

Noten
1. Raad voor de Maatschappelijke Ontwikkeling, *Nationale Identiteit in Nederland*, Den Haag, 1999.
2. Prof.dr. S.W. Couwenberg, *Nationale identiteit; van Nederlands probleem tot Nederlandse uitdaging in Civis Mundi jaarboek 2001*, Budel, 2001, blz. 42-43.
3. Een goed beeld van deze ontwikkeling geeft Fatima Mervissi, *Islam en Democratie; De Angst voor het Moderne*, Breda 1993 en *Tolerantie: Het "Osmaanse" versus het moderne model* door Erik van Ree in de bundel *Het Nut van Nederland* onder redactie van Koen Koch en Paul Scheffer, Amsterdam 1996. Beide schrijvers tonen aan dat het idee dat cultureel antagonisme het efficiënt functioneren van het staatsbestuur niet zou aantasten, naïef zal blijken te zijn. Beiden wijzen op het gegeven dat het islamitisch fundamentalisme nog altijd aan kracht wint.

Hoofdstuk 11

NIEUW LICHT OP EEN VALSE BEELDVORMING; ONZE ALLERGROOTSTE SCHULD?

In de eeuw die achter ons ligt, blijft de Tweede Wereldoorlog voor veel Nederlanders een steen des aanstoots. Wat het Nederlandse volk toen deed, of verzuimde te doen, is nog steeds onderwerp van discussie en bezinning. Wie de publiciteit daarover door de decennia heen heeft gevolgd, krijgt de indruk dat de generatie die na de oorlog is geboren, het er moeilijker mee heeft dan de generatie die de oorlog heeft meegemaakt. Hoe komt dat? Blijkbaar ervaren beide generaties het gebeurde of wat daarover mondeling of anderszins wordt doorgegeven, anders en waarderen zij het doen en laten van het Nederlandse volk in bezettingstijd op verschillende wijze. Niet weinige van de jongere generaties hebben de neiging vooral de isolatie, de ontrechting, de vrijheidsberoving, en tenslotte de dood door honger en ziekte of de gaskamers van een zeer groot percentage van de joodse Nederlanders, toe te schrijven aan het falen van het Nederlands verzet, of breder geformuleerd: het Nederlandse volk. Nog pas enkele jaren geleden liet men het onze koningin bij het Yad Vashem gedenkteken te Jeruzalem zeggen: 'Ons volk hield zich passief, er waren er wel die de joden hielpen, *maar dat waren uitzonderingen.*' (mijn cursivering, TK). Toen ik dit las kwam bij mij de vraag op: waarom zijn dan tegen de 30% van de tot nu toe uitgereikte Yad Vashem onderscheidingen Nederlanders ten deel gevallen?

Eén doorlopende litanie

Wie dit zo voor de vorstin geformuleerd heeft (de minister-president, de minister van buitenlandse zaken - of heeft zij het zelf zo geformuleerd en heeft de heer Kok er zijn goedkeuring aan gegeven - de beeldvorming waaraan de vorstin op deze wijze heeft meegewerkt is alles overziend een onevenwichtige, op bepaalde punten zelfs een valse beeldvorming te noemen. Dit is ernstig. Het is deze beeldvorming die velen er tot de huidige dag toe brengt als volgt te redeneren, en met hun uitingen weer nieuwe generaties te infecteren (ook via pers, tv, onderwijs en bepaalde politieke partijen): Nederland was al vóór de Tweede Wereldoorlog 'fout'. Door doodsangst gedreven joden die vluchtten, werden aan de grens aan hun Duitse beulen overgeleverd. Tijdens de bezetting was het niet beter. Nederlanders 'draaiden hun hoofd om als hun joodse buren werden weggehaald' om afgevoerd te worden naar Westerbork en verder naar de vernietigingskampen in Polen. Menigvuldig zijn de verhalen over mensen (liefst 'de weinige mensen') die joodse kinderen wilden helpen. Vaak moesten zij bij vijf, zes of meer adressen aankloppen voor een onderduikadres gevonden werd. De Nederlandse politie deed mee aan het ophalen van joden; koningin Wilhelmina noch de regering in Londen deden voldoende - dit is nog een milde versie - om de joden te helpen redden.

Dit alles en meer moet zich in allerlei varianten vastgezet hebben in vele hoofden. Het heeft er mede toe geleid dat voorstanders van een geheel of haast ongelimiteerd toelaten van vreemdelingen die zich vluchtelingen plegen te noemen en die voor immigratie in het algemeen zijn, ons voortdurend herinneren aan de schuld van bijkans heel ons volk. *Nu* moeten wij het beter doen en trachten die schuld te delgen. Het is door de decennia heen, vooral sinds het decennium '60 -'70 haast één voortdurende litanie: onze schuld, onze schuld, onze allergrootste schuld... Wil men deze litanie voortzetten en een stevig steunpunt houden voor het anno 2000 toelaten van niet-principieel beperkte aantallen vreemdelingen, dan is het nodig het beeld zo eenvoudig mogelijk te houden en de omvang en betekenis van de schuld op geen enkele wijze te nuanceren of maar gedetailleerd te onderzoeken. Men dient als het ware begeleid door een vrijwel permanente litanie te oordelen vanuit de norm van een ongekwalificeerde medemenselijkheid, die als het ware in een politiek en maatschappelijk luchtledig tot ons komt. Nu vindt het handelen van individuele personen, noch dat van groepen waaronder statelijke gemeenschappen, plaats in het luchtledig waar men het aan absolute normen zou kunnen toetsen. Steeds is er een geschiedkundige achtergrond: sociaal, economisch, financieel, juridisch, krijgskundig. Steeds is er een reeks van andere factoren. Bij wat één bepaalde staat doet of laat kan men haar handelingen of gebrek daaraan niet 'op zichzelf' be- of veroordelen. In de populaire behandeling van de politieke en politionele praktijk echter lijkt het veelal of de politiek van andere landen er niet toe doet. Men weet ook 60 en 70 jaar na datum met zekerheid vast te stellen dat de Nederlandse vluchtelingenpolitiek niet deugde, geheel zonder die in de nationale en internationale politieke context van die tijd te beschouwen. Nog heden, het zal uit het navolgende blijken, komen velen tot een oordeel op grond van indrukken, eenzijdige belichting, en aan de hand van ontoereikende gegevens.

Nog in het jaar 2000 ontbreken de totaaltellingen

Het is zaak dit alles bij het scheiden van de eeuw nogmaals te bezien, temeer daar een aantal vrij recente studies daarbij steun geeft. Ik noem hier allereerst de documentenverzameling betreffende toelating, uitleiding en kampopname van 1938 tot 1940 van de hand van Corrie K. Berghuis (1990).[1] Nota bene: dit is de eerste openbaar gemaakte documentenverzameling die het ons mogelijk maakt met een samenhangende reeks van stukken in de hand, de Nederlandse vluchtelingenpolitiek van vóór de Tweede Wereldoorlog te beoordelen. In 114 uit overheidsarchieven bijeengebrachte documenten, voorzien van een uitvoerig notenapparaat, tevens reportages en egodocumenten, krijgen wij een goed beeld van de politiek van de Nederlandse regering en de uitvoerende instanties met betrekking tot de joodse Duitsers die in de jaren 1938-1940 naar of door ons land trachtten te vluchten. Het meest verbazingwekkende uit het hele boek staat in noot

439. Schrijfster merkt daar op dat het haar niet duidelijk is hoe het hoofd van de onderafdeling Vreemdelingendienst van het Ministerie van Justitie, Grevelink, komt aan een aantal van circa 30.000 in vrijheid hier te lande verblijvende joodse vluchtelingen. 'Het totaal aantal joodse vluchtelingen op 18 juli 1940 in Nederland aanwezig, zou volgens zijn telling ongeveer 31.100 zijn.' Een maand eerder had hij nog geconstateerd dat een totaal-overzicht van het aantal joodse vluchtelingen niet bestond. Berghuis maakt de kwestie nog ingewikkelder door in haar inleiding op de documentatie-verzameling te vermelden dat er sinds 1933 tot midden 1938 'nog onge-veer 24 à 25.000 vluchtelingen in Nederland waren binnengekomen'. Houwaart vermeldt bovendien in zijn voorwoord voor de documentenver-zameling dat 'eind 1933 51.000 joodse vluchtelingen werden geteld. Hiervan gingen 4000 naar Nederland'. Ook vermeldt Berghuis nog dat A.J. Rosman, hoofd van de Afdeling Armwezen/Vluchtelingen, het aantal vluchtelingen dat sinds 10 november 1938 in Nederland werd toegelaten op ongeveer 8000 stelde waarbij nog circa 1500 illegalen kwamen (noot 410). Voorts vermeldt zij dat D. Michman in mei 1940 niet meer dan 16.000 joodse vluch-telingen in Nederland aanwezig acht.[2] Schrijfster besluit dan met de con-clusie dat 'er een onderzoek zal moeten worden gedaan naar de exacte ge-tallen joodse vluchtelingen in de jaren '30'. En dit moest anno 1990 zo ge-steld worden en in 2000 is het gevraagde onderzoek nog niet verricht. Niettemin weten steeds weer allerlei woordvoerders en opvoeders dat Nederland in elk geval veel te weinig gedaan heeft. Het feit dat men nim-mer zo nauwkeurig mogelijk vergelijkt met wat de getoonde opnamebe-reidheid van andere landen bekend is, wijst erop dat wij hier in sterke ma-te te doen hebben met beschuldigingen die een mytisch-taboeïserend ka-rakter hebben. Zelfs het vragen naar een nauwkeurig onderzoek dat tot her-overweging van de veroordelingen zou kunnen leiden, staat gelijk aan het aantasten van het taboe. Leest men bij voorbeeld dat Frankrijk 55.000 jood-se vluchtelingen uit Duitsland opnam - dit getal komt enkele malen in de literatuur voor - dan zou men kunnen opmerken dat Nederland met meer dan 30.000 opgenomenen nog niet zo'n slecht figuur sloeg. Hetzelfde gold tegenover Engeland dat 60.000 joden uit Duitsland opnam.

Bij alle onzekerheid over aantallen zijn er twee die moeilijk voor aanvechting vatbaar schijnen te zijn. Duitsland en Oostenrijk samen hadden in 1933 on-geveer 600.000 joodse inwoners. Half juni 1941 toen alle joodse emigratie vanuit het Reich werd verboden, waren het er nog circa 300.000. Ongeveer 300.000 moeten dus hun weg gevonden hebben naar andere landen: de Verenigde Staten, Hongarije, Scandinavië, Latijns-Amerika. Richtten wei-nige joden zich in hun vlucht op de twee laatstgenoemde gebieden, des te meer hoopten zij op toelating tot Engeland of liever nog de V.S. waar ve-len ook familiaire en andere betrekkingen hadden.

De Haagse toelatingspolitiek gespiegeld aan die van Washington

De joodse immigratie in de Verenigde Staten en heel de politieke worste-ling die ermee gepaard ging, maakt duidelijk waarom onder meer de

Nederlandse regering niet verder wilde gaan dan zij deed, nog afgezien van de economisch en financieel benarde tijden die het vooroorlogse Nederland doormaakte en de bescheiden middelen die dientengevolge voor vluchtelingenhulp ter beschikking konden worden gesteld. Men herleze zo nodig wat ik eerder over de toenmalige toestanden schreef. De regering had 'zich in verbinding gesteld met de regeringen van Denemarken, Groot-Brittannië, Frankrijk en Zwitserland met de vraag of het mogelijk is, om in gemeenschappelijk overleg iets te doen om hier soelaas te brengen', aldus Colijn. Hij noemde ook het gevaar dat bij ongelimiteerde instroom van vreemdelingen 'het noodzakelijk gevolg zou zijn dat de stemming in ons eigen volk ten opzichte van de joden een ongunstige kentering zou kunnen ondergaan'. Ook hier was Colijn realist. Reeds tussen joodse Nederlanders en joodse Duitsers bleek het allesbehalve te boteren. De Joodse Raad was blij dat, toen tijdens de bezetting de transporten naar Westerbork begonnen, ze de Duitsers als eersten kon lozen, maar tot haar verdriet bleken in Westerbork de Duitsers als *alte Lagereinsassen* de gang van zaken daar in hoge mate te bepalen.

De Nederlandse regering die al eerder gepoogd had internationaal tot een regeling van het vluchtelingenvraagstuk te komen, wat gezien de ernst en omvang ervan een niet te ontwijken eis was, moest daarbij steeds ervaren dat de betrokken landen niet bereid waren contingenten die maar enigszins evenredig waren aan hun omvang en bevolkingstal, op te nemen. Vanaf 7 mei 1938 gold de Nederlands-Duitse grens als gesloten. Slechts als het leven van de vluchteling gevaar zou lopen, kon van deze regeling worden afgeweken. Onder deze motivering werden in 17 maanden nog 8000 joodse Duitsers legaal opgenomen en 1500 illegaal geduld. Men kan hier wel smalend over doen, maar wie deed meer? Het voorgaande nodigt dus uit de immigratiepolitiek van vooral de V.S. te onderzoeken. Vooraf echter dit: het feit ligt er dat de nazi's voor midden juni 1941 misschien wel dachten aan een systematische uitroeiing van de joden, maar daarvan althans in het Westen nog niets in praktijk hadden gebracht. Het is in zekere zin het nadeel dat iemand die de hele geschiedenis van de vervolging tot het einde toe kent, het gevaar loopt in zijn waardering van de toestand in de jaren '38-'41 het beeld van de uitroeiing van de joden, waarvan zelfs Hitler toen nog niet het in hoeverre, het wanneer en hoe wist, mede te nemen.

De zogenaamde Kristallnacht (9 november 1938) had 38 doden opgeleverd en 30.000 joden werden in concentratiekampen opgesloten. Een onbeschrijflijke schrik was gevallen over de steeds meer geïsoleerde groep mensen die in meerderheid toch gewoon goede Duitsers wilden zijn. Hitler had hun vijand-zijn tot een alomvattende mythe verheven, die al zijn deel-vijandschappen kon omvatten. Dit alles was al erg genoeg. Wij moeten ons echter realiseren dat de ontrechten op de vlucht gedreven werden. Zij moesten zo beangstigd worden dat zij uit eigen beweging zo gauw mogelijk de trein namen. In de genoemde periode zien de nazi's de joodse Duitsers en de westerse joden in het algemeen graag gaan. Het verkeer tussen Nederland en Duitsland bleef in hoge mate vrij. In 1926 was de visumplicht vervallen en zo konden duizenden zonder moeilijkheden per trein de Nederlandse grens passeren, precies zoals honderdduizenden dat over andere grenzen deden of ook door Nederland - als transmigranten - hun toevlucht elders zoeken.

Wat wel al lang voor juni 1941 begonnen was: de massa-executies sinds 3 september 1939 in Polen van joodse en niet-joodse Polen, de oprichting van getto's waarin de dood door honger en ziekte gepland was. Wij moeten dit beeld voor ogen houden als we ons verplaatsen naar Washington waar men een immigratiepolitiek voerde met steeds grotere beperkingen, beducht voor verlies aan welvaart van de eigen bevolking die zo zeer door de grote wereldcrisis te lijden had, maar ook lettend op het sterk heersende antisemitisme en de eis centraal stellend: migranten moeten zo veel mogelijk blank zijn, en christelijk, Engels sprekend - dus liefst Brits of Iers - en zo mogelijk niet joods of Pools zijn of van de Balkan stammen. David S. Wyman heeft een en ander belicht in een uitputtende studie die zonder overdrijving schokkend genoemd wordt.[3]

De emigratie naar Noord-Amerika was in de jaren '20 onderworpen aan een uitvoerig en tijdrovend onderzoeksproces. Voor personen van onderscheiden nationaliteit werden quota vastgesteld. Ook nu is dit nog het geval. Het totaal der quota bedroeg 154.000 per jaar, waarvan 10% bestemd was voor vluchtelingen. Haast 84.000 daarvan was bestemd voor Britten en Ieren, volkeren die geen vluchtelingen opleverden. Midden 1933 werd deze politiek gewijzigd. Roosevelt vergemakkelijkte in het zicht van de ernstige vervolging die in Duitsland direct na de machtsovername van Hitler op gang kwam, de procedures enigermate. De quota voor alle landen waarin nazi's of fascisten heersten, bleven echter beperkt tot in totaal 40.000 immigranten per jaar. Midden 1940 werd er echter, onder de motivering dat de nazi's spionnen tussen de Duitse vluchtelingen smokkelden, een maatregel getroffen die de toelating uit de door nazi's en fascisten beheerste landen, beperkte tot 50% van de tot dan toe geldende quota. Een nieuwe slag werd toegebracht in 1941. De in 1938 opengestelde mogelijkheid het hele quotum van door nazi's beheerste gebieden open te stellen voor vluchtelingen, werd nu beperkt tot 25% van de betreffende quota. Na de aanval op Pearl Harbor (7 december 1941) werden de procedures 'voor allen die geboren waren op vijandelijk gebied' nogmaals verscherpt. Wyman geeft een statistiek[4] waarin de aantallen vluchtelingen uit het door nazi's bezette Europa opgenomen zijn. Was het quotum voor vluchtelingen uit de As-landen vóór 1940 nog bepaald op 4000, in 1941-42 konden nog slechts 2246 joden van het totale kwantum van 11.702 gebruik maken.

Werden de joden beter door Denen en Fransen beschermd?

Steeds weer wordt gesteld dat, moge dan de wil tot het opnemen van joodse vluchtelingen niet slecht bij die van anderen hebben afgestoken - tot het einde van de oorlog toe bleef de toelating van joodse vluchtelingen in de V.S. beperkt tot minder dan 1000 personen met vervalste door hen gekochte Latijns-Amerikaanse paspoorten - toen de bezetting eenmaal een feit geworden was, schoot de bescherming van joden in Nederland in elk geval tekort. Aldus de mensen die het in de tweede helft van de eeuw allemaal zo goed wisten. Steeds werden en worden door hen Denemarken en Frankrijk genoemd als de betere voorbeelden. Als regel wordt verzuimd erbij te zeggen dat de Deense joden in totaal niet meer dan circa 8000 zielen telden die, toen zij in november '43 met deportatie werden bedreigd, door de Deense kustvloot in luttele tijd naar Zweden werden overgevaren. De Sont is op verschillende plekken niet meer dan 4 à 5 kilometer breed en de kust vanwaar men kon oversteken honderden kilometers lang. Zonder de dappere daad van de Deense schippers te willen onderschatten, moet gewezen worden op het enorme verschil van de Deense mogelijkheden vergeleken bij die in Nederland. De Noordzee is niet de Sont. Onze kusten en havens stonden onder voortdurende Duitse bewaking. Een levendig scheepsverkeer tussen Denemarken en Zweden was voor de Duitse belangen zelfs vereist. Enerzijds komt ook de Zweden lof toe voor alles wat zij deden om joden en verzetsstrijders te helpen: Denen, Noren, later joden uit de Baltische en Oost-Europese landen - men denke aan het werk van Raoul Wallenberg en de zijnen die in Boedapest tienduizenden joden redden. Niettemin moet opgemerkt worden dat een belangrijk deel van de Zweedse ertsen en ook eindproducten die voor de Duitse oorlogvoering onontbeerlijk waren (waaronder kogellagers) de hele oorlog door Zweden aan de As-mogendheden zijn geleverd. Ook de Deense kustvloot werd voor vervoer ten behoeve van de Duitsers ingezet.

Het is frappant hoe sterk mythen zijn bij hen die koningin Wilhelmina en haar ministers in Londen aanvallen om hun gebrek aan inzet en actie.[5] De vorstin zelf wordt beschuldigd van vaandelvlucht, lafheid en egocentrisme. De Deense koning, die zijn land niet verliet, wordt daarentegen - en dit de decennia door - ten tonele gevoerd als lichtend voorbeeld: hij reed, net hadden de Duitsers de joden geboden de gele ster te dragen, te paard door Kopenhagen... ook getooid met de gele ster. Werkelijk: een lichtend voorbeeld, echter een mythe. Maar het fraaiste komt nog. Dat Deense vaartuigen erin slaagden ongehinderd vrijwel alle 8000 Deense joden naar Zweden over te brengen, wekt bewondering, dat de Duitsers er niet toe kwamen ook maar één van de betrokken boten effectief te controleren, wekt verwondering. Maar ook hier past de oproep: blijf lezen! Rob Hartmans bespreekt in een kort geleden uitgekomen boek de biografie van Best. Deze was in rang een van de hoogste SSers. In 1939 fungeerde hij als coördinator van de *Einsatzgruppen* die direct na de inval in Polen op grote schaal joden en leden van de Poolse elite vermoordden. In 1943 toonde hij zich als *Rechsbevollmächtigde* in Denemarken van een andere kant. Volgens zijn biograaf liet hij oogluikend toe dat de joden het land ontvluchtten. Kritiek van zijn superieuren in Berlijn wees hij van de hand: 'Grootscheepse razzia's zouden de relatieve rust in het land ernstig hebben verstoord.' 'Denemarken was *Judenrein*. De *Endlösung der Judenfrage* was een kwestie van opportuniteit, niet van emoties'.[6]

Het tweede land dat altijd genoemd wordt om aan te tonen dat de Nederlanders in 1940-45 niet genoeg deden om hun joodse landgenoten te beschermen, is Frankrijk. Frankrijk had eind 1939 300.000 joodse inwoners; aan de Duitsers ten offer vielen 130.000, dus 38%. In Nederland waren eind 1939 140.000 joden (de Duitse vluchtelingen inbegrepen) waarvan er 110.000 de dood vonden, dus 79%. Het zijn cijfers die Abel Herzberg[7] geeft en die hij laat volgen door een analyse van de oorzaken van het feit dat Franse en Belgische joden zo veel minder door Duitse hand de dood vonden dan Nederlandse. De vervolging heeft procentsgewijs zelfs in Nederland veel meer slachtoffers geëist dan in Duitsland, stelt Herzberg, ofschoon hij er direct op laat volgen dat de percentages moeilijk te vergelijken zijn omdat vóór de deportatie van de Duitse joden aanving, die Duitsers vanaf 1933 acht jaar lang de gelegenheid hadden Duitsland te ontvluchten; dat waren er circa 300.000, waarvan een aantal later toch weer door hun belagers zijn gevat, in West-Europese landen maar vooral in Hongarije. De betere mogelijkheid naar andere landen te kunnen ontvluchten vormt een deel van de verklaring van het naar verhouding betere lot van Franse en Belgische joden. In detail geeft Herzberg argumenten die bijdragen aan de opheldering van dit vraagstuk. Ik zal ze hieronder puntsgewijs behandelen. (1.) Gedurende de eerste oorlogsdagen en -weken hadden Fransen en Belgen uitwijkmogelijkheden naar het zuiden en oosten die voor Nederlanders nagenoeg waren afgesloten. (2.) De zuidelijke Franse departementen die door de Italianen waren bezet (Italië claimde op historische gronden het bezit van Nice (Nizza) en een vrij omvangrijk gebied in de Haute-Savoie) bleven de hele oorlog door voor verzetsstrijders en joden een toevluchtsoord. Het Italiaanse fascisme - hoewel, evenals het Nederlands nationaal-socialisme - officieel tot een antisemitisch standpunt overgehaald, bleef een politiek tegenover de joden voeren die duidelijk van de Duitse afweek. (3.) Tot november 1942 bleef Vichy-Frankrijk vrij van Duitse troepen en politie, wat veel joden althans enig respijt gaf. (4.) Het bestaan van een militair bestuur in België en Frankrijk heeft in tegenstelling tot Nederland, waar een burgerlijk nazi-bewind bestond, remmend gewerkt. Mijns inziens wordt aan dit argument vaak te veel gewicht toegekend: de militairen deden op het moment dat de nazi-top in Berlijn de tijd van deportaties gekomen achtte, toch wat door die top werd bevolen. (5.) Nederland herbergde, vooral in Amsterdam, een joods proletariaat dat percentsgewijs veel omvangrijker was dan dat in andere West-Europese landen. Deze mensen konden zich slechter weren dan de burgerlijke groepen. (6.) Herzberg merkt ook op dat gehechtheid aan een met de wet strokende levenswijze in Nederland nog sterker was dan elders. 'Dit geldt voor joden zowel als niet-joden.' Hier tegenover kan worden opgemerkt dat er juist in Nederland hele bevolkingsgroepen waren - gereformeerden, communisten - die, er eenmaal van overtuigd dat verzet geboden was, dit intensief en met grote inzet hebben gepleegd. Herzberg noemt niet de in Nederland vaak zeer moeilijke onderbrenging door de dichte bevolking en geografische factoren die het verzet hier te lande moeilijker maakte dan elders. Het zijn juist deze factoren die door de meeste andere schrijvers over deze materie, die naar verklaringen zoeken het eerst naar voren zijn gebracht. Het ongeluk is echter dat juist niet naar verklaringen zoeken, maar klakkeloos beschuldigen eerder regel dan uitzondering geworden is. Men luistere naar Herzberg. Letterlijk zegt deze: 'Hoogst onwaarschijnlijk is het, dat het verschil in de verhoudingscijfers veroorzaakt is door een meer of minder hulpvaardige houding der bevolking in verschillende landen. Daarvan blijkt immers hoegenaamd niets.

Men zou zelfs, gezien een unieke gebeurtenis als de Februaristaking, gezien ook de vroegere politieke verhoudingen, geneigd zijn de getoonde
hulpvaardigheid in Nederland het hoogst aan te slaan' (blz. 248). (7.) De
belangrijkste verklaringsfactor voor het behouden blijven van een veel hoger percentage joodse Fransen dan joodse Nederlanders, is met dit alles nog
niet gegeven. Herzberg meldt dat het Vichy-bewind de nazi's alle medewerking aanbood bij het bijeenbrengen en uitleveren van joden van Duitse
en Oost-Europese afkomst, *mits zij de joden die uit Franse ouders geboren, tot het zogenaamde Kaukasische ras behorend*, ongemoeid zouden laten. Het was een gok die men moreel verschillend kan beoordelen. Bovendien
een spel met de factor tijd. Nergens honoreerden de nazi's dergelijke be-
loften blijvend. De bedoelde Kaukasische joden, is echter 'geen haar op het
hoofd gekrenkt' (blz. 142).

Opmerkelijk is dat Nanda van der Zee[5], die Herzbergs Kroniek in haar literatuurlijst heeft opgenomen, met geen woord over zijn stellingname rept,
terwijl deze hoogst belangrijk is. Hij geeft namelijk een sluitende verklaring van het feit dat relatief minder Nederlandse joden aan de vernietiging
ontkwamen dan joden in andere West-Europese landen. Bij anderen - De
Jong en Presser bij voorbeeld - ontbreekt die verklaring. Herzbergs ver-
melding van de Duitse overeenkomst met de Vichy-regering is voor de beoordeling van Frankrijks schijnbaar betere gedrag dan dat der Nederlanders,
van doorslaggevend belang. Herzberg is ook degene die van de genoemde
schrijvers over de jodenvervolging op dit punt het best gedocumenteerd is.
Hij begaf zich voor onderzoek zelf naar Frankrijk. Van zijn vrij beknopte
literatuurlijst - 48 werken - zijn 13 in het Frans gestelde studies die alle de
Duitse bezetting en de genocide, in de eerste plaats in Frankrijk behandelen, maar enkele ook de jodenvervolging in andere West-Europese landen
in beschouwing nemen.

De macht der napraters

Wie dit alles goed tot zich door laat dringen, ziet zich geplaatst voor merkwaardige vragen. Waarom stellen zovelen de feiten die ik hier kort rele-
veerde niet in de schijnwerpers, maar laten ze in het duister, noemen ze niet
eens? Natuurlijk zijn er vele opinievormers die nooit enig zelfstandig onderzoek hebben ingesteld en maar voortgaan de eens zelfgeleerde les door
te geven: Nederlanders in, (bij sommigen zelfs al voor!) de Tweede
Wereldoorlog zijn schuldiger dan andere volken... Wij hebben veel goed te
maken. Leert de religie van het culturele relativisme niet dat iedere aardbewoner gelijk in waarde, waardigheid en rechten is en ook gelijk recht
heeft op het bewonen van Nederlands stad en land als ieder ander? Er zijn
nu eenmaal veel vrij onnozele napraters die inmiddels door hun macht als
leraren, pennenvoerders, maatschappelijke helpers en begeleiders veel kwaad
aanrichten. Iemand als Nanda van der Zee echter heeft getuige de uitvoerige literatuuropgave in haar boek, zeer veel materiaal doorgewerkt.[5a]
Niettemin komt zij tot globale oordelen en veroordelingen die door haar ei-

gen documentatiemateriaal geenszins worden gedekt. Hier wordt geen waarheid meer gezocht, terwijl het boek wel een hoge mate van wetenschappelijkheid voor zich in aanspraak neemt. 'In de werken van gezaghebbende historici, onder wie ook Presser, werd voor mij geen bevredigend antwoord ... gegeven', aldus schrijfster in haar Voorwoord. Op de achterzijde van haar boek lezen wij dat het kennis nemen daarvan 'een verontrustende ervaring is omdat hier *voor het eerst luid en duidelijk - en in zijn volle breedte -* (mijn cursivering, TK) de schuldvraag gesteld en beantwoord wordt'. Pretentieuzer kan het moeilijk.

Er zou aan het op een reeks van punten scheef getrokken beeld dat dit boek geeft, een uitvoerig geschrift kunnen worden gewijd. Hier slechts één saillant punt. Van der Zee kent het boek van Abel Herzberg. Waarom dan geen enkele aandacht geschonken aan zes van de zeven punten die ik aan Herzberg ontleende? Alleen punt 4 schijnt haar van groot gewicht. Zij suggereert dat 'de vlucht' van de koningin Nederland in een zoveel slechtere positie bracht als bijvoorbeeld België en Denemarken waar geen civiel Duits gezag werd geïnstalleerd. Zij weet echter geen enkel punt te noemen waarop de aanwezigheid van de vorstin en haar regering Nederland ten baat had kunnen zijn. Ziet zij dan niet dat zodra de regering (koningin en kabinet) ook maar iets zouden hebben pogen te doen dat in het Duitse politieke streven niet te pas kwam, zij zouden zijn geïnterneerd en ergens op een slot of in een hotel in bewaring of misschien zelfs in gijzeling gehouden? Getuige wat gebeurde met de ex-premier Colijn, die zodra hij zijn plaats in het verzet innam, naar Duitsland werd afgevoerd.

Boeken als dit brengen de napraters weer nieuwe steun. Zij missen veel van wat essentieel is voor een echte studie. Die vereist, om maar iets te noemen, aandacht voor de politiek van de geallieerden, de Engelsen in de eerste plaats, maar ook de Amerikanen waarvan de Nederlandse regering in Londen in hoge mate afhankelijk was. Gaf Roosevelt zijn eigen ambtenaren nauwelijks gehoor indien zij mogelijke acties ter bevrijding of 'ruil' van joden ter sprake wilden brengen, de Engelse politiek ter zake was er ook een van langdurig 'afhouden'. Kenmerkend voor Groot-Brittannië is dat het reeds voor de oorlog wel meespeelde met allerlei ideeën over joodse (her)vestiging; deze werd echter steeds elders gedacht, op het grondgebied van andere volken: Guyana, Angola, Madagascar vooral.[8] Het kenmerkt een heel tijdperk dat westerse mogendheden nog midden twintigste eeuw meenden met hele volken en gebieden te kunnen 'schuiven' daarbij de belangen van gevestigde volken niet of nauwelijks achtend.[9] Dit geschiedde hoogst arbitrair, zoals ook trouwens heden nog: ingrijpen ten behoeve van mensenrechten in land A (men vulle maar in) is legitiem waar land B (er is keus te over)bij ernstiger rechtsschendingen ongemoeid wordt gelaten.

De leraren, journalisten, voorlichters, die het er tientallen jaren lang ingepompt hebben dat het Nederlandse verzet niet veel betekende, dat (de) Nederlandse politie de joden ophaalde, Nederlandse spoorwegmannen schuldig waren aan hun vervoer, dat Nederlanders een andere kant uitkeken als de slachtoffers van huis gehaald werden, dat voor de laatsten onvoldoende onderduikmogelijkheden werden geboden, moeten dit ergens vandaan hebben. Van der Zee had allerlei voorgangers. Hans Knoop bijvoorbeeld; in zijn *De Joodsche Raad* heeft hij het Nederlandse volk een testimonium paupertatis uitgereikt.[10] Over de onderduikmogelijkheden voor de joden merkt hij op: 'de niet-joodse bevolking voelde daar in *overweldigende meerderheid* (mijn cursivering, TK) gezien de daaraan verbonden gevaren niets maar dan ook helemaal niets voor' (blz. 224). Wel brengt hij het beeld ietwat in evenwicht door te vermelden dat Asscher en Cohen (de voorzitters van de Joodse Raad) onderduiken ten zeerste ontraden omdat het 'de gemeenschap in gevaar zou brengen als individuele joden de Duitse bepalingen zouden overtreden' (blz. 181). Op blz. 232 klinkt het: 'De politie haalde de joden op van huis en het spoorwegpersoneel transporteerde de ongelukkigen af. Let wel: 'Nederlandse politie en Nederlands spoorwegpersoneel'. Knoop stelt het geciteerde zonder meer, zonder enige ondersteuning van de zware beschuldigingen die hij uit door wie of wat dan ook. Zoals wij zagen gaat Van der Zee dertien jaar later ('voor het eerst luid en duidelijk'!) in dezelfde trant met haar geschiedonderricht voort. Blijven zij die het hier geciteerde populariseren zo voortgaan, dan zal nog aan geslachten een verwrongen werkelijkheidsbeeld worden doorgegeven. Nodig is heel precies na te gaan wat de feiten waren en deze zo ruim mogelijk kenbaar te maken. De zelfkwellers onder het Nederlandse volk zullen dit niet prettig vinden. Zij zullen zich liever met het oude beeld blijven verzadigen, tot dat de boetedoening zo hoog is opgelopen dat wij verdrinken in vreemdelingen en multiculturaliteit. Een 'Lebenslüge', zei Angela Merkel onlangs; 'niets voor Denemarken', zei kort daarop de Deense eerste minister; 'een behoorlijke mate van homogeniteit is beter'. Soms ben ik blij dat de 'Gedankenpolizei' nog niet overal vaardig is.

Noten

1. Corrie K. Berghuis, *Joodse vluchtelingen in Nederland 1938-1940; documenten betreffende de toelating, uitleiding en kampopname*, Kampen, 1990.
2. D. Michman, *De joodse emigratie en de Nederlandse reactie daarop tussen 1933 en 1940 in Het Nederlandse Vluchtelingenbeleid 1933-1940*, Amsterdam, 1981. Het schijnt echter dat Michman zich baseert op een statistiek der bevolking "van Joodschen Bloede" in Nederland, mei 1942; tot stand gekomen op grond van aanmeldingen van joden, die zulks deden op bevel van Rijkscommissaris Seyss-Inquart d.d. 10 januari 1941. Aan dit gegeven is m.i. weinig waarde toe te kennen, omdat vele Duitsers van joodse afkomst zich niet zullen hebben gemeld.
3. David S. Wyman, *Paper Walls; the America and the Refugee Crises 1938-1941*, New York, 1968 en *The Abandonment of the Jews; America and het Holocaust 1941-1945*, New York, 1985; geraadpleegde druk 1990.
4.

	1940-41	1941-42	1942-43	1943-44	1944-45
a.	28.927	11.702	5.944	5.606	4.793
b.	13.740	2.246	582	515	378

a. quota's vluchtelingen voor het totaal der door de nazi's en fascisten gedomineerde landen

b. vluchtelingen die van de quota's gebruik konden maken.
Opgegeven zijn fiscale jaren; deze liepen steeds van 30 juni tot 1 juli.
Bron: D.S. Wyman, *The Abandonment of the Jews*, New York, laatste druk 1998; blz. 136

5. Nanda van der Zee, *Om erger te voorkomen. De voorbereiding en uitvoering van de vernietiging van het Nederlandse jodendom tijdens de Tweede Wereldoorlog*, Amsterdam, 1997; hoofdstuk 6.

6. Ulrich Herbert, Best, *Biografische Studien über Radikalismus, Weltanschauung und Vernunft 1903-1989*, Bonn, 1996; geciteerd in Rob Hartmans, *Vaarwel dan!; Intellectuelen en hun illusies*, Soesterberg, 2000; blz. 180-181.

7. Abel J. Herzberg, *Kroniek der Jodenvervolging 1940-1945*, Amsterdam, 1950. Gebruikt is de derde, aangevulde druk van 1978. 50 jaar na het verschijnen van de eerste druk is dit boek nog steeds verplichte lectuur voor iedere Nederlander die over het onderwerp wil kunnen meepraten. Van de drie Nederlanders met joodse achtergrond die standaardwerken over de jodenvervolging schreven, behandelt hij de zwaarst wegende vragen het evenwichtigst, voortdurend gerelateerd aan de werkelijkheid, diep peilend, ook b.v. naar de aard van het nazisme. De Jongs grote werk is daarentegen duidelijk van iemand die er zelf niet bij was, terwijl Pressers *Ondergang* meer het werk is van een gepassioneerd medeslachtoffer dan van een wetenschapper. Het een noch het ander is De Jong of Presser uiteraard te verwijten.

8. Een uitvoerige studie, waarin ook Britse, Franse, Poolse en Japanse deportatieplannen worden behandeld, geeft prof. dr. Hans Jansen, *Het Madagascar Plan; de voorgenomen deportatie van Europese joden naar Madagascar*, Den Haag 1996.

9. Men zie voor de V.S. de onder noot 3 en 4 genoemde studies en voor Engeland Bernard Wasserstein, *Britain and the Jews of Europe 1939-1945*, Londen/New York, 1999.

10. Hans Knoop, *De Joodsche Raad; het drama van Abraham Asscher en David Cohen*. Amsterdam/Brussel, 1983.

Hoofdstuk 12

HALVE VERHALEN, BRONNEN VAN GESCHIED-VERVALSING

Een groot bezwaar dat ik heb tegen veel publicaties die voor Nederlanders anno 2000 het geschiedbeeld bepalen, is hun a-historisch karakter. Men abstraheert van de tijd of de plaats of de omstandigheden of liefst van alles. Zo vergelijkingen gemaakt worden met gebeurtenissen in het verleden, gebeurt dit vaak op een manier als vergeleek men appelen met citroenen. Ik vond in een circa 15 jaar geleden door de Anne Frank Stichting uitgegeven boekje een betoog in deze zin: Zuid-Nederlanders (na de val van Antwerpen in 1585), Hugenoten, joden van Spaanse en Portugese afkomst vonden in de noordelijke Nederlanden zonder noemenswaardige moeilijkheden hun "thuis". Waarom zou dat nu niet mogelijk zijn met mensen uit allerlei andere volken? Het boekje was in *De Telegraaf* prijzend aanbevolen. Ik stuurde een zeer beknopt 'lezersbriefje' waarin ik wees op de grote verschillen in tijdsomstandigheden en de zeer uiteenlopende culturele achtergronden van de immigranten toen en nu, de verschillen in capaciteiten en welstand. Was het dan onbekend dat de Hugenoten hoog ontwikkeld waren, dat de Antwerpenaren met hun handelskapitaal en wijdvertakte ervaring een stoot omhoog en vooruit betekenden voor de Amsterdamse samenleving in het bijzonder en de West-Nederlandse in het algemeen, dat de joden uit die stad Amsterdam tot middelpunt van de diamantverwerking en -handel maakten, dat de Iberische joden behoorden tot de meest gecultiveerde elementen in hun landen van herkomst? Ik zei er opzettelijk niet bij dat van het plattelands-proletariaat uit de Berberstreken van Marokko of de dorpjes van Noord-Anatolië in al deze opzichten weinig te verwachten zou zijn. Toch werd het enkele honderden woorden omvattende stukje om redenen van 'plaatsgebrek' opname ontzegd, niet alleen in *De Telegraaf*, maar ook in andere grote dagbladen. De onderdrukking van de vrije meningsuiting - niets minder dan dat - was toen op een hoogtepunt. Pas toen het eind van de eeuw naderde, stelden de censoren de discussies waarin herinnerd mocht worden aan de invloed van zeer onderscheiden culturele en historische achtergronden, min of meer open. Ook mocht hier en daar gepleit worden voor beter geschiedenisonderwijs dat weer tegenstellingen en verbanden in de loop der historie zou kunnen blootleggen. Opdat een ieder eenvoudige samenhangen als hierboven aangegeven weer kent, is dit bitter noodzakelijk. Tegen het aantonen van bepaalde ontwikkelingslijnen bestond sinds de jaren zestig een wijdverbreide en grondige afkeer. Het leek of de beoordeling van het gebeuren bij voorbeeld van voor en in de Tweede Wereldoorlog als het ware in een geschiedkundig luchtledig kon geschieden. De samenleving scheen zo maakbaar dat men zicht op verankering of band met het verleden kon missen, 'alles moest kunnen', 'de idee aan de macht'. Het scheen dat dit alles in Nederland dieper wortel geschoten had dan in

Frankrijk. Een radicaal anti-autoritairisme paarde zich aan een diepingrijpend cultuurrelativisme. Allerlei culturen, hoe verschillend ook, werden gelijkwaardig verklaard. Hoe krampachtiger dit 'tweede geloofsartikel' werd beleden, hoe meer het eerste in het gedrang kwam. De tegenstanders van een zich autoritair manifesterende regentenmaatschappij grepen - in hun ijver de oude regenten ten val te brengen naar even autoritaire methoden met geschiedvervalsing als resultaat.

Gegrendelde grenzen

Zoals wij zagen pretendeerde Nanda van der Zee[1] anno 1997 - 'voor het eerst luid en duidelijk en in zijn volle breedte' - de schuldvraag te 'stellen en beantwoorden, waardoor juist in Nederland relatief zo veel joden naar Duitse vernietigingskampen werden weggevoerd'. Wat doet deze schrijfster precies? Na één beknopt hoofdstuk over de situatie van de joden in Duitsland voor 1933, waarin zij zich strikt beperkt tot wat de titel aangeeft, wijdt zij het gehele overige boek aan het lot van de joden en de joodse immigratie in Nederland zonder ook maar iets weer te geven over de immigratiepolitiek van andere landen, of het gebrek daaraan. Ik besprak deze politiek in het voorgaande hoofdstuk en gaf daarbij literatuur op waaruit zij ruimschoots had kunnen putten om de mogelijkheden en onmogelijkheden van een Nederlandse vluchtelingenpolitiek in de internationale context aan te geven.

De regering zag de vluchtelingen als 'ongewenste vreemdelingen', ze wilde 's lands 'nationale handelsbelangen veilig stellen', voerde daarom een 'bangige neutraliteitspolitiek', die leidde tot 'een harteloos vluchtelingenbeleid en een harteloze uitvoering daarvan' (blz. 39). Zie hier de gemoedsgesteldheid waarin aan het eind van de eeuw het streven naar een ruimhartig, meedogend en moedig (?) toelatingsbeleid wortelt. Een analyse van de gevolgen van zo'n beleid is bij de voorstanders ervan niet welkom, het afwegen van zo'n beleid in Europees of welk boven- of interstatelijk verband ook niet. Evenmin zijn die voorstanders van zo'n beleid bereid te luisteren naar de door de vooroorlogse regeringen gegeven verdediging van haar politiek. Geven we enkele zinnen uit de redevoering van minister-president Colijn bij de algemene beschouwingen voor het jaar 1939 op 15 november 1938 weer.[2] Colijn refereert aan het 'droevig drama, dat zich den laatsten tijd in onze omgeving in het buitenland heeft afgespeeld' (bedoeld is het pogrom tegen de joden op 9 november 1938 dat bekend werd onder de mijns inziens minder passende betiteling Kristallnacht). Colijn noemt drie maatregelen die direct werden genomen: 1) van het eerste ogenblik af aan zijn de onder onmiddellijke druk staande joden langs onze plus minus 300 kilometer lange Oostgrens direct toegelaten; 2) het onderzoek naar verzoeken om toelating is voorts onmiddellijk sterk bespoedigd; 3) kindergroepen, die tegen de Nederlandse grens aangedrongen waren, zijn toegelaten. Het betrof meerdere honderden in enkele dagen'. Colijn noemt dit de eerste noodhulp, 'maar natuurlijk heeft de regering zich ook bezig gehouden

176

met de vraag wat er nu verder gebeuren moest'. 'Onze berichten zijn, dat het buitenland de deuren vergrendeld houdt. Dit betekent, dat als wij de grenzen zouden openstellen, dan ook alle vluchtelingen door dat ene gat Nederland zouden binnenkomen. Hoeveel zouden dat er zijn? Er zijn in Duitsland, naar men zegt, 600.000 joden. Nu neem ik niet aan, dat die 600.000 allemaal over de Nederlandse grens zouden komen, maar waarom zouden het er niet 100.000 zijn? Dat is volstrekt niet een te hoog gegrepen gissing. Een aantal van 100.000 kunnen wij met geen mogelijkheid in ons land toelaten, om van 200.000 of meer maar niet te spreken'. De minister-president betoogt dan verder hoe moeilijk het is een grens te bepalen. Heeft men de grens aangegeven en is het quotum vol, dan zijn er honderddui-zenden achtergeblevenen 'die morgen ook weer in een toestand kunnen ge-raken, dat zij hun land moeten verlaten'. Colijn meldt dat de regering zich 'in verbinding heeft gesteld met de regering van Denemarken, van Londen, van Brussel, van Parijs en van Bern over de vraag of het mogelijk is in ge-meenschappelijk overleg iets te doen om hier soelaas te brengen... In Nederland zullen wij twee barakkenkampen in het leven roepen'.

Zie hier de "bangige neutraliteitspolitiek". Maar de critici zwegen en zwij-gen over wat een goed alternatief zou zijn geweest. Luidkeels getuigen te-gen de grote westerse machten die hun grenzen afgrendelden?

Gevaar voor 'Überfremdung'

Bij het lezen van veroordelingen een halve eeuw later van de politiek van Colijn cum suis, krijg ik steeds de indruk dat de 'progressieve' scherp-rechters de omstandigheden waarin die politiek moest worden gevoerd niet - of maar oppervlakkig - hebben bestudeerd, dat zij van het meest funda-mentele feitenmateriaal geen kennis hebben genomen, ja dat zij de hier no-dige studie van zich afschuiven. Het boek van Van der Zee kwam uit in 1997, zij had dus ruimschoots de gelegenheid de uitputtende en zeer goed gedocumenteerde studies van Wyman[3] te lezen, waarin de Noord-Amerikaanse en Engelse politiek van voor en tijdens de oorlog wordt bloot-gelegd en duidelijk blijkt dat Colijn niets miszegde toen hij stelde dat: 'het buitenland zijn grenzen vergrendeld houdt'. In zo'n situatie moest dus, vol-gens hen die ons een permanent schuldgevoel aanpraten, één kleine natie tien- en honderdduizenden laten binnenstromen, liefst niet met een 'tijde-lijke vergunning tot verblijf' en zonder kritisch te bezien om wat voor soort mensen het ging. De parallellen met de situatie anno 2000 vallen op. Er zijn echter duidelijke verschillen. De regering van toen bezag de toestand niet zonder medegevoel, maar met het besef: wij hebben allereerst te zorgen voor de belangen van het Nederlandse volk. Men schuwde het ook niet in officiële stukken onderscheidend te werk te gaan. In een nota van het Ministerie van Sociale Zaken[4] wordt onderscheid gemaakt tussen wester-se joden (dat wil in concreto zeggen zij die in Duitsland geboren zijn) en de zogenaamde Oost-joden. De laatsten 'zijn geboren en getogen in Oost-Europeesche landen, zij hebben een geheel andere mentaliteit en staan in het algemeen op een veel lagere trap van cultuur dan de West-joden'. Verder wordt in de nota opgemerkt: 'staatkundig gezien kan het opnemen van grote groepen personen van vreemd ras en vreemde nationaliteit, gevaar opleveren voor *'Überfremdung'*. 'Veel vluchtelingen, evenals overigens de overige Duitsers (niet-vluchtelingen) die in ons land verblijven, hechten eraan de Duitsche taal als voertaal te blijven gebruiken'.

Het is slechts een greep. De toelatingspolitiek leek dus hard, moest dat wel zijn. Toch gaat het mijns inziens te ver de uitleidingspolitiek harteloos te noemen. Wel degelijk wordt mei 1939 geconstateerd dat, afgezien van enkele tientallen slachtoffers die in de zogenaamde Kristallnacht vielen, het zwaartepunt van de vervolgingen in Duitsland, uitmondend in mishandeling tot de dood erop volgde, allereerst op 'extreem-links' - dat wil zeggen de communisten - gericht was. Zij werden na 1933 als eersten bij duizenden in concentratiekampen opgesloten en daar het slechts behandeld. In dit verband zijn aantekeningen van een Amsterdamse hoofdinspecteur[5] van politie van belang met betrekking tot het onderhoud dat hij had met de plaatselijke Procureur-Generaal op 4 mei 1939. *'De P.G., verklaarde, bij eventuele moeilijkheden geheel achter de politie te zullen staan, als men maar geen uiterst links georiënteerden uitleidt'* (mijn cursivering, TK). De aantekening vervolgt met de opmerking dat Mr. Tenkink (een hoge ambtenaar van het Ministerie van Justitie) reeds eenzelfde toezegging had gedaan. Uiteraard kon zo'n beschermende bepaling ten aanzien van gevluchte communisten niet gemaakt worden zonder toestemming van de Minister van Justitie c.q. het kabinet, maar eveneens uiteraard: in het neutrale, maar anti-communistische Nederland kon zo'n humanitaire, de regels doorbrekende aanwijzing alleen vertrouwelijk doorgegeven worden. De waarschuwing tegen Überfremdung was terecht. De vluchtelingen werd verboden zich, in ons land zijnde, in het openbaar met politiek bezig te houden. Heden laat men zelfs groepen uit eenzelfde land met verschillende etnische of religieus-politieke achtergrond hier in Nederland hun politieke strijd voortzetten, die ze 'thuis' zouden moeten voeren, met alle lasten en schaden die dat voor de Nederlandse samenleving met zich brengt.

Een verdeelde natie op de rand van de oorlog

Ik maakte al eerder de opmerking dat men eind 20[ste] eeuw schrijvend en oordelend over wat 50 tot 70 jaar eerder gebeurde in het door acht miljoen burgers bewoonde Nederland, te weinig de welvaartstoestand, met name in de crisistijd na 1929, in de beschouwingen betrekt. In feite zou in geen enkele studie over die tijd die enigermate compleet en billijk wil zijn een beknopte schets van de politieke en sociale constellatie en het gehele samenlevingsklimaat mogen ontbreken. De binnen- en buitenlandse politiek en eigenlijk alles wat van politiek en cultureel belang was werd bepaald door een kleine groep politici, diplomaten, bankiers, reders en ambtenaren; het volk leefde bekneld in een zuilenmaatschappij die op alle niveaus in hoge mate beheerst werd door een elite die qua afkomst en/of vorming verre boven het 'gewone volk' uitstak.[6] Een universitaire studie was slechts voor weinige duizenden bereikbaar, middelbaar onderwijs voor kinderen van de 'werkende klasse' praktisch uitgesloten. Het grootste deel van de bevolking nam een bescheiden, gehoorzame, zelfs soms onderdanige houding aan tegenover de elite. De sociaal-democraten stonden, zeker landelijk, politiek aan de kant. Zij pleitten voor hun Plan van de Arbeid dat, door Tinbergen ontworpen, de trekken vertoonde van de financieringspolitiek van Keynes. De tegenstellingen waren zo fel dat in gereformeerde kring de Plan-gedachte veroordeeld werd als een opstand tegen de voorzienigheid Gods: het was de mens niet gegeven te grijpen naar het sociale maakbaarheidsideaal. Daar kwam bij dat de sociaal-democraten slechts langzaam van hun pacifisme losgemaakt konden worden. Pas het naakte fascisme in actie in Abessinië en Spanje overtuigde hen van de noodzaak van bewapening; eerst vlak voor het uitbreken van de oorlog kwam, augustus 1939, het kabinet De Geer tot stand waarin sociaal-democraten de posten van sociale zaken en verkeer en waterstaat mochten bezetten. Iets ging zich aftekenen van een streven naar grotere saamhorigheid die in de bezettingstijd verder zou rijpen. Opmerkelijk is de oprichting van een organisatie als Eenheid door Democratie die intussen een ledental van niet meer dan 30.000 bereikte.

Het is te begrijpen dat men zich aan het eind van de eeuw nauwelijks nog een voorstelling kon maken van de zuilenmaatschappij van voor de Tweede Wereldoorlog. In alles leefde men gescheiden, ook op gebieden van studie, kunst, sport en recreatie. Ruimtelijk was men gesepareerd in wijken, gebouwd door woningbouwverenigingen op levensbeschouwelijke grondslag zoals die van protestanten, rooms-katholieken, roden, algemenen en bijzonderen; op dezelfde wijze was al het onderwijs verbijzonderd. Vooral roomsen, gereformeerden en orthodoxe hervormden hielden zich zoveel mogelijk apart. De sfeer tussen roomsen en protestanten was soms vijandig te noemen; geestelijken hadden geen contact met elkaar, scholen bevochten elkaar. Ook met joden had men geen of zeer weinig contact; toch leerden de gereformeerden dat, wat er ook zou gebeuren, de joden in zeer speciale zin Gods 'uitverkoren' volk zouden blijven.
Pas bepaalde gebeurtenissen tijdens de bezetting deden personen uit verschillende kampen met elkaar kennismaken. Een concrete vorm van verzet tijdens de eerste oorlogsjaren bestond uit het vrij frequent doorknippen van Duitse telefoonlijnen. Waar de daders meestal onvindbaar bleven, dwong de bezettende macht willekeurige burgers, steeds met z'n tweeën, langs de weer gerepareerde lijnen te patrouilleren. Gevolg was dat maatschappelijk hoog en laag, godsdienstig en ongodsdienstig, communist en anti-revolutionair met elkaar in gesprek geraakten. Op nog intensievere wijze deden dergelijke voor het vooroorlogse Nederland uitzonderlijke contacten zich voor in de concentratiekampen.[7] Allerlei overlevenden hebben daarover in hun na-oorlogse geschriften gemeld; het was een van de belangrijkste factoren, die na de oorlog, ondanks het herstel van de oude partijverhoudingen, aanzienlijk aan de veranderingen in het geestelijk klimaat bijdroegen.

De verdeelde natie werd na 1929 bezocht door barre werkloosheid. In 1933 telde men rond 400.000 werklozen; door meerdere loonsverlagingen bevonden even zovele burgers zich op een inkomenspeil dat zeker 'beneden de armoedegrens' genoemd moest worden. Van de rond 8 miljoen burgers die door minder dan 2 miljoen werkenden moesten worden verzorgd, bevonden zich 40 tot 50% in moeilijke omstandigheden. Colijn was blij dat hij midden 1939 kon melden dat hij tot juni van dat jaar het werklozental tot ongeveer 300.000, dus met 100.000 terug had gebracht. Ook ging hij er prat op dat hij ervoor had gezorgd dat van 1934 tot 1938 het aandeel van de defensie-uitgaven gestegen was van 1.1% naar 2.2% van het bruto nationaal product. In België, Denemarken, Noorwegen, Zweden en de Verenigde Staten was dit percentage in 1938 lager. Schijnbaar was hiermee heel wat bereikt, maar in het licht van het feit dat het volk in 110 jaar geen oorlogservaring meer had meegemaakt, het leger te licht bewapend en de manschappen te weinig gehard en geoefend waren, bleek het te weinig; een veldleger van 280.000 man moest in mei 1940 binnen 5 dagen capituleren. Colijn en de zijnen hadden de mogelijkheden van dat leger sterk overschat. De capitulatie en het vertrek van koningin en regering verbijsterden hem. In de familiekring sloeg hij met een hand tegen het voorhoofd, uitroepend: 'Ik begrijp niets van de legerleiding. Slechts 1700 à 1800 man gesneuveld. Ons volk voelt niet aan. De juiste geest heeft ontbroken.'* De autoritaire, zelfgenoegzame, ex-Shell directeur, die met de noden van de massa van het volk weinig voeling had, en zich ook door meer 'linkse' elementen weinig liet beïnvloeden, was het spoor voor korte tijd volkomen bijster. In De Standaard schreef hij dat de vlucht van de regering een schandaal was en dat - zo hij zich niet sterk vergiste – "zij het vertrouwen van waarschijnlijk 95% van het Nederlandse volk mist". Colijns opinie over de strijdbaarheid van de Nederlanders van toen moge juist zijn geweest; zijn veroordeling van de verplaatsing van de zetel van de regering kwam in die eerste dagen na de capitulatie overeen met die van de meerderheid, spoedig zouden de inzichten echter veranderen en zou ook Colijn zijn plaats innemen in de rijen van het verzet. Dit verzet zou, zeker het eerste jaar, echter onbeholpen, ja stuntelig blijven. Niets was voorbereid, zelfs de evacuatie van regering en koninklijke familie waren pas in april 1940 met de Engelsen besproken. Het kabinet De Geer had geweigerd - ook nog in december 1939 - te overleggen met de geallieerde legers. Een kleine correctie op dit beeld moet worden aangebracht: de Generale Staf had in het geheim wel degelijk enig overleg met de geallieerde staven gevoerd; te laat echter om te leiden tot effectieve geallieerde militaire hulp.

Het veroordelen van de vooroorlogse Nederlandse politiek lijkt 60 à 70 jaar later makkelijk. Na een grondige analyse dit met goede redenen te doen, is moeilijker. Men leefde in een politiek klimaat dat ten dele nog 19e eeuwse trekken vertoonde. Pas in de laatste kabinetten voor de oorlog werd het niet meer vanzelfsprekend geacht dat de voornaamste posten in de diplomatie, het leger en die het hof betreffend door telgen uit christelijk-historische families werden bezet; in 1935 werd het 'plebs' nog tijdens het Jordaan-

* J. Bank en C. Vos, *Hendrikus Colijn*, Houten, 1987, blz. 114.

oproer neergeschoten. Wie stond vreemd tegenover het denken in maatschappelijk hoger en lager, cultureel meer- of minderwaardig? Wie anno 2001 durft te schrijven over volkeren of volksgroepen met een hogere of lagere trap van cultuur, stelt zich haast bloot aan vervolging. Nuchter werkelijkheidsbesef moge velen 60 jaar geleden hebben ontbroken, ook nu is koel onderscheidend denken aan velen vreemd. Minderjarige zogenaamde asielzoekers laat men nog bij voortduring toe tot verblijf in ons land met een niet principieel begrensde verblijfstitel. Men zie die jongens eens aan: ze komen uit Liberia, Sierra Leone, Guinea of andere staten in West-Afrika; vaak waren ze kind-soldaten, ze hebben gemarteld, verkracht, gemoord, mensenvlees gegeten soms; Chinese tieners arriveren die in het paradijs der tolerantie zo spoedig mogelijk een of twee kinderen baren. Die vooroorlogse ambtenaren die Oost-joden een lager staande cultuur toekenden dan westerse joden en daardoor met meer bedenken tegen toelating van de eersten stonden, wat zouden ze nu rapporteren, met de objecten van hun onderzoek al in het land en wetend dat rapporten van hen verwacht worden waarin de begrippen als 'opvang in mededogen', 'wederzijds begrip' en 'aanpassing' groot zijn geschreven. De 'autoriteiten' weten nog steeds niet wat met die vele duizenden jongelui per jaar toe doen. Enkele maanden geleden las ik een krantenbericht waarin vermeld werd dat een schip van de kustwacht van de U.S.A. een boot met illegale immigranten had aangehouden. De opvarenden: Dominicanen, Haïtianen en Chinezen hadden het plan te landen op de kust van Florida. De kustwacht bracht de boot op en deed de opvarenden ergens op de kust van Haïti aan land gaan. Ik dacht toen: waarom hebben wij eigenlijk een dure vloot die haast niets nuttigs te doen heeft? Vervoer over zee en ontscheping van een aantal duizenden illegale immigranten op Afrikaanse kusten zou een signaal afgeven dat tot in het hart van de bush zou worden gehoord en begrepen.

Een zwarte bladzijde

Nanda van der Zee noemt het beleid inzake de Duitse vluchtelingen 'een zwarte bladzijde in de spreekwoordelijke mythe over het tolerante, humane Nederland'. Aan die mythe wordt in de laatste halve eeuw in elk geval weer duchtig tribuut betaald. De ene golf van zelfbeschuldiging volgt op de andere. In het verlengde van de zelfbeschuldigingen over het verzet of het gebrek daaraan in de bezettingstijd, klinken klachten over Nederlands kolonialisme, slavenhandel en gebrek aan 'gastvrijheid' in het heden. De zelfbeschuldigingen krijgen irrationele trekken. Dit is zeer goed te verklaren: honderdduizenden die van hun rigide dogmatische theologieën zijn afgevallen vinden hier hun compensatie in minstens even irrationele en rigide ethische denkbeelden. Inmiddels zijn er voldoende studies verschenen met veel feitenmateriaal, die zich ook niet louter op de vervolging van de joden concentreren, maar het verzet als geheel overzien, die een evenwichtiger beeld geven. Als goed voorbeeld is te noemen dr. C.M. van Hulten, *En verpletterd wordt het juk; verzet in Nederland 1940-1945*.[8] Schrijver begint de inleiding van zijn boek als volgt: "Tijdens de Tweede Wereldoorlog

181

is in Nederland op grote schaal verzet gepleegd tegen de Duitse bezetter. Dat wil niet zeggen dat alle Nederlanders actieve deelnemers aan dat verzet waren, maar wel dat meer Nederlanders op de een of andere wijze bij het verzet betrokken waren dan achteraf wel eens wordt aangenomen." Dat is voorzichtig en zeer juist gesteld. Toen de eerste verdovende klap - de nederlaag en het uitwijken van de regering naar Engeland - verwerkt was, werd al spoedig een massaal te noemen behoefte merkbaar op enigerlei wijze blijk te geven van anti-Duitse en anti-NSB instelling. Al op 16 juli 1940 werden de linkse partijen uitgeschakeld en hun bezittingen onder toezicht van NSBers geplaatst; het zou tot 4 juli 1941 duren eer alle politieke partijen werden verboden - behalve de NSB. In de tussentijd was de toeloop tot de in juni 1940 gevormde Nederlandse Unie enorm: niet minder dan 800.000 leden kreeg zij alleen reeds omdat velen zich gedrongen voelden direct, hoe dan ook, een stem te laten horen tegen de NSB die tevens een doorbrak door de oude partijgrenzen betekende. In augustus 1940 konden anti-revolutionairen en christelijk-historischen nog grote bijeenkomsten houden in de Apollohal in Amsterdam. Het ledental van de A.R. - 70.000 voor mei nam toe tot 250.000. Men merke op hoe massaal deze aantallen waren in een land met circa 8 miljoen inwoners waarin in het algemeen slechts één gezinslid, de man, lid van een partij werd.

Tastbaar verzet was er praktisch vanaf de eerste dag. Verschillende personen en groepen begonnen direct na de 15e mei met gestencilde verzetsbladen. Volgens de capitulatie-overeenkomst moesten alle wapens ongeschonden aan de Wehrmacht overhandigd worden. Niet altijd werd daaraan voldaan. Op 16 mei 1940 vernietigde het eerste Regiment Huzaren op het Malieveld in Den Haag zijn gehele uitrusting. Al in de eerste dagen en weken van de bezetting werden de eerste verzetsgroepen gevormd. Wat echter te doen, wat te laten? De regering had niets voorbereid, geen instructies achtergelaten, geen geheime wapendepots aangelegd. Pas op 20 april 1940 toen de regering van de komende inval overtuigd raakte, was contact met Londen opgenomen over de mogelijke evacuatie van koningshuis en regering. Na de eerste schok die hun vertrek veroorzaakte, kreeg de presentie van vorstin en kabinet in Engeland vrij spoedig breed begrip. Met de ontkomen oorlogsvloot en zijn 3000 opvarenden, een deel van de luchtmacht, 1000 landmacht militairen en nagenoeg de gehele handelsvloot kwam men niet met lege handen. Geleidelijk werden verbindingen met het verzet opgebouwd; de strijdbare toespraken van de koningin, de eerste ging reeds op 13 mei de lucht in, sterkten in velen de wil tot weerstand. De minister-president Gerbrandy, die 3 september 1940 de defaitistische De Geer was opgevolgd, sloeg met zijn onbewimpelde toespraken, merkwaardig goed aan; het opmerkelijk hoge en doordringende stemgeluid werd populair in de honderdduizenden zolder- of bergkamertjes waarin clandestien naar Radio Oranje en de BBC werd geluisterd. Nu is het een vrij veel voorkomende gewoonte geworden over dit alles nogal laatdunkend te doen. Radio-luisteren verzet? Ja, dat was het sinds op 9 juli 1940 werd bepaald dat alleen mocht worden geluisterd naar zenders die onder Duitse controle stonden. Toen niet-NSBers daarop hun radiotoestellen moesten inleveren, bleef de bevolking in het bezit van ongeveer 1 miljoen toestellen. Ik herinner mij levendig hoe elke dag - soms meerdere malen - het zware Philips toestel uit een gecamoufleerde bergplaats tussen het plafond gehesen werd. Velen legden zich weer toe op het in elkaar knutselen van eenvoudige kristalontvangers. Was dit verzet? Het was niet bepaald zeer riskant, maar wie gesnapt werd, kon op straf rekenen. Het niet dadelijk na de bezetting aanvangen met ernstige vormen van sabotage, geweld of staking, lag overigens ook in lijn met de aanwijzingen die de regering gaf. Letterlijk drukte Wilhelmina de bevolking op het hart voorshands te volstaan met 'passief verzet'; de regering zou te rechter tijd duidelijke aanwijzingen geven als van de bevolking meer zou worden verwacht. Het is onbegrijpelijk dat vandaag nog critici de aanwijzing tot aanvankelijk nog passief verzet laken. Van dit standpunt uit is ongetwijfeld de voorstelling ontstaan dat het volk overwegend - ook tijdens de jodenvervolgingen - passief aan de kant stond. Letterlijk zei koningin Wilhelmina in haar radio-boodschap van 30 juni 1941 dat men 'lijdelijk verzet' moest plegen. Vrijwel over de gehele linie hield het verzet zich aan deze richtlijn. Het ondergrondse *Vrij Nederland* gaf het volgende commentaar: 'Nederlanders houdt u aan het bevel van uw wettige vorstin. Pleegt waar en wanneer gij kunt lijdelijk verzet tegenover den onderdrukker en bereidt u voor op het actief verzet, waartoe het sein namens onze wettige regering zal worden gegeven, zodra het gunstige moment is aangebroken'. Wat kon men anders? De Februari-staking en de eraan vooraf gegane gevechten en razzia's in de jodenbuurt in het hart van Amsterdam, kan men rekenen tot de mooiste momenten van het verzet: joodse en niet-joodse Nederlanders vochten zij aan zij tegen de provocerende Weer-Afdelingen van de NSB. Het resultaat was echter dat in de hoofdstad 425 joodse jongemannen werden opgepakt, die - op één na - hun leven eindigden in het concentratiekamp Mauthausen. SS-politiechef Rauter zei over dit kamp in een gesprek met de Secretaris-Generaal van Binnenlandse Zaken Frederiks: 'U zou het er misschien 6 weken uithouden, een man met mijn constitutie hoogstens 9 maanden'. Dit werd opzettelijk zo gezegd en uitgelekt om er de vrees goed in te hameren. Een ieder wist: gewelddadig verzet, bij voorbeeld in de vorm van sabotage van militaire installaties en transporten, ook het opblazen van spoorlijnen enz., zou beantwoord worden met een veelvoudige vergelding. Op 17 oktober 1941 werd in Nederland voor saboteurs de doodstraf ingevoerd; 13 april 1942 werden Henk Sneevliet en 7 andere RSAP-ers* gefussileerd; 3 mei volgt de executie van 71 O.D-ers** te Sachsenhausen. Het is niet billijk te beweren dat de regering in Londen niets deed. Voorshands kon ze niet veel meer dan spreken. Op 25 juli 1942 spoorde prof. Gerbrandy via Radio Oranje aan tot hulp aan de joden.

Men moest zich voortdurend afvragen of het brengen van bepaalde offers de vijand minstens evenredig zou treffen. Bovendien, wat ook vaak vergeten wordt, het gewelddadig verzet kon zich pas driester ontplooien en meer nut hebben naarmate de toestand aan de fronten daarvoor een zekere ruim-

* Revolutionair Socialistische Arbeiders Partij (Trotskisten).
** Orde Dienst, verzetsorganisatie met oud-militairen als kern[9]

te en ratio schiep. In het eerste halfjaar van 1941 won Duitsland nog op alle fronten. Veel niet-gewelddadig verzet was intussen vereist en mogelijk en daar hebben maar niet 'weinige uitzonderingen' aan mee gedaan, integendeel: het werd breed gedragen. Zien we naar het onderduiken en de pers.

Onderduik en pers[9]

In de loop van 1941 werd arbeidsinzet in Nederland verplicht gesteld, die in Duitsland bleef vrijwillig, maar werd 22 maart 1942 verplicht. Een belangrijk gegeven met betrekking tot de collaboratie van ons volk zouden wij in handen hebben als wij wisten hoeveel Nederlanders voor die datum vrijwillig in Duitsland zijn gaan werken van de ongeveer 500.000 die daar uiteindelijk belandden. Wel staat vast dat honderdduizenden niet vrijwillig zijn gegaan, maar zijn opgepakt bij razzia's in stadions, bioscopen of andere publieke plaatsen en in de winter '44-'45 na omsingeling van de voornaamste steden in het westen die systematisch werden uitgekamd. Alleen uit Rotterdam werden toen 50.000 mannen weggevoerd. Zelf maakte ik die actie mee in Hilversum; eerst de hele stad, dan woonwijk na woonwijk werd omsingeld. Op straat en achter de huizen stelden soldaten zich op die vluchtpogingen moesten voorkomen; anderen doorzochten getweeën huis na huis. Sommige mannen waren niet naar de verzamelplaats gegaan, maar hadden zich ook niet verborgen en werden veelal in hun huiskamer gearresteerd, anderen bleven in van tevoren gereed gemaakte schuilplaatsen. In Hilversum was het voorbereiden van een schuilplaats nogal gemakkelijk: men kende zeer weinig hoogbouw, dus was menigeen in staat een luik in de vloer te maken en daaronder in de droge zandgrond een gat voor een of meerdere mannen uit te graven. Dit 'verblijf' werd dan voorzien van een aantal dekens, enig voedsel en drinken en kon zo voor enkele en soms voor vele uren als schuilplaats dienen. Tienduizenden hebben zo in die dagen letterlijk ondergronds doorgebracht. Geruchten hadden niet zelden een uiterst negatieve uitwerking. Vrouwen die, via de tuinen, nog contact met elkaar hadden beweerden dat soldaten in de huizen soms door de vloeren en kasten heen schoten. Was het niet beter man of zoon te manen zich toch maar te melden? Nimmer heb ik dit bericht ergens bevestigd gevonden; mogelijk was het door de Duitsers zelf verspreid. Velen doken op het moment dat een razzia dreigde of, niet zelden door de Nederlandse politie gewaarschuwd dat er een arrestatie op komst was, in eigen huis onder. Anderen die bij voorbeeld op een étage woonden hadden die kans niet, weken uit naar familie of kennissen op het platteland of werden door leden van ondergrondse organisaties aan een onderduikadres geholpen. Kortere of langere tijd werden zo 325.000 à 350.000 mannen bij derden ondergebracht. Ook daar wordt nog wel luchtig over gedacht. Kon men dat nu wel verzet noemen? Wie daaraan twijfelt bedenke hoeveel personen zich in gevaar moesten begeven om één persoon min of meer langdurig te laten 'duiken'. In het algemeen kwam men in een woning of boerderij waar zich reeds een gezin van gemiddeld 4.2 personen ophield. Dit is het gemiddeld aantal personen dat toen in een Nederlandse woning leefde, personen dus die van de onderduiker/ster wisten en zich er constant van bewust moesten zijn hoe met die wetenschap om te gaan. Voorts: minstens één persoon uit een verzetsorganisatie was in het geding die de betrokkene onderbracht, terwijl voor bonkaarten en zonodig geld als regel weer anderen moesten zorgen. Bonkaarten, echte of valse persoonsbewijzen moesten gestolen, respectievelijk vervalst worden; vaak waren hiervoor overvallen op raadhuizen en distributiekantoren nodig. Gaan wij uit van 350.000 onderduikers, dan stelden zich zeker rond 1.500.000 personen voor deze groep aan grotere of kleinere gevaren bloot, ongerekend de inzet van duizenden verzetsmensen die voor onderbrenging, vervalste papieren, enz. zorgden wat de levens van honderden kostte. Niettemin stellen sommigen dat het grootste deel van het Nederlandse volk zo gewoon mogelijk zijn leventje voortzette. Op zichzelf hoeft dit niet op enige vorm van veroordeling te leiden als men bedenkt op welk een schaal gedaan werd wat gedaan moest worden. Wie allen in beschouwing neemt die op enigerlei tijdstip op enigerlei wijze betrokken waren, alleen al bij het onderduiken, komt tot de conclusie dat velen die op een of andere wijze hebben kennisgedragen van alles wat er omging en die zwegen of hielpen camoufleren, ook in hun bestaan daardoor werden geraakt.

Een massaal karakter nam ook de ondergrondse pers aan. Tot 1954 werden bijna 1200 ondergrondse bladen gedocumenteerd; in 1989 waren op het RIOD er nog 100 meer verzameld. Het tableau reikte van kleine geschreven of gestencilde blaadjes die in enkele tientallen exemplaren werden verspreid met het verzoek ze te vermenigvuldigen en weer door te geven, tot gedrukte regelmatig verschijnende uitgaven die uitkwamen in oplagen van vele tienduizenden. Bladen als *Ons Volk* bereikten hoge oplagen: tot ver over 100.000 exemplaren per nummer. Vele bladen verschenen drie tot zeven maal in de week. In december 1943 wordt de oplage van de vier grootste bladen: *Het Parool, Je Maintiendrai, Trouw* en *Vrij Nederland* gezamenlijk geschat op 450.000. Daarenboven gaven deze bladen extra nummers uit en brochures waarin speciale onderwerpen voor studiekringen werden belicht.

Ook buiten enig verband met ondergrondse dag- en weekbladen kwamen brochures uit waarin, hoe meer de oorlog vorderde, vraagstukken die zich na de bezetting zouden voordoen werden behandeld. Op de gevaren voor redacteuren, zetters, drukkers en verspreiders behoeft nauwelijks te worden gewezen. Als regel werden de bladen in koffers per trein vervoerd naar hoofdverspreiders in de provinciale hoofdsteden. Vaak werden de koeriers hierbij geholpen door 'goed' trein- en politiepersoneel. Vanuit de provinciale hoofdsteden vond de distributie naar kleinere steden en dorpen plaats, via districts- en plaatselijke hoofden. De laatsten gaven pakketjes met 20 à 30 krantjes aan de wijkverspreiders die ze bij als 'goed' bekend staande stads- of dorpsgenoten afgaven of in de brievenbus staken. Een indruk van de omvang van de verspreidingsnetten krijgt men als men er kennis van neemt dat alleen *Vrij Nederland* in Zuid-Limburg werkte met 50 verspreiders. Vele duizenden gaven aan dit werk veel van hun tijd en energie; honderden betaalden met hun leven.[10] Ik volsta hier met iets over slechts twee terreinen waaruit duidelijk wordt dat het reeds getalsmatig onjuist is te stellen dat 'de meerderheid van het volk aan de kant stond'. Nog enkele aanduidingen: hele bevolkingsgroepen gingen soms in haast gesloten formatie over tot protest- en verzetsdaden. Aan de Februari-staking van 1941 en de Mei-staking van 1943 deden vele tienduizenden mee; in een protestbrief aan Rauter maakten vrijwel alle Nederlandse artsen - 4300 - tegelijk front tegen de vijand (27-11-1942); 85% van de studenten weigerden de loyaliteitsverklaring te tekenen die de bezetter hen wilde afdwingen onder bedreiging met uitsluiting van iedere studie (10-04-1943). De kerken gingen voor in het verzet, aanvankelijk op voor-oorlogse wijze gescheiden. Op 23 maart 1941 geven de Gereformeerde Kerken nog alleen een herderlijk schrijven uit waarin geprotesteerd wordt tegen de uitschakeling en ontrechting van de joodse Nederlanders; 11 juni 1942 echter, vinden de samenwerkende kerken elkaar in een protesttelegram aan de hoogste Duitse autoriteiten tegen de deportatie van de joden. De kerken waren afgeladen vol in die tijd. In vele protestantse kerken werd het min of meer gewoonte de diensten te beëindigen met een strijdlied: het Lutherlied bij voorbeeld of een van de oud-testamentische wraakpsalmen. Het klonk tot ver in het ronde van menig kerkgebouw: ''t godloze volk wordt haast (=spoedig) tot as; 't zal voor Zijn oog vergaan als was, dat smelt voor gloeiende kolen'. Het werd luid gezongen en met een kracht die na de oorlog alleen nog bij de Urker mannenkoren te beluisteren viel.

Feiten, cijfers en omstandigheden in een falsificatie-proces

Het gaat er echter hier niet om het verzet te beschrijven. Vele goede boeken doen dit. Ik stip nog het kunstenaarsverzet aan, het schoolverzet, uitvoerig beschreven door J.C.H. de Pater. Het gaat erom het klagend en beschuldigend kader af te wijzen dat schrijvers als Van der Zee oprichten om daarbinnen dan aan te geven hoe niet alleen voor maar ook tijdens de oorlog het Nederlandse volk tegenover de joden volkomen tekort schoot; 1. weinigen wilden hen verbergen; 2. buren draaiden hun hoofd om als zij werden opgehaald; 3. 'de Nederlandse politie' of 'Nederlandse politie', haalden hen uit hun huizen; 4. door Nederlanders bemande trams en treinen vervoerden hen. Aan elk van deze vier punten wijden we nu enige aandacht, waarbij vooral de nadruk valt op concrete feiten, cijfers en omstandigheden die constant ontbreken bij hen die aan onze schuld van toen, onze plicht tot delging daarvan in het heden verbinden: het haast onbeperkt 'opvangen' van 'vervolgden' uit tientallen landen tot het ondersteunen van hun illegaal verblijf hier toe, honderdduizenden, uit welke natie, stam of cultuur ook.

Het navolgende wil in het geheel niet suggereren dat het Nederlandse volk perfect was in zijn verzet en steun aan de meest door de nazi's vervolgden. Wij kunnen echter pas oordelen aan de hand van feiten. Er waren feiten genoeg die aanleiding geven hen die veroordelen bij te vallen. Mijns inziens was met het tekenen van de door de nazi's geëiste 'Ariërsverklaring' door vrijwel alle ambtenaren de bijl gelegd aan de solidariteit die, ondanks alle tegenstellingen, de grote meerderheid der Nederlanders toch tegenover de nazi's verbond. Het leek zo onschuldig: niet-joden moesten schriftelijk verklaren dat zij niet-joods waren; joden dat ze dat wel waren. Massaal heeft men toen - 4 november 1940 - gefaald scherp te zien dat hier een niet te verdedigen scheiding in ons volk werd aangebracht door het apart stellen van één groep. Men heeft geprobeerd dit enigszins te verontschuldigen: men was nu eenmaal geen jood en gewend ook in de voor-oorlogse gemeente-administratie met kerkelijke gezindte of het ontbreken daarvan te boek te staan. Het heeft nog tot decennia na de Tweede Wereldoorlog geduurd eer aan deze praktijk een einde kwam. Met het hele traject van het isoleren en ontrechten van joden dat nazi-Duitsland al in grove brutaliteit had getoond achter zich, had het een ieder duidelijk moeten zijn, dat het om een beslissing ging die het hart van de vraag: capitulatie en collaboratie of principieel verzet raakte. Een daverend 'neen, wij geven die verklaring niet', had, aan het begin van de bezetting, een klaar signaal kunnen afgeven: het gaat om de basis van wat ons bindt, het is een zaak van onze trouw en waardigheid. Met deze beslissing als toetssteen is allerlei gestuntel met compromissen tot de verdediging van vergaande collaboratie te ontleden en aan de kaak te stellen.

Zwaar is de leden van de Hoge Raad aan te rekenen dat zij zonder enig protest hun president, mr. L.E. Visser, die een niet-godsdienstige joodse achtergrond had, lieten afzetten. Sommige secretarissen-generaal braken hun samenwerking met de vijand tijdig af, andere bleven bepaald te lang in functie. Over vormen van economische collaboratie die te ver gingen, is veel te zeggen. Dit is niet de bedoeling van het huidige stuk. Hoewel de kardinale fout van bijna alle ambtenaren niet meer ongedaan te maken was, riep zij wel duidelijk tegengeluiden op. Op 25 juni 1940 hadden acht protestantse kerken zich verenigd in het IKO (Inter Kerkelijk Overleg). Uit deze kring kwam nog in november 1940 de brochure *Bijna te laat*, geschreven door dr. J. Koopmans. In dit clandestiene geschrift dat volgde op een open brief aan Seyss Inquart tegen de anti-joodse maatregelen, zoals de Ariërverklaring, geselde Koopmans het Duitse beleid en waarschuwde hij zijn landgenoten. Een reeks van brieven en kanselboodschappen gericht tegen de nazi-politiek in het algemeen en de joden-vervolging in het bijzonder zouden volgen. De kerken redden zo de eer van de natie, maar node ontbraken op dat moment richtlijnen en bevelen uit Londen. Pas in februari 1943 sprak Gerbrandy tot het overheidspersoneel: 'Koningin, Regering en Vaderland vragen, neen, eischen een volslagen deelneming aan de strijd voor de bevrijding van ons grondgebied'. De regering kon pas eisen formuleren toen de oorlog in feite al gewonnen was; ze was onmachtig te rechter tijd een bevel te geven toen dit nog 'slechts' steunde op een ethisch imperatief.
Ik zal het wellicht tot vervelens toe herhalen: het beschouwen van feiten en gebeurtenissen in het verleden los van kennis van de omstandigheden van toen, eerder denkend en voelend vanuit het heden, heeft gevoerd tot een veelvuldige vervalsing van het geschiedbeeld. Ik kom tot de eerste van de bovengenoemde beschuldigingen. Zonder maar iets van de woonomstandigheden anno 1940 op te roepen (ze weten er niets van, hun onderwijs faalde) zien wij jongeren eind 20ste eeuw verontwaardigd reageren als hen ver-

teld wordt dat men de joodse vervolgden vaak zo moeilijk een schuilplaats wist te bieden. Wie heeft er heden niet vrijwel permanent een logeerkamer vrij, waar zijn niet een of meer zolderkamertjes beschikbaar? Men realiseert zich eenvoudig niet dat in de honderdduizenden voor-oorlogse volkswoningen, met een oppervlakte per woning van 50 à 60 m² plus meestal één zolderkamertje, de woningen echt helemaal vol waren als ze, zoals toen meer regel was dan uitzondering, bewoond werden door een ouderpaar met twee of meer kinderen. Die gezinnen, hoe goed joden gezind wellicht konden ze nu eenmaal niet herbergen, temeer niet als het een étagewoning betrof, waarin men ook niet of zeer moeilijk een schuilplaats zou kunnen maken. Want ook die was onmisbaar. Men realisere het zich goed: het merendeel van de bedoelde woningen wordt heden bewoond door één persoon. Tevens was het moeilijk joden te verbergen, omdat sommigen in hun gelaatstrekken typisch als zodanig te herkennen zijn. Het gedwongen maanden of zelfs jaren vrijwel altijd het huis te moeten houden en verborgen moeten blijven, leverde niet alleen voor de gastgezinnen, maar ook voor de gasten een extra zware last op. De aspirant-onderduiker dacht zich, al overwegend, zijn toekomstige positie goed in: ouders zouden vrijwel steeds van hun kinderen gescheiden worden; tot het opnemen van hele gezinnen was - ook op het platteland - vrijwel niemand in staat, zeker niet voor een langere periode. Wat was het alternatief? De nazi's hadden het steeds over 'migratie in gezinsverband' en 'tewerkstelling in het Oosten'. In Westerbork bleek dat gezinsverband in elk geval een feit. Dat kamp had voor de buitenstaanders geen geheimen. Groepen arbeiders uit het kamp die bij boeren uit de omgeving op het land werkten, personen die - althans 'bis auf weiteres' - werden vrijgelaten omdat ze een of andere 'Sperre' konden bemachtigen, specialisten die het kamp tijdelijk mochten verlaten omdat de firma waar zij in dienst waren geweest, verzocht of zij een bijzonder project waarbij hun deskundigheid onmisbaar was, mochten komen afmaken, via allerlei kanalen werd bekend: het is er geen hemel, maar ook geen hel: je wordt niet mishandeld, je hebt je werk, je loopt rond in eigen kleren, de kinderen krijgen onderwijs, het voedsel is voldoende, de medische verzorging is goed en er is tijd en ruimte voor ontwikkeling en ontspanning. Men moet de vragen waarvoor het joodse bevolkingsdeel stond dus vooral niet zien in het licht van alles wat pas na 1945 volledig bekend werd. Wel was er angst, vooral toen men in het kamp de werkelijkheid van de wekelijkse transporten naar het Oosten meemaakte. Wat wachtte aan het eind van het transport? De meer ontwikkelden wisten veel, ze hadden *Mein Kampf* gelezen en wisten van Hitlers dreigementen de joden te zullen vernietigen. Al eind 1939 druppelden berichten door uit Polen waarin melding werd gemaakt van massa-moorden door de zogenaamde Einsatzgruppen. Al in augustus '39 had Hitler opdracht gegeven als eersten in Polen joden, communisten en Poolse intelligentia uit te roeien. Vrij kort nadat in juli 1942 de transporten van Amsterdam naar Westerbork begonnen - 800 mensen per dag - drongen in het Westen berichten door dat in het Oosten op grote schaal mensen vergast werden, toen nog met behulp van vergassingsauto's. Veel was al bekend, maar het is zeer vele mensen eigen: ze willen niet weten. Anne Frank, die iets zeer volwassens had schreef 9 oktober

1942 in haar dagboek: 'Als het in Holland al zo erg is, hoe zullen ze dan in de verre en barbaarse streken leven, waar ze heen gezonden worden? We nemen aan dat de meeste vermoord worden. De Engelse radio spreekt van vergassing. Misschien is dat wel de vlugste sterfmethode'. Anne wist het blijkbaar; koningin Wilhelmina bevestigde tien dagen later over Radio Oranje dat de joden werden vernietigd; pas twee maanden later kwam een officieel protest van de geallieerde regeringen waarin bekend werd gemaakt dat zij op de hoogte waren van wat er in Oost-Polen gebeurde. Personen als de voorzitters van de Joodse Raad, Asscher en Cohen, wisten ook alles wat er te weten was. Toch maanden zij allen die door de Duitsers onder hun gezag waren gesteld, voortdurend de Duitse bevelen te gehoorzamen en vooral niet onder te duiken. Vooral het laatste maakte voor hen die opge- roepen werden voor 'werkverruiming in het Oosten' - via Westerbork - het extra moeilijk, ook als hun hulp om onder te duiken werd aangeboden, daar- op in te gaan. Geheel in het kader van de voor-oorlogse apartheidsmaat- schappij - groepen met verschillende religieuze achtergrond gingen nau- welijks met elkaar om; van de kansel werd men gemaand bij broeders in het geloof te winkelen! - waren contacten van joden met niet-joden in 't al- gemeen verre van hecht. Een andere barrière bestond erin dat joden welis- waar niet in getto's, maar toch zeer geconcentreerd en in meerderheid zelfs in één stad: Amsterdam, woonden. Onder deze omstandigheden is het aan- tal van circa 25.000 joden die onderdoken, toch bepaald niet gering te noe- men. Leden van menige familie namen verschillende beslissingen. De la- tere prof. Jacques Presser werd aanvankelijk in Amsterdam door de be- vriende Romeins verborgen, maar bracht daarna jarenlang ondergedoken in de provincie door; zijn ouders daarentegen, die ook in staat werden ge- steld te 'duiken' wezen dit af en kwamen in Polen om. Gezien de vele be- schuldigingen dat er te weinig is gedaan om joden te helpen, ligt de vraag voor de hand: Waarom is nooit een grondig onderzoek ingesteld naar het verschijnsel dat menigeen het aanbod te helpen bij onderduiken heeft af- gewezen? Interviews met hen die uit de onderduik boven kwamen of le- vend uit de kampen terugkeerden, hadden licht op deze vraag kunnen wer- pen. Gaan wij uit van 140.000 in 1940 in Nederland aanwezige joden waar- van 40 à 35.000 Duitsers - die naar voren geschoven door de Joodse Raad als eersten ten slachtoffer vielen - dan is een percentage van ongeveer 24% die niet luisterden naar de aanmaningen van de Joodse Raad om vooral niet onder te duiken, zelfs aanzienlijk te achten. Alle factoren in het oog gevat, bleek de bereidheid om joden te laten onderduiken onder de Nederlandse bevolking zeker niet geringer dan de bereidheid andere Nederlanders hier- bij te helpen; anders stond het met de feitelijke *mogelijkheid*.
Dit brengt ons tot de tweede beschuldiging die goed beschouwd dun is als een vlies, maar die vooral jeugdigen die geneigd zijn haar letterlijk op te vatten, moet treffen: de niet-joden draaiden hun hoofd om als hun joodse buren werden weggehaald. Allereerst: velen werden niet weggehaald. De Duitsers stelden lijsten op van hen die gedurende een bepaald tijdsbestek naar Westerbork moesten vertrekken; de Joodse Raad verstuurde daarna de oproepen voor hen die zich op bepaalde dagen op aangegeven verzamel- adressen moesten melden. Men was dus gewaarschuwd en kon nog probe-

ren onder te duiken. Velen meldden zich, anderen bleven thuis wachten tot ze gehaald zouden worden. Dat ophalen vond als regel 's avonds of 's nachts plaats, in elk geval als het al donker was en nog slechts weinigen zich op straat bevonden. De Duitsers deden zo veel mogelijk om voor hen onaangename reacties te vermijden en deden ook het mogelijke om te verhinderen dat de overige Nederlanders zouden waarnemen, hoe joden uit hun midden verdwenen. Daar komt bij dat naar schatting 90% van de Nederlanders in zeer wijde omtrek geen enkel joods gezin als buren had. Ik woonde destijds in Hilversum-Noord dat grotendeels door levensbeschouwelijk gekleurde bouwverenigingen verkaveld was. Hier en daar in door particulieren verhuurde woningen, woonde een enkel joods gezin. In de Erfgooierswijk gebouwd door Erfgooiers, godsdienstig en politiek dus zeer gemengd, - een grote uitzondering in die tijd - wisten wij precies één joods gezin te wonen. Het gegeven beeld verscherpt zich nog als wij zien naar de hoge concentraties waarin de joden in enkele steden woonden: met circa 58% in Amsterdam en circa 17% in Den Haag blijven van de 110.000 Nederlandse joden nog slechts ongeveer 27.500 over die verspreid leefden in de gehele rest van het land.

De documentatie van het Herinneringscentrum Westerbork heeft een cartotheek waarvan de kaarten zeer nauwkeurig weergeven hoeveel joden in 1939 in de Nederlandse gemeenten woonden en hoeveel er na de bevrijding nog waren of terugkeerden. Opvallend is dat de percentages van hen die aan deportatie ontkwamen meestal het hoogst liggen in die gemeenten waar geen gesloten groep joden woonde, waar men dus niet als het ware omsloten was binnenin hoge mate joodse wijken en contacten met anderen meer voor de hand lagen. Een voorbeeld vormt Enschede. Van de ongeveer 1600 joden die daar in 1939 woonden, bleek ongeveer 50% de bezetting te hebben overleefd. In twee verschillende bronnen vond ik hiervoor, elkaar overigens niet uitsluitende, verklaringen. Een stad als Enschede had een eigen Joodse Raad. Hoewel de Joodse Raad in Amsterdam het contact met de Duitse leiding die de 'Auswanderung' beheerste min of meer monopoliseerde, werd ze blijkbaar toch niet steeds door andere joodse raden gevolgd. De voorzitter in Enschede ried de joden wel aan onder te duiken. Een andere bron legt er de nadruk op dat bij de opvang van hen die wel wilden 'duiken' de bekende verzetsman ds. Slomp - bijgenaamd Frits de Zwerver - een zeer actieve rol speelde. Drie factoren vielen zonder twijfel gunstig samen: een vrij kleine gemeenschap, beter geïntegreerd dan de groot-stadse joden plus de activiteiten van twee sterk tot verzet neigende leiders.

Anders was het beeld in Amsterdam, temeer toen joden uit nabije provincie-steden en dorpen naar die stad moesten verhuizen. Waardoor het percentage daar geconcentreerden nog groter werd. Dit veranderde niets aan het feit dat ook in Amsterdam er vele wijken waren waar haast geen jood woonde; het versterkte slechts de aanwezige concentraties. Deze trof men naast de zogenaamde jodenbuurt, in het centrum, aan in de Transvaalbuurt in Oost. In beide buurten was het joodse proletariaat - Knoop[11] noemt ze "sinaasappeljoden" - sterk vertegenwoordigd. De Rivierenbuurt (Oud-Zuid) vertoonde een hoge concentratie aan joden van burgerlijke achtergrond; in de Concert-gebouwbuurt (Oud-West) tenslotte vond men een vrij aanzienlijke concentratie uit de rijkere en leidende kringen; ook Asscher en Cohen woonden daar. Op grond van deze gegevens is duidelijk dat ook in de hoofdstad betrekkelijk weinigen fysiek geconfronteerd zijn geweest met het ophalen en vervoer van de joden. Het is juist dat dit veelal geschiedde met Amsterdamse trams en dat het vervoer naar Westerbork plaatsvond in treinen met Nederlands personeel. Ook dit wordt als regel op het Nederlandse debetconto geschreven. Wat ontbreekt is ook maar één overweging over wat bij voorbeeld een tram- of treinstaking anno 1941 of 1942 had kunnen bewerken. Toen het zover was en de regering in Londen, begin september 1944, de spoorwegstaking afkondigde, nam Duits spoorpersoneel onmiddellijk zoveel vervoer over als nodig was voor Duitse militaire en burgerlijke doeleinden. De Nederlanders en met name het voedselvervoer per spoor voor het westen van het land werd veel meer last en schade toegevoegd dan de Duitsers maar bij verre benadering leden. Overwegingen waar, wanneer en hoe verzet te plegen, waren vaak buitengewoon moeilijk. Wie zich herinnert hoe in de ondergrondse pers diepgaande discussies gevoerd zijn, bij voorbeeld over de vraag of de verzetsbeweging gerechtigd was een landverrader, een collaborateur, enz. te liquideren, weet hoe zorgvuldig men daarbij in het algemeen te werk ging. Volgens sommige critici achteraf had het verzet uit een soort kamikazeheldendom moeten bestaan.

De rol van 'de' Nederlandse politie

In zijn overigens zeer instructieve boek over de Joodsche Raad meldt Hans Knoop[11] - als zovele anderen, waaronder Van der Zee -: *'Politie haalde de joden op van huis, let wel: de Nederlandse politiemannen'*. Dit schijnt voldoende. Wat die politie precies deed, onder welke omstandigheden, hoeveel Nederlandse politiemensen aan dat ophalen meededen, hoelang ze daaraan meededen, wat voor soort politie dit deed, het blijft alles onbehandeld. Wie de zaken zonder meer stelt, doorgeeft en doceert, decennia lang, zoals Knoop en Van der Zee dit deden, vertelt halve verhalen of niet eens dat en zorgt voor bronnen van geschiedvervalsing. Vooraf dit: het verzet liet politie-beambten die bekend stonden als handlangers van de vijand, niet ongemoeid. Op hen werden talrijke aanslagen gepleegd; vele politie-presidenten, W.A. (Weer Afdeling) lieden, landwachters, enz. werden neergeschoten. Alleen in de eerste negen maanden van 1943 werden 40 aanslagen gepleegd waarbij 45 personen werden getroffen en veelal gedood. In het jaar 2001 klinkt dit uiteraard weinig indrukwekkend; destijds was men in Nederland echter niet meer dan 2, 3 of 4 moorden per jaar gewend, die de pers maandenlang stof tot schrijven gaven. Dit ter zijde. Het optreden van 'de' Nederlandse politie bij de jodenvervolgingen met name in Amsterdam, is lang een steen des aanstoots gebleven waarover te weinig nauwkeurig vaststond. Zeer laat, 44 jaar na de bevrijding verscheen eindelijk een studie onder de titel *Dienaren van het Gezag; de Amsterdamse politie tijdens de bezetting*[12], die een zeer duidelijk en gedetailleerd beeld geeft. Terwijl in het kamp Vught de meeste joden uit de noordelijke, oostelijk en zuidelijke provincies van het land werden geconcentreerd alvorens zij werden doorgezonden naar Westerbork, was Amsterdam, waarheen joden uit nabij gelegen steden werden verwezen, het concentratiepunt voor 80.000 joden die verondersteld werden zich daar voor transport te melden. Door de vrijwel onvoorwaardelijke gehoorzaamheid van de Joodse Raad aan de Duitse bevelen, werd de deportatie ten zeerste vergemakkelijkt en de wil van Nederlandse politiemensen tot verzet niet gestimuleerd.

De genoemde studie geeft aan, hoe de reorganisatie van de Amsterdamse politie sinds het Jordaan-oproer (1934) een ontwikkeling van de mentaliteit van het corps in de hand had gewerkt die tijdens de bezetting beïnvloeding door de Duitsers bevorderde. Al voor de bezetting staakte de burgemeester het afleggen van publieke verantwoording over de ordehandhaving; de hoofd-commissaris centraliseerde het corps en richtte een aparte, relatief zwaar bewapende eenheid op die een rol ging spelen in het militaire onderricht van het personeel. Een mentaliteit van domweg gehoorzamen aan bevelen werd bevorderd. Toen de Februari-staking uitbrak (1941) moesten echter eenheden van de Sicherheitspolizei de demonstraties onderdrukken. Sedertdien zou de SIPO in het bezettingsbestuur een vooraanstaande plaats innemen. Aan het hoofd van het stadsbestuur en de politie werden Duits-gezinde Nederlanders geplaatst. De nieuwe politie-commandant, Tulp genaamd, richtte zich niet langer voor zijn instructies naar Nederlandse, maar naar Duitse gezagsdragers. Speciale eenheden werden opgericht ter bestrijding van het verzet en ter vervolging van joden. Deze eenheden en het maart 1942 ingezette politie-bataljon Amsterdam, dat in nationaal-socialistische geest was opgeleid in Schalkhaar, vormden voor de Duitsers min of meer betrouwbare handlangers. Deze eenheden moeten dus duidelijk onderscheiden worden van het gros van gemeentepolitie en recherche die in hoge mate van nazi-smetten vrij bleef.

September 1941 vaardigde de SS en politiechef Rauter eigenmachtig een decreet uit dat joden de toegang ontzegde tot openbare gelegenheden en dat hen verbood te verhuizen. Tulp wachtte niet op uitvoeringsinstructies, die van het Departement van Justitie plachten te komen, maar droeg zijn ondergeschikten op het decreet direct naar de letter uit voeren. Door de politie-beambten die dit bevel op straat moesten uitvoeren en de naleving controleren, werd het echter niet opgevolgd. Tulp zette zijn personeel onder extra druk, waarop het iets aan de uitvoering van de instructie deed, om na enkele weken weer terug te vallen op zijn houding van passieve tegenstand door geen overtreders van Rauters verordening meer te arresteren. Deze houding werd voor het gros van de niet aan Duitse kant staande politiebeambten tot een vast patroon. Men werkte in zekere mate, zo mogelijk vertragend - mee, was bij voorbeeld aanwezig bij de inschrijving van joden die zich ter wegvoering meldden en begeleidden in zekere zin het werk van de Joodse Raad. Dit orgaan, dat met zijn uiteindelijk circa 14.000 medewerkers was uitgegroeid tot een soort alomvattend joods bestuursmechanisme, nam, kritisch bezien de Duitsers veel werk uit handen. Toch hebben hoogstaande joden, die de 'eigen mensen' zo goed mogelijk wilden bijstaan, deze praktijk verdedigd. In zijn reeds eerder aangehaald boek doet Abel Herzberg[13] dit door de volgende aspecten van het optreden van de Joodse

Raad naar voren te halen: 1. door het Sperre-systeem (het voorlopig vrij-stellen van deportatie) trachtte men de uitdrijving van de joden te vertra-gen. Dit bleek in hoge mate illusoir. Kritische joodse schrijvers als Knoop hebben overtuigend aangetoond dat men er alleen in slaagde wat Cohen noemde 'het betere deel' van de joodse gemeenschap zolang mogelijk voor deportatie te sparen, waarbij allereerst de Duitse joden werden opgeofferd en vervolgens 'de man uit het volk', wat Knoop noemt de 'sinaasappeljo-den'. 2. Voorts stelt Herzberg dat de Joodse Raad door haar sociale dien-sten, die zorgden voor voedsel, drinken, dekens, begeleiding van hen die niet goed ter been meer waren enz., leed kon verzachten. Hierover is op te merken dat zij daarmee wat uiteindelijk de Duitse vernietigingsmachine bleek te zijn, soepeler deed verlopen. 3. Tenslotte voert Herzberg aan dat 'de tactiek van rekken, het zoeken van compromissen en naar het 'minde-re kwaad', wellicht een uitstel had kunnen bevorderen, waardoor bij een invasie die steeds maar weer spoedig werd verwacht, joden zouden kunnen worden gered. Ook toen de oorlog in een veel later stadium was, had men in dit vrij illusoire denken bij voorbeeld in Hongarije vele joden kunnen redden door in te gaan op Himmlers aanbiedingen joden tegen goederen uit te wisselen. Gezien het tempo waarin de Duitsers de deportaties in en van-uit Nederland geheel volgens plan konden doorzetten, lijkt van geen van deze motieven iets in de realiteit te hebben kunnen doorwerken. Het enige dat erkend kan worden is het feit dat een vrij groot deel van de joodse eli-te, sommigen via Barneveld en anderen via Westerbork in Theresiënstadt of Bergen-Belsen belandde. Van daaruit werd een klein aantal voor vertrek naar Zwitserland vrijgelaten, terwijl anderen de bevrijding ter plaatse mee-maakten.

Men doet goed het beeld van de vergaande joodse coöperatie in het oog te houden als wij moeten beoordelen hoe gewone straatagenten zich in deze context opstelden. Zij, die in grote meerderheid bepaald anti-nazi waren, werkten soms mee bij ontvangst op meldingskantoren, begeleiding bij trans-porten, enz. Zij hadden het voorbeeld voor ogen van talrijke joden die ge-willig en nauwkeurig aan de deportatie van hun lotgenoten meededen, blij dat zij nog een 'Sperre' bezaten.

Zomer 1942 werden de Duitse acties onder hogere druk doorgezet. De be-middelende rol van de Joodse Raad werd afgeschaft, wat echter leidde tot een afname van de aanmeldingen. Ook dreigementen en enkele wilde raz-zia's van de Ordnungspolizei zorgden er niet voor dat voldoende joden zich meldden. Begin september kreeg het gehele Amsterdamse politiekorps op-dracht joden 's avonds van huis te halen. Schijnbaar deed de politie wat was opgedragen. Brieven met adressen waar men 's avonds mensen uit hun huis zou moeten halen, die 's morgens of 's middags werden verstrekt, gebruik-te de politie vaak om de slachtoffers te waarschuwen. Ook in andere ste-den was dit een veel voorkomende praktijk. De Duitse leiding wijzigde daarop haar tactiek: de agenten moesten zich 's avonds in kleine groepjes op bepaalde plekken verzamelen en kregen daar pas, dus vlak voor hun in-zet, de adressen uitgereikt.

In het algemeen krijgt men de indruk dat de Duitsers hoofdzakelijk werden tegengewerkt door het lagere personeel. Slechts twee inspecteurs die door hoofdcommissaris Tulp - lid van de Germaanse SS - werden aangewezen om het personeel aan te zetten tot een betere uitvoering van de anti-joodse maatregelen, lieten het afweten. Collaboratie vanaf de hoogste rangen in de departementen was eerder regel dan uitzondering. Hierbij is vereist te bedenken wie midden 1942 als secretaris-generaal optraden. De meeste van deze functionarissen, die door de regering in Londen aan het hoofd van het burgerlijk bestuur waren achtergelaten, waren op dit tijdstip al uit protest tegen Duitse maatregelen vrijwillig afgetreden of door de Duitsers uit hun ambt ontzet. Op Justitie fungeerde ten tijde van de meest intensieve anti-joodse acties de door de Duitsers benoemde NSBer Schrieke.

Wekte de 'gewone' politie dusdanig het wantrouwen van de Duitsers dat ze slechts één maand werd ingeschakeld bij het ophalen van de joden, meer mochten zij verwachten van het militair getrainde en in de nazi-ideologie gedrenkte politie-bataljon. Getalsmatig stelde dit echter niet veel voor. De reguliere sterkte omvatte 325 man. Eind juli 1942, kort voor het bataljon bij de wegvoering van de joden werd ingezet, waren er van de 254 manschappen die men in Schalkhaar had klaar gestoomd, slechts 139 over. Verschillende groepen had men aan steden moeten afstaan waar NSB-hulp-politie werd opgeleid; anderen verdwenen door andere oorzaken: het ziekteverzuim was hoog. Geheel 'fout' was ook het bureau Joodse Zaken dat bezet werd door twee inspecteurs en ongeveer 20 agenten, allen met een anti-joodse instelling. Merkwaardig is dat de NSB-burgemeester Voûte van mening was dat de Amsterdamse politie zich bij de deportatie van de joden afzijdig diende te houden. Hij had echter niets in te brengen bij de hoofd-commissaris die volledig door zijn mede SSer Rauter gedekt werd.

Het wantrouwen van de Duitsers tegenover de 'gewone' politie was niet zonder grond. Inspecteurs gaven opdrachten voor het ophalen van joden bij voorkeur aan mensen waarvan ze wisten dat ze 'goed' waren. Die agenten riepen beneden aan de deur: 'Politie, is die en die thuis?' De agenten liepen niet door naar boven, zij deden dit pas als gezegd werd 'hij is niet thuis' om dan de aanwezigen toe te voegen: 'zeg maar dat hij komen moet'. Het bureau Joodse Zaken veranderde toen weer van tactiek en besloot joden per brief naar een politiebureau te ontbieden om daar de aanzegging in ontvangst te nemen. Intussen kwam de ondergrondse pers met een speciale actie. De drie grootste bladen publiceerden een gezamenlijk 'Manifest tegen de slavernij', geschreven door Henk van Randwijk, dat op grote schaal werd verspreid. De Duitse politie intensiveerde haar activiteit en zond patrouilles uit om toe te zien op het optreden van de Nederlandse politie. Het ophalen gebeurde vaak onder grote spanning. Soms vormde zich enig publiek dat geregeld door woedend geschreeuw van zijn afkeuring blijk gaf. Eén Nederlandse agent raakte zo overstuur door het Duitse toezicht dat hij zonder meer op de Grüne Polizei wilde gaan schieten. Het opbrengen van joden vond vrijwel nooit overdag plaats. In één van de zeer weinige gevallen dat twee agenten met enkele joodse arrestanten in een straat liepen, werden ze door een kleine menigte overvallen, waardoor de joden de kans kregen te ontsnappen. De Duitsers hadden weinig plezier van de inzet van de reguliere Nederlandse politie. De commandant van het Duitse politie-bataljon rapporteerde aan Rauter dat Nederlandse inspecteurs 'zonder openlijk dienst te weigeren, iedere gelegenheid aangrepen om de actie te doen mislukken'. Het reguliere korps was één maand betrokken bij de deportatie-activiteiten; het politie-bataljon een half jaar.

Nadat begin 1943 de gedwongen uitzending van arbeidskrachten andere delen van de bevolking trof en nazi-Duitsland duidelijk ging verliezen (Stalingrad!) wonnen in de Amsterdamse korpsleiding de krachten die zich aan de Duitse greep trachtten te onttrekken. Stapje voor stapje wist men steeds meer opdrachten op Duits bevel om op te treden tegen de eigen bevolking, van zich af te schuiven. Opnieuw werd aangetoond dat de mogelijkheden voor verzet binnen een door de vijand bezet land ten nauwste samenhangen met de stand van de strijd aan de fronten.

De Nederlandse politie kwam bepaald niet met een blank blazoen door de bezettingstijd. Haar rol bij de jodenvervolging wordt echter, ook nog begin 21ste eeuw, voorgesteld op een wijze die niet met de feiten strookt. Slechts in aantal beperkte krachten, die van harte aan de zijde van de vijand stonden, konden door hem langere tijd met enig succes worden gebruikt.

Het lijkt vreemd, maar na tientallen boeken en geschriften over de jodenvervolging in Nederland doorgewerkt te hebben, mis ik nog steeds exacte studies over de hier aangeroerde problematiek. Heel in het algemeen weten we dat velen banger waren joden te laten onderduiken dan niet-joden. Als bij razzia's niet-joodse onderduikers thuis werden opgepakt, liet de Sicherheits- of Ordnungspolizei, of het ingezette legeronderdeel, de familie als regel ongemoeid. Zij die joden verborgen echter, stelden zich bloot aan vervolging die in tuchthuis of concentratiekamp kon eindigen. Over de frequentie waarmee joden onderduik werd aangeboden, of waarin zij daarom vroegen, is anno 2000 nog steeds niets exact bekend. Het moet toch mogelijk geweest zijn hen die na de bevrijding opdoken of uit de concentratie- en vernietigingskampen terugkeerden, systematisch te ondervragen hoe de onderduik of het ontbreken daarvan tot stand was gekomen. Het gebrek aan precieze gegevens, behalve van enkelingen die biografische monografieën schreven, maakt het onmogelijk tot globale oordelen te komen, doch negatieve oordelen, op grond van wat ontoereikend materiaal, worden nog altijd herhaald. Henk van Randwijk heeft een bijdrage geleverd aan het beantwoorden van de vraag waarom sommigen die onderduiken konden, dat toch niet deden. Hij beschrijft het steeds grotere isolement waarin de Duitsers de joodse bevolkingsgroep plaatsten en vervolgt dan: "Zichzelf en die hun lief waren moesten ze in handen geven van mensen die ze voorheen niet kenden, wier rasgenoten ze de restaurants zagen bevolken waar zij niet in mochten, die ze op de stoel zagen zitten waar zij eens hadden gewerkt. Onder de zogenaamde helpers waren lieden die op winstbejag uit waren, leugenaars, verraders.

Konden zij, de joden, uitmaken wie goed en slecht was?"[14]

Dit getuigenis van een van de grote verzetsmensen die van vrijwel elk aspect van verzet op de hoogte was en die het allemaal zelf meemaakte, is van veel betekenis.

195

Bob Moore's Slachtoffers en Overlevenden

Besluiten we nu de behandeling van concrete factoren die van invloed waren op het geringe percentage van joden die in Nederland behouden bleven. Bob Moore is een van de weinigen die naast Herzberg, Presser en De Jong een uitvoerige studie[15] geschreven heeft die louter gewijd is aan de nazi-vervolging van de joden in Nederland. Vooral gezien het feit dat hij buitenlander is, moet hij geprezen worden om zijn inlevingsvermogen. Ook is hij zeer precies, waar nodig uitvoerig, en grondig gedocumenteerd. Het boek vertoont één merkwaardige uitglijder. Op de achterkaft vindt men de vraag: "Hoe was het mogelijk dat Nederland - een land dat zich laat voorstaan op zijn liberale en tolerante klimaat - zonder noemenswaardig protest of verzet zo'n substantieel deel van zijn bevolking heeft opgeofferd aan de nazi-ideologie? -". De opsteller van deze tekst - even verder spreekt hij weer over de "(laakbare) houding van de Nederlandse bevolking" - heeft blijkbaar nauwelijks kennis genomen van de inhoud van Moore's studie, die in tegenstelling tot wat de geciteerde woorden suggereren, zeer evenwichtig en genuanceerd is.

Reeds het vluchten in mei/juni 1940 was moeilijker dan uit andere West-Europese landen. Moore betwijfelt niet dat het voor joden bezwaarlijker was dan voor anderen om onder te duiken, maar voert daarvoor nuchtere, objectieve redenen aan: veel joden waren als zodanig fysiek herkenbaar en moesten op langere termijn met een haast onmogelijk vol te houden gestrengheid door hun gastgevers binnenshuis gehouden worden. Gebrek aan bekendheid met de kandidaat-onderduiker en/of zijn gezin, werkte bij sommige Nederlanders remmend op hun opname-bereidheid - dit gold trouwens ook niet-joodse Nederlanders. Meer argumenten geeft Moore voor wat joden verhinderden op een aanbod tot onderduik in te gaan of zelfs iemand hiertoe te benaderen. De traditionele hechtheid van de joodse familie, speelde een grote rol; jongeren wilden vaak bepaald met hun ouders mee om voor hen te kunnen (blijven) zorgen. Aanvankelijk suste men zich met het feit dat het eerste jaar van de bezetting de Duitse overheersing een betrekkelijk mild karakter had; later lieten niet weinigen zich misleiden door de betrekkelijk correcte wijze waarop de Duitsers optraden en de niet ongunstige berichten uit Westerbork.

Moore stelt dat slechts één op de zeven joden in Nederland na 1940 zelfs maar probeerde onder te duiken (blz. 182). Voor dit "statistische feit" geeft hij overigens geen bron op. Het idee "illegaal" te worden, schrok de meeste joden af; de te verwachten jarenlange onderduikduur, beangstigde hen. Niet-joodse Nederlandse mannen konden "verdwijnen" terwijl hun gezin bovengronds bleef. Bij wijkrazzia's verklaarden vrouwen aan wie gevraagd werd waar hun echtgenoot was, dat deze in Duitsland werkte. Wie kon dat zo gauw controleren? Hoeveel te meer zorgen moesten joden zich maken: hoe moesten ze kleine ondergedoken kinderen stil houden? Hoe zouden oudere kinderen onderwijs moeten krijgen? Moore citeert Presser: "Velen dachten nog steeds dat gedeporteerden meer kans maakten om te overleven dan onderduikers"[16]

196

Moore ondersteunt wat Herzberg al schreef. Veel aandacht geeft hij aan de stelling (van onder anderen Van der Zee) dat dankzij de politiek van Vichy een veel groter percentage Franse- dan Nederlandse joden behouden bleef. Hij verklaart "de Franse bereidheid om buitenlandse joden ter deportatie over te dragen" als "meer te danken aan een al lang bestaande etnische en nationale antipathie van de Fransen jegens de buitenlandse joodse gemeenschap dan aan het verlangen tegemoet te komen aan de Duitse wensen". Vanaf mei 1942 pakte de Franse politie, op bevel van René Bosquet, de buitenlandse joden op om die aan de Duitsers uit te leveren (blz. 247). Moore maakt duidelijk dat het hier echt ging om *de Franse politie* hoewel ook deze leden had die tot de Résistance behoorden. De Duitsers moesten hier voorlopig tevreden mee zijn. De plaatselijke commandanten konden ook niet anders: alle Duitse politie-eenheden opgeteld, was hun sterkte in heel Frankrijk nooit meer dan 3000 man, terwijl er afdelingen met een totale sterkte van 5000 man in Nederland geconcentreerd waren. Niettemin braken de Duitsers hun aanvankelijke belofte de als Fransen geboren joden te sparen spoedig. Op 25 juni 1942 verordonneerde Judenreferent Theodor Dannecker dat 40% van de joden die uit bezet gebied gedeporteerd werden Fransen moesten zijn, Vichy protesteerde. De Duitsers, die niet over de mankracht beschikten om in heel Frankrijk die acties tegen de joden te ondernemen die ook maar enigszins konden voldoen aan de eisen die het deportatieprogramma van Berlijn (Himmler, Heydrich, Eichmann) omvatte-, moesten tot een compromis komen. In het gehele land zouden gezamenlijke Duits-Franse politionele acties plaatsvinden, maar de Franse joden zouden met rust gelaten worden. November 1942 bezetten Duitse troepen heel Frankrijk. Daar de samenwerking met de reguliere politie de Duitsers niet voldoende had opgeleverd, lieten zij nu hun politie-eenheden assisteren door de veel sterkere fascistische Milice. Zij konden hun werk echter niet afmaken. De Résistance hield in afgelegen gebieden van oost- en midden-Frankrijk sterke invloed en kon daar vervolgden veel meer en beter protectie geven dan waartoe het verzet in Nederland in staat was. Bovendien was de verplaatsing van gevangen genomen joden op de soms duizend kilometers lange trajecten, zoveel moeilijker dan in Nederland. Eerst werden zij in Drancy (bij Parijs) geconcentreerd om vandaar naar het Protectoraat Generaal te worden vervoerd. Het transport Westerbork-Auschwitz was daarbij vergeleken een routine-ritje. Anderhalf jaar later zouden de Duitsers al hun manschappen en vervoerscapaciteit nodig hebben om te trachten de invasie te keren. In 1943 konden zij in Nederland nog met gemak hun deportatie-schema voltooien.

Dat Frankrijk een militair Duits bewind had (volgens Van der Zee iets van grote importantie) ziet Moore niet als een factor van gewicht. Toen na de bezetting van heel Frankrijk in februari 1943 de deportaties werden hervat, en de medewerking van de Franse politie nog niet voldoende bleek, werd door Berlijn de SS Hauptsturmführer Alois Brunner naar Parijs gestuurd om het deportatieproces te versnellen. De reguliere Franse politie werd nu definitief buiten spel gezet - in Amsterdam deed het reguliere corps slechts één maand mee. Moore merkt op dat in België en Frankrijk de corpsleiding van de politie de nationale soevereiniteit krachtiger verdedigde dan die in Nederland. Niettemin staat vast: inzake de jodenvervolging - waar dan ook - had steeds het SS hoofdkwartier in Berlijn de beslissende stem waar ook zo nodig Wehrmachtonderdelen aan ondergeschikt waren.

In het licht van de grote concentraties waarin de joden in Nederland woonden, is het haast lachwekkend hoeveel nadruk Van der Zee cum suis leggen op de negatieve invloed van de zo perfecte Nederlandse bevolkingsadministratie bij de arrestatie en deportatie van de joden. Wie hier zoveel gewicht aan toe kent bedenke één ding: nog in de winter '44-'45 waren de Duitsers in staat hele Nederlandse steden te omsingelen, wijk na wijk uit te kammen en honderdduizenden mannen af te voeren. Stel, ze hadden in Amsterdam elke bevolkingsadministratie moeten missen: de eerste de beste echte Amsterdammer die ze oppakten, had ze kunnen vertellen waar 80% van de Nederlandse joden woonden. Ze waren in 3 à 4 Amsterdamse wijken geconcentreerd. In 1942 hadden de Duitsers deze even vaardig kunnen uitkammen als in '44-'45. Stel elke Nederlandse administratie zou hen daarbij zijn ontzegd, de assistentie van de Joodse Raad had het administratieve werk perfect overgenomen. Dat men bij de deportatie te werk ging zoals men dat in 1942-1943 deed, had als achtergrond dat men alles zo rustig, geweldloos en in zekere zin beschaafd wilde laten verlopen teneinde onder de joden en onder de Nederlandse bevolking als geheel zo min mogelijk weerstand te wekken. In 1944 gold dit motief niet meer. Het was vriend en vijand duidelijk: de oorlog liep ten einde, alle maskers der tactiek konden gemist worden, er restte slechts een harde, brute finale.

Zo gewoon mogelijk doorleven

In geschriften als dat van Van der Zee klinkt voortdurend zo iets door van: dat leefde in die erge tijd ('40-'45) maar zo gewoon mogelijk door. Moeder deed de huishouding, vader ging naar z'n werk, de kinderen naar school. Men vierde zelfs nog feest, sportwedstrijden, bioscopen, allerlei vormen van ontspanning... Het leek wel of de wereld niet in vlammen stond en miljoenen werden gedood. Ik wil dergelijke gevoelens met de wil tot invoelen benaderen, maar acht ze toch niet ethisch op hun plaats. We kunnen in dezelfde trant voortgaand evengoed al het onheil, het onrecht, het geweld, het gemartel en de doden die in onze eigen jaren vallen sommeren en concluderen: waar halen we het recht vandaan, wij met onze welvaart, weelde, frequente vakanties en dure genoegens, onze beschermde leventjes. In dit verband wordt ook niet zelden naar voren gebracht dat industrie en handel in bezettingstijd in gang werden gehouden, ook al werkte men voor 50% voor de Duitsers. Als de winst maar bleef vloeien... Uiteraard zijn er economische collaborateurs geweest die geprobeerd hebben het uiterste uit de situatie te halen, De Duitse Wehrmacht zo veel mogelijk te slijten. Maar toch, de meeste Nederlanders dachten niet zo. Gerhard Hirschfeld[17] - een Duitse anti-nazi - uiteraard met wat meer afstand tot het gebeuren in Nederland, heeft in zijn *Bezetting en Collaboratie* een belangrijk hoofdstuk gewijd aan de economische collaboratie. Zijn stellingname is heel evenwichtig. Ik zou hen die het nauwelijks kunnen zetten dat toen, en ook heden, gewoon werk en handel en bankwezen en kunstproductie, enz. doorgaan, deze stellingname ter overweging willen geven. Hirschfeld vat zijn beschouwingen over de economische collaboratie kort als volgt samen: "Er bestonden zowel zakelijke als meer algemene economische redenen die pleitten voor de continuïteit van de productie en een intensieve economische samenwerking met Duitsland: onder meer het belang de bedrijven rendabel te houden, het streven om het geïnvesteerde kapitaal - en de eventuele toekomstige opbrengst ervan - tegen confiscatie door de bezettingsmacht te beschermen en de wens penetratie van het Nederlandse bedrijfsleven door Duitse concerns (kapitaalvervlechting) te voorkomen. Sluiting van fabrieken zou wellicht algehele ontmanteling en het wegslepen van machines, voorraden en wat er nog aan grondstoffen beschikbaar was, ten gevolge hebben gehad. Bovendien zouden de hierdoor werkloos geworden arbeiders er rekening mee moeten houden voor de Arbeidseinsatz naar Duitsland gestuurd te worden. Een hoog peil van industriële productie verschafte anderzijds betrekkelijke veiligheid en een redelijk bestaan aan veel werknemers. Daar kwam nog bij dat de goederen en gerede producten die niet voor export naar Duitsland waren bestemd, aan de eigen bevolking ten goede konden komen. Overigens betekende dit ook dat "de Nederlandse industrie alleen voor de eigen markt kon produceren indien zij voor de Duitse markt produceerde". Het is een rationele, nuchtere benadering die ons onder welke omstandigheden ook in het geheugen moet blijven.

Wapens liet Speer zo veel mogelijk in het Reich produceren. De arbeidsslaven die hij bij miljoenen uit de onderworpen naties deed aanvoeren, waaronder honderdduizenden uit Nederland, werden overigens wel overwegend in de wapenindustrie te werk gesteld.

Noten

1. Nanda van der Zee, *Om erger te voorkomen; De voorbereiding en uitvoering van de vernietiging van het Nederlandse jodendom tijdens de Tweede Wereldoorlog*, Amsterdam, 1996. Men zie de achterkaft.
2. Corrie K. Berghuis, *Joodse vluchtelingen in Nederland 1938-1940; Documenten betreffende toelating, uitleiding en kampopname*, Kampen, 1990, blz. 26.
3. David S. Wyman, *The Abandonment of the Jews, America and the Holocaust*, New York, 1985, 1990.
4. Corrie K. Berghuis, *Joodse vluchtelingen in Nederland 1938-1940; Documenten betreffende toelating, uitleiding en kampopname*, Kampen, 1990, blz. 152-155.
5. Corrie K. Berghuis, *Joodse vluchtelingen in Nederland 1938-1940; Documenten betreffende toelating, uitleiding en kampopname*, Kampen, 1990, blz. 113.
6. Een interessant tijdsbeeld geeft: Johannes Houwink ten Cate, *De Mannen van de Daad en Duitsland; Het Hollands zakenleven en de vooroorlogse buitenlandse politiek*, Den Haag, 1995.

7. Treffend zijn de getuigenissen van Floris B. Bakels *in Uitzicht: De lessen van Nacht und Nebel*, Amsterdam, 1983.

8. Dr. C.M. Schulten, *En verpletterd wordt het juk; Verzet in Nederland 1940-1945*, Den Haag, 1995.

9. J.W.M. Schulten, *De geschiedenis van de ordedienst. Mythe en werkelijkheid van een verzetsorganisatie*, Den Haag, 1998.

10. Over het verzet via de ondergrondse pers verscheen de zeer uitvoerige documentatie: *De Ondergrondse Pers, 1940-1945*, een uitgave van het Rijksinstituut voor Oorlogsdocumentatie van Lydia E. Winkel, Den Haag, 1954; in 1989 verscheen een geheel herziene uitgave door drs. Hans de Vries. Meer analyserend is: Hans van den Heuvel en Gerard Mulder, *Het Vrije Woord; de illegale pers in Nederland*, 1940-1945, Den Haag, 1990.

11. Hans Knoop, *De Joodse Raad; het drama van Abraham Asscher en David Cohen*, Amsterdam/Brussel, 1983. Knoop legt veel nadruk op het klasse-karakter van de politiek van de Joodse Raad. Uitdrukkelijk was het de bedoeling de joodse elite zo lang mogelijk te behoeden voor deportatie en het zo te bevorderen dat "de besten" zouden overleven.

12. Guus Meershoek, *Dienaren van het Gezag; De Amsterdamse Politie tijdens de Bezetting*, Amsterdam 1999.

13. Abel Herzberg, *Kroniek der Jodenvervolging 1940-1945*, Amsterdam, 1978, blz. 193-194.

14. H.M. van Randwijk, *In de schaduw van gisteren, Kroniek van het verzet in de jaren 1940-1945*, Den Haag/Amsterdam/Baarn, 1970, blz. 194.

15. Bob Moore, *Slachtoffers en Overlevenden, De nazi-vervolging van de joden in Nederland*, Amsterdam, 1998. Vertaling van *Victims and Survivors, The Nazi Persecution of the Jews in The Netherlands*, Manchester, 1997.

16. Jacob Presser, *Ondergang, De Vervolging en verdelging van het Nederlandse Jodendom 1940-1945*, Den Haag, 1965, blz. 245.

17. Gerhard Hirschfeld, *Bezetting en Collaboratie, Nederland tijdens de oorlogsjaren 1940-1945*, Bloemendaal, 1991.

Hoofdstuk 13

DE NIEUWE PROGRESSIEVEN, WIE ZIJN ZIJ, WAT DRIJFT HEN?

Hun troetelkind, de multicultuur, veroorzaakt "Amerikaanse toestanden"*

Bladerend in mijn knipselarchief "ingezonden artikelen uit de dagbladpers" heb ik mij voortdurend twee vragen gesteld.

Vraag één: "Waarom reageert zelden of nooit iemand en veegt niemand de gewaande progressieven die daar en in de redactie domineren eens goed de mantel uit?" Het antwoord is eenvoudig: die redactie neemt simpelweg niet op wat niet in haar straatje past. Dit geldt de overwegende meerderheid van de grote dagbladpers. Genoemde progressieven, "autonomen", krakers enz. kregen door de jaren heen ruimschoots plaatsruimte.

Vraag twee: "Hoe komt het dat die gewaande progressieven hen, die het niet met ze eens zijn, in de zwartst mogelijke hoek proberen te duwen?" Soms suggererend, soms letterlijk, wordt de tegenstander verweten "vreemdelingenhater" of "racist" te zijn. Zo werd staatssecretaris Kosto "een wegbereider van het racisme", en wie stem geeft aan wat bij zeker 80% van ons volk leeft "speelt in op Gesundes Volksempfinden". Voor wie het niet weet: dit duidt op de verwrongen haatgevoelens die de nazi's bij grote delen van het Duitse volk wisten op te wekken, in de eerste plaats tegen de joden. Wie onomwonden problemen weergeeft en nuchter de oplossing aanwijst, maakt zich schuldig aan "heksenjacht" enz. Wie denkt dat de zwartmakers hun beschuldigingen en suggesties ook maar ergens proberen waar te maken, vergist zich. Maar hoe zwak ze intellectueel ook zijn, ze hebben macht: de macht van censuur over grote delen van de media. Wie zijn deze mensen en wat beweegt ze?

Van hetzelfde laken een pak

Wie zijn zij? Overwegend komen ze uit kerkelijke kring. Zij leefden bij dogma's. Die dogma's omschreven bijvoorbeeld precies hoe God - populair gezegd - in elkaar zit en werkt. Wie een serieus vraagteken achter ook

*Dit hoofdstuk is het oudste van het boek. Het werd ongeveer 8 jaar geleden geschreven. Pas de laatste jaren veranderde een en ander. Eind 2001 is er minder censuur, na 11 september mag de islam kritisch bekeken worden. Toch bleef zoveel hetzelfde dat ik besloot het stuk ongewijzigd op te nemen (TK).

maar één van die dogma's dorst te zetten, werd als een melaatse behandeld. Een beperkte groep "censors" waakte over het leerstelsel. Van dat leerstelsel zijn die censors en hun kroost nu meestal afgevallen, maar zonder nieuwe dogma's blijken velen van hen niet te kunnen. Politieke en sociale "progressiviteit" werd voor velen van hen de nieuwe leer. Ook die leer kent weer allerlei stellingen die niet bewezen hoeven te worden. Zo is in dit denken iedereen gelijkwaardig: de initiatiefrijken, intelligenten, ijverigen; de slomen, dommen, luien. Iedereen, of hij iets nuttigs wil doen voor de gemeenschap of niet, heeft recht op hetzelfde basisloon. Wie niet wil werken, láát het eenvoudig.[1] Het is in dit denken ook taboe, het ene cultuurpatroon een sociaal-ethisch hogere waardering toe te kennen dan het andere. Over de moeilijkheid, groepen met verschillende etnisch-culturele achtergronden te integreren, of zelfs maar redelijk in één staatsverband te laten samenleven, wordt nauwelijks nagedacht. Wie bijvoorbeeld een overwegend zwart meerderheidsregime in Zuid-Afrika voorstaat, is bij voorbaat "goed", wie andere oplossingen wenselijk acht, is zonder meer "fout". Om alle kritiek bij voorbaat uit te sluiten wordt, wie de nieuwe dogma's aantast zo met valse etiketten beplakt, dat hij/zij haast van schrik de mond houdt. Dat is tenminste de bedoeling. Wie nationaal denkt; wie nog iets waardevol eigens dat te koesteren is, in dit volk ziet, is bij voorbaat een "nationalist", en dat is iets negatiefs. Wie constateert dat dat eigene op allerlei punten niet harmonieert met bepaalde gedragingen, gewoonten, zeden, familie- en stamrechten van vreemdelingen, is een "vreemdelingenhater". Wie bovendien nog vindt dat wetten er zijn om gehandhaafd te worden; wie het ook nog onduldbaar acht dat vreemdelingen zich hier massaal, legaal dan wel illegaal, overwegend op kosten van dit volk kunnen ophouden en vestigen, terwijl de "gewone burger" die voor kleinigheden beboet en zo nodig door dwangbevelen wordt bedreigd, alles zelf dient te betalen, is een nazi of een fascist.

De etikettenplakkers zijn betrekkelijk weinigen, maar hun invloed is onevenredig groot, vooral in de media. Wat zij nu doen is eigenlijk hetzelfde wat zij of hun ouders vroeger praktizeerden. Een kleine groep van "censors" bewaakt dogma's - vroeger de "hogere" dingen betreffend, nu de taboes van de aardse verhoudingen rakend. Maar hetzelfde bleef ook de sanctie: wie het dogma, het taboe raakt, wacht niet het zo geprezen "gesprek", maar het brandmerk: monddood makend, een veroordeling à priori, nooit behoorlijk rationeel ondersteund. Geconstateerd moet worden dat de feitenkennis van de etikettenplakkers, als het gaat om geschiedenis en politieke ideeën, maar ook hun vermogen om behoorlijk te definiëren, tekortschiet. Zij werpen met scheldwoorden, waarvan de ouderen toch nog zouden moeten weten wat ze betekenen, maar waarvan de jongeren blijkbaar helemaal geen notie hebben.

Conclusie: de censors, de regenten van vroeger, zetten hun praktijken in het heden voort: het is van hetzelfde laken een pak.

Wat is racisme en nazisme?

Het wordt tijd het geheugen van de moderne censors op te frissen. Fascisme - beter: nazisme - is een stelsel dat ten diepste de gewone burger minacht. Als in een ver verleden moet één leider een volk aanvoeren dat principieel nooit in staat is of zal zijn zichzelf te regeren. Het nazisme is in dit opzicht niet behoudend, maar reactionair. De leider beveelt, het volk dient te volgen. De relatie tussen leider en volk is irrationeel, mythisch. De moderne technologisch-wetenschappelijke ontwikkeling is iets ontaards, [2] letterlijk vreemd aan de aarde waarin het volk wortelt. Het moderne stadsleven heeft tal van uitwassen, het is "verdorven"; alleen de "landman" leeft nog "zuiver". Die zuiverheid berust op verbondenheid met "bloed en bodem". Het begrip "bloed" staat voor "ras". Er is één heersersras, het "arische", dat geroepen is om over de andere - minderwaardige - "rassen" te heersen. Die minderwaardigheid is nimmer partieel - bijvoorbeeld te wijten aan een lager kennisniveau - zij betreft alle sectoren van het bestaan, is blijvend, want erfelijk. Het is een heilige plicht de minderwaardigen uit te roeien of tot slaven te maken. Een door de Führer geselecteerd voorlichtings- en propaganda-apparaat populariseert deze leer.
De arische vrouw is er primair om het gezonde ras in stand te houden en te doen groeien. Haar plaats is thuis en onder de man. Wie geslachtelijk verkeer heeft met iemand van een ander ras bedrijft "bloedschande". De opvoeding is gericht op het rijp maken voor de strijd; deze is een permanent levenselement, niet een incidentele, te betreuren toestand.
Ook in het economische leven en andere verbanden, verenigingen enz. heerst het leidersbeginsel. De "lagere" leiders zijn nooit verantwoording schuldig aan de geleiden, maar steeds aan hen die boven hen staan en tenslotte aan de "Führer". De enkeling is niets, het volk is alles. De leer van de partij vervangt de godsdienst, zij is een allesomvattende wereld- en levensbeschouwing. Alle verbanden, organisaties, clubs, worden door de partij gecontroleerd. Kerken kunnen nog - in een overgangsfase - geduld worden, alleen echter indien en voorzover zij de partij niet weerstaan, maar haar respectabiliteit ondersteunen.

De nieuwe progressieven: conservatief en defaitistisch

We hebben iets gezien van de achtergrond en werkwijze van de zwartmakers die zich graag progressief noemen. Wat is nu het gehalte van die met censuur omgeven progressiviteit? Een kind weet dat het een gebrek aan kennis en ervaring alleen te boven kan komen door het vergaren van méér kennis, het opdoen van méér ervaring. En dat door allerlei falen, vallen en opstaan heen. Alleen door het vermeerderen van wetenschap, het verfijnen van experimenten op alle terreinen, kunnen wij erin slagen te overleven en het menselijk leven en samenleven op hoger plan te brengen. Hoe men ook moge instemmen met waarschuwingen die manen tot voorzichtigheid, wie overziet wat de nieuwe progressieven hier te melden hebben, stuit overwegend op scepsis zo niet op afwijzing. Goed bezien is dit geen wonder, gelet op het "gelijkheidsdogma" dat we al omschreven. Als alles toch al gelijkwaardig is, waarom dan te streven naar een hoger niveau van de mens, zijn samenleving, zijn cultuur? Vermeerdering van geluk en lust, vermindering van lasten en onvolkomenheden, het schijnt onbereikbaar of zelfs ongewenst.

Letten we verder op de maatschappelijke groepen die de nieuwe progressieven op het schild heffen.

a. Zij vertonen een ziekelijk aandoende voorkeur voor alles wat "zwak" is. "Zwakken" schijnen er voor hen liefst altijd te moeten blijven. Opnieuw treft mij een parallel met wat vroeger in kerkelijke kring geleerd werd. Om duidelijk te zijn: in de jaren dertig ("crisisjaren"!) leerde men in de Gereformeerde Kerken dat er "altijd, tot het einde der tijden, armen zouden blijven". Christus had immers gezegd: "De armen hebt ge altijd bij u". Dit werd er ingepompt in publicaties, op catechisaties en in preken, waarin de "hoogmoed van de socialisten met hun Plan van de Arbeid" werd gelaakt.

b. Maatschappelijke randgroepen: illegalen, krakers, bijstandsmoeders, gesjeesde of eeuwige studenten, gewaande kunstenaars, worden in de lijn van Marcuse en de - in de kern anarchistische - "beweging van 1968" verdedigd. Krakers - geen "Robin Hoods" maar steeds voor zichzelf en nogmaals voor zichzelf agerend - in de fraaiste centrumpanden ruimte occuperend, werd met al hun geklaag over "speculanten", steun en publiciteitsruimte gegeven. Ook hier weer: een etiket als "speculant" werd nooit verklaard. Ook hier weer: het gebruik van bezweringswoorden of bezweringsformules die moeten suggereren dat men iets heel slechts bestrijdt. Zo werden duizenden particulieren en bedrijven, die minstens vele maanden, maar heel vaak jaren moesten werken om de nodige plannen, vergunningen, financiering voor herbouw, renovatie en restauratie enz. rond te krijgen, allen op die ene grote hoop "speculanten" geworpen.

Ruimschoots steun en klaag-ruimte kregen ook bijvoorbeeld bijstandsmoeders. Het gejammer over de ontberingen van hun kinderen: het ene meisje kon niet meer naar paardrijles en anderen konden niet meer op dure schoolreisjes naar het buitenland (historisch): het mocht alles breed worden uitgemeten. Let wel: van mij mag dat in vrije media in een vrij land, mits tegengeluiden niet worden gesmoord. Inmiddels wisten bepaalde meisjes het precies te vertellen: je zorgt dat je een eerste kind hebt als je 18 bent, na zo'n zes à zeven jaar zorg je voor een tweede, je bent dus al over de dertig eer "ze" je - misschien - zullen oproepen, maar dan ben je al zo slecht "bemiddelbaar" dat "ze" je wel met rust zullen laten. BOM-moeders noemde men die meisjes - "bewust ongehuwd"!

De voorbeelden laten zich vermenigvuldigen. Wie creatieve oplossingen aandroeg, bijvoorbeeld: geef die krakers leegstaande woningen in de Bijlmer, werd gecensureerd of weggehoond. Nee, de Gemeente moest dure panden voor hen verbouwen waarin ze, voor luttele huur, konden terugkeren. De overheid toonde zich vaak zwak en laf.

De nieuwe progressieven als zelfkwellers

Is het denken van de nieuwe progressieven in het algemeen opmerkelijk conservatief en defaitistisch, een uitzondering vormt bij sommigen - schijnbaar - het denken over de Derde Wereld. Die wereld wordt uitgebuit door het Westers en Japans kapitaal dat het zelfbeschikkingsrecht van de betrokken volkeren fnuikt. Die volkeren moeten de mogelijkheid hebben hun "naties op te bouwen" op basis van bezit van eigen grondstoffen, industrie, enz. Wie hier denkt mee te kunnen gaan met de "progressieven nieuwe stijl" (nu het socialisme dood is verklaard!) komt met de nogal warrige geesten, die zich in Nederland helaas niet alleen in Groen Links hebben verzameld, niet ver. Logisch zou namelijk zijn om ook de eigen natie de genoemde rechten toe te kennen. Dit is echter ineens taboe en geeft blijk van een kwalijk nationalisme of erger. Geen immigrantenvloed kan de gewaande progressieven te hoog gaan. Altijd is er wel reden nieuwe slachtoffers van het kapitalisme - U zou nu denken: in de eigen, Derde Wereldlanden te ondersteunen, te trainen in maatschappelijk en politiek bewustzijn en hen die hier zijn beland toe te rusten in de maatschappelijke strijd ter voorbereiding van hun terugkeer. Maar neen; altijd is er weer reden ze hier te laten komen en blijven, in het Westen, waar ze goeddeels slechts een onnut onderproletariaat kunnen vormen. Moet men nazisme en fascisme onder de politieke- en maatschappelijke reactie classificeren, psychisch hebben de schijnprogressieven ook iets reactionairs: als middeleeuwse geestdrijvers doen zij aan zelfkwelling. Steeds is het Westen slecht, steeds bestaat de bevolking van de Derde Wereld uit gemaltraiteerde onschuld. Ook de "vreemdeling in onze poorten" kan nauwelijks ooit iets misdaan hebben. Zo ja, dan is het ergens wel onze schuld en in elk geval wordt zo veel mogelijk uit pers en publiciteit gehouden wat aan misdadigheid op het conto van vreemdelingen staat. Tot een of andere politie-commissaris weer eens een noodkreet doet horen waaraan men wel plaats moet geven! In dit alles - met name in die censuur en de gewaande ethische superioriteit die daartoe recht schijnt te geven - toont zich ook een zeker elitarisme. Het is dan ook geen wonder dat de schijn-progressieven zich weinig of niet bezighouden met de zo nodige uitbouw en verdieping van de democratie. Een media-elite, nauw gelieerd aan een net van "opvangers", "zorgers", "psychische en sociale begeleiders", "sociale juristen" enz., geeft de toon aan. Al de genoemde randgroepen, alsmede de dommen, slomen, luien, verslaafden, profiteurs van de zogenaamde welvaartsstaat, vinden hier hun beste verdedigers. Ook hier weer dat element van zelfkwelling: al wat genoemde groepen niet doen of misdoen is eigenlijk schuld van de maatschappij.

Wie, voortbouwend op in de geschiedenis verworven waarden, een basis voor vooruitgang ziet in gedisciplineerd onderzoek en werk, in een groeiend zedelijk- en rechtsbewustzijn; wie stelt dat orde nodig is, dat de samenleving cohesie behoeft, dat constante planning op lange termijn onontbeerlijk is, wil zij een hoger niveau kunnen bereiken, maakt zich minstens verdacht.

Gevestigde posities te doorbreken, de democratie op alle niveaus verder te ontwikkelen, het volk steeds meer en beter stem te geven, ook bijvoorbeeld via de mogelijkheden die de moderne elektronica biedt: schijn-progressieven hebben er weinig of niets van terug. Liever duwen zij tegenstanders zo dicht mogelijk tegen één van de meest verdorven politieke systemen (het nazisme) aan en spelen verder paus of bisschop: men mag meedoen aan de "dialoog", op hun termen en onder hun censuur!

Het Europa der Vaderlanden: krachtcentrale van de wereld

De grote meerderheid van dit volk bestaat niet uit schuchtere zielen die zich lang zullen laten intimideren en zich buigen onder het oordeel van lieden die hun opvattingen in verband brengen met die van fascisten en nazi's. De korte kenschets van fascisme en nazisme zegt genoeg. Wie de overgrote meerderheid van de Nederlanders in de hoek wil zetten waar politieke misdadigers thuishoren, pleegt grof onrecht en geeft blijk van een ondemocratische mentaliteit. Die overgrote meerderheid wil: veiligheid in straat en wijk, handhaving van het peil van het onderwijs, juist in wijken waar de grootste vervreemding plaatsvindt; ze is tegen bevoorrechting van vreemdelingen, vóór uitwijzing van illegalen, beperking van die groepen vreemdelingen die leefwijzen, gewoonten, zeden en rechtsopvattingen hebben die duidelijk botsen met de onzen en die zich moeilijk of niet in onze samenleving laten integreren. De overgrote meerderheid wil niet dat onze grote steden, als de huidige ontwikkeling zich voortzet, over 30 à 40 jaar door een meerderheid van buitenlandse groepen zal zijn overgenomen. Dat heeft niets te maken met racisme of vreemdelingenhaat. Als ik bijvoorbeeld het kastenstelsel verwerpelijk vind, dan haat ik wellicht dat stelsel, maar niet de mensen die gebonden aan dat stelsel moeten leven. Als ik culturen die het leven van vrouwen en kinderen laten domineren door de man, op een lager peil vind staan dan de onze, discrimineer ik, - waardeer ik onderscheidend - maar dan heeft dat niets te maken met ras- of huidskleur; dan haat ik wellicht dat dominantie-systeem, maar geen mensen. Dan baseer ik mij op de Rechten van de Mens. Hetzelfde doe ik als ik met de Universele Verklaring van de Rechten van de Mens stel, dat ieder volk - ook het onze! - recht heeft op zelfbeschikking op het eigen grondgebied. De oorspronkelijke Nederlanders hebben het recht, te bepalen welke buitenlanders hier mogen blijven, hoeveel en op welke voorwaarden. Het gaat eenvoudig om het recht, baas te zijn in eigen huis. De buitenlander die trouw wil blijven aan eigen taal, gewoonten, zeden, recht, ook als die botsen op wat binnen ruime grenzen - en de grenzen zijn hier ruim - hier kan worden gerespecteerd en geïntegreerd, ga terug naar zijn nationaal thuis. Ik heb geen hekel aan Engelsen, Fransen, Spanjaarden, Duitsers. Integendeel: hun landen intensief bezoekend, in enkele ervan langer wonend, heb ik ervaren dat ik hun culturen in bepaalde opzichten soms aantrekkelijker vind dan de onze. Toch: als groepen Fransen, Duitsers enz. zich in Nederland zouden vestigen, hele wijken en tenslotte steden beheersend met hun taal, hun cultuur importerend, dan zou ik dat afwijzen. Ik heb mij aan te passen in Frankrijk, Spanje enz. Ik zou het ongewenst achten als bijvoorbeeld groepen Nederlanders in die landen hele plaatsen of streken zouden domineren. Dat heeft dus niets te maken met afkeer, haat, discriminatie enz. Het heeft alles te maken met de, door een heel leven heen toenemende, ervaring in een Europa van betrekkelijk homogene vaderlanden. Wij zijn rijk in Europa! Laat Frankrijk Frans blijven voor Europa en de wereld, Duitsland Duits, Nederland, liefst verbonden met Vlaanderen, Nederlands! We betekenen wat en hebben Europa en de wereld iets te bieden, mits we onszelf blijven, mits onze cultuur een voldoende mate van cohesie behoudt, het volk niet fragmenteert. Scherpe tegenstellingen, getto's die haarden van ongenoegen en disharmonie vormen, zijn even zovele bedreigingen van een "goed en gerust bestaan" voor Nederlanders en vreemdelingen beiden. Die getto's zijn door de lamlendigheid van onze bestuurders ontstaan. Wij moeten hen dwingen hun ruggen te rechten en in te grijpen, opdat er geen blijvende rotte plekken ontstaan die de samenleving ondermijnen. Alleen als wij sterk zijn in Europa en Nederland, economisch, financieel, maar ook sociaal-cultureel, kan Europa een krachtcentrale blijven, mede ten gunste van de Derde Wereld.

Capitulanten leiden ons naar "Amerikaanse toestanden"

De politici weten dit alles, kunnen het althans weten. Laat Europa geen soort Verenigde Staten van Amerika worden! Dat land schijnt voor sommigen een voorbeeld; de multi-cultuur is een soort troetelkind van de "nieuwe progressieven". Wij horen sommige politici en voorlichters, zonder degelijk onderzoek van wat ons volk al dan niet wil, vertellen dat we "net als de Verenigde Staten nu een multiculturele samenleving zijn". De vraag is nu juist of we dit moeten worden en voor zover "we het zijn" moeten blijven. Het Amerikaanse voorbeeld is voorshands ontmoedigend. Verre van "one nation" te zijn, laat staan "under God", vormt die samenleving een slecht geïntegreerd samenstel van etnische groepen. In veel steden kan men nauwelijks spreken van een samenleving, laat staan van een gemeenschap: etnische groepen met zeer moeilijk te overbruggen tegenstellingen vormen als het ware eilanden, vaak met kaalgeslagen vlakten tussen hun woongebieden rond verloederde centra; dat alles beheerst door een angst en vrees voor misdaad, die zo dagelijks geworden is, dat het haast gewoon lijkt. De nazi's vatten hun leer samen in de krankzinnige leus: "gij zijt niets, uw volk is alles". In de westerse maatschappij en vooral in de Verenigde Staten, keren wij dit heden om: de grotere gemeenschap, het volk, verwordt steeds meer tot een samenraapsel van naast elkaar levende groepen: wij, individuen, zijn alles. Een samenleving ontstaat waarin een ieder grijpt en graait naar wat hij voor zich of zijn groep kan krijgen, de staat verwordt tot een herverdelingsmachine. Gevoelens van onveiligheid, vervreemding en eenzaamheid, de indruk in een jungle te geraken, gaan overheersen. In 1987 bezocht ik vijftien steden in het oosten van de Verenigde Staten; ik heb enige notie waarover ik schrijf. Om alle misverstand te voorkomen: de Verenigde Staten is een democratie die ook voor ons behartigenswaardige aspecten heeft. Te veel blijft hier bijvoorbeeld onderbelicht hoe de afzonderlijke staten belangrijke zaken zelf regelen; dat in een aantal staten essentiële onderwerpen in referenda aan de kiezers worden voorgelegd. Recentelijk bijvoorbeeld vraagstukken rond abortus, euthanasie en het al dan niet toepassen van de doodstraf. Maar waarschijnlijk vinden onze progressieve censors dat maar ideeën die ze het liefst onbekend zouden laten.

Het gaat er volstrekt niet om te beweren dat "wij" het in de gegeven omstandigheden "beter" zouden doen. De Verenigde Staten zijn echter één luide waarschuwing tegen wat men zich op de hals haalt met de door sommigen als een heerlijke toverbal aangeprezen "multi-cultuur". Dat gebrek aan fysieke ruimte hier reeds onmogelijk maakt wat dáár met moeite en nood, in een proces dat generaties in beslag zal nemen, en een heel continent omvat, misschien nog kan worden verwerkt, schijnt een waarheid die voor voorstanders van een "multicultuur" niet te bevatten is. Als burgemeester Van Thijn zegt dat hij - afgezien van gebrek aan politie - "principieel" niet-misdadige illegalen niet *wil opsporen*, "gelet op de gevoeligheid van een multiculturele samenleving", dan is het hek van de dam. Dan gaan wij steeds verder naar "Amerikaanse toestanden". Als illegalen, naar hier gehaald en "gedekt" door legale vreemdelingen, niets te vrezen hebben; als ze "niemand tot last zijn", wordt hiermee op termijn de hoofdstad aan vreemdelingen uitgeleverd. De "last" begint al daar waar die meestal ongeschoolden en potentiële werklozen onevenredig zware financiële offers vragen. Zijn ze hier een aantal jaren, dan zal dat hun pleitbezorgers reden geven hun legalisatie te eisen, wat vervolgens nieuwe golven van gezinshereniging - hier - zal uitlokken.
"Niemand tot last". Kent iemand als Van Thijn zijn eigen stad dan niet? Wie een paar uur in het centrum van Amsterdam loopt, ziet - relatief - meer vreemdelingen rondlopen, vluchtige boodschappen uitwisselend, burgers aansprekend, soms bedreigend - dan in Londen, Parijs, Berlijn, noem maar op welke grote Europese stad. Het is een kwalijk teken: hier voelen deze - helaas te vaak misdadigen - zich veiliger dan elders. Hier zijn geen regeerders aan het roer, maar capitulanten.

Voor miljoenen burgers is de maat vol. Alleen een systematisch opsporings- en uitzettingsbeleid kan helpen. De onveiligheid in de centra van onze steden, in en rond de getto's, neemt steeds toe: bedreiging, roof, diefstal, inbraak, overvallen. Laten we zonodig bijzaken eens even rusten. Agenten kan men vrijmaken door de aanhouding van kleine overtreders te beperken, door te volstaan met zeer korte notitie van aangifte van zaken die toch in de grote hoop verdwijnen.
Deurwaarders zou men door hulppolitie kunnen laten begeleiden. Zonder grote inspanning kunnen de vrijgekomen politiemensen elke dag twintig illegale personen arresteren. Die worden een maand vastgehouden onder omstandigheden - menswaardig, maar uiterst streng en sober - die alle verhalen in de thuislanden over het hotelachtig karakter van zelfs de gevangenissen hier te lande, teniet doen. Na een maand volgt uitzetting, dit in samenwerking met de EG-landen. Weigert bijvoorbeeld Marokko uitgezette personen, dan volgen prompt sancties: geen ontwikkelingshulp, afbreken van

handelsrelaties. Lukt uitzetten via het luchtruim niet, dan kan uitzetting over land/zee overwogen worden. De Spaanse politie beschikt bijvoorbeeld over de nodige ervaring met het, via de veren, over de Straat van Gibraltar terugzenden van illegale Marokkanen. Binnen één jaar worden uit één stad zo zeker 6.000 personen uitgezet. Als alle betrokkenen weten dat wij hier consequent mee voort zullen gaan, zal de preventieve werking groot zijn.

Wij moeten het duidelijk en luid durven zeggen, hier en in het buitenland: dit kleine stukje grond, op de rand van de fysieke en psychische overbevolking, is Nederlands en moet dat blijven. Het is onduldbaar dat in hele wijken een Nederlander zich in één of ander buitenland waant. Politiek voeren op de korte termijn is - zoals steeds - uit den boze. Het is onduldbaar, voort te gaan met niets doen of wat in de marge rommelen, met als resultaat dat in 30 of 40 jaar hele steden vervreemd zullen zijn. Die vreemdelingen die gekwalificeerd zijn, onder meer de Nederlandse taal behoorlijk spreken, en mogen blijven, zullen bereid moeten zijn zich tussen Nederlanders te vestigen, ook in kleine steden en dorpen. Eén buitenlands gezin tussen 20 Nederlandse laat zich assimileren: kinderen groeien spelend samen op, vrouwen komen uit hun isolement, mannen biljarten samen in het café of sluiten zich aan bij de postduivenclub. Er zal blijken, en het blijkt reeds, dat Nederlanders in meerderheid openstaan voor anderen als die open willen staan voor hen. Kinderen en ouderen zullen opgenomen worden in formele en informele vriendschapsnetten, clubs, verenigingen, corpsen, fanfares. Het Marokkaanse meisje zal trouwen met een Nederlandse jongen die al haar schoolvriendje was; de Nederlandse lokettiste met de Turkse jongeman die naast haar aan de balie staat.[3] Duizenden professionele opvangers, zorgers, sociale en psychische werkers, juristen, vertalers, mensen die nodig blijven zolang de getto's blijven bestaan en hun inwoners onaangepast en/of "zielig", zullen hun taak kunnen beëindigen.

De kleine groep van etikettenplakkers zal niet aarzelen voort te gaan de stand van zaken te verwringen. De regelingen, controles, waartoe de rechtsstaat bevoegd is, ter bescherming en verzekering van het volksbestaan op eigen grond, zullen "klopjachten", "razzia's" en "deportaties" worden genoemd. Opnieuw zal alles wat honderdduizenden Nederlanders te verduren hebben van de massale aanwezigheid van vreemdelingen worden geminimaliseerd, weggewuifd of doodgezwegen. Opmerkelijk is hoe weinig de meerderheid van de grote dagbladen gewag maakt van misdadige handelingen door vreemdelingen. De tot nu toe zwijgende of uit de media weggecensureerde meerderheid zal dit echter niet meer dulden. De grens van het geduld van miljoenen is bereikt.[4]

De gevoeligheden van de minderheden en de gevoeligheden van de meerderheid

Eindelijk moet recht gedaan worden aan de gevoeligheden van de meerderheid. De gedachtegangen van de schijn-progressieven vertonen steeds wonderlijke kronkels. Van Thijn wil niet alle illegalen gericht opsporen, "gelet op de gevoeligheden van een multiculturele samenleving". Hij gaat er dus van uit, dat allerlei mensen zullen gaan steigeren, als hun etnische groepen - daar waar men illegalen en andere wetsovertreders kan vermoeden - zouden worden "uitgekamd". Gaat het om aanhouding, dan wordt steeds het selecteren hierbij op uiterlijke kenmerken (kleur, haarsoort enz.) als een haast onoverkomelijke moeilijkheid beschouwd. De "gevoeligheden" van de overgrote meerderheid schijnen steeds te moeten wijken voor de "gevoeligheden" van al dan niet illegale vreemdelingen. Als de politie weet dat een verdachte blauwe ogen heeft en uitstaande oren, dan zal geen redelijk mens met die kenmerken, indien hij wordt staande gehouden en op identiteit gecontroleerd, hiertegen bezwaar maken. De politie-beambte verklaart de situatie met enkele woorden, bedankt voor de medewerking en dat is dat.

Als de jonge vrouw achter de balie van mijn bank (Creools-Surinaams); als het glazenwassersbedrijf dat al jarenlang de gracht bedient (Creoolse Surinamers); meisjes in de Hema (Creoolse Surinamers en andere minderheden) horen en zien dat er eindelijk opruiming wordt gehouden onder de plus minus 2.000 junks en/of misdadigers, behorend tot "hun" etnische groep, die hun werkomgeving onveilig maken, zullen ze dan last krijgen van een of andere soort "gevoeligheid"? Als er al sprake is van gevoel zal het een gevoel van opluchting zijn. Men rekene even nuchter. Bekend is dat bijvoorbeeld de Surinaamse groep relatief vijf maal meer overtreders en misdadigers oplevert dan de Nederlandse. Stel het percentage bij de oorspronkelijke Nederlanders op 2%, dan is het voor de Surinamers 10%. Dat betekent dus dat 90% van die groep, normaal functionerende burgers, meer last heeft dan wie ook van al het gespuis dat precies bij de stations en in de centra van de steden rondhangt en zo een akelig negatief "uithangbord" vormt. Een uithangbord dat de groep als geheel volstrekt niet verdient. De "normale" Surinamers en Antillianen laten zich goed in dit land aanpassen. Hun massale komst hier is eerder een ramp voor Suriname dan voor Nederland. De "staatslieden" Den Uijl, De Gaay Fortman sr., Pronk en Van Doorn hadden dit ook wel eens kunnen bedenken. Erg is dat zij geen enkel toelatingscriterium hebben toegepast. Zodoende kon ook het schuim van de Surinaamse en Antilliaanse samenleving zich hier nestelen, parasiterend op de welvaartsstaat, haar burgers bedreigend; een ergernis, ook voor de genoemde etnische groepen als geheel. Reeds hier blijkt dat, gaat men bij toelating niet selecterend te werk, het vraagstuk van de misdadigheid niet louter een vraagstuk van legaal en illegaal is.[5]

Surinamers en Antillianen hadden bepaalde rechten, staan niet te ver van de Nederlandse cultuur, horen er, in onderscheiden mate, bij. Anders ligt het bij de zogenaamde vluchtelingen uit Sri Lanka, Ghana, Pakistan enz. De motieven die deze groepen uitgerekend hierheen deden vluchten, zijn onzinnig. Maar weinigen schijnen dat te durven zeggen. Met de wonderlijkste verhalen schijnen ze hun verblijf hier te mogen rechtvaardigen, maar hun "gevoeligheden" mogen in de publiciteit niet of nauwelijks door de waarheid worden gekwetst. Stel, de honderdduizenden Vlamingen die bij de Duitse opmars in 1914 in het nauw kwamen, zouden niet naar Nederland zijn gevlucht om daar het eind van de oorlog af te wachten, maar persé naar de Verenigde Staten hebben willen doorreizen, hoe serieus zou men hun vluchtmotief hebben moeten nemen? Stel, groepen Nederlandse verzets-strijders (1940-1945) die te zeer door de vijand op de hielen werden gezeten en moesten uitwijken, zou men niet in Engeland aantreffen, maar ergens in Zuid-Amerika, hun geluk beproevend? Voor elk van de genoemde groepen gaat een vergelijkbare redenering op. Taal-, stam-, cultuurverwante bevolkingen zijn, over de grenzen, steeds vlakbij. Wie de vluchtmotieven van de genoemden serieus neemt, laat zich bij de neus nemen. Als hun advocaten roepen dat het "racisme" enz. is, als zij op uiterlijke kenmerken worden aangehouden, dat die mensen er zo "gevoelig" voor zijn, wijze men op het scherpe onderscheidingsvermogen dat hun cliënten in de landen van herkomst, in Azië en Afrika, eigen is. Op uiterlijke kenmerken, aan stam-, etnische-, of etnisch-religieuze groep gebonden, deelt men elkaar in één oogopslag in. Om de ander vervolgens overeenkomstig die indeling te bejegenen.

Negatie, tenzij...

Regenten die de gevoeligheden en de wil van de meerderheid menen te kunnen blijven negeren, wacht negatie! Steeds meer mensen hoor ik zeggen: ik stem niet meer. Zal een massale negatie van de stembus volgend jaar onze beroepspolitici een definitief sein moeten geven: "Het is tijd voor ons te gaan"? Tenzij bepaalde partijen duidelijk en consequent durven zijn. "Aanzetten" hiervoor zijn zichtbaar. In het CDA gingen stemmen op voor referendum, volksinitiatief, beperking van de termijn voor afgevaardigden, voor de gekozen burgemeester, voor sociale dienstplicht, voor een strenger vreemdelingenbeleid, voor beperking van "gezinshereniging" hier.[6] Meer zorg voor het eigene in een zich verenigend Europa is bespeurbaar. In de Partij van de Arbeid sloeg Kosto van de aanvang af de juiste weg in, anderen "bekeerden" zich; de partij als geheel echter vertoont nog een wankel beeld. Het is erg laat, maar niet te laat. Alleen duidelijke programma's en voortvarende, consequente uitvoering ervan, kunnen de traditionele partijen voor een eclatante afgang behoeden.

In de greep van het gelijkheidsdogma

Men kan wensen dat de "gezeten" partijen zich zullen kunnen verlossen van het heersend nieuw-dogmatisch denken, dat uitmondt in censuur en zelf-censuur, in taboes ten aanzien van een reeks van maatschappelijke kwalen die niet duidelijk geanalyseerd, soms zelfs niet of nauwelijks genoemd mogen worden. Men kan het wensen, het een urgente eis achten: het is zeer de vraag of het gebeurt. De posities zijn vaak zo vastgeroest, de angst om bij bepaalde "smaakmakers" uit de toon te vallen zo groot, dat de wal eenvoudig het schip moet keren eer bepaalde taboes doorbroken mogen worden. Een goed voorbeeld levert de sociale zekerheid, met name het misbruik van uitkeringen. Iedereen die midden in het leven staat weet ervan, vaak tientallen jaren reeds. April 1993, als ik dit stuk schrijf, is het juist enkele weken geleden dat Staatssecretaris Ter Veld in een tv-uitzending eindelijk blijk geeft te weten wat er zich afspeelt. Een niet onbeduidend percentage personen dat samenleeft, heeft niet alleen officieel maar ook in feite twee adressen. De tweede woning staat leeg of wordt - tegen een veel hogere huur dan de wettelijke - aan derden onderverhuurd. Vaak krijgen de samenwonenden naast twee uitkeringen ook twee keer huursubsidie. De betrokkenen komen zodoende aan een besteedbaar inkomen van ƒ 3.000,-; werken ze er zwart bij, dan aan veel meer. Decennia lang wisten zeer velen van deze zaken. Wie er zijn mond over dorst te openen of zich waagde aan een ingezonden stuk in onze "vrije" pers, werd neergezet in de rijen van de reactionairen, de borrelpraatverkopers, zo men tenminste niet weggecensureerd werd. Nu het echt helemaal niet anders meer kan, nu financieel het water aan de lippen staat, wordt eindelijk iets onderzocht en erkend dat er iets mis is. Ten dele, en telkens op één terrein.

Het ene euvel complement van het andere

Te weinig wordt nog ingezien en erkend dat het niet om incidenten gaat, dat er sprake is van verziekte structuren, dat het ene euvel naadloos complementair is aan het andere. Blijven we even bij ons voorbeeld. Ware Nederland niet een land waarin voor miljoenen woningen reeds een halve eeuw lang een kunstmatig laag huurpeil wordt gehandhaafd, geregeld door absurde bepalingen die zelfs de huur op toplocaties laag moeten houden, dan zouden praktijken als de nu eindelijk door een staatssecretaris openlijk gelaakte, onmogelijk zijn. In dit land echter doet de overheid wat men nergens elders presteert. Dure grond, bijvoorbeeld aan de IJ-oevers en in de Jordaan in Amsterdam, bebouwt men met goedkope woningen, waarbij ook de marktprijs (of pacht) voor die grond niet in de huur doorberekend kan worden. Het systeem wordt geregeld en gehandhaafd door een - landelijk gezien - vele duizenden ambtenaren omvattend apparaat. Dit ontneemt zelfs de burger de mogelijkheid om als huurder, samen met de eigenaar van de woning (gemeente, corporatie of privé-persoon) de waarde van de "ligging en woonomgeving te bepalen". Om een concreet voorbeeld te nemen: in Amsterdam dicteert een ambtelijke commissie voor grote delen van de grachtengordel extreem lage waarderingscijfers. Vergelijkt men met Brussel, Parijs, Londen, Madrid enz. dan blijkt dat het gaat om locaties die behoren tot de wereldtop. Men begrijpe mij goed: dit betoog wordt niet primair gehouden ten bate van een aantal privé-bezitters. Het gaat om overheden respectievelijk corporaties die duur goed, dat zij duur zouden kunnen verhuren, kunstmatig goedkoop maken. Daarbij zorgt men er dus zelf voor dat daar waar wellicht subsidies aan bepaalde personen of groepen op zijn plaats zouden zijn, die op een gegeven moment niet meer opgebracht kunnen worden door gebrek aan middelen.

Als men een geval van uitkeringsfraude signaleert, zoals boven weergegeven, zou men het hele verhaal moeten doen: inzien waarom sommigen woningen aanhouden, namelijk niet alleen vanwege het andere adres, maar mede om die woning te kunnen verhuren voor vijftig of honderd procent meer dan zij zelf betalen. Wij zullen echter wel weer 10 of 20 jaar moeten wachten eer in Den Haag de samenhangen die hier liggen in hun totaliteit worden gezien en erkend.

Ten grondslag aan deze huurpolitiek die, het kan niet genoeg worden herhaald, ook de overheid belet extra inkomsten te behalen van wie ze te verkrijgen zijn, namelijk van mensen die zich duurdere en dure woningen kunnen veroorloven, ligt inmiddels een variant van het gelijkheidsdogma: iedereen moet overal kunnen wonen. Daarom werd een vierkante meter woonruimte in stad en land in villa- en gettowijk in waarde gelijkgesteld. De moeite die het feit opleverde dat iedere locatie niet hetzelfde is, werd weggemasseerd in een puntensysteem dat alle realiteitszin tart. Wanneer dringt het door dat men hier werkt met ingrepen in waardebepaling en prijsvorming waaraan de economieën in Oost-Europa - onder meer - ten gronde zijn gegaan?

Eerst weer een crisis?

Het schijnt haast over de gehele linie tot crisis-achtige toestanden te moeten komen eer het logge schip van staat dat geen koers meer weet te houden, aarzelend de steven keert. Het kwaad zit diep en het is nauwelijks te verwachten dat de regeringspartijen zichzelf tijdig zullen weten te bevrijden van hun wezenlijke stuurloosheid. Minstens even onwaarschijnlijk is het dat een doorbraak van elders komt. De VVD, zelf jarenlang medeschuldig, slaagt er evenmin als CDA en PvdA in, een goed samenhangend geheel aan toegepaste beginselen te presenteren. Hoe alle VVD-ministers, die iets insnijdends aan de milieu-problematiek wilden doen, het veld moesten ruimen zal velen nog helder voor ogen staan. Over D'66 behoeft men eigenlijk niet te spreken. Daar wil men immers niets van beginselen weten, die zijn achterhaald. Wie van de partij van de "democratische vernieuwing" verwacht dat ze althans zal streven naar een betere formele democratie - referenda die inhoud en invloed hebben, bekorting van zittingstermijnen van volksvertegenwoordigers, bekorting van ambtstermijnen van hoge ambtenaren - vergist zich. Naar normatieve planning van een aantal van de voornaamste factoren die ons volksbestaan beïnvloeden, en zulks op lange termijn, zoekt men bij D'66 tevergeefs. De winst die deze groep bij de opinieonderzoeken telt, dankt ze meer aan het vaderlijk charismatische imago van Van Mierlo dan aan omlijnde alternatieven voor de huidige politieke armoede. Wat zich ook manifesteert is een stuk veramerikanisering: goed ogende personen met vertrouwenwekkende stemmen, winnen. Echter, gesteund door een steeds geringer percentage van de stemhebbende burgers. En dat is iets wat in al zijn negativiteit toch nog hoop geeft. De burger wordt volwassener.

Als teken van volslagen wanhoop zullen sommigen zich tot de CD wenden, om - hopelijk op tijd - te ontdekken dat op meer dan populistisch "inspringen" op bepaalde noden niet mag worden gerekend.

Van de pers en de andere media, die overwegend geredigeerd worden door "nieuw-progressieven", is pas een wending te verwachten als daartoe door de top van tenminste van één van de grote partijen een duidelijk en beslist sein gegeven zou worden. Het is jammerlijk, telkens te moeten vaststellen: pas als bepaalde politieke leiders "om" zijn, gaan ook zij om, die de waakhonden zouden moeten zijn van de democratie. Geruisloos gaan ze dan om, zonder te verantwoorden waarom de oude posities werden verlaten.

De media als manipulators

Zien we nog eens naar een concreet voorbeeld van wat er mis is bij de schrijvende pers. Men lette op de wijze waarop berichten worden geredigeerd, op de plaats die bepaalde berichten al dan niet krijgen, op de "waarde" van de koppen boven de stukken. Enkele voorbeelden. (Er zou een boek vol over te schrijven zijn.) Eind 1992 bracht *Trouw* op de Podium-pagina een artikel over de gehele bladspiegel, bovenaan de pagina onder de prominent (ook over 6 kolommen!) gedrukte kop: "Waar blijft onze burgerlijke ongehoorzaamheid?". Het enige wat de schrijver in dat hele lange stuk van ± 2.000 woorden (de redactie dringt steeds aan op beknoptheid!) zegt is: wij moeten mensen die uit de Derde Wereld naar hier komen (legaal of illegaal doet er niet toe) beschermen, laten onderduiken, hier houden, hoe dan ook. Alleen zó zullen de westerse uitbuiters van die Derde Wereld onder voldoende druk komen, alleen zó zal hun systeem vallen. Niemand reageert; geen hoofdredactie, geen "columnist", geen inzender.
In hetzelfde blad vinden we enige tijd later een minimaal één-kolomsberichtje. De kop luidt: "Aantal jongeren in Amsterdam steeds kleiner". Dan volgen ± 75(!) woorden die dit met wat cijfermateriaal illustreren. Het bericht eindigt aldus: "Van de jeugd tot 15 jaar is de helft allochtoon. Bij de jeugd van 15 t/m 27 is dat ruim een vierde. In 2010 is de helft van de jeugd t/m 27 allochtoon". Wat is nu het nieuws uit dit bericht? Ik dacht dat dit in de laatste zinnen was vervat. Die impliceren namelijk dat binnen dertig à veertig jaar na heden de hoofdstad van dit land - indien er niet héél veel verandert - een meerderheid zal hebben die zonder precedent is in onze geschiedenis; voor welke de waarden die in die geschiedenis gevormd zijn worst zijn; die voor een groot deel een godsdienst aanhangt die, in zijn orthodoxe variant, de scheiding tussen kerk en staat afwijst; die in belangrijke mate uitgaat van andere rechtsopvattingen en zeden; wier loyaliteit - bevestigd door vreemde of dubbele nationaliteit - elders ligt. Het is alles voor onze "nieuwe progressieven" geen nieuws. Het is iets dat je in een hoekje wegstopt, dat de lezers als het ware uit het bericht moeten pellen. Je vraagt je af: weten die redacteuren, die voorlichters, zelf nog iets van onze geschiedenis, van het christelijk-humanistisch of humanistisch-christelijk erfgoed dat aan onze cultuur ten grondslag ligt? Vroeger zong men: "Niet om hun erf te wezen heeft God het ons bevrijd". Maar om - nog afgezien van God - te denken dat dit land toch "ergens" het land van Nederlanders is, het schijnt bij die redacties van kranten, NOS of omroepen niet op te komen. Aan de fundamentele vragen die hier liggen zag ik nog geen hoofdartikel

of tv-discussies wijden. Inmiddels besteden radio en tv en dozijnen krantenartikelen, en vele nota's van departementen, alle mogelijke energie aan de vraag of vreemdelingen op school les moeten krijgen in eigen taal en cultuur. Als evenveel aandacht besteed zou worden aan de vraag hoe wij de hoofdstad en andere grote steden Nederlands kunnen houden, zouden wij dankbaar mogen zijn.

Gedurende een groot deel van mijn leven heb ik dagelijks de internationale pers gevolgd. Ook de afgelopen twintig jaar zeer veel in het buitenland vertoevend, bleef ik voortdurend aandacht besteden aan wat de media in het land waar ik was "brengen" en hoe ze het brengen: in Frankrijk, Spanje, Engeland, Duitsland. Uiteraard hebben de vergelijkingen die één persoon zo kan maken geen wetenschappelijke waarde. Exacte vergelijkende studies op dit terrein zijn nodig. Mijn indruk is: er is geen land dat zo nonchalant met zijn eigen culturele bestaansbasis omgaat en tegelijkertijd zo veel aandacht besteedt aan de culturele en andere belangen van minderheden in zijn midden als Nederland. Wij zijn een wonderlijk volk. Een volk dat zich laat domineren en manipuleren door vanuit hun eens enge conservatief dogmatische stellingen doorgeschoten dominees en pastoors, voorlichters, psychische en sociale zorgers, "opvangers" en welzijnswerkers. Hun leus schijnt: "weg met ons en leve de anderen!".

Hebben wij nog recht op een eigen cultuur?

Wij leven in een vreemd land. Een land waarin de eerste minister zo tussen neus en lippen door opmerkt dat we wat de immigratie betreft een limiet naderen. En dan komt een fundamentele, exacte, discussie los? Neen, dat is het dan!

Het is intussen 30 maart 1993. Ik citeer weer *Trouw* dat onder een tweekolomskop een bericht van ongeveer 260 woorden brengt dat als volgt opent: "Inheemse volken hebben recht op het handhaven van hun eigen identiteit, cultuur en leefwijze, met inbegrip van hun bijzondere relatie tot hun voorouderlijke gronden". Dit blijkt een citaat uit een notitie van de ministers Kooijmans en Pronk, die voorts nog schrijven: "dat de kennis over en de rijkdom van inheemse culturen een belangrijke bijdrage leveren aan de mondiale culturele pluriformiteit en aan een beter beheer van het mondiale milieu". Zijn die ministers bekeerd? Hebben zij ontdekt dat het autochtone (inheemse) Nederland zoiets als een eigen cultuur, leefwijze enz. heeft en dat dit volk het recht heeft deze op eigen grond te handhaven? Hebben ze ontdekt hoe armelijk de presentatie - of liever: het gebrek eraan - van onze cultuur in het buitenland afsteekt als men vergelijkt met wat andere volken op dit gebied presteren? Het kwam echt niet bij ze op! De daverende ironie van deze woorden in onze situatie, is ze één moment tot hen doorgedrongen? We moeten het sterk betwijfelen. Ze tekenden routineus een stukje, voorbereid door ambtenaren die ontdekt hadden dat 1993 ergens is uitgeroepen tot "Jaar van de inheemse volkeren". Wel te verstaan: jaar van Indianen in Noord- en Zuid-Amerika, Aboriginals in Australië en vergelijkbare volken en stammen elders!

Cultureel relativisme als nieuw beginsel

De "nieuwe progressieven" verstrikken zich in eclatante tegenstellingen. Hun socialistische of christelijke beginselen achter zich latend, soms proclamerend dat elk beginsel voortaan taboe zal zijn, "pragmatisch" dus, wierpen zij zich in de armen van een ander beginsel: het cultureel relativisme. Dit relativisme mondt politiek uit in de gelijkheidsideologie die wij al verschillende malen in actie zagen. Zij dicteert dat men culturen gelijkwaardig dient te achten. Men lette scherp op hoe dit begrip telkens weer terugkeert als men het heeft over de "multiculturele samenleving" die men ook in dit land zegt te willen vormen. Hoe allerlei - botsende - cultuurelementen gelijkwaardig kunnen zijn wordt daarbij niet duidelijk. Het relativistisch geloof - want dat is het - blokkeert een analyse. Tezelfdertijd echter zien wij dezelfde personen pleiten, ja recht eisen, voor culturen die door kolonialisten bijna zijn uitgewist en, voorzover ze nog resten, worden bedreigd. Daar vinden onze relativisten weer vaste grond, mede door de rechten van de betrokken volken op eigen grond en eigen bodemschatten uitdrukkelijk te noemen!

Wie in ernst rept over het "einde van de ideologieën" dat we in onze tijd zouden beleven, doet niet anders dan het nakakelen van een loze modekreet. Achter elk zogenaamd pragmatisme schuilt een - onuitgesproken - ideologie.

De ideologie van de "nieuwe progressieven" zagen wij als gecentreerd rond een specifieke relativistische gelijkheidsidee. Het begrip gelijkheid, zoals het geijkt werd in de wereldlijke leus van de grote burgerlijke revolutie van 1789, was reeds in religieus gewaad verwerkt in de Amerikaanse *Declaration of Independence* van 1776. Het heet daar dat "alle mensen gelijk zijn geschapen...". Sindsdien zijn met de discussies over wat dit concreet, omgezet in wetten en een maatschappelijke en politieke praktijk, wel mag betekenen, bibliotheken volgeschreven. In het conservatief-religieuze kamp hield men het het liefst op: gelijkheid of gelijkwaardigheid "voor God". In het a-religieuze kamp liepen de opvattingen uiteen. Binnen de sociaal-democratie wisselden de laatste halve eeuw, hoe meer men zich van het marxisme verwijderde, de accenten. Men zie bijvoorbeeld de beginselprogramma's van de Partij van de Arbeid waarin nu eens "gelijkheid" dan weer "gelijkwaardigheid" als norm en streefdoel werd aangegeven; sinds ± 1975 gold als norm: "meer gelijkheid in inkomen, kennis en macht". Het zou van belang zijn deze ontwikkeling gedetailleerd te beschrijven. In dit kader één conclusie: hoe meer de sociaal-democratie zich van haar bronnen verwijderde, des te minder hield zij zich bezig met fundamentele vragen als wat nu precies onder gelijkheid en gelijkwaardigheid moet worden verstaan. Dat de ene mens niet gelijk is aan de ander, fysiek, psychisch, geestelijk, is evident. Maar onder welk aspect hen dan toch gelijk te noemen?

Volgens welke kwalificatie gelijkwaardig? Men brandde zich liever niet meer aan deze vragen. Evenmin deden de "confessionele" partijen dit. Van een "meer rechtvaardige verdeling van inkomen, kennis en macht" bleef tenslotte niet veel meer dan een financiële maatstaf overeind: een zover mogelijk doorgevoerde nivellering van inkomens.

De staat verworden tot een (her)verdelingsmechanisme

Wie de ontwikkeling van het gelijkheidsmotief in het politieke denken en handelen nagaat, ziet hoe het de staat deed verschralen tot een steeds groeiend verdelings-mechanisme. Dat mechanisme functioneert boven en tussen individuen die zichzelf nauwelijks meer als leden van gemeenschappen zien als bijvoorbeeld familie of volk. Het is opmerkelijk hoever de christen-democratie deze weg meeging, hoe ook het Nederlands liberalisme geen coherent antwoord op de ontwikkelingen wist en hoe fragmentarisch en weinig fundamenteel kritiek is, zo ze er al is. Er ligt hier een reeks van vragen die systematische behandeling verdienen, voor een politiek die decennia omvat - en niet maar wat roept over de volgende twee of vier jaar. Menigeen zal hier zuchten over "waartoe het socialisme ons al niet heeft gebracht". Hij denkt dan met name aan allerlei "gelijkmakerij" waarvan wij enige voorbeelden gaven. Toch is dit in zijn algemeenheid gezien niet juist. Het waren Karl Marx en Friedrich Engels die deze trant van denken hoonden als utopisme. Dit utopisme is alle "nieuw-progressieven" eigen. Het doet enerzijds de staat uitdijen tot een massaal uitdeel-mechanisme, anderzijds doet het de gemeenschap van een volk van werkers verworden tot een gefragmenteerde menigte van "cliënten". Een deel van die cliënten wordt als regel "zwakken" genoemd, "achtergestelden". Bij iemand als Den Uijl komt men die termen om de haverklap tegen. Zonder echter dat ooit duidelijk wordt wie er precies toe behoren en waarom, om nog te zwijgen over een aan te brengen kwalitatieve rangorde. In één enkele zin die ik hier zal citeren blijkt dat hij, die als "in intellectueel opzicht op eenzame hoogte" werd geacht door zijn medestanders, weet had van de hier aangeroerde problematiek. In *De toekomst onder ogen* (Amsterdam, 1986) zegt Den Uijl dat (in het beginselprogram van 1977 van de Partij van de Arbeid) "... over het karakter van de staat als rechtsstaat wordt gezwegen, dat gelijkwaardigheid wordt verdrongen door gelijkheid en dat wel de individualisering maar niet de gemeenschapsvorming als doelstelling wordt behandeld". (blz. 23) Hij bedoelt dit dus als kritiek op genoemd program. Blijkbaar hecht hij meer aan het begrip "gelijkwaardigheid" dan aan "gelijkheid", maar verzuimt echter constant duidelijk te maken wat daar principieel en concreet onder moet worden verstaan. "Spreiden van kennis, macht en inkomen" blijkt in de praktijk steeds opnieuw neer te komen op - verdere - nivellering van inkomens, nivellering tevens - en helaas ook overwegend naar beneden - van kennis en bij dit alles eerder een verdere concentratie dan spreiding van macht.

Het zou onbillijk zijn hier alleen het falen van de sociaal-democraten in het oog te vatten. Ik citeer Den Uijl alleen om aan te tonen dat ook hij, de leider, "in intellectueel opzicht op eenzame hoogte" er niet uitkwam. Blijkbaar gaf hij de voorkeur aan de term gelijkwaardigheid boven gelijkheid omdat het laatste hem al te ver van de werkelijkheid verwijderd leek. De gelijkwaardigheid van personen zou politiek-maatschappelijk geconcretiseerd moeten worden in gelijkheid van behandeling en gelijkheid van kansen; de gelijkwaardigheid van groepen in het niet discrimineren daartussen; het gelijk behandelen van, welke geaardheid, welke gezindheid en welke cultuur dan ook. Zo leerde het cultuur-relativisme het. Het maakte analyses, onderscheidend ontleden en kwalificeren - schijnbaar - overbodig en leidde af van de werkelijkheid. Een werkelijkheid die spot met de mythe die personen gelijkwaardig acht, een werkelijkheid die groepen toont met al hun tegenstrijdigheden in waarden en zeden, doelen en belangen.

De irrationaliteit van de gelijkwaardigheidsnorm: de individu

Het geloof van de "nieuwe progressieven" kent twee artikelen: mensen zijn gelijkwaardig en culturen zijn dat. De zwakken in de maatschappij verdienen (extra) steun teneinde hen in staat te stellen zich gelijkwaardig naar hun aard te ontplooien. Dit gesteld zijnde, houden ook de meest "sterke" denkers op. Waartoe zou een concreet onderzoek hen leiden? In een moeras met vele valkuilen, gevormd door hun taboes...
Doen wij een beknopte poging. Waar te beginnen: bij de lichamelijk zwakken, de geestelijk, psychisch, of sociaal zwakken? Het moderne erfelijkheidsonderzoek toont ons dat waarschijnlijk 70% à 80% van onze eigenschappen: de pre-disposities voor ziekten van lichaam en geest, maar ook karaktereigenschappen, neigingen tot a-sociaal gedrag, mogelijk tot misdadigheid ook, in onze genen zijn vastgelegd. Het preventief ingrijpen ter voorkoming of eliminering van allerlei kwalen en onvolkomenheden komt onder bereik. Het perspectief voor progressief denkenden mag bemoedigend heten; dat voor "nieuw progressieven" blijkbaar minder. Ik wees reeds op het behoudend karakter van veel van hun denken. Als ze horen over de mogelijkheden om steeds meer erfelijkheidsfactoren in beeld te brengen, ziekten en afwijkingen te prognotiseren, de geboorte van "minder gelijkwaardigen" te voorkomen, eigenschappen door genen-techniek te beïnvloeden, verneem ik soms reacties die mij herinneren aan mijn jeugd. Toen werd in kerkelijke kring het Plan van de Arbeid gezien als een voorbeeld van "hoogmoed tegenover God". Aan de maatschappij viel niet zoveel te veranderen; de armen zouden we altijd bij ons hebben.
Hetzelfde gold voor de plannen die vooruitziende onderzoekers - uiteraard nog weinig omlijnd - schetsten: eens zou de mens in staat zijn andere planeten te betreden, wellicht andere beschavingen te ontmoeten. Ook dit was volstrekt taboe; "God zou dat nooit toestaan!". Intussen heeft het godsbeeld van zeer velen zich wel gewijzigd, zich wel moeten wijzigen; er bleef een huiver voor verder doordringen en ingrijpen in de schepping. Tot op zekere hoogte is deze huiver positief te waarderen. De mens is bekwaam tot veel goeds maar ook tot veel kwaads. Moeilijker te verteren wordt het echter als mogelijkheden tot werkelijke progressie, tot sprongen vooruit en omhoog, in de mogelijkheden tot beheersing van de natuur om ons heen en in onszelf, door schijn-progressieven zouden worden geblokkeerd en gesaboteerd. Vooral het conservatieve katholicisme speelt hier een uitermate negatieve rol. Een herinnering aan het feit dat men daar zelfs niet "in de natuur mag ingrijpen" ten behoeve van de bovenal nodige bevolkingsplanning moge voldoende zijn. Het heeft iets gewrongens de "unieke waarde van de menselijke persoon" en de gelijkwaardigheid van die persoon - zij het dan "voor

218

God", enerzijds voortdurend te horen propageren, terwijl anderzijds de mens de mogelijkheid ontnomen wordt een voortplanting af te remmen die alleen kan leiden tot de geboorte van tientallen miljoenen die slechts in hun stervenskansen als kind min of meer gelijk zijn. Wie onvriendelijker is zal hier van hypocrisie spreken. Te lang hielden "kerk en kapitaal" de mens onderdrukt en afhankelijk door en via de ellende waarin hij werd gehouden, zouden de oude Marxisten zeggen. "Nieuw-progressieven" echter weten zich hier als regel "gepast" te gedragen: de "gevoeligheden" van de kerk van Rome schijnen - wereldwijd - haast evenzeer ontzien te moeten worden als de "gevoeligheden" van "minderheden".

Wij concluderen: een niet schijn-progressieve, maar reëel progressieve beweging, zal zich concreet richten op de problemen van gelijkheid en gelijkwaardigheid, daarbij reeksen van taboes niet ontziend.

Welke "zwakke" heeft welke macht?

Nemen wij aan dat ernstig zieken en gebrekkige ouderen als eersten genoemd mogen worden onder de "zwakken" die de "nieuwe progressieven" steeds zeggen als hun oogappels te willen behoeden. Ook in een rijk land als Nederland stuit men dan al snel op feiten die tot keuzen nopen. De meest primitieve waarneming leert, ze mogen dan gelijkwaardig zijn "voor God" of de wet moge hen formeel gelijke kansen willen geven, dat mensen niet gelijkwaardig zijn en ook geen gelijkwaardige kansen krijgen. De geestelijk gehandicapte is maatschappelijk niet gelijkwaardig aan de hulpverlener en ook krijgt hij geen gelijke kansen voor ontplooiing naar eigen aard. Alleen de ouders van een zwaar gehandicapte enkeling vermogen het een optimale behandeling af te dwingen voor die enkeling. Al gauw stuit men op grenzen. Wil men alle gelijkelijk gehandicapte personen gelijkwaardig laten begeleiden, dat wil zeggen in een verhouding van één gehandicapte op twee à drie verzorgenden, dan moet men in deze beroepsgroep met een extra behoefte aan duizenden verzorgenden rekenen. De "gewone man" staat op een wachtlijst, maar voor velen komt zijn of haar "beurt" nooit. In Nederland stierven bijvoorbeeld in 1992 meer dan 140 personen wachtend op een open hartoperatie. Onderzoek van kankerpatiënten sleept zich voort in een tempo dat, gezien de aard van de ziekte, wel slachtoffers moet kosten. De wachtlijsten voor operaties zijn vaak lang. De gehele organisatie van het medisch bedrijf vertoont een ontstellende irrationaliteit: ruimten en apparatuur die vele miljoenen kosten, worden vijf dagen per week van 9 tot 5 uur gebruikt; heel het bedrijf volgt een werkschema als betrof het een kantoor, met al zijn vrije christelijke en andere feestdagen enz. Wie op dit alles wijst, doorbreekt het taboe dat zegt dat de gelijkwaardigheidsleus niet op zijn feitelijke merites mag worden onderzocht. Natuurlijk gaan bepaalde geprivilegieerden vóór en natuurlijk ontwijkt men constant de vraag naar prioriteiten, de keuzen, die op al de aangeroerde punten als rotsblokken voor ons liggen. Nog erger maakt iemand het die bijvoorbeeld vraagt waarom medische specialisten hier te lande vaak tientallen procenten meer moeten verdienen dan in andere Europese landen. Met hetzelfde geld zou men gelijke kansen kunnen scheppen voor hen die tijdelijk of blijvend tot de zwaksten behoren. De leer is hypocriet, de praktijk vertoont in menig opzicht irrationaliteiten. Ons gevoel voor wat zwak moet worden geacht, dus gespaard, dan wel ondersteund en geholpen, is wonderlijk ontwikkeld. Misdadigers schijnen steeds tot de zwakken te behoren. Als ik de artikelen en tv-documentaires probeer te schatten die ik heb gelezen, gezien of zien aankondigen, waarin het lot wordt beklaagd van ter dood veroordeelden die in "onmenselijke spanning" moeten wachten op een eindoordeel: de dood of gratie, raak ik snel de tel kwijt. Zijn het er tientallen of wellicht honderden? Zelden of nooit las ik één woord van begrip voor, laat staan een aanklacht ten behoeve van die zieken die door lange wachttijden maandenlang rondlopen in onzekerheid: tussen "doodvonnis" en leven.

Verenigingen en tijdschriften wijden zich aan de bestrijding van martelingen en wreedheden waar ook ter wereld. Alle lof! Maar wie neemt het op voor de duizenden geestelijk gezonde maar lichamelijk gehandicapten die in verpleeghuizen vaak 24 uur per etmaal moeten verblijven tussen dementerenden die soms nauwelijks nog menselijke waardigheid kunnen uitstralen? Hoe zwak is de stem die voor deze gemartelden doorklinkt! Misdadigers dienen hun privacy te hebben - vooral geen twee personen op één cel, aldus een koor van deskundigen, criminologen voorop. Gehandicapten in verpleeghuizen, zieken op ziekenzalen schijnen nauwelijks interessant. De "gewone" patiënt wordt geacht geduldig te zijn en dankbaar en zijn privacy op te geven als gold het een vanzelfsprekendheid. Wat zwak of zwakst mag heten lijkt zeer af te hangen van de pressiegroep en de publiciteit die men achter zich heeft. Gelijkwaardig is wie gelijkwaardige druk vermag uit te oefenen. Recht krijgt wie macht kan doen gelden.

Genivelleerde intelligentia

Heel een onderwijspolitiek die uitging van de "gelijkwaardigheid" van de leerling, de student, blijkt te berusten op een fictie die aan alle kanten onbetaalbaar is. Alle "verheffing" die de "nieuwe progressieven", in een reeks van onderwijsvernieuwingen, de honderdduizenden die naar het wetenschappelijk onderwijs doorstroomden brachten, bestaat uit niet veel meer dan een titel: minder waard dan ooit door de kwantiteit van de dragers ervan, te minder nog door de vaak erbarmelijke kwaliteit van de "nieuwe intellectuelen". Hij/zij dient goed aangepast te zijn zoals de uit de Verenigde Staten overgewaaide psychologie het eist: een team-werker. Fraai klinkend, maar bij uitstek misleidend en schijnheilig, bleek het richtsnoer: we leiden geen wijsneuzen volgestouwd met abstracte kennis op, maar mensen die rijp zijn voor werk in de werkelijke maatschappij. Ook hier, precies zoals op andere terreinen, leek wat men pretendeerde op een socialistische pedagogiek. Waren het niet Marxisten die niet ophielden de innige verwevenheid van praktijk en theorie te benadrukken? Ambachtelijke scholing zou met het vermogen tot theorievorming gepaard moeten gaan. In dit proces zou een maatschappijkritisch vermogen gevormd moeten worden. Wat in feite is en wordt gevormd is niet veel meer dan een oppervlakkig product zonder kennis van de maatschappelijke verhoudingen en hun ontwikkelingen; geen personen, bereid en in staat om de maatschappij, de autoriteit, kritisch tegemoet te treden, het bestaande te ontleden. Aangepast als men is, gespeend van kennis van de geschiedenis, is men gereed te leven onder het alomvattende gelijkheidsdogma: geloven, culturen, normen, waardestelsels: het is alles, zo niet gelijk, dan toch gelijkwaardig. Reeds goed geschiedenisonderwijs, te beginnen op de lagere scholen, zou veel kunnen doen om het waarde-relativisme door te prikken waarmee velen nu behept zijn.

De irrationaliteit van de gelijkwaardigheidsnorm: de groep

Een typerende trek van de kern van het cultureel-relativisme is het a-historische denken. Als alles gelijk dan wel gelijkwaardig is, heeft het niet veel zin te speuren naar ontwikkelingslijnen in het sociale gebeuren en de geschiedenis te kennen. Maakt men dan ook geschiedkundige vergelijkingen, dan gooit men rustig van alles op één hoop dat er allesbehalve thuishoort. Al dan niet gewild worden daardoor beelden vervalst en met die vervalste beelden wordt de jeugd - toch als regel al van geschiedkundige kennis gespeend - geïndoctrineerd. Twee voorbeelden. Kort geleden verscheen een publicatie van de Anne Frank Stichting, waarin als het ware "alle immigranten" die ons land in de laatste vier eeuwen binnenkwamen op één hoop geveegd worden. Ter gelegenheid van de 1 mei-viering 1993 kreeg ik een pamflet van Groen Links in de bus dat herinnert aan de immigratie uit de 17e eeuw. Toen, stelt men, kreeg ons land óók zo veel vreemdelingen te herbergen. Men ziet geheel over het hoofd dat de honderdduizenden die tijdens onze onafhankelijkheidsoorlog uit wat nu België heet naar het Noorden vluchtten, geen vreemdelingen waren. Zij kwamen uit de Zuidelijke Nederlanden die met de Noordelijke in de Unie van Atrecht verbonden waren. Zij behoorden - qua cultuur en ontwikkeling - tot de kern en kracht van een volk in opstand. Die kracht lag vóór de val van Antwerpen overwegend in het Zuiden. Die vluchtelingen gaven het Noorden cultureel en economisch een machtige impuls. Deze vluchtelingen nu worden in de genoemde publicatie als het ware gelijkgesteld met de Anatoliërs, Berbers, Antillianen enz. die heden onze "minderheden" vormen. Probeer over deze geschiedvervalsing maar eens een kritische ingezonden brief geplaatst te krijgen!

Zo verdwijnt veel eigens omdat "het volk zonder kennis is". Velen klagen dat jongeren van hun ouders steeds minder meekrijgen. Minister Hirsch Ballin wees onlangs op "verminderde sociale controle, een toegenomen mentaliteit van 'vrijheid blijheid' onder ouders en leerkrachten". "Kinderen van de laatste twee decennia hebben steeds minder vaak het goede voorbeeld gekregen." Maar waarom niet? Wat deed en doet het eens eigene geweld aan, wat leidt tot vervreemding, binnen het gezin, in dit land, in eigen wijk en straat? Ik wijs beknopt op drie factoren: a. het relativisme ten aanzien van eigen waarden en cultuur; b. de onkunde ten aanzien van de geschiedenis en de krachten en waarden die dit volk vormden; c. de slapheid, ja lafheid van een politieke leiding die bang is voor eigen positie, politiek bedrijft op korte termijn en soms ook de gesel van bepaalde "opinieleiders" vreest.

De rol van sociologie en cultuurfilosofie

Wij doen goed te bedenken dat zij die nu "in de kracht van hun leven" doceren, publiceren en het apparaat van de sociale hulpverlening bemannen, hun opleiding kregen in de jaren 1945 tot 1965. Toen, ja al vóór die tijd, doordrong een voornamelijk vanuit de Verenigde Staten geïnspireerde sociologische en cultuur-filosofische school veel van de geest en inhoud van het hoger onderwijs. Waarden, zeden, normen en samenlevingsstructuren, zo leerde dit cultuur relativisme, zijn nimmer absoluut. De ene cultuur, waarde, zede enz. mag ook nooit superieur geacht worden aan de andere. Aan culturen, of het nu die van Nederlandse stedelingen, Amerikaanse Indianen, Haussa's of Berbers in Afrika, Karen in Burma, eilandbewoners van de Pacific betreft, mag principieel geen verschillende rangorde worden toegekend. Het behoeft geen betoog dat in een immigratie-continent als de V.S., waar men genoopt is groepen van over het hele aardrond op te nemen, deze filosofie door velen als een verlossende openbaring is ervaren. Namen van geleerden als Franz Boas, Ruth Benedict en Margaret Mead hadden hier een "hoge-priesterachtige" klank. Eigenlijk kent hun denken maar één norm: de verschillende componenten van een cultuur moeten zo goed mogelijk geïntegreerd zijn; de samenleving moet - hoe dan ook - een wrijvingsloos geheel vormen. In de praktijk was en is dit denken vèrstrekkend. Het maakt de probleemstellingen los van vragen die louter betrokken zijn op individuen. Het ondergraaft - zij het soms alleen theoretisch - het denken op basis van de Rechten van de Mens, het relativeert niet alleen godsdienst, zeden en samenlevingsvormen, maar heel concreet allerlei haaks op elkaar staande waarde-oordelen en gewoonten. Het is dan ook geen wonder dat de opkomst van dit denken parallel liep aan een verregaande secularisering: de leegloop van de kerken was enorm.
Eén zeer sprekend voorbeeld van de wijze waarop dit denken in het gewone leven doordrong. Het was eind jaren zestig. In onze straat vertrok een ambassaderaad uit een zwart Afrikaans land. Het gezin had de woning - compleet gemeubileerd - voor één jaar gehuurd. De eigenaar stond er beteuterd bij. Het interieur was één "puinhoop"; meubels kapot, muren besmeurd, sigaretten uitgedrukt in de tapijten. Een buurjongen, een student, luisterde even naar de klachten van de man. Toen zei hij: "Maar dat is toch hun cultuur!" Op een toon en met een gezicht van: waar haal jij, buurman, het recht tot klagen vandaan!?

Historische inbedding

Het reeds ± 1968 diep gewortelde relativisme vond een complement in de "revoluties" van dat jaar. Hun anarchistisch-individualistische drijfveren

222

waren wars van alle "oude" waardenstelsels. Misschien nog het meest van dat van de communisten met hun rigide denken, hun discipline, hun berekendheid en doelgerichtheid. Nauw was echter de aansluiting bij het cultureel-relativisme.

Marcuse en anderen proclameerden randgroepen als min of meer permanent werkloos onderproletariaat, - vaak "eeuwige" - studenten, "miskende" kunstenaars, krakers, ongehuwde moeders enz. tot de nieuwe revolutionairen. Niet de rede (1789) maar de verbeelding zou de macht krijgen. Bestuur zou worden vervangen door autonomie, de autoriteit zou wijken over de gehele linie, alles zou omgolfd worden door een brede tolerantie. Ieder structureel denken ontbrak, enthousiasme moest geordend denken, plannen en handelen vervangen. "Alles moet kunnen". Dat veel van wat wij nu zien aan onverschilligheid, lamlendigheid, gebrek aan respect voor waarden en personen, uit die tijd stamt en tot in onze jaren doorwerkt, is evident. Er was brede tolerantie, maar dan specifiek voor de genoemde groepen, benevens voor allerlei vreemdelingen en hun culturen. Opmerkelijk is dat de grote impuls van dit alles opnieuw uit de Verenigde Staten kwam. Voor velen in Europa was Marcuse de grote profeet.

Studenten, die men in het toch al strenge Frankrijk gedisciplineerder wilde laten werken, hun studies strak georganiseerd, verwekten een opstand die zich richtte op een "democratisering" die feitelijk inhield dat zij hun eigen studieprogramma's, de aan hen te stellen eisen en hun eigen beoordeling verregaand in de hand zouden krijgen. De gevolgen van dat wat ook naar ons land overwaaide, zijn bekend: een enorme belasting van de universitaire staf met reeksen vergaderingen en besprekingen; een treurige daling van het peil van het onderwijs; nog minder kennis van fundamenten, achtergronden en samenhangen. Eenieder en alles was immers gelijk, gelijkwaardig en autonoom. Reden om te onderscheiden tussen mensen en hun verschillende prestaties en capaciteiten; tussen culturen en hun onderscheiden niveaus; gemeten naar universele normen, was er niet. Dit alles had ook grote invloed op de academies (vroeger "scholen") voor maatschappelijk werk. Tienduizenden die daar hun vorming kregen en heden optreden als sociale werkers, psychische begeleiders, culturele en jongerenwerkers in allerlei soorten, werden doordrongen van dit voelen en denken. Is het wonder dat allerlei groepen van vreemdelingen hier hun beste, onkritische, verdedigers vonden? Het systematisch bestuderen van waarden en waardestelsels, aangeven wat in dit land aanvaardbaar is aan allochtone cultuurelementen en inpasbaar, was voor velen van de genoemden taboe en is het nog steeds. Hoe of wat dan ook, zodra er gezegd kon worden: "Dat is toch hun cultuur", was discussie in feite uitgesloten. Onze samenleving werd geproclameerd tot een "multi-culturele". Hoe tolerant ook voor het vreemde, het niet-eigene: wie hier opponeert, de problematiek fundamenteel blootlegt en aan de orde wil stellen, werd en wordt zeer frequent de mond gesnoerd, gecensureerd, uit de media weggehouden door "nieuwe progressieven". Krachtens zijn aard botst het culturele relativisme spoedig op zijn eigen irrationaliteit. Het lijkt oeverloos tolerant maar moet spoedig grenzen trekken. Waarschijnlijk kan men de ideologie van de nazi's eenmaal aanvaard hebbend, hun samenleving inclusief "Führer-

Prinzip" en rassendiscriminatie "workable", werkbaar achten. Ik herinner eraan dat deze norm als enig algemeen geldige voor de culturele relativisten overbleef. Toch zouden zij zelf - hun publicaties die na de Tweede Wereldoorlog hier verzwolgen werden verschenen voor een deel al in de Verenigde Staten voor of in die oorlog - hier direct grenzen moeten trekken.

De postmodernen en "hun" allochtonen

Hetzelfde geldt hun opvolgers heden; "post-modern" noemt men zich nu vaak. Zoals wij reeds meerdere malen zagen, treffen wij bij hen met hun brede tolerantie, met hun mentaliteit van "alles moet kunnen", hun grenzeloos optimisme ten aanzien van het naast en door elkaar kunnen leven van de meest verschillende minderheden op één territoir, een duidelijke afkeer van andere verschijnselen, die hun relativisme beperkt. Niet zelden zien wij bij hen een felle veroordeling van wat zij als structurele uitbuiting van de Derde Wereld zien; zijn zij er als de eersten bij om "discriminatie" in de meest verschillende betekenissen van het woord te brandmerken. Het gaat dus om een in wezen niet op te lossen tegenstrijdigheid. In de praktijk komt het er echter vaak op neer dat exponenten van dit denken - misschien is het beter te spreken van "voelen", omdat een coherent denken ontbreekt - zich negatief opstellen tegenover de samenleving waarin zij verkeren. Een samenleving waar ze overigens niet buiten kunnen, zij vegeteren er immers vaak op. Inmiddels heeft alles wat de "randgroepen" doen, waar en hoe dan ook, hun sympathie, minstens hun begrip. Die sympathie komt dan bijvoorbeeld tot uiting in omvangrijke herdenkingen, in tientallen publicaties, films enz. Voor één zwaarverslaafde kraker die stierf, in laaiende demonstraties als er ergens één slachtoffer bij een minderheid valt. Eén Surinaamse jongen werd in Nederland vanuit een racistische mentaliteit doodgestoken; één andere allochtoon die meedeed aan vandalisme werd getroffen door een kogel die net zo goed één van zijn autochtone kornuiten had kunnen treffen. Beiden verdienden een monument, waarbij willige autoriteiten hun rouw en wroeging kwamen betuigen. Duizenden werden gemobiliseerd, de media wentelden zich in op exhibitionisme lijkende klacht en aanklacht. Soms lijkt het of het leven van een allochtoon kostbaarder is dan dat van autochtonen. Wie zoekt naar erkenning van het leed dat in één stad al geleden wordt door vele duizenden die beroofd zijn met geweld, in elkaar geslagen, gedood zelfs door leden van minderheidsgroepen, zocht vergeefs. Gedurende de jaren negentig verschoof dit beeld. Massale rouwbetogingen voor allerlei slachtoffers van geweld werden tot een ritueel gebeuren. Weinig verbeterde echter aan de bestrijding van misdaad en vandalisme. Een groot percentage van het opsporings- en justitieel apparaat kwam in dienst in de jaren zestig en zeventig en kon zich moeilijk losmaken van de filosofie dat ook de zwaarste misdadiger resociabel moet zijn en dat hardheid iets is dat paste in een duister verleden. De rechtvaardigheidszin en het mededogen van de "nieuwe progressieven" blijkt zeer selectief.

Kunnen we nog prioriteiten bepalen?

Politiek gaat over het signaleren en ontleden van samenlevingsproblemen. Die problemen moeten in hun samenhang worden geplaatst en bestudeerd. Een plan van actie dat vervolgens vereist is, moet die samenhang tot uitdrukking brengen en ontkomt per definitie niet aan het vaststellen van een zekere rangorde. De hoofdzaken moeten gescheiden worden van de bijzaken. Het is de taak van de partijen en voorlichters de aandacht te vestigen op wat de hoofdzaak is; in een veelheid van keuzen die zich aandient, aan te wijzen waar de kernbeslissingen dienen te vallen. In een tijd waarin relativisme heerst, partijen bijkans zonder beginselen ronddolen en voorlichters gegrepen worden door de sensatie van de dag, blijkt dit moeilijker dan ooit. De betrokkenen zijn zelf niet zelden een eind weegs door het cultureel-relativisme meegesleept. De eens geldende beginselen van wat de "confessionelen" waren, leden tegelijk met en evenzeer als de geloofs- en kerktrouw, aan een grote erosie. Men waagt het niet of nauwelijks over beginselen te reppen, en weet geen samenhang aan te brengen tussen de gefragmenteerde klanken die men op onderscheiden terreinen horen doet.
Het tekort aan cellen blijft stijgen en wordt tegemoet getreden met de ene korte termijn improvisatie na de andere: doodslagers en grote drugsdealers worden vrijgelaten; coördinatie, zoals men die binnen een modern apparaat zou verwachten, blijkt niet te bestaan; het gemis aan slagkracht van de overheid is haast spreekwoordelijk De democratisering, de "brede inspraak" - mede resultaat van de beweging van 1968 - mondt in de praktijk uit in oeverloos gepraat. Waar de kiezer kiezen mag, worden hem keuzen voorgehouden die die naam niet waard zijn; angstig om ook maar iets van hun macht prijs te geven, weren de regenten ieder referendum met wezenlijke inhoud af. Intussen blijft de macht arrogant als immer. Burgers die de overheid bij voorbeeld in Amsterdam benaderen, moeten erop rekenen dat 45% van hun brieven na één jaar nog niet, zelfs maar met een bericht van ontvangst, beantwoord zijn. Zou een particulier bedrijf zo traag en slecht reageren, dan zou het spoedig failliet zijn. Toch worden de zwaarwegende bezwaren tegen het doen en laten van de overheid, zoals hier vermeld, met weinig kritiek in de media omgeven. De nood moet al heel hoog zijn, zelfs tot uitdrukking komen in het loslaten van zware misdadigers, wil van enigszins adequate reacties sprake zijn.

De nieuwe gevoeligheid

Het tegendeel doet zich voor waar "nieuwe progressieven" in hun "gevoeligheden" worden geraakt. Twee voorbeelden: de minister-president oppert op een bepaald moment iets over jongeren die zich schuldig maken aan wat men tot de zich steeds verwijdende categorie "kleine criminaliteit" belieft te rekenen. In "kampementen" zouden zij kunnen worden getraind, zulks mede om hun kansen in de "normale" maatschappij te verbeteren. Wat deze nogal voor de hand liggende, hier en daar al toegepaste en in een land als België standaard zijnde, praktijk aan commentaren uitlokte, zou eens zorgvuldig moeten worden geturfd. Een reeks van organen, tv-uitzendingen enz. intensief volgend, kom ik tot de conclusie dat men hiermee reeds een flinke bundel zou kunnen vullen. Alleen al het gebruik van het woord "kampement" raakte een "gevoelige" snaar, en voor velen is het feit dat drie minderheidsgroepen verantwoordelijk zijn voor 80% van de bedoelde misdaden, al even "gevoelig". Wie even door de oppervlakte prikt, ziet geen verontruste oud-verzetstrijders in oppositie, maar sommige van hun kinderen en kleinkinderen die weer iets gevonden hebben om hun progressivisme aan te bewijzen.

Een tweede voorbeeld van een "probleem", dat zulks niet wezenlijk is voor 80% van ons volk maar waar "nieuwe progressieven" enorme moeilijkheden en dito stof voor discussie in zien: geen zinnig burger van een normaal land is tegen een algemene identificatieplicht. Toch is er een luidkeelse minderheid die in Nederland invoering daarvan verhindert. De argumenten ertegen zijn vaak absurd. Eén argument dat steeds terugkeert is de weerstand die zo'n plicht zou oproepen, omdat in 1940-1945 de Duitsers hier een ieder verplichtten een "persoonsbewijs" bij zich te hebben. Het meest voor de hand zou liggen, tenminste alle personen die de bezettingstijd bewust hebben meegemaakt te vragen naar wat zij ervan denken, en in elk geval hun mening kenbaar te maken als zij bezwaren zien. Niemand die er over rept. In een tijd waarin iedereen zegt uit te zijn op een betere inspraak van mondige burgers, een vreemd verschijnsel. De "autonomen", de relativisten uit de zachte sector weten het voor ons. Zij voeren nu hun oorlog tegen een "bezetter" en zijn wetten; die wetten "zijn niet de hunnen".

De dichtslibbende en vervuilende Randstad

Het is april 1993. De staatssecretaris voor Volkshuisvesting en het C.B.S. geven een aantal cijfers. Tot het jaar 2000 zouden er volgens de tot nu toe geldende plannen in ons land 700.000 woningen bij moeten komen. Echter, er blijkt nu dat daar de komende tien jaar nog eens 162.000 woningen extra bij moeten. Het overgrote deel van al die woningen zal gebouwd moeten worden in het Westen van het land, waarbij de behoefte in de vier grote steden van de Randstad weer de meeste aandacht zal vergen. Wie hier vraagtekens zet - Amsterdam bijvoorbeeld heeft ongeveer 330.000 woningen en nauwelijks 700.000 inwoners, dus ongeveer 2 1/8 persoon per woning - wordt wat verder geholpen door het C.B.S.: dat verwachtte in 1988 nog een migratie-overschot van 125.000 tot het jaar 1995. Het blijkt nu dat dit getal verdubbeld moet worden, terwijl men bovendien moet rekenen met een meer dan gemiddelde gezinsgrootte van deze groepen. Een naïeveling die denkt dat hier toch wel een even grotere problematiek wordt blootgelegd dan bijvoorbeeld gegeven is als het gaat over "kampementen" of identificatieplicht.

Op laatstgenoemde vraagstukken werpen zich alle media, maar waar het gaat om een onderwerp dat het leven en de toekomst van dit hele volk raakt, geslachtenlang, zwijgen de anders zo graag publiciteit zoekende politici en de gretig problemen aandragende journalisten. Men volstaat met het weergeven van de cijfers. De meest relevante vragen blijven uit. Laten we er enkele noemen. Al meer dan dertig jaar geleden werden onze planners zich ervan bewust dat West-Nederland niet met bouwwerken en wegen zou mogen dichtslibben. De vorming van een Randstad werd als onvermijdelijk gezien, het "hart" tussen de vier grote steden en de keten kleinere steden en dorpen daartussen, zou echter "groen" moeten blijven. Om wonen en werken gelijkmatiger over het land te spreiden zou vestiging in het Noorden en Oosten worden bevorderd. Wie het "groene hart" sinds die tijd nu en dan doorkruist, ziet overal de voortkruipende bebouwing. Merkwaardig is het zwijgen van de meeste politieke partijen. Alleen Groen Links laat zich hier horen. In de al genoemde folder heet het doodleuk: "Nederland is te vol. De vraag of dat wel waar is wordt niet gesteld". De partij die zich groen noemt schijnt te vergeten dat deze vraag al tientallen jaren geleden gesteld is. De partij die zich allereerst "groen" noemt schijnt te vergeten dat zij zelf - m.i. terecht - de vervuiling onder meer door het massale verkeer in de Randstad, de uitstoot van de industrie, de hoeveelheden afval enz., te groot acht. Intussen zijn het mensen die dit alles veroorzaken en de prognoses die veelal bescheidener zijn dan de werkelijkheid geven aan: één miljoen mensen erbij, dan ook driekwart miljoen auto's erbij.

Ronduit verbijsterend is het volgende. Rechts en links noteert men niet alleen deze gegevens zonder ze te analyseren, zonder te beoordelen of ze al dan niet aanvaardbaar zijn, het schijnt ook dat wij ze, als door het noodlot gegeven, zonder meer hebben te aanvaarden. Hier en daar oppert de planoloog of architect dat we moeten komen tot "verdichtingsbouw" in de steden: verlies dus van - nog meer - groen in de steden, bouw van woontorens die zonder de minste twijfel de krotten van de 21e eeuw zullen zijn.

De spraak- en smaakmakers in politieke en maatschappelijke organisaties zwijgen stil. Het is alsof het gaat om ijzeren determinanten die wij zonder meer voor lief zouden moeten nemen. Het is alsof wij ons bij voorbaat moeten neerleggen bij dit perspectief: de Randstad wordt binnen 30 à 40 jaar een soort New York aan de Noordzee, Amsterdam een soort Manhattan aan het IJ!

Toekomst bepalende keuzen; volk en ruimte

Het gaat hier om levensgrote ineengestrengelde vraagstukken, om keuzen die toekomst-bepalend zijn. Het vraagstuk van de relatieve overbevolking en ruimtelijke ordening; het vraagstuk van de toenemende immigratie en de toenemende vervreemding, allereerst in de grote steden; het vraagstuk van wat bodem, water en lucht (nog) dragen en verdragen kunnen en wat een steeds meer geprikkelde, merkbaar agressiever wordende bevolking psychisch nog aankan. Deze kernvraagstukken zouden door onze politieke partijen in hun programma's in elk geval als kernvraagstukken in hun samenhang dienen te worden behandeld. Ik zeg niet dat er niet méér is, maar hier ligt één criterium voor de vraag: kunnen we een politieke partij in deze tijd serieus nemen? Groen Links heet links te zijn. Links stond steeds voor analyse van de maatschappelijke werkelijkheid, visie op de doeleinden voor de toekomst, het banen van een weg naar die toekomst: een streven omhoog in solidair-samenwerken, met een zekere discipline en planning. Bij Groen Links kan men dit vergeten. Cijfermatige data als boven gegeven worden domweg als te aanvaarden feiten voorgesteld. Meer - ik citeer -: "Er moet een ruimhartiger en humaner toelatingsbeleid komen; Mensen die naar Nederland komen in het kader van gezinshereniging moeten welkom zijn; Voor vreemdelingen moeten dezelfde toelatingsvoorwaarden gelden als voor Nederlanders; Gelijke monniken, gelijke kappen", zegt de folder; een "kleurrijk Nederland... op basis van gelijkwaardigheid". Vragen we nogmaals wat die gelijkwaardigheid dan wel mag inhouden, dan zien we vrijwel nooit expliciet gemaakt dat dit in wezen neerkomt op het voldoen aan eisen, ook van vreemdelingen, om te kunnen leven naar hun trant daar waar het hun past, in de grote steden, in de zich steeds meer in het groene hart voortvretende Randstad. Precies zoals maatschappelijke mislukkelingen en krakers de eerste rang cadeau krijgen van de "nieuwe progressieven", krijgen vreemdelingen een open cheque die het Nederlandse volk mag verzilveren.

De leuze "Eigen volk eerst" is in dit denken een vloek. Het nieuwe progressivisme miskent eenvoudig dat de geslachten die in dit stukje Europa zijn geboren, verantwoordelijk zijn voor de waarden die hier vorm hebben gekregen, geestelijk zowel als materieel, erfgenamen als zij zijn van dit alles, dat wil zeggen rechthebbenden, maar niet minder verantwoordelijken en dragers van plichten. Zij hebben deze samenleving met heel haar materiële substraat tot stand gebracht en ontwikkeld. Vandaar hun "eerstelings-recht", maar ook plicht, waarbij onder meer de weerplicht en sociale dienstplicht één logisch geheel vormen. Zij, vooral de sober levende generaties die tot ongeveer 1960 enorme kapitalen "spaarden" en voor de opbouw ter beschikking stelden, hebben voor dit alles dus ook duidelijk betaald. Honderdduizenden immigranten die vaak na 5 of 10 jaar gewerkt te hebben, weer 5 of 10 jaar werkloos zijn hebben ook premies betaald, herhalen de "nieuw progressieven" steeds. Zouden ze eens willen uitrekenen hoeveel exact? Met hun "ruimhartiger" toelatingsbeleid willen zij de prognoses nogmaals overtreffen. Straks zullen, zo zij hun zin krijgen, veel meer dan de 1 miljoen nu voorziene allochtonen, een zwaar beslag leggen op subsidies voor de grotere woningen die voor hen gebouwd moeten worden, op bijstand en andere uitkeringen waarvoor zij een minimale premie-bijdrage hebben gegeven, beslag leggen ook op de steeds duurdere medische voorzieningen in een mate die in geen enkele verhouding staat tot wat zij er ooit aan bijdroegen. Pas in de jaren negentig werd openlijk geschreven over het feit dat vreemdelingen een meer dan met hun aantal evenredig beslag leggen op onze gezondheidsdiensten.

De ontoereikende en falende overheid

Bij dit alles, bij het cijfermatig vatten van deze hele problematiek, komt schrijnend naar voren hoe gebrekkig de coördinatie en correlatie is van het cijfermateriaal, zonder hetwelk men niet kan, als basis voor een rationeel verantwoorde politiek. Nog geen maand na de genoemde prognoses van het C.B.S. komt de directeur Vreemdelingenzaken van Justitie met de opgave dat in Amsterdam alleen al 26.000 woningen verhuurd worden aan illegalen. Men lette wel: dit dus geheel ongeteld alle woningen die aan andere categorieën niet-rechthebbenden worden verhuurd of onderverhuurd. Veronderstellen wij dat in andere grote steden - wellicht wat minder, maar toch - ook vele tienduizenden woningen door niet-rechthebbenden worden bewoond, dan versterkt dit slechts het pleidooi dat ik eerder hield voor een systematische en jaren lang volgehouden uitzetting van illegalen. Een groot deel van wat men nu nodig acht aan extra woningbouw zou zodoende kunnen worden geschrapt. Maar legt men deze verbanden? En trekt men consequente conclusies?

Bij de demografische vragen die hier opdoemen wordt vaak gewezen op de vergrijzing en op het feit dat de autochtone bevolking zich niet zou reproduceren. Het zou daarom al zo goed uitkomen dat de grote grijze na-oorlogse "lichting" die met 10 à 20 jaar om meer krachten in de zorgsector vraagt, mede opgevangen zou kunnen worden door allochtonen. Ook hier weer dat typische politiek voeren op kort zicht en zich aanpassen bij wat heden is. De na-oorlogse "Babyboom-golf" is slechts een tijdelijk fenomeen; reproduceert de bevolking zich normaal dan loopt daarna demografisch alles weer "vlak". Geen land in Europa heeft nog een zo grote "reserve" aan niet-buitenshuis werkende vrouwen als Nederland. Voeden wij nu alle meisjes en vrouwen op in het besef dat hun emancipatie ligt in een productieve deelname aan de maatschappij, dan zal dat niet alleen die emancipatie maar ook de volksgemeenschap sterken en werkkrachten van buiten overbodig maken. Wie daarbij kiest voor werk voor allen, maar tevens consequent voor een sterk gereduceerde - betaalde - werktijd voor allen, zal tijd en energie doen vrijkomen waardoor reeds een iets groeiend geboortecijfer tot een evenwichtssituatie zal leiden.

Uiteraard veronderstelt dit alles een vèrstrekkend ordenend handelen van de overheid, die een klaar beeld heeft van waar de prioriteiten liggen, die weet samen te binden, inspireert, leidt: een overheid die afscheid heeft genomen van haar rol als vrijwel louter passief verdelingsmechanisme.

Toekomst bepalende keuzen: om het Nederlandse Kenmerk

Wat houdt ons als Nederlanders op onze kleine delta in West-Europa bijeen, wat kenmerkt ons? Voorts: wie kunnen wij in dit verband als gelijken dan wel gelijkwaardige medeburgers aanvaarden, wat kan dit land ruimtelijk maar ook geestelijk en psychisch dragen? Als het gaat om de pluriformiteit van de normen en waarden in onze samenleving, kan men zich twee polaire stellingen indenken. Men kan stellen dat bevolkingsgroepen in eigen kring naar eigen normen en waarden moeten kunnen leven. Men denke bijvoorbeeld aan de weigering van bepaalde christelijke scholen, homoseksueel onderwijzend personeel te benoemen. Wie zich hier zonder meer bij neerlegt en naast de roeping en taak van de ouders hier geen taak van de volksgemeenschap ziet, zal logischerwijs de volgende stappen voor zijn rekening moeten nemen: hij zal moslims de vrijheid laten in eigen kring opvattingen over de rol en plaats van vrouwen en meisjes in de opvoeding door te geven, eigen normen van strafrecht te propageren, later wellicht eigen vormen van huwelijks-, familie- en erfrecht toe te passen. Een "zuil" in optima forma zou zijn ontstaan na ongeveer een halve eeuw "ontzuiling". In Hindoe-kring zullen weer andere zeden en rechtsstructuren heersen; te weinig is bekend dat Hindoes, waar ook ter wereld, nog zeer vaak denken, voelen en handelen op basis van kaste-vooroordelen. De moderne westerse samenleving die zich baseert op de individuele en sociale Rechten van de Mens botst op de rechtsopvattingen en zeden die hiermede samenhangen. Ook wie deze "zuilen" - bijvoorbeeld fundamentalistisch-christelijke, idem islamitische of hindoeïstische - en wellicht andere "zuilen" - animistische? - zich naast elkaar op één territoir wil laten ontwikkelen, als het ware in eigen, afgescheiden compartimenten, ruimtelijk gecomplementeerd door getto-vorming, roept spanningen en potentieel grote gevaren op. Libanon vormt een tragisch voorbeeld: verschillende groepen christenen, moslims, Droezen naast elkaar levend in wat een staat heette te zijn, maar wat een kruitvat bleek, een bergplaats als het ware van fragmentatiebommen. Joegoslavië behoeven wij slechts te noemen, maar ook tal van andere samenlevingen gaan gebukt onder hun multiculturele realiteit, hun fragmentatie in feite, in Azië, Afrika, Latijns- en niet te vergeten Noord-Amerika.

In Nederland waren wij gewend te denken in "zuilen": protestants-christelijke, rooms-katholieke, socialistische; liberalen liepen daar wat vreemd bij: zij stonden voor "algemeenheid", zich niet of nauwelijks bewust dat ook hiermee een ideologische keuze werd gemaakt. Is het nu te verantwoorden om - zoals bijvoorbeeld de minister-president deed - moslims te suggereren een eigen "zuil" te vormen, omdat zuilen ook zo bevorderlijk waren voor de emancipatie van genoemde groepen? Mij dunkt: nauwelijks. Men zou moslims - en anderen? - als het ware een stap in de tijd terug moeten laten doen. De zuilensamenleving heeft principieel afgedaan, hoewel in het "maatschappelijk middenveld" nog hele burchten als machtsbases voor invloed en posities claimende groepen en personen overeind staan. De bunker- of getto-mentaliteit van weleer is echter bij het overgrote deel van ons volk verdwenen. Sommigen mogen het betreuren: na de ontkerkelijking, na het ook in steeds vrijzinniger richting opschuiven van hen die kerks bleven, kan men het, die meerderheid verenigend, kenmerk het best omschrijven als "christelijk humanisme" of "humanistisch christendom". Het heeft in dit licht iets reactionairs, moslims aan te raden zich op te sluiten in een zuil. Vele ouderen zullen de praktische gevolgen van het in zuilen denken nog met afkeer voor ogen staan: heel het organisatie-wezen verkaveld volgens de zuilennorm; hele wijken door "eigen organisaties" gereserveerd voor één geloofsrichting, vermaning vanaf de kansel om toch vooral te kopen bij "broeders in het geloof", elkaar sarrende soms met stenen bekogelende jeugd van scholen met een verschillende "kleur"; een angstig benauwd geestelijk klimaat. Precies een klimaat waarvan moslims nu - soms ten onrechte - worden verdacht. En dàt terwijl bij een op integratie gerichte politiek een vrijzinnige Islam zich zeer wel zou kunnen doen inpassen in de vrijzinnig joods-christelijke humanistische beschaving die zich heden hier heeft uitgekristalliseerd. Begin 21e eeuw moeten we helaas vaststellen dat velen in de Moslim-wereld in de afgelopen decennia naar het fundamentalisme zijn opgeschoven. Hieraan is de arrogantie van het Westen en met name de V.S. ter dege debet.

Grenzen aan de bevoegdheid der overheden

Moet dan een tegenovergestelde positie worden ingenomen? Moet de staat één, door haar op basis van de Rechten van de Mens geïnterpreteerde, orde van waarden opleggen? Eén typerend voorbeeld van de laatst aangeduide richting levert de interpretatie die minister Dales gaf van de Wet Gelijke Behandeling. Zij pleitte op een bijeenkomst van de Bond van Nederlandse Predikanten, april 1993, in de Domkerk van Utrecht voor de scheiding van kerk en staat. Sprekend over de school echter en doelend op homoseksuele leerkrachten, blijkt bij haar de staat, de school de wet te mogen stellen: U zult dergelijke leerkrachten aannemen en niet weren. "De overheid heeft daartoe alle recht", aldus mevrouw Dales letterlijk: "Zij mag een bijbeluitlegging die een groep mensen schaadt, verbieden". Vervolgens trok mevrouw Dales een parallel met "kindermishandeling". Wonderlijk doet het applaus aan dat zij kreeg na de geciteerde woorden. Ook in kringen die, vroeger althans, hun best deden de eigen aard en functie van staat, kerk, school, gezin enz. te doordenken en uiteen te houden, heerst opperste verwarring. Het gelijkheidsprincipe wordt als dogma aanvaard en toegepast in harmonie met de golven van de maatschappelijke trends. Men begrijpe mij goed: vanuit het denken van een democratische rechtsstaat heeft geen enkele instantie het recht, te treden in een beoordeling van de intieme relatie tussen twee personen. De innerlijke geaardheid van zo'n band onttrekt zich aan de beoordeling door derden. Eenieder die bijvoorbeeld als schoolbestuurder leraren kiest heeft echter het recht, daarbij de samenlevingsvormen die mede via het onderwijs zijn kinderen als normaal worden voorgesteld, af te wijzen. En dus ook die leraren af te wijzen. Wie zegt dat de leraar/lerares hierover ook kan of moet zwijgen, stelt zich buiten de realiteit en eist van de betrokkenen het onmogelijke: in feite een vorm van zelf-discriminatie.

Welke koers?

Maar hoe verder? Hoevelen kunnen niet door een bepaalde Talmoed- of Koran-interpretatie worden geschaad? Welke wet kan dwingen tot een onderwijs dat vrouwen niet discrimineert; is het niet logisch Koran-scholen te verbieden die al door hun gescheiden onderwijs aan jongens en meisjes discrimineren? Ik bedoel dus: voortdenkend in de lijn van mevrouw Dales.

231

Zoveel is wel duidelijk: de fundamentele tegenstelling die zich hier voordoet tussen twee grondrechten is niet op te lossen als men slechts uitgaat van twee polen: het recht van ouders of religieuze groep op vrijheid van onderwijs enerzijds, en het recht van personen en groepen te leven en zich te uiten naar hun aard, ook als docenten, anderzijds. Te stellen dat die docenten toch elders wel terecht kunnen, lost het principiële vraagstuk niet op.

Aan dit voorbeeld wordt duidelijk dat noch de rechten van individuen noch die van groepen zonder meer het primaat zullen mogen hebben. Ook de staat als belichaming van de volksgemeenschap, waker voor de continuïteit van de natie en haar eigen karakter, kan en moet hier een eigen rol spelen. Fragmenteert de samenleving in groepen, ieder met hun eigen "fundamentalisme", dan wordt deze opgave zwaar, zo niet onmogelijk. De verdraagzaamheid die de Vader des Vaderlands al voorstond, gebiedt in ieder geval dat groepen elkaar kennen, zich leren bezinnen op wat verdeelt en vereent. Zonder die kennis heerst geen verdraagzaamheid, maar onkunde, leegheid en normloosheid, op zijn best een onbestemd relativisme.

Dit impliceert in de praktijk dat een aantal lesuren en colleges - eventueel rechtstreeks van overheidswege gegeven - allen op ons territoir vertrouwd zullen kunnen maken met wat anderen geestelijk drijft, *bij voorkeur uit de mond van personen uit die andere groepen zelf.* Alleen zo kan recht gedaan worden aan wat de grote meerderheid van dit volk gemeen heeft: zijn christelijk humanistische of humanistisch-christelijke kenmerk.

Fragmenten voor een program

Het doordringen van het cultuur relativisme heeft, hand in hand met de ontkerkelijking, geleid tot veel verlegenheid in christen-democratische kring. Een duidelijk coherent politiek denken is moeilijker geworden omdat men

a. het zelf niet zo goed meer weet, vaak onzeker is, geen samenhangend politiek denkgoed meer kan presenteren. Leuzen als "ethisch reveil", "verantwoordelijke samenleving" en "sociale vernieuwing" konden door reclamebureaus zijn bedacht en zijn dat soms ook. Nimmer werd duidelijk gemaakt wat ze goed doordacht aan samenhangend beleid op langere termijn zouden kunnen betekenen;

b. het ook niet goed kan, omdat het gevaarlijk wordt geacht weer aan te knopen bij wat vroeger beginselen heetten, hetgeen zou kunnen leiden tot twist en verdeeldheid tussen de "bloedgroepen".

Toch zou ik de grootste partij van ons land dit willen aanraden. Men roept nu te veel, als de omstandigheden prangend worden, zomaar iets, zonder voldoende de achtergrond, samenhang en doel van wat men stelt, evident te maken. Samen zou men nog eens kunnen overdenken hoe christelijk-historischen met hun: "Er staat geschreven, er is geschied", tenminste duidelijk hebben gemaakt dat het geen generatie, ook niet die van 1968, gege-

232

ven is noch zal zijn, de geschiedenis zo maar ergens te beginnen. Men zou zich kunnen realiseren hoe gebrek aan historische kennis er debet aan is dat men mensen die nog iets weten van de cruciale data in de geschiedenis van ons volk, steeds meer met een lampje moet zoeken. Men zou kunnen bedenken dat het ontbreken van een verplicht studium-generale ertoe kon voeren dat er heden mensen en partijen zijn die menen dat het mogelijk is, politiek te voeren uitgaande van enige vage pragmatische doelstellingen, los van een samenhangend denken over essentiële waarden.

Erosie van het christen-democratisch gedachtegoed

Veel van wat eens het A.R.-gedachtegoed werd genoemd ligt er heden bij als roestende werktuigen op een akker. Wie er weer notie van krijgt dat al het zijnde een eigen aard heeft, aan eigen wetten gehoorzaamt, ook aan eigen ontwikkelingswetten, krijgt zicht op een eigen structurele plaats en functie van de overheid in het samenlevingsgeheel. Een moeilijkheid is dat dit denken haaks staat op de rooms-katholieke conceptie van de "subsidiariteit". Daar vertoont de samenleving een hiërarchische structuur. De "hogere", meer omvattende gemeenschap - de staat - moet aan de hiërarchisch "lagere" standen en andere maatschappelijke verbanden, zoals de gezinnen, die zaken ter beslissing laten die ze zelf kunnen regelen. Bovendien: boven alles koepelde het gezag van Rome. Nu weinigen het laatste meer erkennen, zou het m.i. de moeite lonen te trachten te komen tot formulering van concepties voor de christendemocratie die verder reiken dan parolen voor vier of hoogstens acht jaar. De zorg voor de ontplooiing van het in de schepping gegevene, zal hierbij op de voorgrond kunnen staan. Dit betekent zeer concreet een ingrijpen in de megalomane, de lichamelijke gezondheid, het psychisch-sociaal- en ethnisch evenwicht bedreigende, ontwikkelingen die onder onze ogen gaande zijn. Terwijl de wegen en steden verstikt raken van verkeer, het luchtruim daarboven van vluchtroutes; terwijl het Groene Hart dichtslibt; terwijl alleen al tussen 1972 en 1986 in Nederland 7500 kilometers aan paden waar gewandeld, gefietst en paardgereden kon worden, verloren zijn gegaan; terwijl in de steden meer groen verdwijnt dan erbij komt, noteren onze "nieuwe progressieven" rustig dat we er binnen afzienbare tijd 862.000 woningen bij moeten bouwen, vooral in de Randstad en met name in de grote steden. De stuitende passiviteit bij wat zich progressief noemt zou makkelijk doorbroken kunnen worden door een praktisch program dat "zorg voor de schepping" voorop stelt. De afgifte van gifgassen alleen al door het autoverkeer is enorm. Het rondrijden, langzaam, nu inhoudend, dan optrekkend, blokjes draaien teneinde een parkeerplaats te vinden, veroorzaakt zeker 40% van de uitstoot in de steden. Een reeks van garages, bij voorbeeld verzonken in de grotere grachten, zou deze 40% uitstoot kunnen doen vermijden. Bouwt men bij voorbeeld in Amsterdam 90 van die garages voor 200 auto's elk, dan verdwijnen alle 18.000 auto's die nu in de binnenstad op straat staan, rechtstreeks in die garages: de visuele vervuiling door al het blik is verdwenen, ruimte komt vrij voor wandel- en fietspaden, groen en bloemen. Particuliere fi-

nanciering is zeer wel mogelijk; is het gebruik maken van die garages verplicht, dan kunnen ze zeker hun rente opbrengen. Ziet de overheid hier een
profijtelijk project, maar heeft zij het geld niet beschikbaar, dan had men
bijvoorbeeld de bouw van een ongeveer 400 miljoen kostend stadion - dat
door grote delen van de bevolking overigens ook niet werd gewild - achterwege kunnen laten.

Eerherstel voor uitstervend vakmanschap

Vanouds was de voortgaande ontplooiing van de schepping een thema dat
de christen-democraten verenigde. Vooral in roomse kringen werd het ambacht - omgeven door een wat romantisch aura - hoog in ere gehouden. Ga
ik nu na, wat naar Groen Links, Nieuw Links, in het algemeen als "nieuw
progressief" doorgebrokenen over dit thema hebben te melden, dan bekruipt
mij een treurig gevoel. Talrijke stukken las ik - jaren lang - in de vroeger
"christelijke" pers waarin het als een ijzeren gegeven werd voorgesteld:
voor alle mensen zou er nooit voldoende werk meer zijn. Erg was dat ook
niet: voor velen was het werk slechts een last, de gecomputeriseerde na-in-
dustriële samenleving was rijk genoeg, werkloosheid van grote groepen
van de bevolking met behoud van inkomen, beter: een permanent basis-in-
komen voor allen, bood de oplossing. Bij deze "progressieven" lijkt de geschiedenis haast aan zijn eind, de samenleving haast "af". Nimmer zag ik
dit slappe, fantasieloze, voor schijnbaar onbeweeglijke wetten capitulerende
denken systematisch weerlegd. De christen-democratie zou bij uitstek hier
een inspirerend thema moeten zien. Tegenover de schijn-progressiviteit, het
wezenlijke conservatisme van "nieuwe progressieven" buiten eigen kring
en daarbinnen, zou een nieuw perspectief geboden kunnen worden. Valt er
immers niets meer te ontplooien aan de "mogelijkheden die in schepping
zijn gelegd?" Zijn onze steden "af" met de vaak slechte, trieste, monotone,
massa-bouw van de jaren vijftig, zestig en zeventig; zijn de woningen optimaal leefbaar als ze volgestouwd zijn met consumenten-elektronica en
prefab-meubelen? Vergelijkt men de architectuur, de ambachtelijke kwaliteit, ook van de "volks-woningbouw" van tussen de beide wereldoorlogen
en die erna, dan valt op hoe superieur de eerste meestal is. Spreekt men
hierover met deskundigen dan is het: nú zó bouwen zou te duur zijn: dat
metselwerk kan haast niemand meer maken, de timmerman die nog zo'n
trap of balustrade maakt moet men met een kaarsje zoeken, enz. Hetzelfde
zag en hoorde ik in heel Europa. Nog kort geleden wierp men in duizenden
Spaanse dorpen en steden fraaie handgesmede traliewerken als het ware op
de vuilhoop om ze door aluminium-massaproducten te vervangen.

Keer ten goede

Maar reeds is een begin van een wending merkbaar; ook overal in Europa
bouwt men hier en daar weer individueler, ambachtelijker. Velen heront-
dekken de niet te vervangen waarde van het ambachtelijk handwerk. Die

234

traliewerken in Spanje die voor weinige tientjes werden verkocht, liggen nu bij de antiquair en kosten honderden tot duizenden guldens. Men begrijpe mij niet verkeerd. Het gaat mij niet om een romantisch "terug naar het handwerk". Ook industriële bouw kan aan hoge, constructieve en esthetische eisen voldoen; het industriële product heeft niet voor niets een plaats in de afdelingen Industriële Vormgeving van onze musea. Over een breed vlak echter kan nimmer de kwaliteit en de uniekheid van het werk in vele takken van ambacht geëvenaard worden. Alleen in een bepaalde fase moest nood-wetmatig bij voorbeeld de tientallen miljoenvoudige massa-bouw het "winnen" om al die tientallen miljoenen mensen althans aan een "dak boven het hoofd" te helpen.

Karl Marx heeft gezegd: "De voorgeschiedenis van de mensheid is voorbij, we beginnen pas". Wie inziet welke mogelijkheden in onze handen liggen: op het gebied van de technologie, de chemie, de biologie enz., aan een nieuwe ontplooiing van een rijk scala van ambachtelijke kundigheden en vaardigheden, aan talloze kansen voor een bredere ontwikkeling van de mens in studie, sport, spel enz., kan het woord van Marx slechts beamen: wij beginnen pas. De onvervangbare persoonlijke zorg voor mensen zal blijvend en toenemend het werk vormen van vele tienduizenden; in een beperktere arbeidstijd zullen honderdduizenden goed geschoolden en getrainden ambachtelijk werk kunnen vinden waar individuele behoeften, smaak, levensgevoel, een individuele vormgeving eisen. Speciaal verfijnde vaardigheden eisende producten zullen een grotere markt vinden dan ooit.
Ook bij de sociaal-democraten schijnen anno 1993 samenhangende beginselen reeds lang verdwenen. Om de verloren schare weer terug te winnen zoekt men vrijwel uitsluitend naar de juiste tactiek. Hijgerig tracht men de conjunctuur van de dag bij te houden en concentreert men zich meer op zaken die hoogstens een bijrol zouden mogen spelen dan op structurele vragen die toekomst bepalend zijn.

Het klinkt natuurlijk vreemd, maar het beste dat men ook de sociaal-democraten kan aanraden is, terug te gaan naar hun bronnen. Dat is impopulair. Of het nu het denken van Marx en Engels betreft, dat van Drees Sr, die zijn partij verliet omdat ze haar socialistische grondslag had verlaten; of het gaat om Den Uijl die vooral bekend bleef om zijn schijnbaar eeuwig beklag van de "kansarmen", de "achtergestelden", de "zwakken": alle genoemden hadden man voor man meer wezenlijks te zeggen dan alle kopstukken van het huidige democratisch-socialisme tezamen.

Teloorgang van het sociaal-democratisch gedachtegoed

Natuurlijk hebben Marx en Engels alles tegen: sinds het "echec van het "reëel bestaande socialisme", zal geen partij hun namen nog noemen; is putten uit de bronnen die zij sloegen taboe. Ten onrechte. Van Drees zal men wellicht denken dat de oude heer wat sentimenteel werd en te zeer hechtte aan oude termen en symbolen. Ten onrechte. Den Uijl maakte met zijn herhaald beklag van groepen die weldra de "cliënten" zouden zijn van een klein leger van zorgers en opvangers - overwegend "kinderen van 1968" - soms de indruk van hun utopistische school te zijn. Ten onrechte. Toch bestond ook voor hem de maatschappij niet zoals ze nu eenmaal is: vol fraude, corruptie, machtsmisbruik ook bij "de mensen", vol verspilling, onverantwoord beheer van geldmiddelen, incompetentie, arrogantie van de macht, ook bij *zijn* mensen. Hij duwde dit alles tientallen jaren van zich af. Van Drees had hij kunnen leren dat de sociaal-democratie zich zou moeten kenmerken door een sober beleid, niet door het laten vloeien van onbeheersbare subsidie-stromen. Hier lag bij Drees één hoofdkenmerk van wat hij socialisme noemde: het verantwoorden van als het ware het laatste dubbeltje van het geld van de belastingbetaler. Drees zag met lede ogen de opkomst van de "nieuwe vrijgestelden", de welzijnswerker in al zijn soorten, de bureaucraten, die de "elite" van de partij gingen vormen en haar vervreemdden van wat eens haar kracht was: de grote massa van de geschoolde "werkers van hoofd en hand".

"Achtergestelden" en "kansarmen" waren er om "op te heffen", niet om als een aanzwellend leger door een steeds groeiend legioen van "helpers" tot hun graf te worden begeleid en verzorgd. De gedachte reeds dat een mens slechts voor één beroep of functie geschikt zou zijn en, daarvoor ten dele incapabel geworden, afgeschoven zou mogen worden in de rijen van "uitkeringstrekkers", was alle klassieke socialisten een vloek. De mens was volgens hen een meerzijdig-scheppend wezen: hem af te danken zoals nu massaal geschiedt, was bij hen een capitulatie voor het kapitalistisch mechanisme.

Ik beweer niet dat Den Uijl hier niets van zag: in zijn geschriften raakt hij de uitholling van de politieke democratie en gebrek aan rechtstreekse invloed van de kiezers wel aan, zonder thema's als deze uit te werken. In de praktijk deed hij zich - meer politicus dan staatsman - meedrijven met de stroom om in het zadel te blijven, faalde hij volkomen op centrale punten, zoals bij het immigratie-probleem.

Werken we dit laatste iets nader uit. Toen Drees sr. de Partij van de Arbeid verliet deed hij dit, bezwaar aantekenend tegen het passief door die partij aanvaarden van een immigratie-politiek die reeds onder het rechtse kabinet Biesheuvel was ingezet. "Nieuwe progressieven" die het steeds meer in de Partij van de Arbeid voor het zeggen kregen, beroofden haar van haar laatste socialistische kenmerken. Hadden zij iets van Marx's politiek-economisch denken begrepen en in praktijk omgezet, het immigratievraagstuk had dit volk voor een groot deel bespaard kunnen blijven. Marx leerde de wetten van het kapitalisme te analyseren. In concreto: was de factor arbeid schaars, bijvoorbeeld het aanbod voor vuil of onaangenaam werk gering, dan dienden vakbeweging en partij ervoor te zorgen dat geen onderbetaald "onder-proletariaat" dit werk zou aanvaarden. Was dit ter plaatse aanwezig dan zou het uiteraard moeilijk zijn geweest, dit te verhinderen; import had geblokkeerd kunnen worden; loonsverhogingen en verbetering van arbeidsomstandigheden afgedwongen. Werkgevers zouden gedwongen worden tot rationalisatie, dat wil zeggen invoering van arbeid-besparende werktuigen en machines en verbetering van werkomstandigheden, hetgeen zou resulteren in de "opheffing" van arbeid en arbeiders beiden.

Gemiste kans voor de vakbeweging

In dit denken zal een "strijdbare" arbeidersbeweging het hoogstens toestaan, op tijdelijke contractbasis arbeidskrachten van elders toe te laten. Die werkers zal zo'n arbeidersbeweging in zijn rijen opnemen, goede arbeidsvoorwaarden voor hen bedingend, zomede verplichte opleidings- en vormingsmogelijkheden wat - gezien de kosten - opnieuw de import van arbeid zou beperken: ze wordt "duur", niet voor de gemeenschap, maar voor de ondernemers. Zo zou ook de progressie in de landen van herkomst worden gediend: steeds nieuwe lichtingen mensen komen terug, minstens geoefend, vaak geschoold, beter ontwikkeld, voorzien van spaargeld, alleen "gevaarlijk" voor de meestal autoritaire regimes in de landen van herkomst, want "besmet" met nieuwe ideeën over democratie en rechten van de mens.

Niets van dit alles geschiedde. Marx leerde dat de arbeiders geen vaderland hebben omdat het kapitalistische systeem hen dit afneemt. In concreto, hier en nu: de tijdelijke winst van de import van buitenlandse arbeidskrachten voor een bepaalde groep van ondernemers, verkeert snel in een last voor de gemeenschap. Die last komt niet allereerst neer op de hogere- of middengroepen, ook niet op de "nieuw-progressieve" kaders, maar op in het algemeen armere groepen in de oudere wijken. Zij verliezen hun vaderland in de vorm van hun dagelijkse omgeving; zij lijden onder een politiek door schijn-progressieven aangericht; zij zien zich gediscrimineerd wanneer die schijnprogressieven aan vreemden de huizen toewijzen waarin zij graag zelf hadden willen wonen; subsidie-stromen doen vloeien naar vreemde welzijns- en culturele stichtingen, waar zij wel andere dingen voor wilden laten doen; zij zien hun woonwijken vervreemden, ten deel vallen aan mensen die overwegend hun taal niet spreken, qua zeden en gewoonten anders zijn.

Van Marx kan men nog veel leren. Hoe moeilijk te verteren wellicht, hele hoofdstukken van zijn werk staan na haast anderhalve eeuw nog recht overeind. Op de moeizame weg terug uit het Utopia waar eenieder krijgt naar behoefte en wie daar nog zin in heeft werkt (5.000.000 Nederlandse werkers moeten ook 4.000.000 uitkeringen opbrengen), vindt men een Marx die richting geeft. In heel het socialistisch tijdperk dat hij voorzag, zou als centrale norm gelden: eenieder geeft aan capaciteiten, aan werkkracht, naar vermogen; hij krijgt naar prestatie.

Lessen uit het socialistisch gedachtegoed

Uit de reeks van ankerpunten, die socialisten, marxisten, de van hun ankers

237

losgeslagen sociaal-democraten kunnen bieden, noemen we nog enkele hoofdzaken.

Blijven wij even bij het centrale begrip arbeid: in het proces van de verandering van zijn omgeving, verandert de mens zichzelf. Arbeid aan de materie waardoor hij wordt omringd en waaruit hij ook bestaat, verheft de mens boven de blinde machten van de natuur. Hier liggen aanzetten tot een weg omhoog, waarbij vooral grote aantallen exact geschoolden hun rol zullen spelen. De mens is steeds mens in gemeenschap, zijn arbeid niet iets geïsoleerds. Wil hij enerzijds zichzelf optimaal ontplooien, maar daardoor ook de gemeenschappen waarin hij leeft vooruit helpen, dan dient hij veelzijdig ontwikkeld te zijn en het reële leven te kennen. De loutere theoreticus die zijn lichaam verwaarloost en lichamelijke arbeid minacht, is in het marxistische denken een outcast. Daarom is de plicht - een tijdlang of van tijd tot tijd - mede lichamelijke arbeid te doen, ook voor de meest theoretisch begaafde, in de marxistische pedagogiek essentieel. Het afschaffen van de weerplicht zonder daarvoor een algemeen sociale dienstplicht in de plaats te stellen, waarbij men eventueel voor gewapende dan wel niet gewapende dienst kan kiezen, zou dan ook voor een socialisme dat vernieuwing zoekt, opnieuw een gemiste kans betekenen.

Beschavingsgang der mensheid

Zoals we zagen is de filosofie van de "nieuwe progressieven" enerzijds pessimistisch en behoudend, anderzijds relativistisch. Het socialistisch mensbeeld daarentegen is optimistisch: door allerlei tegenstellingen heen (dialectiek) bereikt een zich steeds vervolmakende mens in de geschiedenis zijn optimale ontplooiing. Centraal staat hierbij de idee dat "hetzelfde terugkeert, maar op hoger niveau". De primitieve mens volvoert een reeds van functies parallel (doet op één dag achtereenvolgens van alles); het kapitalisme voert de arbeidsverdeling en specialisatie van de arbeid ten top, met alle positieve, maar ook allerlei bittere aspecten van dien. In het socialisme wordt men opnieuw tot parallellisatie bevrijd: iedere arbeider heeft een - beperkte - sociale arbeidstijd, heeft wellicht meer beroepen of wisselt van tijd tot tijd beroepen af, maar tevens functioneert hij/zij in het gezin, heeft allerlei andere creatieve en ontspannende bezigheden. Logisch sluit hierop aan, de idee dat alle culturen min of meer dezelfde stadia hebben te doorlopen; dat de ene beschavingsfase hoger gewaardeerd moet worden dan de andere. De mensheid streeft omhoog, maar men kan niet van een stam in Azië of Afrika verwachten dat hij fases in het algemene wetmatige ontwikkelingsproces als het ware zou kunnen overslaan. Daar waar stammen met hun tegenstellingen een staat domineren zal men eerst, in een vaak langdurig proces, een burgerlijk-kapitalistisch stadium moeten bereiken, alvorens een modern-socialistisch stadium tot de mogelijkheden behoort. Hoe dit zij, hier wordt afstand genomen van een wereldvreemd en irrationeel relativisme en worden aanknopingspunten geboden voor realistische praktische politiek.

238

De traditionele parlementaire democratie ligt onder vuur. Langzamerhand is er geen enkele partij meer die geen enkel punt van kritiek heeft. Het waren echter de vaders van het wetenschappelijk socialisme die reeds meer dan een eeuw geleden de onmacht van het parlementarisme hoonden. Zij waren het die de eis stelden dat parlementen zouden bestaan uit werkende mensen, geworteld in het volk. Zij vorderen doorzichtigheid van politieke probleemstellingen, zodat "ook de kokkin aan het bestuur zou kunnen deelnemen". Zij eisten roulatie van personen uit allerlei geroepen in vertegenwoordigende functies, dus beperking van zittingstermijnen. Zij eisten rechtstreekse verkiezing van bestuurders die door de kiezers tot verantwoording geroepen, en desnoods tussentijds afgezet zouden kunnen worden. Zij deden de hevigste aanvallen op de "kanselarij-mentaliteit" van personen op leidende politieke en ambtelijke posten en op de aard en functie van de bureaucratie. Zij stelden dat het volk zich zo rechtstreeks mogelijk zou moeten kunnen uitspreken en dat de raden werkende organen zouden moeten zijn. Zij eisten zeggenschap in de benoeming van alle leiders, ook binnen de muren van fabriek en landbouwbedrijf. Om kort te gaan, zij ontwikkelden een heel program dat hergeformuleerd voor onze tijd - en er behoeft niet eens zoveel aan hergeformuleerd te worden! - een partij die ervoor wil gaan staan, een nieuw elan en aanzien kan geven. Stellen we ons dit eens voor: hoe zouden de bleke hervormingen van een, veel pratende maar vrijwel niets wezenlijks zeggende, Van Mierlo hierbij afsteken: de gekozen minister-president plus een districtenstelsel?! Dit laatste in het elektronisch tijdperk, in een landje waarin je binnen twee uur rijden steeds de rijksgrens bereikt hebt! En dat in naam van een beter contact tussen volk en vertegenwoordiger; in wezen alleen effectief om kleinere partijen monddood te maken! Wie hiermee blijft komen maakt zich tenslotte belachelijk. Belachelijk in het licht van de dingen die op het spel staan. Ver over grenzen heen werken de wetten die de macht - in zijn meest omvattende betekenis -accumuleren en concentreren. Het bankkapitaal, multinationals en handelskartels verstrengelen hun belangen. Wie controleert, wie schept tegenwichten? Waar?

"De mensen" worden mondiger

Spoedig zal het technisch mogelijk zijn, eenieder vanuit zijn leunstoel te laten kiezen. Het benieuwt mij wat er al niet op gevonden zal worden om het Nederlandse volk te verhinderen zijn stem over zaken van levensbelang, aan de hand van duidelijk te formuleren keuzen, te onthouden. De "nieuwe progressieven", elitair als ze zijn en overal gepenetreerd, zullen reeksen van taboes hanteren. Hun terugtocht uit de burchten van de macht die aanstaande is, zal niettemin moeizaam moeten worden bevochten en waarschijnlijk een langdurig proces vormen. De vrijheid van het woord, de vrijheid van discussie, het taboe-loos behandelen van allerlei onderwerpen in allerlei media zal hierbij voorop staan.
Ik gaf enkele fragmenten voor een program. Opnieuw puttend uit oude bronnen, zouden partijen de weg kunnen vinden naar probleemstellingen en op-

lossingen die passen bij deze tijd. De gehele reeks van vragen rond de democratisering kan niemand straffeloos naast zich neerleggen. "De mensen" worden mondiger. Hen zo te indoctrineren dat zij het blijven aanvaarden dat, bijvoorbeeld over een al dan niet toetreden tot de Verdragen van Maastricht, over hun hoofden heen werd beslist, lijkt een steeds onmogelijker taak. Zij zijn niet zo onbeholpen in het rekenen dat zij niet zouden kunnen vergelijken, niet zo dom dat zij geen prioriteiten zouden kunnen stellen:

- voor-gedeeld-werk voor iedereen; voor een natie die zijn "eigen werk" opknapt;
- voor een leefmilieu dat de kans krijgt zich te herstellen, als de vervuiler bij uitstek, de mens, ook qua getal dat milieu niet overbelast;
- voor de vorming van een jeugd die weet van de waarden die uit het verleden tot ons kwamen en die is toegerust met de meest geavanceerde wetenschap van vandaag;
- voor een voortdurend versterkte preventieve gezondheidszorg;
- voor de werkelijk zwakken, de ongeneeslijk zieken en ouden;
- voor een werkende democratie, waarin de overheid, geworteld in het volk, het beste uitdraagt wat we hebben; in Europa en de wereld.

Noten
1. Deze stelling is jarenlang in het dagblad *Trouw* verdedigd.
2. Anderzijds moest men in nazi-Duitsland wel met de moderne technologische wetenschappelijke ontwikkeling meegaan.
3. Dit stuk werd geschreven in 1993. Uit deze paragraaf blijkt dat ik nog veel te optimistisch was. De "gasten" wilden in grote meerderheid over de hele linie "apart blijven".
4. Toch zou het nog omstreeks 5 jaar duren eer open en eerlijker met data inzake misdadigheid enz. van minderheden werd omgegaan. Ook uitgevers gingen meer courage vertonen. Boeken als van Herman Vuijsje, *Correct. Weldenkend Nederland sinds de jaren zestig*, Amsterdam/Antwerpen, 1997 en H.J. Schoo, *De verwarde natie. Diverse notities over immigratie*, Amsterdam, 2000, konden verschijnen zonder dat de schrijvers - die talrijke taboes aantasten - hevig in de media werden aangevallen.
5. Begin 21e eeuw gaat de import van jeugdige Antilliaanse misdadigers in versterkte mate voort.
6. Een bijkans stuurloos CDA pakte al die thema's weliswaar even op, maar liet ze daarop weer vallen.

Hoofdstuk 14

DE RECHTEN VAN DE MENS EN DE ONVEILIG-HEID

Op heel de wereld zouden de rechten van de mens geëerbiedigd moeten worden en zouden vrede en veiligheid moeten heersen. Het laatste is een van de belangrijkste voorwaarden voor het eerste. Iedere toestand van oorlog en geweld brengt wreedheid met zich, ontsporing van gedrag op tal van gebieden, ontwrichting van het leven van personen en hun samenlevingsverbanden; een algeheel gevoel van onveiligheid overheerst. Het is dan ook goed te begrijpen dat in een land als Nederland miljoenen mensen gereed staan om hun handtekening te zetten: voor handhaving van de rechten van de mens, altijd en overal. Evenzeer is het in te voelen hoe niet weinigen direct 'ja' zullen zegen als hen de vraag wordt voorgelegd: moeten wij in dit land personen opnemen uit gebieden die 'onveilig' zijn. Men slaat hierbij echter een heel hoofdstuk over: de analyse van het begrip 'onveiligheid'.

Westers stempel op universeel geachte waarden

In grote delen van de wereld gaat men uit van andere begrippen van recht en veiligheid dan die aan ons denken eigen zijn. Het waren betrekkelijk weinige landen die 50 jaar geleden de rechten van de mens formuleerden. De overwinnaars van de Tweede Wereldoorlog zetten een zwaar stempel op de verklaring die zij maar liefst als universeel wilden zien. Wat zij intussen veronderstelden was een toestand waarin de rechtsstaat naar westerse trant norm en regel zou zijn. Hierbij werden tientallen toen jonge staten en tientallen die nog zouden worden gevormd ficties opgedrukt die in de historie van die staten op zijn best door een kleine - westers ingestelde - minderheid werden gekoesterd. Voor de massa's waren het intussen overwegend vreemd aandoende projecties van een niet als 'eigen' ervaren cultuur.

Veel van wie zich heden in Nederland en West-Europa aandienen als asielanten en migranten komen uit het Midden-Oosten en Afrika. Het zijn werelddelen die tot omstreeks 1880 nog goeddeels onbekend waren. Vanaf de oudste tijden bestonden er wat 19 eeuwse historici aanduidden als 'koninkrijken' en 'keizerrijken'. Maar hier al zien wij de neiging te werken met categorieën die men van huis uit, in Europa, kende.

Individuele rechten bepaald door clan of stam

In werkelijkheid ging het bij die 'rijken' meer om door vage-grenzen gescheiden stammen waarvan sommigen door één vorst vereend werden.

Misschien kan het hun tragiek genoemd worden dat zij zich nimmer tot weerbare eenheden wisten te verenigen. Ware dit het geval geweest, de verdeling van Afrika en het Midden-Oosten die langs vrij willekeurige lijnen snel verliep, en door kleine westerse troepenmachten werd bewerkt, had wellicht tot staan gebracht kunnen worden. Het enige land dat gewapender hand zijn onafhankelijkheid wist te bewaren, was Ethiopië dat de Italianen in 1896 bij Adua versloeg. Wat in de geschiedenis van Afrika en die van het Midden-Oosten steeds naar voren komt, zijn de vaak ingewikkelde controversen tussen dynastieën en stammen en de beslissende betrokkenheid van de enkeling op clan of stam. Tot op heden leggen de feitelijke machts-politieke verhoudingen in Libanon, Syrië, Irak, Jordanië, en de gehele Arabische en Afrikaanse wereld hier duidelijk getuigenis van af. Loyaliteit met een natie of een meerstammige, of a-religieuze staat, kent men niet. Het is dan ook een raadsel hoe veel Nederlanders schijnen te denken dat hele clans uit die gebieden hier een redelijke loyaliteit tegenover het Nederlandse volk en de Nederlandse staat zouden kunnen ontwikkelen. Een pijnlijk voorbeeld vormt Libanon. In het door clan-twisten verscheurde land hield de burgeroorlog pas op toen een aantal vooraanstaande clanleiders waren gestorven, antagonistische groepen uitgeput waren, de eens zo 'wereldse' hoofdstad in puin lag en bovendien buitenlandse machten (vooral Syrië) in vrede 'bewilligden'.

Duidelijk is ook hoe weinig militair ingrijpen van grote mogendheden voorshands vermag. Na een zeer bloedige zelfmoordactie op een Amerikaanse kazerne, trok de V.S. zich terug. Iets vergelijkbaars zou zich in Somalië herhalen, terwijl in Rwanda maar geen ingrijpen van enige betekenis meer werd geprobeerd.

Rechten en veiligheid voor wie?

In veel landen is het moeilijk uit te maken wie als vervolgden en wie als onderdrukkers zijn aan te merken, wie tot 'de partij van de rechten van de mens' behoort en wie tot de 'tegenpartij'. Velen van ons hebben toen wij hoorden van de folterkamers van de Sjah, hen gesteund die uitweken en zich schaarden achter Khomeiny. Weinige jaren later waren het dezelfde vluchtelingen, nu aan de 'macht' in Teheran, of gebleven waar zij waren: in Londen, Parijs of Amsterdam die de 'kleine en grote satan' dood wensten, het doodvonnis tegen Rushdie volledig ondersteunden en er hier, in hun asielland, voor demonstreerden. Als wij het in een dergelijk land niet 'veilig' vinden, wat voor veiligheid bedoelen wij dan en voor wie? Hetzelfde geldt voor nagenoeg alle landen in het Midden-Oosten en Afrika, waaraan we nog een aantal uit de rest van Azië en Latijns-Amerika kunnen toevoegen. Gemeten aan onze normen en definities is het in die landen altijd onveilig, zijn perioden van relatieve veiligheid slechts intermezzi tussen tijden waarin onrecht, onveiligheid, soms chaos heersen.

Wij kunnen hier in Europa niet allen die voor geweld en chaos vluchten, of hen die hier eenvoudig in een ordelijker, meer levensperspectief biedend

242

land zouden willen leven, aan het hart drukken. Waarschijnlijk moeten we ons beter realiseren dat het voor de massa's in veel -soms zeer kunstmatig tot stand gekomen - landen, ons begrip van veiligheid en recht helemaal niet bestaat, noch ooit bestaan heeft. Slechts kleine minderheden, die met westerse ideeën in aanraking kwamen, zijn er in staat een als het ware van buiten geleerde rechtencatalogus te reciteren, terwijl een nog kleinere minderheid in staat is bijbehorende waarden te verinnerlijken.

Het moet dan ook als een ramp worden beschouwd als zij die tot de laatste groep behoren hier in het Westen gevestigd blijven, zonder veel perspectief vaak, niet echt nodig voor deze samenleving, maar in feite broodnodig 'thuis', zodra zij daar effectief werk kunnen doen. De 'opvangende' landen kunnen hier niet geheel 'onschuldig' gehouden worden. Te veel redeneert men louter vanuit de belangen van vervolgde of gevaar lopende individuen. Te weinig wordt gesteld: 'u bent welkom maar uitdrukkelijk tijdelijk'. Breed aanvaarde tolerantie van vreemdelingen die denken: 'eenmaal hier aanvaard, toekomst verzekerd', is ondoordacht, want politiek op kort zicht. Juist als het gaat om hele groepen die denken hier met heel hun culturele hebben en houden te kunnen voortbestaan, kan dit fataal worden voor de Nederlandse cultuur.

Onderscheiden visies op mensenrechten

Het boven gestelde vormt geen opwekkende gedachte. Toch is het goed te bedenken dat velen in de Derde Wereld de Declaratie van de Rechten van de Mens juist omdat zij een sterk individualistische opdruk draagt, niet aanvaarden. In brede, ook religieuze kring werden van de jaren 50 af elementen aangedragen om de verklaring van de Mensenrechten een sterkere basis te verlenen. Het zou te ver voeren hierop in deze context nader in te gaan. In het algemeen komt de kritiek erop neer dat de mens, die steeds mens is in en door de gemeenschap waarin hij leeft, als individu te veel op zichzelf wordt geplaatst. Ook stelt men, niet zelden in islamitische kring, maar niet alleen daar, dat rechten nooit los gezien kunnen worden van plichten en dat de Declaratie in die zin verbreed zou moeten worden. Hier liggen aanknopingspunten voor allen in het Westen die het ermee eens zijn dat de rechtencatalogus te zeer is uitgedijd en te zeer betrokken op de belangen en wensen van het los staande individu. Intussen behoeven wij deze overwegingen bij allerlei groepen die in het Westen entrée vragen in genen dele te zoeken. Onze ideeën van mensenrechten, van een publieke rechtssfeer en veiligheid zijn voor de massa's in Somalië, Rwanda, Kongo, Nigeria, Irak, Iran, enz. vreemde constructies; hetzelfde geldt voor grote delen van Azië. Ook in landen als Turkije en Marokko staan zij nog ver van de werkelijkheid af. Historisch bezien is het echter goed zich te realiseren hoe jong dit denken in het algemeen nog is. Niet weinigen onder ons achten de in die landen heersende loyaliteit aan clan of stam of etnisch-religieuze eenheid, benauwend. Het gebrek aan ontplooiingskansen voor de enkeling achten wij rechtens onderdrukkend en psychisch verstikkend. Het opgesloten zijn in basale sociale structuren is volgens ons niet meer van deze tijd. Toch is het goed te bedenken, dat zelfs in de vrije staat der Nederlanden de sociale druk teneinde een ieder te binden aan zijn stand en in zijn klasse, nog geen eeuw geleden alom manifest was. In het algemeen achten wij de ketenen die hier braken universele ijkpunten van vooruitgang.

Eilanden van regressie

Echter: wat lang in het verleden lag, keert terug met mensen uit verre landen die deel wilden uitmaken van onze samenleving. Niet weinige jongeren van buitenlandse afkomst achten het normaal dat hun ouders voor hen beslissen dat zij een partner uit het thuisland dienen te huwen, dat zij gebonden blijven aan de zeden en wetgeving in de thuislanden, met name wat het huwelijks-, het familie-, het erf- en vermogensrecht betreft. Norm blijft dat de vrouw de man - ook broer, oudere zoon, enz. - dient te gehoorzamen. Nederlandse artsen buigen zich over het probleem of en in hoeverre zij zullen meewerken aan het verminken van de geslachtsdelen van Afrikaanse meisjes. Groepen mensen uit steeds meer landen willen zich hier vestigen met behoud van al het cultuureigene. Veel van dat eigene zullen Nederlanders verwerpen voor zover het in strijd is met de mensenrechten. In de landen van de Islam is het verboden een andere godsdienst of filosofie te propageren, ook bij de meeste Hindoes stuit dit op fel verzet. Krachtens de regels van genoemde religies is het verboden van geloof te veranderen, vereist te huwen met iemand uit de eigen geloofs- of etnische groep of kaste (dit alles op straffe van uitstoting, wat nog iets anders betekent dan uitstoting uit een Nederlands gezin.)
Zo een Nederlandse politicus maar enige kans wil hebben in de verkiezingsrace, verzet hij zich tegen tweedelingen: stralende rijkdom tegenover vernederende armoede, zinvolle werkgelegenheid tegenover deprimerende werkloosheid. In de denk- en gevoelswereld van velen die zich hier als 'nieuwe Nederlanders' aandienen, zijn dit vreemde denkcategorieën. Rijkdom of armoede, zijn familie-, clan- of kaste-gebonden; de enkeling vindt zijn lot bepaald door en geborgen in zijn groep en zijn karma. Het beroep of bedrijf dat men uitoefent ligt verankerd in de afkomst. Het zijn denkbeelden die zelfs 'verwesterden' niet geheel vreemd zijn. Het kaste-denken komt op soms onverwachte wijze naar voren; onverwacht voor Nederlanders die hier nogal naïef aan het bedenken zijn onder welke inbreuken op *onze* rechtencatalogus asielzoekers of gezinsherenigers al niet geleden kunnen hebben. Het is maar een greep, maar het is alsof wij stuiten op hele eilanden van sociale en ethische regressie die in hun samenhang niet in overeenstemming kunnen worden gebracht met de fundamenten van een rechtsstaat in westerse zin.

Dit land is niet van iedereen

Volgens allerlei 'opvangers' zouden wij dit alles prachtig moeten vinden:

'dit land is van iedereen, met heel zijn eigen cultuur'. Dat betekende dan ook dat allerlei stam- en partijtwisten uit de thuislanden naar hier kunnen worden overgeplant. Koerden uit Turkije, Irak, Iran en Syrië kan men niet over één kam scheren. Koerden uit de 'autonome' regio in Noord-Irak bestrijden elkaar van tijd tot tijd voorzien van een complete moderne wapenrusting. Wie men aanzag voor Turk, bleek vaak Koerd. Koerden, Alawieten, Islamieten, bevechten elkaar in Turkije, maar ook reeds in het Westen, met brand, moord en doodslag.

In vrijwel alle Afrikaanse landen is stammenstrijd endemisch, men is er als het ware gewoon in thuis. De enkeling aanvaardt dit als deel van zijn lotsverbondenheid. Daarom ervaart hij het begrip veiligheid dan ook anders dan het hier in West-Europa wordt gedefinieerd. Wat wij als onveilig ervaren is helaas in vele gebieden min of meer continue werkelijkheid.

Als het bewind in Luanda in Noord-Angola aan de winnende hand is, kan men hier Unita-vluchtelingen verwachten. Het is zeer goed mogelijk dat te zelfder tijd Unita in het Zuiden succes heeft en zich daar bedreigd voelende Luanda aanhangers ook de neiging krijgen naar Europa uit te wijken. Logisch gevolg is dat doodsvijanden, soms zelfs van meer dan twee partijen elkaar in het 'veilige' Nederland treffen. Men denke bijvoorbeeld aan personen die tot verschillende Afghaanse 'partijen' behoren. Al deze en dergelijke groepen die de neiging hebben hun rivaliteiten ook hier uit te leven, zouden hiervan door strikte verboden zich hoe dan ook met politiek in te laten moeten worden afgehouden. Beter is het uiteraard in het geheel geen voor 'onveiligheid' vluchtenden toe te laten uit landen waarin die 'onveiligheid' endemisch is. Bij voorkeur dienen wij hen te helpen die kennelijk vervolging hebben te duchten, omdat zij zich met gevaar voor eigen leven tegen traditionele of moderne autoritaire en totalitaire machten hebben te weer gesteld.

Goede voorbeelden van vluchtelingen die met alle recht en reden zich in de laatste halve eeuw tot Nederland wendden, waren de Tsjechoslovaken die na de val van Alexander Dubcek zware verdrukking te vrezen hadden, Chilenen die onder Augusto Pinochet gemarteld of vermoord dreigden te worden of Argentijnen die onder Jorge Videla eenzelfde lot wachtte. Bepaalde groepen in de Sovjet-Unie werden dusdanig onrechtvaardig behandeld waar zij probeerden een onafhankelijk geluid te laten horen als literator, wetenschapper of journalist, dat het eenvoudig vanzelfsprekend was hen in Nederland voor een tijd gastvrijheid te verlenen. Er zijn meer voorbeelden te geven. Vragen we ons af wat de bedoelde groepen gemeen hadden, dan is evident dat zij allen, uit wat Huntington noemde, de Westerse beschaving stamden; uit volkeren die in hoge mate democratisch denken niet alleen als uithangbord hadden. Ook in de Sovjet-Unie was het denken in termen van rechten van personen en instellingen in hoge mate verinnerlijkt, dankzij onder meer het feit dat grote volksdelen van kindsbeen af gevormd werden door de klassieken van de Russische literatoren, dankzij ook het feit dat de politieke filosofie die een ieder geacht werd te bestuderen *zelf*

de elementen leverde waarmee het bestaande systeem van partij- en staatsmacht kon worden bestreden en tot ontbinding gebracht.

Het kan niet genoeg herhaald worden: zij die in Nederland asiel vragen,
kan dit alleen verleend worden op grond van persoonlijke vervolging, marteling, en dreiging met de dood. Zij zijn niet per definitie tot onbeperkt verblijf gerechtigd, noch tot het Nederlanderschap. Migranten late men niet
toe uit landen die cultureel te ver van ons af staan. Onze oosterburen stellen kinderen van vreemdelingen een 'proeftermijn' van 21 jaar alvorens zij
het staatsburgerschap kunnen verkrijgen; dan moeten zij *kiezen* voor het
Duitse staatsburgerschap of bijvoorbeeld voor het Turkse. Dit lijkt mij een
verstandige bepaling: acculturatie-processen verlopen langzaam. Het
Nederlanderschap geeft veel, het mag niet goedkoop zijn.

Hoofdstuk 15

DE RECHTEN VAN DE MENS EN DE RECHTEN VAN DE SAMENLEVING

Het denken in termen van de rechten van de mens is onder invloed van Reformatie en Verlichting, ongeveer tweehonderd jaar geleden in het Westen ankerpunt geworden voor het regelen van de relaties tussen enkeling en samenleving; met name voor de volkeren die na de Grote Burgerlijke Revolutie van 1789 zich overwegend in nationale staten gingen groeperen.

Er zit iets raadselachtigs in die conceptie van individuele personen die los van elkaar en in zekere zin tegenover de gemeenschappen waarin zij leven, rechten opeisen. Dit denken berust op een constructie afkomstig van Thomas Hobbes en John Locke die de staat zien als in het leven geroepen krachtens een verdrag tussen enkelingen. Hobbes ziet de samenleving als een pure fictie, die niet bestaat zonder coöperatie van zijn leden. Er ontstaat slechts samenwerking op grond van de voordelen die men ervan verwacht. De individuen sluiten een samenlevingscontract en wijzen vervolgens een van hen als soeverein aan. Het individu heeft aangeboren, onaantastbare rechten. Samenleving en regering bestaan ter handhaving van die individuele rechten en vormen beperkingen op het machts- en autoriteitsbereik van de enkeling. Dit hier met enkele woorden aangegeven denken heeft een beslissende invloed uitgeoefend op heel de Westerse politieke theorie en met name op de formulering en uitwerking van de Rechten van de Mens tot op deze dag.

Weerstanden tegen het individualisme

Ik noemde deze constructie al iets raadselachtigs. Realiteit is dat de mens als op zichzelf staand individu niet bestaat. Hij wordt uit en in een samenleving geboren. Slechts in contact met anderen leert hij denken, spreken, vormen zich zijn gevoelens. Eenmaal in staat tot kritisch denken moge hij zich van de groep in zekere mate kunnen distantiëren, zijn bewustzijn is en blijft geworteld in de groep, het blijft altijd - mede-groepsbewustzijn, met alle bindingen vandien; ook - hoe dan ook - religieuze, filosofische, mythische.

Bij alle denken en schrijven over de Rechten van de Mens is het hoogst opmerkelijk, dat de Westerse literatuur ook in de beste handboeken over de geschiedenis van de politieke theorie en -filosofie zelden grondig ingaat op de levensgrote problematiek die hier ligt: de Verklaring van de Rechten van de Mens heet *universeel*. Ze is dit allesbehalve, want is door en door het product van Westers denken. Er is dan ook vooral buiten het Westen veel verzet tegen, waarop heel weinig wordt gereageerd.

De Universele Verklaring die op 10 december 1948 met 48 stemmen voor en 8 onthoudingen door de Algemene Vergadering van de Verenigde Naties werd geproclameerd, vond *reeds toen* weerstanden op haar weg, ook in vertogen aan de VN-lichamen nog voor haar totstandkoming. Ik kom daar straks op terug. Op 16 december 1966 aanvaardde de Algemene Vergadering met algemene stemmen het Internationaal Verdrag inzake Economische, Sociale en Culturele Rechten en het Internationaal Verdrag inzake Burgerlijke en Politieke Rechten. Belangrijker echter is de mogelijkheid zijn recht te kunnen afdwingen. Hier gingen de tot dusver vrijblijvende verklaringen klemmen en bleef van de universaliteit niet veel meer over. Het is tekenend voor de weerstand die in tientallen staten bestond, dat het nog 10 jaar zou duren eer de vereiste ratificaties op grond waarvan de verdragen in werking zouden treden, binnen waren. Dat vereiste aantal bedroeg nota bene 35. De Oost-Europese en andere socialistische landen die vooral voor economische, sociale en culturele rechten hadden geijverd lieten het afweten, terwijl ook een groot aantal Afrikaanse en Aziatische landen, ondanks de druk die vanuit het Westen werd uitgeoefend, niet ratificeerden.

Nu kan men opmerken dat dit alles wel vanzelfsprekend is. De Oost-Europese staten waren - zogenaamd socialistische - dictaturen, de Afrikaanse vrijwel alle militaire dictaturen of geregeerd door autoritaire groepen van andere structuur. Zo de Aziatische landen niet voor 100% als dictatuur konden worden aangemerkt, waren het door nepotisme beheerste gebieden. Sindsdien is er in dit algemene beeld helaas niet veel fundamenteels veranderd. De dictaturen in Oost-Europa verdwenen om plaats te maken voor zogenaamde democratieën waarin de oude heersers een variërende mate van invloed behielden, Rusland verwerd tot een presidentiële halfdictatuur, ondergraven door nepotisme, maffia en economisch en sociaal verval; een land aan de rand van de afgrond. Alleen de landen die vroeger deel uitmaakten van het Oostenrijks-Hongaarse rijk vertonen een gunstiger beeld. De universele verklaringen waren allesbehalve universeel, noch zou de gemeenschap der volkeren erin slagen te komen tot een ook maar enigszins effectief apparaat ter handhaving van de mensenrechten.

Toch zou het te simpel zijn hiermee te volstaan. Als wij de genoemde verklaringen analyseren valt op, dat zij doortrokken zijn van de individualistische geest die bij de bovengenoemde 18e eeuwse denkers manifest was. Deze geest is frontaal in strijd met de filosofieën, geloofsvoorstellingen, mythen, die sinds onheuglijke tijden in Afrika en Azië inheems waren - zo ook overigens bij de oorspronkelijke bewoners van de Amerika's. Religies als het Boeddhisme en het Taoïsme, natuurgodsdiensten tot op de huidige dag wijd verbreid in Afrika, zij het vaak vermengd met christelijke of islamitische elementen, kennen uitingen van groepsbewustzijn waarvan men in het Westen de kracht duidelijk heeft onderschat.

De universalistische visie

In deze visie gaat het niet alleen om heden existerende gemeenschappen van clan, stam of volk, het gaat om wat men voelt als een gemeenschap in zijn, geloven, voelen, voortdragen van cultuurelementen, die heen reikt over voorgaande en komende geslachten. In religies die eerder nadruk leggen op de afsterving van het ik, op het Karma, op het proces van geboorte, lijden, dood en wedergeboorte, maar ook in de natuurreligies, moet men een andere appreciatie zoeken van de rechten van het ik dan de "universele" verklaringen bieden. Het is kenmerkend dat moslims uit de meest verschillende landen stellen dat zij behoren tot "de natie der Islam", een "natie" met een geheel eigen rechtsstelsel.

Men kan dit denken en geloven uit de tijd achten - een atavisme - niettemin beheerst het - bewust dan wel onbewust - de levenshouding van meer dan de helft van de mensheid. Meer ontwikkelden uit de betrokken landen wijzen op het primaat van de gemeenschap waaruit de persoon voortkomt, de geborgenheid die de idee biedt deel uit te maken van een geheel dat geslachten omspant; zij laken de verkramping die het Westers mensbeeld voortbrengt: de eenzijdige betrokkenheid op verwerving van bezit en macht, de jacht op vluchtig vermaak en kortstondige lust. Bovenal heerst de vrees en angst dit alles in één beperkt ik-gericht mensenbestaantje niet waar te kunnen maken.

Uiteraard neemt de Islam een speciale plaats in. Als mono-theïstische openbaringsgodsdienst beheerst zij het leven der gelovigen in al zijn aspecten en vormt een alle grenzen overschrijdend gemenebest dat goed te vergelijken is met de r.k. kerk in de middeleeuwen. Sterk gericht op het hiernamaals omvat ze een plichtenleer die alle aspecten van het menselijk leven omvat; de geneugten en lusten die de gehoorzame gelovige in het hiernamaals wachten, worden zeer plastisch voorgesteld. De plichten gelden intussen in de praktijk allereerst en soms uitsluitend de gemeenschap van medegelovigen. Men lette bij voorbeeld op het ontbreken c.q. de zeer zwakke offerzin van Islamitische minderheden binnen de Westerse naties als het gaat om rampen enz. in hun gastland. Overigens denke men parallel: de offerzin van bij voorbeeld Friezen zou voor de Tweede Wereld ook bepaald niet optimaal geweest zijn als het erom ging Limburgers te helpen. Gaat het om de mensenrechten dan zal de Islam echter grotere weerstanden te overwinnen hebben: de positie van de vrouw en het meisje, het gezag van de man en de jongen, de veelwijverij, het verbod van godsdienst te veranderen of met een niet-gelovige te trouwen.
De universaliteit van de mensenrechten is alleen ernstig te nemen als vergaande religieus-culturele verschillen oplosbaar of verzoenbaar zijn. Het gaat in geen geval aan de kloof in de visie tussen individualisme en universalisme te ignoreren of de publiciteit dienaangaande te censureren.

Rechten en plichten

Ik vermeldde al dat reeds bij de voorbereiding van de Verklaring van de Rechten van de Mens van verschillende zijden voorstellen tot wijziging en/of aanvulling werden ingebracht. We gaan hier voorbij aan de voorstellen van de zogenaamd socialistische staten: zij werden in 1966 tot op zekere hoogte bevredigd door de proclamatie van het genoemd Internationaal Verdrag inzake Economische, Sociale en Culturele Rechten. Interessanter zijn in dit verband stellingen uit vrijzinnig religieuze kring. Ik kies de verklaring "A Baha'i Declaration of Human Obligations and Rights", omdat de Baha'is [1] uitgaan van een drietal vooronderstellingen die heden velen, waar ook ter wereld, met hen delen:

1. de mensheid is bezig volwassen te worden via een evolutieproces dat door snelle toename van kennis en kunde wordt voortgestuwd;
2. het in 1. aangegevene leidt wetmatig tot de eenheid van de mensheid onder een wereldregering;
3. in de kern zijn alle religies één: de mens heeft gaven door God gegeven; in de vervulling van de mogelijkheden die hij met dit goddelijk geschenk heeft, ligt het doel van het menselijk bestaan.

Men kan deze vooronderstellingen verwerpen, menen dat wereld en mensheid zin- en doelloze entiteiten zijn, of stellen dat men hier tracht het onverzoenlijke onder één noemer te brengen. Het laatste moge juist zijn vanuit een orthodoxe duiding der religies, vast staat dat hier precies geformuleerd is hetgeen alle religies in hun *vrijzinnige* varianten gemeen hebben.

Nu de ontwerp-universele verklaring die de Baha'is reeds in 1947 aan de Algemene Vergadering van de Verenigde Naties zonden. De titel houdt reeds een program in: "Een Baha'i verklaring over menselijke plichten en rechten". Het logische en op langere termijn wetmatige verband tussen plichten en rechten wordt hier, mijns inziens, terecht voorop gesteld. In principe dezelfde gedachte treffen wij aan bij het orthodoxe socialisme: het gaat er niet om voortdurend allerlei slag binnen- en buitenlandse achterblijvers, sociaal-, psychisch- of geestelijk "zwakken" te begeleiden en te verzorgen, het gaat erom de werkende massa's te verheffen, op te heffen uit hun onmacht, de arbeidersklasse als zodanig op te heffen in de zin van te laten verdwijnen, de arbeiders individueel zowel als collectief macht te verschaffen. Dit alles steeds onder de imperatief: wie rechten verwerft dient plichten te vervullen. De Internationale, nu - definitief? - afgeschaft, zegt het duidelijk: "Geen plicht waar recht is opgeheven, geen recht leert zij waar plicht ontbreekt". Heden lijkt dit een klank uit een ver verleden, precies zoals de onder 1., 2. en 3. weergegeven stellingen. De in het Westen in het algemeen en in Nederland in het bijzonder heersende elite, wraakt alle vooruitgangsgeloof. Haar pragmatisme leert dat de gemeenschap en haar regeerders met de last van allerlei "achterliggende" - het meest hoort men over "achtergestelde" - groepen in binnen- en buitenland op de rug, immer zal moeten blijven voortzwoegen. Waar wetenschappelijk zo langzamerhand vaststaat dat allerlei "achterstanden" genetisch voor ongeveer 70% vast liggen, is men nog voortdurend bezig het zwaartepunt van zijn politiek en de corresponderende uitgaven te richten op vorming en begeleiding van alles wat ten achter is en dat altijd zal blijven. Een ieder is immers gelijkwaardig. Ook de misdadiger is een "gelijkwaardig" mens. De individu

heeft - wie hij ook is , wat hij ook is, wat hij ook doet of laat onver-
vreemdbare rechten; de integriteit van zijn persoon wordt louter groot geschreven. De minste formaliteit die fout gaat bij arrestatie en berechting
van de grootste misdadigers doet hen vrij uit gaan, normale administratieve procedures als een volkstelling, koppeling van bestanden teneinde fraude tegen te gaan, worden in een kwaad daglicht gesteld, plichtsverzuim toe-
gedekt.
De Baha'i verklaring daarentegen zet krachtig in: "God heeft de mens allerlei kwaliteiten, deugden en krachten gegeven teneinde de mogelijkheden die hij daarmee verkrijgt te vervullen. De gaven van leven en bewustzijn scheppen verantwoordelijkheden". Dit is in overeenstemming met wat
de "godsdiensten van het boek" - Jodendom, Christendom, Islam - steeds
stelden. Voorts stelt de verklaring "dat de menselijke gemeenschappen niet
gemachtigd zijn essentiële menselijke rechten hoog te houden voor personen die hun morele verplichtingen en het goddelijk geschenk dat de mens
van het dier onderscheidt, afwijzen". Met andere woorden: het individu kan
het recht van leven verspelen. Anders het relativistisch individualisme dat
heden dominant is. Wie de contract-leer aanhangt kan het moeilijk anders
zien: doodt contractant a. contractant b., dan leeft in elk geval a. nog; de
samenleving moet met hem/haar voort, dient hem/haar opnieuw geschikt
voor die samenleving te maken. De integriteit van zijn/haar leven staat voorop; het recht op leven blijft onaantastbaar. Geen instantie is er die de van
zijn leven beroofde wreekt. Het is de samenleving zelf die tenslotte - overwegend - schuldig is aan de misdaad. Executie van een doodvonnis door
de overheid heet "moord".

Het onderscheidend denken is hier totaal zoek. De moordenaar wordt ondersteund door reeksen jammerende verhalen in de pers en op de tv over
het wrede lot van personen die in de Verenigde Staten op death-row op een
executie wachten. Vrouwen uit allerlei landen corresponderen met hen, wijden boeken aan hun "bekering", trouwen soms met een veroordeelde.
Een ieder die weleens een medische operatie die algehele verdoving noodzakelijk maakte heeft ondergaan, weet dat hij na het prikje dat de anesthe-
sist hem geeft vlak voor hij de operatiezaal wordt ingereden, al buiten bewustzijn is op het moment dat hij onder de operatielampen ligt. Van een dodelijke injectie daarna behoeft men niets meer te bemerken. Toch wordt in
sommige publicaties in de populaire pers de executie via injecties als een
wrede marteling beschreven. De vermoorden en de hunnen verdwijnen uit
het zicht, maar wat misschien nog erger is: de wrekende en ordende macht
die de overheid is, legt zijn bevoegdheden neer.

Het primaat van het individu

Het contract beschermt primair het individu en voorzover de samenleving
enige competentie heeft, is die afgeleid uit het contract en vooral niet van
eigen rechten ter bescherming en garantie van samenhang en continuïteit
van de gemeenschap. Uiteraard geldt dezelfde denkwijze als het om gerin-

gere misdaden gaat. Het lijkt of ervan een algehele omkering van waarden sprake is. Decennia lang hebben juristen het in hun opleiding al meegekregen: het recht is er allereerst om de enkeling, ook de misdadiger, tegen de staat te beschermen. Uit het zicht verdween meer en meer dat het recht er is om gemeenschappen te structureren, hun ontplooiing te begeleiden, hun ontwikkeling naar hoger niveau vrij te houden en dat alles tegen perversie, afbraak en misdaad door enkelingen te beschermen. Terecht stelt genoemde verklaring dat de bron van de mensenrechten: "de erfenis aan kwaliteiten, deugden en krachten is die God de mensheid heeft geschonken; in de vervulling van de mogelijkheden die hij hiermee heeft wordt zowel 's mensen recht als zijn plicht verwezenlijkt; dit vormt het doel van zijn bestaan".

Het lijken klanken die van verre komen. Niettemin hebben ook nu, na 50 jaar, een aantal politieke en geestelijke leiders zich weer tot de Verenigde Naties gewend met het verzoek een "verklaring van rechten en plichten van de mens" het licht te laten zien. De media besteedden hieraan echter nauwelijks aandacht; een leidende UNESCO-functionaris, Mary Robertson, reageerde met: "het is nu niet bepaald de tijd om over plichten te handelen". Het primaat van het individu, zijn eisen, wensen en lusten wordt nog steeds groot geschreven. Hoelang nog?

Noot
1. De Baha'i Gemeenschap ontstond eind 19e eeuw in Iran; zij heeft nu ruim 5 miljoen aanhangers over de hele wereld. Het zal niemand verwonderen dat zij heden in Iran wordt onderdrukt.

Hoofdstuk 16

DE RECHTEN VAN DE MENS EN HET ZELFBE-SCHIKKINGSRECHT VAN DE VOLKEN

Zou naleving van de Rechten van de Mens een volk ertoe dwingen zichzelf eventueel onder te doen gaan in een meerderheid die drager is van een vreemde cultuur of culturen?

Luistert men naar allerlei personen en organisaties die zich bezighouden met vluchtelingen en immigranten, zo ook naar bepaalde stemmen uit de kerken, dan lijkt het er veel op. Reeds is 45% van de Amsterdamse bevolking buitenlands. Een belangrijk deel van hen bestaat uit groepen die uitdrukkelijk de eigen cultuur superieur achten en de wens koesteren hier met alles wat hun groep eigen is voort te leven. En het eind is nog lang niet in zicht. Blijft het politieke klimaat ongewijzigd, en het steeds maar weer capituleren voor voldongen feiten voortgaan, dan zal de Nederlandse meerderheid in de grote steden in het westen binnen weinige jaren in een minderheid zijn omgeslagen. Het schijnt onze politieke, maatschappelijke en religieuze elites niet te deren. Integendeel: pogingen tot wijziging van het helemaal niet meer op de huidige situatie passende Vluchtelingenverdrag door Oostenrijk, worden verontwaardigd afgewezen.

Wat is hiervan de verklaring? Mijns inziens spelen drie factoren een hoofdrol.

1. Men meent oprecht dat garantie van de mensenrechten, christelijke dan wel humanistische ethiek, offers eist die tot en met zelfopoffering zouden kunnen gaan.
2. Onze elites achten de kansen nihil dan wel zeer gering dat de minderheden hun machtsposities zouden kunnen aantasten.
3. De hinder die de elites van de veranderende demografische situatie ondervinden, zal - volgens hen - marginaal blijven.

Over deze drie punten een korte beschouwing.

Drievoudige bevestiging van het zelfbestemmingsrecht

De Verklaringen van de Rechten van de Mens eisen geenszins dat een volk bereid zou moeten zijn grote delen van zijn grondgebied, van zijn steden, stadjes en dorpen op te geven, dan wel met grote groepen vluchtelingen en immigranten te delen. De voornaamste documenten bevestigen dit drievoudig. De in het voorgaande hoofdstuk genoemde mensenrechtenverdragen uit 1966 beginnen er beide mee: in hun artikel 1 stellen ze vast dat alle volken zelfbestemmingsrecht hebben. Ook het Handvest van de Verenigde Naties noemt het recht tot zelfbestemming der volken in artikel 1, lid 2.

Nu kan men erover twisten wat te verstaan is onder 'volk'. Daar is een uitvoerige literatuur over. Sommige meer-volken staten kennen het recht van afscheiding. De volkeren van de Sovjet-Unie bijvoorbeeld konden zich volkomen legaal zelfstandig verklaren[1] en daarna eisen van wisselend gewicht stellen aan de - voornamelijk Russische - minderheden op hun gebied. De Spaanse grondwet kent in het geheel geen recht op afscheiding. Er is veel voor te zeggen, en zulks aan de hand van de praktijk die nu meer dan 50 jaar is opgedaan, om het zelfbeschikkingsrecht niet als een recht tot staatsvorming voor ieder volk te zien. Praktisch zou dit vooral in niet-Europese werelddelen, waar veel meer-volkerenstaten voorkomen, tot veelvuldige afscheidingsbewegingen hebben gestimuleerd. De statengemeenschap schrikt hier in het algemeen voor terug; veel staten betreuren nu zeer, dat geen krachtiger houding is aangenomen tegen het uiteenvallen van Joegoslavië. Maar hoe dan het zelfbeschikkingsrecht op te vatten?

Krachtens de gegroeide praktijk en interpretaties wordt als regel gedacht aan:
- zelfbeschikkingsrecht binnen eigen grenzen;
- zeggenschap over eigen grondgebied en bodemschatten;
- het recht de eigen regeringsvorm te kiezen.

Het gaat, kortom, over een democratie die gericht is op het voortleven van de natie-staat. In verleden en heden werd en wordt het zo omschreven recht in de Verenigde Naties en de VN-organen (bijvoorbeeld de UNESCO) herhaalde malen genoemd als steunpunt voor de aanspraken van de zogenaamd 'inheemse volkeren'. Dit zijn volken die door meestal westerse expansie van hun grondgebied zijn beroofd, vaak zijn gedecimeerd en nu in de Amerika's, Australië, Nieuw-Zeeland en Oceanië een marginaal bestaan leiden: talrijke Indianenstammen, Aboriginals, Maori's, enz. Gesteund door blanke mensenrechtenactivisten eisen deze volkeren, respectievelijk stammen, zeggenschap op een deel van het vroegere eigen territoir, een recht vooral ook op grondgebieden met bodemschatten waarvan zij zijn verdreven. Het wordt een wrange zaak als wij heden op ons minieme grondgebied zonder meer plaats moeten maken voor mensen met culturen die fundamenteel anders zijn dan de onze, hele wijken en ten slotte steden prijsgevend, genoopt steeds meer woonruimte te scheppen in toch al schaarse groene gebieden. Tezelfdertijd zien wij landen en mensenrechtenorganisaties ijveren voor resten van volken die elders door grote, overwegend Europese, migratiestromen in de verdrukking zijn geraakt.

Dit leidt ons tot punt 2. Onze elites achten de kans nihil dan wel zeer gering, dat minderheden hun machtsposities zouden kunnen aantasten.

In zekere zin hebben zij hierin gelijk. De grote productiemiddelen zoals grond, fabrieken, bedrijven en banken zijn vooralsnog stevig in hun hand. Het leger, de politiek, het bestuursapparaat (landelijk, provinciaal, plaatselijk) en tevens het onderwijs, de media, het organisatiewezen... het wordt alles beheerst door 'inheemsen'.

Is de elite naïef of arrogant?

Zoals in zoveel opzichten echter voert men te zeer een politiek op kort zicht en is men roekeloos optimistisch. Te weinig bestudeert men de geschiedenis van migrantengroepen, de verhouding van hun cultuur tot de 'ontvangende' en hun machtsvorming. Nederlandse migranten mogen weinig tot machts- of pressiegroepsvorming geneigd zijn... waarschijnlijk hangt dit samen met het feit dat zij in landen terechtkwamen in een culturele omgeving die niet te ver van de hunne afstond. Bij menige natie is dit bepaald anders. Joden in de Verenigde Staten vormen een duidelijke economische en politieke macht, goed georganiseerd en erop gespitst elk aspect van de politiek te beïnvloeden. De Cubaanse gemeenschap, geconcentreerd in Florida, is zeer hecht en vormt een niet te ontwijken element in de Cuba-politiek van Washington. De zwarte "Nation of Islam" vertoont extreem anti-Amerikaanse trekken, maar slaagt er niettemin in honderdduizenden te laten marcheren. Latino's hebben nog weinig economische macht, maar vertonen een toenemende groepsvorming. Italianen hebben lange tijd via de maffia een zeer grote invloed uitgeoefende (onder meer door banden met Edgar Hoover (FBI) en de Kennedy's). Vergeten wij de West- en Midden-Europese groepen in de Verenigde Staten niet. Vóór de Tweede Wereldoorlog vormde penetratie van de nazi's in de goedgeorganiseerde Duits-stammige gemeenschappen een reëel gevaar; Fransen namen, zoals waar dan ook ter wereld, heel hun cultuur mee (men denke ook aan Quebec); de Arabieren in de Verenigde Staten trachten zoals hun joodse landgenoten pressiegroepen te vormen, maar moeten in de joden voorlopig hun volstrekte meerderen erkennen, wat sommigen van hen vatbaar maakt voor groepen die terreur prediken. Het is maar een greep. De recente geschiedenis van multiculturele gemeenschappen op de Balkan behoeft hier geen verdere beschrijving. De Nederlandse pragmatici, die kennis van de historie niet nodig achten, doen alsof niets van dit alles hier zou kunnen gebeuren. De vraag is wat hen sterker aankleeft: naïviteit of arrogantie. Hoe dit ook zij... er overheerst een geesteshouding die blind is voor de aangegeven problematiek die ten slotte kan leiden tot versplintering van een volk, tot veramerikanisering in de zogenaamde multicultuur en die een bewezen onmogelijkheid is.

Wat toch met die cultuur, zal de elite vragen: de hinder die wij van de veranderende demografische situatie ondervinden zal marginaal blijven. (Zie boven punt 3) "Het is juist zo charmant, al die uitheemse winkels, voedsel, festivals, dans en zang...". Het schijnt dat men niet weet waarover men het heeft. Over de buitenproportioneel gestegen misdaadcijfers moest jarenlang in de media gezwegen worden. Pas recentelijk wordt vermeld dat minstens de helft van al die misdaden is toe te schrijven aan enkele groepen migranten, die tevens voor 50% werkloos of arbeidsongeschikt zijn. Uit tv-uitzendingen als Opsporing Verzocht wordt ook visueel duidelijk hoe buitenproportioneel groot het aandeel van buitenlandse groepen is in allerlei zware misdrijven.

Onbegrip en gebrek aan inlevingsvermogen bij de elite

Men schijnt niet te beseffen welke gevaren worden opgeroepen als men de ene maand tienduizenden Turken zich in een stadion laat verzamelen rond de man wiens partij wegens islamitisch ultra-nationalisme in Turkije buiten de wet is gesteld (de ex-premier Erbakan) en enige tijd later opnieuw tienduizenden - nu de volstrekte tegenstanders van de eerstgenoemden (Koerden, overwegend Alawieten en aanhangers van de PKK) - hetzelfde laat doen. Betrof het uiterst rechtsen uit de inheemse Nederlandse groep... men zou al snel de neiging hebben hun manifestaties te verbieden. Voor uiterst linksen zijn de schijnprogressieven milder. Zeer vaak blijkt dat de buitenlander hier beter en sneller aan zijn recht komt.

Dat de hinder van de aanwezigheid van bevolkingsgroepen die niet in onze cultuur passen voor de elites marginaal zal blijven, wordt al door het bovenstaande in twijfel getrokken. ook de elites krijgen steeds meer te maken met allochtoon geweld, berovingen, inbraken, enz. Eén concreet voorbeeld: men moge in Amsterdam het Centraal Station zuiveren van allerlei heel of half misdadige elementen, dadelijk verspreiden zij zich, onder meer over de befaamde grachtengordel om ook daar in portieken, ingangen van sousterrains, enz. hun handeltjes te doen, of om zich bij het injecteren te kunnen verschuilen. Toch kan de elite nog altijd niet zien hoe zij, die niet in gemengde buurten hoeft te wonen, makkelijk praten heeft wanneer zij die Nederlanders die het daar niet langer uithouden xenofoben noemt (mensen met afkeer van vreemdelingen). Men moet zich zo concreet mogelijk voorstellen wat het betekent te moeten leven temidden van mensen met vreemde culturen. Om rond de eigen woning voortdurend vreemde talen te horen spreken, vreemde geuren waar te nemen, de luidruchtigheid te moeten verwerken van mensen met grote gezinnen, die krachtens hun cultuur verplicht zijn verwanten in de ruimste zin van het woord uit te nodigen en ook bij zich te laten blijven; kinderen blijven vaak tot zeer laat buiten spelen, pubers hangen rond. Men denke zich goed in dat het mensen betreft die uit praatculturen komen. Vaak schalt een veelheid van stemmen op uit keukens, trapportalen, enz.

Ondanks de aanzienlijke echelons aan sociale en psychische werkers, antropologen, enz. blijkt niemand de gevolgen van de komst van honderdduizenden uit culturen die vreemd aan de onze zijn, overwogen te hebben. De arbeiders die de overwegend grote bedrijven voor een beperkte tijd nodig hadden, werden in het Rif-gebergte of op het Turkse platteland summier gescreend door Nederlandse ambtenaren en medici. Het woord van Marx werd waar: "Het kapitaal ontneemt de arbeiders hun vaderland". De ondernemers hebben overwegend de lusten genoten: betrekkelijk goedkope arbeid, die zij kunnen afstoten zodra die niet meer winstgevend is. De afgestotenen kwamen

a. ten laste van de gemeenschap via de staatskas, maar ook door middel van allerlei sociale fondsen die reeds waren opgebouwd;
b. in het bijzonder ten laste van de minder 'gegoede' inheemsen in wier wijken zij werden gedumpt.

Het dogma van de gelijkwaardigheid van de culturen en dat van hun mengbaarheid (denk aan de 'meltingpot') richt over de gehele linie enorme schade aan. Het is wel heel naïef te denken: wij blijven daar in onze wijken wel van verschoond. Ommuurde en gewapenderhand bewaakte wijken zoals in de Verenigde Staten, zijn er bij mijn weten hier nog niet. Gaat de ontwikkeling zoals die heden te overzien is voort, dan zullen wij zeker ook hier met dit verschijnsel worden geconfronteerd.

Uiteindelijk leidt het recht van de individuele privé-ondernemer zijn belangen verwezenlijkt te zien, terwijl daar geen plichten ten aanzien van de gemeenschap tegenover staan, enerzijds, en het primaat van het recht van de vreemdeling zonder dat de belangen van de gemeenschap voldoende worden afgewogen anderzijds, tot een dubbele vervreemding: van grote groepen buitenlanders, maar tevens van grote groepen Nederlanders. Dat de laatsten alle vertrouwen in de politieke elite aan het verliezen zijn bewijzen de verkiezingen: in toenemende mate stemt men niet meer. De elite ziet onvoldoende in hoezeer vreemdelingen die uit een totaal ander cultuurmilieu komen hier ontworteld en ontheemd moeten zijn, maar dat tevens, de 'inheemse' zijn thuis wordt ontnomen als men hem met vreemdelingen omringt. Dat "thuis" vormt de kern van wat Duitsers zo treffend hun Heimat noemen; dit constitueert ook een goed deel van het gevoel een vaderland te hebben.

Multiraciaal, ja; multicultureel, nee

Bezien wij een en ander nog eens van een andere kant. De verdedigers van de multicultuur laten het eigen volk afstand doen van een goed deel van het recht op interne zelfbestemming. Dit dient te wijken voor de rechten van vreemdelingen op behoud van "heel hun culturele hebben en houden". Zulks nu is onlogisch en feitelijk een onmogelijkheid. Men kan niet bijvoorbeeld in de privé-sfeer constant uitsluitend de eigen taal blijven spreken en zich voortdurend blijven oriënteren op de politieke problematiek 'thuis'; de weg naar integratie, vooral voor kinderen, wordt zodoende zeer bemoeilijkt dan wel afgesneden. Vluchtelingen die werkelijk terugkeer beogen, of die een status hebben die tot terugkeer verplicht, is zo'n houding overigens aan te bevelen.
De Fransen, die de problematiek van de multiculturaliteit steeds scherp hebben gezien, wijzen haar in grote meerderheid af. Nimmer zal men de Franse president iets horen zeggen als men onze vorstin enkele jaren geleden deed uitspreken "...dat wij een multiculturele samenleving zijn". Het Franse volk is volstrekt multiraciaal. Dit is evident en de Franse elite zal het steeds bevestigen, maar nimmer zal men de Franse president en de zijnen ook maar het woord multicultureel in de mond horen nemen. Frankrijks interpretatie van de rechtenverklaringen, waarin het besluit van de collectiviteit der Fransen zichzelf te zijn en te blijven een centrale plaats inneemt, verbiedt dit. Het is dan ook onjuist een groot percentage Fransen racistisch te noemen. De "Déclaration des Droits de l'Homme et du Citoyen", als regel ver-

taald met: "De Verklaring van de Rechten van de Mens en de Burger", zou beter vertaald kunnen worden door: "De Verklaring van de Rechten van de Mens als Burger". Deze conceptie is namelijk in het Franse denken dominant. De mens verkrijgt zijn rechten slechts als burger van de staat die een publieke ruimte schept, waarin één laicistische cultuur dient te heersen. Geen manifestaties van godsdienstige of culturele 'apartheid' worden dus in het publieke domein geduld - men denke aan de hoofddoekjeskwestie. Mijn fundering van de mensenrechten moge een andere zijn, het Franse volk oefent zijn zelfbestemmingsrecht uit door migranten eerbiediging van deze conceptie te vragen. De migratie van honderdduizenden Algerijnen en Berbers uit Algiers na het onafhankelijk worden van Algerije kon zonder wrijvingen verlopen: zij spraken Frans en waren gedrenkt in de Franse cultuur die het onderwijs en heel de samenleving diep penetreerde. De honderdduizenden Vietnamezen die volgden behoorden zeer overwegend tot hetzelfde cultuurtype, opgevoed in Franse denk- en gedragsgewoonten en veelal Rooms-Katholiek. Hen viel integratie in Frankrijk niet moeilijk. Verzet tegen grootscheepse legale en vooral illegale immigratie begon eerst met de aankomst van grote groepen uit zwart-Afrika, waarvan alleen de elite goed Frans sprak en het gros der Fransen de gehele leefcultuur als lager dan de hunne kwalificeert. Deze groep nu slaagt er niet of zeer moeizaam in zich bij de Franse publieke cultuur aan te passen. Hetzelfde is het geval bij veel tijdens de laatste twee decennia gearriveerde Noord-Afrikanen. Veel jongeren kunnen niet mee in het onderwijs, haken af, zijn permanent werkloos, zorgen voor een groot percentage van de misdadigheid, kortom leveren een beeld op dat wij in Nederland goed kennen bij vergelijkbare groepen. Het verschil is dat in Frankrijk de meerderheid zich het zelfbeschikkingsrecht van het Franse volk zeer bewust is en beter weet welke eisen aan vreemdelingen te stellen dan in Nederland. Hier heersen onduidelijkheid, onzekerheid, wijfelachtigheid, gebrek aan structuur in het beleid, een capitulatiementaliteit is dominant.

Het is zeer de vraag welk mensenrecht ons zou kunnen dwingen begin 21^e eeuw, in een land met de grootste bevolkingsdichtheid ter wereld, nog tien- of honderdduizenden tellende niet-Nederlandse bevolkingsgroepen toe te laten en hen hier een blijvende plaats te bieden. Er is geen enkele internationale wet die dit voorschrijft en zeker geen rechtspraak die daartoe dwingt. Mensen uit de eigen regio die in nood zijn, zoals de Bosniërs, kan men toelaten, echter in verhouding met het Nederlandse opnamevermogen tegenover dat van de andere Europese landen en zulks als tijdelijke refugiés. Het zelfbeschikkingsrecht moet hier duidelijk voorop staan. Ook wanneer andere landen dit recht zonder scrupules toepassen, dan mogen wij dit met scrupules doen, echter niet meer dan dat. Waarom zouden Denemarken en Australië beperkende bepalingen mogen afkondigen waar Nederland in het geheel niet aan zou mogen denken? Kortgeleden nam het Australische parlement een wet aan die nieuwe normen voor blijvende vestiging regelt:

1. de aspirant-immigrant moet de Engelse taal goed beheersen;
2. hij/zij moet een beroepskwalificatie hebben die in Australië gezocht is;

3. aanvrager moet *f* 4.500,— toelatingsbelasting betalen en voor volwassen gezinsleden *f* 2.250,— voldoen;
4. voor wie ouder is dan 45 jaar is de kans op toelating bijkans nihil.

Denemarken stelt uitdrukkelijk het toelatingsbeleid een louter interne kwestie te achten, wat het uiteraard niet is. Zo men hier het zelfbeschikkingsrecht in stelling brengt, is het eerder de toepassing van een soort noodrecht in een situatie waarin Europees recht en een Europese politiek reeds lang zou moeten fungeren. Kopenhagen past het principe van het "eerste asielland" rigoureus toe: het gros van asielaanvragers wordt naar Duitsland en andere omringende landen teruggestuurd. Binnen de eerste drie jaar na toelating krijgen vreemdelingen niet meer dan 80% van de uitkeringen die voor Denen gelden.
Op deze wijze schermen landen zich af die qua ruimte en expansiemogelijkheden op eigen grondgebied nauwelijks schatbare meerdere opvangmogelijkheden hebben dan Nederland.
Uiteraard gaat het niet aan dat alle EU-landen er verschillende normen op na gaan houden. Des te dringender is de eis zowel wat het asiel- als wat het immigratiebeleid betreft tot harmonisering van de wetgevingen en vooral tot quotering te komen. De van Oostenrijkse zijde gesuggereerde wijzigingen in het Vluchtelingenverdrag verdienen alle aandacht. Zoals wij zagen krijgt heden het belang van het individu ook als vluchteling of immigrant, veel nadruk, terwijl het belang van de 'ontvangende' volken te weinig aandacht krijgt. Als de EU ergens buiten het louter monetaire terrein zijn nut kan bewijzen, dan is het hier. Hier staat het collectieve recht op zelfbestemming en zelfbescherming van de Europese volken op het spel. Geen land kan erin slagen deze rechten alleen effectief uit te oefenen. Als richtlijn gelde daarbij: multiraciaal, ja; multicultureel, nee!

Noot
1. Dit recht beperkte zich tot de 13 zogenaamde Unie-Republieken; kleinere volken of stammen bezaten dit recht niet.

Hoofdstuk 17

DE RECHTEN VAN DE MENS EN ZIJN PLICHTEN

Het is een gedachte die reeds logisch en feitelijk tot de onmogelijkheden behoort: het individu dat slechts rechten zou kunnen doen gelden, zonder onlosmakelijk daarmee bepaalde verantwoordelijkheden, plichten , te hebben. Toch is in dit jaar van de Rechten van de Mens (1998) in verschillende publicaties - of in het gebrek daaraan - gebleken, dat tegen deze samenhang tussen rechten en plichten een zekere weerstand, zo geen weerzin wordt gevoeld.

De Hoge Commissaris: "een slecht idee"

Het was ongeveer een jaar geleden, oktober 1997, dat de "Inter Action Council:" als een soort geschenk voor de Verenigde Naties ter gelegenheid van het aanstaande 50-jarig jubileum van de Universele Verklaring van de Rechten van de Mens de Verenigde Naties een ontwerp-verklaring aanbood gewijd aan de plichten van de mens. Voorzitter was de Duitse oud-kanselier Helmut Schmidt, omgeven door een veertigtal vooraanstaande politici, juristen, medici, economen, andere wetenschappers en journalisten uit enkele tientallen landen. Dit feit op zichzelf reeds, zou men denken, zou de algemene aandacht moeten trekken in het hele scala der media. Mis! De ontwerp-verklaring werd niet alleen weinig besproken, of zelfs genoemd. Op het hoogste V.N.-niveau werd er expliciet op aangedrongen haar te ignoreren. Vandaar waarschijnlijk dat onze "grote" dagbladen - ik raadpleeg steeds *NRC-Handelsblad* en *Trouw* - er slechts zeer korte berichten aan wijdden. Het UNESCO-Bulletin gaf een bericht van nog geen 100 woorden waarin tevens de oorzaak - of één van de oorzaken? - van het uit de publiciteit drukken van de ontwerp-verklaring wordt aangegeven. "Mary Robinson, Hoge Commissaris voor de Rechten van de Mens van de Verenigde Naties vindt een Universele Verklaring van de Plichten van de Mens een slecht idee", aldus het bericht. "Het beste zou zijn er niet te veel internationale aandacht aan te schenken". Einde bericht. Naar een verklaring mag men raden. Op mijn zoektocht door de pers kwam ik voorts een circa 300 woorden tellend stukje van Amnesty International tegen waarin de scepsis van de UNESCO-Commissaris wordt onderstreept en tenminste enige verklaring wordt gegeven waarom men dat doet. "De verklaring is overbodig", aldus het Amnesty-secretariaat, "want artikel 29 van de Universele Verklaring van de Rechten van de Mens bevat al een verwijzing naar plichten". Voorts zou "deze verklaring de historische, praktische en symbolische betekenis van de UVRM verzwakken". Ook hiervan wordt geen adstructie gegeven. Blijkbaar hebben wij te doen met een vanuit het

260

hoogste UNESCO-niveau gestimuleerde poging de gehele problematiek die hier ligt uit de publiciteit te houden. In alle organen die ik zelf naliep, ben ik slechts één artikel tegengekomen dat grondig ingaat op het ontwerp van wat ik kortheidshalve de "groep Schmidt" zal noemen. Het juli-nummer van *Civis Mundi*, het moeilijk hoog genoeg te schatten bovenpartijdige "tijdschrift voor politieke filosofie en cultuur", nu al meer dan 40 jaar onder leiding van prof. dr. S.W. Couwenberg, is geheel gewijd aan de mensenrechten en bevat een artikel van dr. Carla Zoethout Cliteur getiteld: "Is het tijd voor een Universele Verklaring van de Plichten van de Mens?". Hierop zal ik in het navolgende reageren.

Mevrouw Robinsons succes

Nieuwsgierig naar de uitwerking van de nogal onbeschaamde raad van mevrouw Robinson "niet te veel internationale aandacht aan het concept te geven", vroeg ik UNESCO-Nederland welke publiciteit over dit onderwerp haar documentatie-dienst rechtstreeks of via knipseldiensten bereikt had. Men stuurde mij één knipsel met een artikel van Bob Kroon - o.m. correspondent van de Gemeenschappelijke Pers Dienst (GPD) van de grote provinciale en regionale pers te Genève. Het stuk stond in de provinciale Zeeuwse Courant van 26 juni 1998. Ik citeer de aanvang van dit artikel uitvoerig, omdat het denken in louter rechten van het individu daar in het hart getroffen wordt.
"De moderne mens verstikt zich in een wildgroei van rechten. Het begon allemaal met de Universele Verklaring van de Rechten van de Mens, de nobele geboorteakte van de Verenigde Naties, die in de nadagen van de Tweede Wereldoorlog was ontsproten aan de niet minder universele afkeer van nazisme en fascisme. Daarna vertakten mensenrechten zich in vrouwenrechten, kinderrechten, dierenrechten, rechten van minderheden, politieke rechten, sociale rechten en economische rechten, om maar niet te spreken van recht op vrede, schoon drinkwater, huisvesting, werk of uitkering, keuzemenu's voor asielzoekers en porno op het Internet.
Alles moest kunnen en tolerantie werd de enige verplichte gedragscode. Begrippen als normbesef en discipline kregen een beschimmeld luchtje".
Het deed mij al goed van de auteur te horen dat zijn artikel niet alleen door de Provinciale Zeeuwse Courant was opgenomen. Niettemin acht ik het vege tekens dat de concept-verklaring in het UNESCO-Nieuws slechts genoemd werd, met zeer trouwhartig eraan toegevoegd dat de Hoge Commissaris voor de Rechten van de Mens vindt "dat het beste zou zijn er niet te veel internationale aandacht aan te geven", dat het UNESCO-Centrum Nederland niet over de tekst beschikte, dat ook de Documentatie-Afdeling van het Nederlands Instituut voor Internationale Betrekkingen Clingendaal het liet afweten, dat de verklaring in Nederland nergens in de grote media is verschenen en dat het GPD-artikel van de heer Kroon in totaal door ± 10 provinciale bladen werd meegenomen, wat betekent dat tientallen andere organen het niet opnamen. Tenslotte kreeg ik de concept-verklaring via het Duitsland-Instituut te Amsterdam in handen, tesamen met de Universele

Verklaring van 1948 en een inleidend artikel van Helmut Schmidt onder de titel: "Zeit, von den Pflichten zu sprechen", alles opgenomen in het weekblad die Zeit van 2 oktober 1997. Gezegd moet worden dat mevrouw Robinson succes had met haar aanwijzing voor de media, althans in Nederland.

Schmidts pijnlijke analyse

Waarom is men in bepaalde kringen - en niet de laagst gekwalificeerde - toch zo afkerig van de problematiek zoals die door Schmidt c.s. ter tafel is gebracht? Ik geef enkele van Schmidts gedachten weer, om ons, precies zoals het citaat uit Kroons artikel, bij het beantwoorden van deze vraag verder te kunnen helpen. Menigeen ligt het misverstand na als zou zijn persoonlijke vrijheid betekenen dat hij zijn rechten en aanspraken zonder zelf verantwoordelijkheid op zich te nemen, zou mogen uitoefenen en verwerkelijken. Handelt iedereen zo, dan zal een volk en zijn staat, of zelfs de mensheid als geheel, aan conflicten en chaos ten offer vallen. De sterken en machtigen zullen zondermeer de overhand krijgen in de betrekkingen binnen en tussen de staten. Schmidt aarzelt niet, ook in de interstatelijke relaties, een evenwichtige hantering van rechten en plichten en het hanteren van dezelfde weegschaal voor de kwaliteit van onderscheiden staten te eisen. De Verenigde Staten, stelt hij letterlijk, "hanteren "Human Rights"", als een soort strijdbegrip, een agressief instrument dat als pressiemiddel wordt ingezet." "Dit gebeurt als regel selectief: en wel tegenover China, Iran of Libië, niet echter tegenover Saudi Arabië, Israël, of Nigeria." Anderzijds worden de mensenrechten door vele moslims, hindoes en Confusianen gezien als een typisch westers concept, dat ten dele zelfs dient ter verlenging van westerse koloniale heerschappij. De gegeven voorbeelden van "selectief", eenzijdig gebruik van de mensenrechten, moeten in de V.S. wel als pijnlijk worden ervaren. Schmidt zegt het met - zelfs voor oud-staatslieden - onbewimpelde scherpte. "De gewraakte eenzijdigheid heeft economische en strategische belangen als grondslag". Hetzelfde, zou ik eraan toe willen voegen, is vaak het geval als pleiters voor mensenrechten overal de rechten van misdadigers, psychisch gestoorden, illegalen enz. zien geschaad, om met Kroon te spreken tot en met de samenstelling van hun menu's. Men lette scherp op waar de zakelijke en financiële belangen liggen van hele "bedrijfstakken" die zich bezighouden met allerlei soorten van opvang, bijstand, begeleiding, rehabilitatie, en dergelijke.

Schmidt is geen optimist. Hij constateert principiële tegenstellingen in de opvattingen over waarde en waardigheid van de mens in iedere samenleving of cultuur - "al naar gelang hun religieuze, filosofische of ideologische stellingname". Het is zeer duidelijk: bij hem niets over het einde der ideologieën, van de politiek, of van de geschiedenis. Niets ook in de zin van: die geloven, filosofieën enz. zijn toch eigenlijk allemaal gelijkwaardig, dus waar praten wij over, laten we tolerant zijn en de rest komt vanzelf. Integendeel: hij wijst op het probleem van de enorme bevolkingsaanwas - verviervoudigen van de wereldbevolking in de 20ste eeuw - de voortgaande concentratie in massale urbane centra, de toenemende interdependentie der economieën en de: tot dusver ongekende concurrentie-strijd en machtspolitieke vervalsing daarvan". Hij erkent de ernstig te nemen beschuldiging die vooral uit Azië weerklinkt dat in het Westen fundamentele concepties van de grondrechten worden gekoesterd, die deugden, plichten en verantwoordelijkheden van de enkeling tegenover familie, gemeente, de maatschappij of de staat verwaarlozen of zelfs miskennen. "Men moet vrezen dat een strijd tussen elkaar principieel en zelfs diep gefundeerd vijandelijk tegenover elkaar staande culturen, uit de geschetste verschijnselen zal resulteren". Schmidt schuwt het niet nader te concretiseren: financiële concerns geven zich over aan een "ongebonden wereldwijd roofdier-kapitalisme"; de elektronische media lopen gevaar "met een overmatige vertoning van moorden, schietpartijen, gewelddadigheden en misbruiken van allerlei slag de mensen wereldwijd te vergiftigen"; menigeen vindt het makkelijker van statelijke ondersteuning plus wat zwart werk te leven dan: de last van een regulaire arbeidsweek op zich te nemen:". Artikel 163 van de Grondwet van Weimar sprak nog van een "zedelijke plicht" te werken; vandaag kunnen vele economische managers geen zedelijke plicht tot het scheppen van arbeids- en leerplaatsen erkennen. Verantwoordelijkheid op zich te nemen wordt in vele bereiken van onze samenleving de mensen nauwelijks bijgebracht en wordt daarom ook nauwelijks waargenomen. Een opvoeding die op verregaande wijze "permissive": is, geen eisen stelt, oriënteert zich "al te eenzijdig aan de grondrechten, van grondplichten is nauwelijks sprake". Egoïstische "zelfverwerkelijking" zonder voorbehoud schijnt het ideaal, het welzijn van de gemeenschap daarentegen een frase. Schmidts analyse is pijnlijk voor velen.

Waar de angel het felst steekt

Ik volgde het betoog van Schmidt enigszins uitvoerig om na te gaan uit welke hoek de weerstand tegen zijn denkbeelden precies komt. Velen zullen in abstracto het concept van de Verklaring van de Menselijke Plichten nog wel kunnen onderschrijven. De artikelen zijn haast onschuldig algemeen geformuleerd. Zo herinnert artikel 4 aan de "gouden regel" die in alle wereldreligies een voorname rol speelt (en die Kant in een verfijnde formulering tot "categorische imperatief" heeft uitgeroepen): Wat gij niet wilt dat u geschiedt, doe dat ook een ander niet. Andere artikelen sluiten nauw aan bij wat is vastgelegd in de reeds bestaande Verklaringen van Economische, Sociale, Culturele, Politieke en Burgerrechten van 1966. Artikel 9 stelt: "alle mensen hebben de plicht... armoede, ondervoeding, onwetendheid en ongelijkheid te overwinnen. Zij zullen overal op de wereld een aanhoudende ontwikkeling bevorderen, om voor alle mensen waardigheid, vrijheid, zekerheid en gerechtigheid te garanderen". Artikel 15 zegt "dat vertegenwoordigers der religies de plicht hebben vooroordelen en discriminering van anders-gelovigen te vermijden; veeleer dienen zij tolerantie en wederzijdse hoogachting onder alle mensen te bevorderen." Beziet men deze formuleringen en het gehele stuk bestaat uit dergelijke voorzichtige algemene aanwijzingen, dan moet men zich afvragen wat Robinson c.s. zo gebeten maakt op het stuk. Wat Robinson zelf betreft kan men allereerst denken aan de duiding die Schmidt het stuk meegaf en waarin de politiek van de V.S. (dubbele moraal) en de negatieve gevolgen van het daar heersende maatschappelijke systeem op de korrel wordt genomen (roofdier-kapitalisme, vergiftiging van de mensen wereldwijd door een bepaalde cultuur in film, tv, enz. die geweld, perversie en een tomeloze ik-zucht het publiek als dagelijks menu voorzet). Toch is er meer: wie de artikelen van Helmut Schmidt en Bob Kroon vergelijkt, ziet dat hun hoofdaanval gericht is op het in hoge mate heersende waardepatroon. Op wat Kroon formuleerde als: "de enige verplichte gedragscode: alles moet kunnen en tolerantie". Hier voelen zij die posities van macht en invloed bekleden en die zich de erfgenamen achten van de in de kern anarchistische golf van de jaren 60, zich het diepst getroffen en reageren zij met doodzwijgen en censuur. Het grenzeloze waarde-relativisme gevoed uit westerse (voornamelijk Noord-Amerikaanse en in mindere mate Franse en Duitse bronnen), bleek reeds zuiver logisch, maar ook proefondervindelijk een doodlopende weg. Het werd niet duidelijk hoe consequente aanhangers van dit denken b.v. het nazisme nog fundamenteel zouden kunnen veroordelen; "thuis" zogenaamd grenzeloos tolerant verheerlijkte men elders mensverachtende stelsels. Sartre, die in zijn bekendste werk de mens karakteriseerde als "een onnutte passie", stortte zich met dodelijke ernst in allerlei concrete acties ten bate van communistische of anarchistische idealen. Velen die zagen dat geen normale arbeider nog voor een bloedige revolte warm te krijgen was (zie Parijs 1968), klampten zich vast aan de idee dat een mengsel van randfiguren: werklozen, immigranten, studenten, kunstenaars (of wat zich daarvoor uitgaf) garant zou zijn voor een nieuwe samenleving met een nieuwe, vrije moraal. Ik acht de stelling niet te ver gezocht dat het nu weer migranten en "vluchtelingen" zijn, die door hetzelfde slag filosofen, sociologen enz. op het schild wordt geheven. Het is precies hier waar de angel de "nieuwe progressieven" in binnen- en buitenland het felst steekt, als de "groep Schmidt" haar parool: "Tijd van de *plichten* te spreken" doet horen. Het oeverloze gedogen, het steeds weer retireren van de overheid, hoezeer in overeenstemming met de ene grote norm der "tolerantie" die overbleef, wordt hier in de wortel aangetast.

Concreet zijn als opdracht

De omschreven tolerantie-norm werd intussen zodanig uitgerekt dat zij normen als: eenvoudige trouw aan de wet, het bewaren van orde en (zelf-)discipline, het leven volgens regels van eer en fatsoen, terzijde schuift en tart. Hoe concreter men dit laat zien, hoe feller zij die liefst niet "van plichten spreken" zullen reageren, of meer nog: dat wat hen niet zint zullen censureren en wegdrukken uit de publiciteit. Enkele concrete voorbeelden: er is een flink percentage burgers in Nederland dat zijn sociale distributie-woning op onwettige wijze verkregen heeft. Een ex-hoofdambtenaar van de Woningdienst te Amsterdam noemde mij voor die stad een percentage van

30%; woningen die, soms voor aanzienlijke sommen, door vergunninghouders aan niet-gerechtigden zijn doorgeschoven. Die gerechtigden blijven overigens vaak officieel wonen op het oude adres, maar leven in feite met een vriend of vriendin in een andere woning samen. Daarbij presteren betrokkenen het niet zelden bovendien twee maal de huursubsidie te incasseren. Wie dit weet - maar vele politici en ambtenaren *willen* het niet weten - zou echt niet zo verwonderd zijn over het feit dat geconstateerd is dat vele huurders die recht hebben op extra huursubsidie, deze niet aanvragen. Volgens de ex-staatssecretaris Tommel, en velen met hem, betrof het vrijwel louter ouderen die zich niet van hun rechten bewust waren. Nu kan men van de heer Tommel, die zich ook in andere opzichten de goedgelovigheid zelf betoonde, zo iets verwachten. Voor diegenen die iets kritischer zijn, is het kristalhelder dat velen, die toch al frauduleus handelen, niet door extra subsidie te vragen de aandacht uitdrukkelijk op zichzelf willen richten. In Rotterdam en Utrecht begon men onderzoek inzake wederrechtelijke woningbezetting, maar of die zijn voortgezet verneemt men niet; laat staan dat men van uitkomsten van het onderzoek of eventuele maatregelen hoort.

Reeksen overheidsdienaren, vooral in de grote steden, melden zich ziek en klussen er "zwart" bij. Personen die eens met (of zonder) een gegronde reden een vaste parkeerplaats als invalide kregen toegewezen en nu weer zover hersteld zijn dat zij niet meer als invalide beschouwd kunnen worden, verkopen hun auto plus parkeerplaats aan derden. Dat misstanden als deze - ik deed maar een greep - in de publiciteit komen, is al een hoge uitzondering; nog uitzonderlijker is het echter dat een effectief opsporings- en sanctiebeleid wordt gevolgd. In feite is dit steeds non existent, maar heerst een uitvergrote tolerantie - in de zin van de gedoognorm. Het opmerkelijkst bij dit alles zijn niet de genoemde feiten. Een ieder is helaas wel in staat ze aan te vullen. Het diep-tragische bewijs dat wij leven in een versplinterde samenleving met een verziekte moraal is echter het volgende. In een groot stuk van de geldende "volksmoraal" heeft, wat op een hoger niveau van abstractie misschien onschuldig klinkt: "we moeten tolerant zijn - en rek dat begrip maar wat op" - de vorm aangenomen van een omkering van waarden, een verwording van wat begrippen als wets- en waarheidsgetrouwheid, eer en fatsoen eens inhielden: niet hij die knoeit, steelt, fraudeert (zie boven), is a-sociaal, neen, hij die er iets van zegt of ook maar de neiging heeft bepaalde overtredingen en misdaden bij bevoegde instanties aan te geven, is dit. Willen wij de problematiek van rechten en plichten in de wortel aanvatten, dan volgt hieruit dat algemene bezweringsformules niet voldoen. Gezien de voortgaande omkering van waarden, waar een sociale plicht "verraad" wordt, pogingen tot correctie door de overheid (identiteitscontroles, koppeling van bestanden) "staatsterreur" wordt genoemd (ds. H. Visser) is *concreet* zijn een opdracht, een eis.

De machteloosheid van de liberale staatsconceptie

Bezien we tenslotte het eerder genoemde artikel van mevrouw Zoethout Cliteur in *Civis Mundi*. Zij geeft een goede samenvatting van wat de "groep

Schmidt" tot het opstellen van haar concept voor een plichtenverklaring bracht: het gevaar van een botsing van civilisaties; immense bevolkings-toename, het naar voren komen van fundamentalistische bewegingen; de proliferatie van mensenrechten in een "permissive society". Ook wijst zij op een "zekere parallellie" met "een discussie die zich momenteel in Nederland afspeelt: de vergaande secularisatie van onze samenleving en de verschraling van ons moreel besef hebben geleid tot een nieuw debat over de publieke moraal." Waar zij een eigen waardering geeft, is de kern van haar betoog echter het volgende: "Kan de staat individuen aan hun ver-plichtingen houden? In zekere zin lijkt dit een bedenkelijke omkering van zaken. Staten zijn immers opgericht ter bescherming van het individu om het bestaan van een samenleving tussen individuen mogelijk te maken, niet omgekeerd". Einde citaat. Hier wordt een formulering gegeven van de li-berale staatsconceptie, zoals die gebaseerd is op de staatsfilosofieën uit de eeuw der Verlichting en die zich in de 19e eeuw concretiseerde. Eerder werd dit onderwerp al aangeraakt. Het manco van deze staatsconceptie, waarin zij haar machteloosheid toont, is dat zij de staat niet anders wil zien dan als een menigte individuen die zich uit eigen belang aaneengesloten hebben. Huldigde het nationaal-socialisme de leus: "Gij zijt niets, Uw volk is al-les", in deze liberale staatsleer is het individu alles en het staatsvolk niet veel meer dan een constructie, iets dat bij verdrag tot stand komt. Theoretisch moeten alle individuen dit contract dus continu opnieuw aangaan, wat ge-schiedt in een rechtsstaat die gedragen wordt door een partijen-democra-tie. Vanuit deze staatsopvatting is het inderdaad moeilijk de staat te zien als een georganiseerd volk, dat niet alleen als juridische grootheid bestaat, maar als een entiteit die sociale en culturele cohesie en continuïteit verzekert. De leiding van een dergelijke staat heeft dan ook rechten en plichten die het ad hoc bevestigen van de rechten van individuen die hier en nu leven, verre overstijgen.

In de beperkt-juridische formulering van wezen en functie van de staat kan men haar niet zien als belichaming van het staatsvolk waarbinnen een exis-tentiële lotsverbondenheid bestaat. Die verbondenheid is niet louter juri-disch gefundeerd, maar reikt heen over de geschiedenis van eeuwen waar-in allerlei cultuurelementen, zeden, gewoonten, mythes, geloofsvoorstel-lingen, visies op eigen plaats en taak in de wereld worden voortgedragen, ontwikkeld en gemodificeerd. In deze zin zijn het niet alleen de mensen-rechten die het staatsrecht te boven gaan, zoals Cliteur stelt, ook de men-senplichten overstijgen in bepaalde aspecten het feitelijke recht. Dit kan Cliteur vanuit haar visie niet onderschrijven. Hier blijkt de armoede en on-macht van deze staatsconstructie. Zij biedt te weinig weerstand aan de ge-signaleerde ziekten van onze samenleving en van de Westerse samenleving in het algemeen; zij is niet in staat het volk, zijn cultuur, zijn taal, te zien als grootheden die in bepaalde opzichten de rechten en belangen van en-kelingen te boven kunnen gaan. Vaderlandse noch internationale plicht, eer, solidariteit binnen de natie of met groepen en volken daarbuiten, zijn bin-nen dit enge, op het individu gerichte denken moeilijk een plaats te geven. Dit alles heeft verstrekkende concrete gevolgen in het leven van alledag. Ik had het kunnen weten, maar ik verstarde een moment van schrik en afkeer toen ik op de eerste pagina van mijn ochtendblad in grote kapitalen las: "Overste Karremans: het hemd is nader dan de rok". Waar men niet wil weten van plichten die boven ons staan, verschraalt de staat tot een al maar meer gedogend uitdeelmechanisme, het volk tot een vormloze massa, waarin zelfexpressie, zelfbehoud en zelfverrijking ultieme waarden worden.

Hoofdstuk 18

DE STAATSSECRETARIS VAN CULTUUR EN ZIJN BONTE MOZAÏEK

Ik schrijf dit hoofdstuk in het Franse dorp waar ik sinds enkele jaren een huis heb en van tijd tot tijd verblijf. Ik denk me in de Franse staatssecretaris van cultuur het volgende te horen zeggen: "Wat ideaal toch, een multiculturele samenleving te hebben: de belofte van een harmonieus samenleven van verschillende culturen. Van wederzijdse interesse en vermenging". Wat bedoelt hij precies? Dat hij vestiging van grote groepen Nederlanders die zich met heel hun culturele hebben en houden, met heel hun levensstijl, hier in Frankrijk zouden willen vestigen een ideaal vindt? Ik probeer enkele van de meest voor de hand liggende trekken van mijn Amsterdamse levensstijl op te sommen. Ik woon in een grachtenhuis waar iedere passant door de opengeschoven gordijnen een blik tot diep in mijn woonvertrek kan werpen. Ga ik tegen het donker worden brieven posten, dan bieden de vele verlichte interieurs van woningen die uit vijf eeuwen stammen, een boeiende kijk op hoe Nederlanders heden hun interieur vormgeven. Er is veel verscheidenheid, maar er zijn ook allerlei verschillen met de Franse, Duitse, Spaanse interieurs, die ik ken.

'Kleinigheden' constitueren een groot stuk cultuur

Het meest opvallende is eigenlijk dat ik de interieurs in die landen alleen ken door de bezoeken die ik sommige burgers daar thuis bracht. Hoe weinige waren het, goed bezien, gemeten aan het aantal contacten dat ik maakte. Tot hun cultuur behoort het letterlijk de luiken dicht te doen. Landgenoot en vreemdeling spreekt men als regel buiten, of in het café. Heel misschien nodigt men de ander na jaren eens thuis. Ramen die blikken naar binnen toelaten zijn taboe. Ook dient men er constant voor te waken geen vensters te hebben of te doen construeren waarvan het uitzicht duidelijk een ander pand bestrijkt. Gordijnen en, zeker als het donker valt, luiken verhinderen elke inblik. Stel ik zou mijn Nederlandse wooncultuur naar hier willen overplanten, grote ramen laten construeren zoals ik die thuis gewend ben, een groot deel van de dag slechts met open gordijnen gedrapeerd, het gevolg zou tweeërlei zijn: niet alleen mijn taal, maar ook mijn woonstijl zou mij buiten de gemeenschap plaatsen, sterker: juridisch zou mijn woning een feitelijk onmogelijke positie gaan innemen. Stel de plaatselijke woningdienst zou mijn constructie goedkeuren, dan zou geen verzekeringsmaatschappij mij willen verzekeren tegen braak en diefstal indien geen degelijke luiken aanwezig zouden zijn die ook op de juiste tijden gesloten behoren te worden. Tegen het donker worden de poorten gesloten, om vroeg in de morgen weer open te gaan. Tussen 12 en 14 uur valt behalve in enkele grootwinkelbedrijven en musea (en dan alleen in de grote steden) het hele openbare leven stil. Ik noem het een soort 'heilige tijd', het middagmaal met zijn traditionele gangen is een soort sacraal gebeuren. Ook dit ligt niet slechts in de zeden vast, maar wordt juridisch ondersteund: geluid dat buiten de woning doordringt, om te zwijgen over dat wat in besloten hof of open tuin wordt geproduceerd, is verboden. Wie zaagt of het gras maait tussen 12 en 2 stelt zich bloot aan boetes.

Het gaat hier maar om eenvoudige primaire zaken als het woonklimaat en leefritme. Niet bijvoorbeeld over de waarde en betekenis van onderscheiden gezinsvormen, machtsverdeling tussen mannen en vrouwen, interpretaties van de vrijheid van religie, onderwijs, enz. Zoveel is wel duidelijk: het was niet de Franse staatssecretaris van cultuur die ik citeerde. Het is de Nederlandse staatssecretaris Rick van der Ploeg die allerlei vermenging van cultuurelementen zo prachtig vindt. Nederland moet volgens hem "een bont mozaïek worden"[1]

Het mozaïek als ideaal

Het is Van der Ploeg kennelijk niet duidelijk wat het allemaal impliceert wat hij zegt. Reeds in 'kleinigheden' zoals ik die weergaf, weerspiegelt zich een heel stuk cultuur en zelfs die cultuurelementen kan men niet straffeloos laten botsen. Een mozaïek ontstaat door gesneden en/of gebroken deeltjes samen te voegen. De vraag stellen of dit lukt zonder de hand van een meester die het geheel volgens weloverwogen ontwerp creatief ordent, ineen past, samenvoegt en cohesie verleent, is haar beantwoorden. Geschiedt dit niet (en niets wijst erop dat Van der Ploeg zich het hier vereiste ook maar enigszins bewust is), dan zal op zijn slechts anarchie en chaos en op zijn best een geheel van nauwelijks werkelijk samenlevende groepen ons 'volk' gaan vormen. Een volk behoeft eigen grondgebied, waar het van eenieder in zijn midden aanpassing van de hoofdtrekken van zijn cultuurpatroon eist. Fransen, maar ook Spanjaarden, Duitsers, Engelsen, Denen, enz. schijnen dit beter te beseffen dan Nederlanders, althans dan wat heden in Nederland als paarse elite aan het bewind is. Het besef dat vreemdelingen moeizaam of zelfs nooit aan de hoofdtrekken die hun cultuurpatroon eigen zijn zullen kunnen beantwoorden, is in vele volken diep geworteld, ook buiten Europa. Wie heeft ooit reizend in landen als China, Japan, Thailand, Israël, Kenia, Marokko (ik doe maar een vrij willekeurige greep uit landen die ik bezocht) van iemand gehoord dat Nederlanders *met hun eigen cultuur* daar welkom zouden zijn, met honderdduizenden, en daar best als leden van de volks- en staatsgemeenschap zouden kunnen fungeren? Men zal te beleefd zijn om niet in een homerisch lachen uit te barsten. Maar men denke het zich in: een Nederlandse minderheidscultuur, gedragen door grote groepen die dit polderland zijn ontvlucht, soepel toegelaten tot blijvende vestiging en staatsburgerschap, in harmonieuze mozaïekvorming met de culturen van China, Japan, enz. enz. Ze zullen ons aan zien komen! Waar is eigenlijk dat mozaïek een levend ideaal? Hoe kómen sociaal-democraten er eigenlijk aan?

De abdicatie van de sociaal-democratie

In de economische sfeer zijn met een verbijsterende principeloosheid de ideeën van planning en leiding verlaten. En dat waar het kapitalisme in menig opzicht nog de kenmerken draagt die reeds de klassieke denkers ontleedden. Ik noem: concentratie en accumulatie van kapitaal, uitbuiting van werkers (nog overwegend praktijk in onderontwikkelde gebieden), chaotische groei, overproductie en onderconsumptie, crisis, werkloosheid, enz. Ik stip het maar aan, wij merken er nog wel meer van! Met een even grote principeloosheid heeft de sociaal-democratie het denken in termen van verheffing van de werkers verlaten: ethisch, esthetisch, qua wereld- en mensbeschouwing, waren de beste verworvenheden van de humanistisch gevormde burgerij het ideaal. Ook hier zien we een capitulatie voor een waardestelsel dat voornamelijk uit de Verenigde Staten stamt. Centraal staat hierin een cultureel relativisme dat reeds in allerlei geschriften is voorbereid en gepropageerd. Is de VVD in dit opzicht verdeeld en weigerachtig om levens- en wereldbeschouwelijk stelling te nemen (men zie de gestrande pogingen van Bolkestein zijn partij principieel te doen kiezen voor humanistische en christelijke waarden), de PvdA (zij die daar bovendrijven althans) koos voor het logisch onhoudbare: gelijkwaardigheid en gelijkberechtiging van de meeste verschillende waardestelsels.

Ik schreef reeds eerder over de lijn die loopt van Franz Boas, Ruth Benedict c.s. naar het huidige cultuur-relativisme. Als enige doorslaggevende norm zagen wij deze befaamde antropologen aan een samenleving de eis stellen dat de meest verschillende cultuurelementen, hoe dan ook, in welk patroon dan ook, samen zouden moeten kunnen werken. Alle samenstellende elementen, sociale- en denkstructuren, de meest uiteenlopende deelwaarden moeten 'workable' zijn, aldus de conclusie van Benedicts boek "*Patterns of Culture*". Dit alles zou rijp worden in een geestelijk en psychisch klimaat van 'permissiveness'. Traditioneel gezag en waarden zouden terugtreden, allerlei taboes zouden worden doorbroken, van alles toegelaten en veroorloofd wat vroeger door sancties was omgeven. In Nederland zou dit uitmonden in een veelzijdige opvatting van het begrip 'gedogen'. De goede, vrij-opgevoede mens zou aan de wieg staan van een vóór alles *vreedzame* samenleving, waarin de last van macht en dwang, boven- en onderschikking, tot het verleden zou behoren. Het was onder anderen de Amerikaanse antropologe Margaret Mead die hier haar honderdduizenden versloeg. Ondermeer in haar "*Coming of Age in Samoa*" beschreef zij zeden, gewoonten en machtspatronen, die op het eiland Samoa zouden heersen die alle zeer vrij, ja, ongebonden genoemd konden worden. Ook in Nederland drongen deze denkbeelden al vrij kort na de Tweede Wereldoorlog door en vele jonge intellectuelen laafden zich aan de vergezichten die Mead c.s. boden: wat ging men daar op Samoa ongeremd en vrij van agressie met elkaar om, vooral seksueel. Hier lagen de bronnen van het 'alles moet kunnen' dat rond 1968 over de gehele linie zou doorbreken. Men heeft erin geloofd en velen van hen die toen studeerden bekleden nu posities van invloed en macht.

Ik weet niet in hoeverre het is doorgedrongen hoezeer Mead zich heeft laten beetnemen. Zelf onkundig op het gebied van de Polynesische talen was zij bij haar onderzoek afhankelijk van derden. Later bleek van al die vrijmoedige verhalen over liefde, harmonie en non-agressie weinig op waarheid te berusten. Vooral de jeugd had haar slechts verteld waarvan zij aanvoelde dat men het waarschijnlijk zo graag zou horen. Daarom lijkt het mij de vraag of het wel zo belangrijk is of zij die heden in de politiek en de media bovendrijven wel weten dat er daar op Samoa echt niet zo'n vrije, milde samenleving existeert als Mead ons voorstelde. Het voornaamste is dat men er ook nu nog in geloven wil. Zij die de mens fundamenteel goed achten, en eenieder waardevol en gelijk, slechts geblokkeerd door psychisch remmende en sociaal onderdrukkende en discriminerende structuren, willen nu eenmaal geloven in dat harmonieuze mozaïek van tientallen culturen waarnaar Van der Ploeg blijkbaar ook nu uitziet.

Meer dan voedsel en muziek

"Minderheidsculturen brengen niet alleen exotische gerechten en muziek mee uit het moederland. Voordat Nederland dat bonte mozaïek is, moeten nog de nodige tegenstellingen worden geslecht", aldus Van der Ploeg. Velen, in tal van landen, zijn gaan inzien dat het ideaal van de 'meltingpot' faalt. *Nu* moet en zal een samenleving ontstaan waarin al die mozaïekstukjes onoplosbaar blijven, maar met al hun oorspronkelijke eigenschappen koste wat het kost, binnen één staat samengebracht. Zelfs in het miniem kleine Nederland waarin van geen wijde ruimtelijke segregatie sprake kan zijn. Daar is zeer veel op tegen. Men laat dit land zonder duidelijke en krachtige grenzen te stellen en leiding te geven ook via een bevolkingspolitiek, verworden tot een benauwend dichtbevolkt gebied, wat toenemende irritatie, agressie en misdadigheid oproept. Men laat mensen uit tientallen culturen vrij te kiezen voor vestiging waar dan ook, wat in de grote steden reeds geleid heeft tot een gettovorming die niet of nauwelijks meer door de overheidsorganen als regulier gebied van een stad te besturen is. In grote wijken zijn Nederlanders reeds in de minderheid. Men stelt dat Nederlanders ook van al die buitenlandse opvattingen en levensgewoonten iets zullen moeten aannemen; het gaat "niet alleen om exotische gerechten en muziek", stelt Van der Ploeg. Aan welke van de culturen van al die tientallen minderheidsgroepen zouden wij ons echter moeten laven? De onmogelijkheid van de suggestie van de verwezenlijking van een multicultuur, is reeds met deze vraag gegeven. Soms wijst men op steden als New York en Parijs waar een en ander toch ook mogelijk zou zijn. Zou het? Men 'vergeet' de meest voor de hand liggende geografische en demografische feiten. Honderdduizenden witte-boordenwerkers spoeden zich dagelijks Manhattan uit naar de uitgestrekte gebieden in staten als New York en New Jersey waar een ruimte is voor villadorpen in het groen, die men zich hier in Nederland nauwelijks kan voorstellen. In de uitgestrekte 'graanschuur' van Frankrijk, de Beauce, vlak ten zuiden van Parijs, een gebied zo groot als een gemiddelde Nederlandse provincie, wonen 40.000 mensen. Met andere woorden: wat voor New Yorkers en Parijzenaars nog mogelijk is: hun door overwe-

gend etnisch geweld en misdaad en luchtvervuiling aangetaste steden regelmatig dan wel permanent te ontvluchten, kan in Nederland weldra volstrekt niet meer. Ingeklemd tussen die andere dichtbevolkte gebieden van
Europa ten oosten en zuiden van ons land zal het mozaïek waarvan Van der
Ploeg c.s. droomt, aan grote innerlijke spanningen blootstaan.

Teneinde het buitenlanders nog aanvaardbaarder te maken hier te blijven,
wil hij ook hen die zich op eigen scholen, eigen radio en tv willen terugtrekken nog verder tegemoetkomen. "Migranten Televisie Amsterdam krijgt
van de gemeente f 800.000,— per jaar", zegt hij. En voorts: "Misschien
verdient dit voorbeeld navolging van andere gemeenten en moet hiervoor
ook van rijkswege een extra financiële stimulans komen". Dit zegt de re-
presentant van een beweging van wie na de Tweede Wereldoorlog een sterk
en voortdurend appèl tegen de zuilenmentaliteit en zuilenstructuur uitging.
Het volk dat hier krachtens het zelfbeschikkingsrecht der volken primair
zijn cultuur qua vorm en inhoud zou moeten kunnen doen prevaleren, moet
niet alleen fysiek geconfronteerd worden met tientallen vreemde talen sprekende fracties, nee, als men zijn radio of tv aanzet moet men ook met een
veelheid van buitenlandse klanken en beelden worden overspoeld. "Iedere
groep zijn eigen toegangsomroep", stelt Van der Ploeg. En verder: "Je kunt
dit als een vorm van afzondering beschouwen, het kan ook een teken van
integratie zijn". Het laatste roept om een verklaring. Die krijgen we echter
niet. Een mozaïekcultuur, zoals geen Europees volk die accepteert, moet
hoe dan ook het Nederlandse volk door de strot worden geduwd. Het geloof in de 'maakbaarheid' en 'leefbaarheid' van dit mozaïek schijnt een van
de weinige principes te zijn die de sociaal-democratie nog zijn gebleven,
zo niet het enige.

Uit op culturele zelfvernietiging

Maar het Noord-Amerikaanse patroon dan? Inderdaad is het steeds het ideaal dat in de VS heet te heersen dat volgens personen als Van der Ploeg ook
Nederlanders zou moeten wenken: "Een bron van veelvormigheid en verrijking". "Hip hop meets house, djelaba meets jumper, Kip Yassa meets
Kebab".

Maar waar ontmoeten zij elkaar? In de afgelopen vier decennia bezocht ik
de Verenigde Staten viermaal, steeds na ongeveer tien jaar. Enkele jaren geleden constateerde ik aan de westkust een segregatie die niet of nauwelijks
verschilt met die van voor 40 jaar. Ik duid dan vooral op de segregatie op
de werkplaats, in hotel, bedrijf, museum. Zelfs in een instelling als het San
Francisco Museum of Modern Art trof ik op alle afdelingen slechts vertegenwoordigers van één minderheidsgroep: de overwegend Chinees-
Vietnamezen.[2] Is het Van der Ploeg c.s. dan onbekend dat de melting pot
tot nu toe niet werkt, dat het "One nation under God" een grote (des)illu-
sie is? Onze staatssecretaris van cultuur gaat echter onverstoord verder. Ik
loof een fraaie prijs uit voor iemand die mij erop kan attenderen dat er waar
ook in Europa of elders een minister of staatssecretaris van cultuur existeert
die het volgende over zijn lippen of op schrift weet te brengen: "Ook op

schoolpleinen zie je interessante voorbeelden van vermenging. De jeugd spreekt er slang of straattaal, gevormd uit allerlei verschillende talen". Let wel: Van der Ploeg vindt dit gebrabbel van 'hosselers', enz. prachtig. Hij noemt het onder de voorbeelden van verrijking. De taal is de ruggengraat van een volkscultuur. Een overheid die haar op schoolpleinen zo laat behandelen en dit prachtig vindt, is uit op culturele zelfvernietiging. Soms ben ik blij dat het volk waartoe ik behoor vrij klein is en dat zijn regering buiten de grenzen weinig of niets te zeggen heeft.

Hoe Van der Ploeg "heel eerlijk denkt"

Wij kennen staatssecretaris Van der Ploeg als voorstander van een nieuw soort zuilensamenleving. Minderheidsgroepen als Turken en Marokkanen zouden naast eigen moskeeën en scholen ook over eigen radio en t.v. moeten beschikken. Tegelijkertijd zouden Nederlanders allerlei buitenlandse cultuurelementen tot de hunnen moeten maken. Nederland zou volgens hem "één bont mozaïek (moeten) worden".

Van der Ploeg borduurt nu in zijn recente nota "Ruim Baan voor Culturele Diversiteit" op dit thema voort. De gesubsidieerde cultuur geeft volgens hem geen afspiegeling van de samenleving. Een vergelijkbare klacht hoorden wij vaker. Het ambtelijk apparaat in al zijn geledingen, het onderwijs, de politie, enz. zouden meer en meer aan die afspiegelingsnorm moeten voldoen. Al wervende kwam men vaak tot de ontdekking dat de betrokken groepen niet voldoende geschikte kandidaten opleverden. Dit geconstateerd zijnde, scheidden de geesten zich in de rijen van hen die de afspiegelingsnorm in het beleid introduceerden.

De afspiegelingsnormen en zijn gevolgen

Klein maar krachtig in bepaalde media bleek de groep die vond (of vindt) dat men de eisen voor b.v. politiefunctionarissen uit betrokken groepen behoort aan te passen aan de eigenschappen en capaciteiten die een bepaalde etnische groep van huis uit meebrengt. Consequent doorgeredeneerd zou dit leiden tot bijvoorbeeld opname van Marokkaanse en Turkse politiemensen met een specifieke autoritaire instelling. Nu zou wat meer striktheid, beslistheid en hardheid bij politie en justitie geen kwaad kunnen. Toch vermoed ik dat zij die overal minderheden "met heel hun eigen cultuur" vertegenwoordigd willen zien, zouden schrikken als zij zich maar enigszins zouden realiseren welke cultuurverschillen hier aan het licht komen. Het zou voor cultuur-relativisten een goede les zijn eens *anoniem* in concreto te gaan bezien en beleven hoe het er, bijvoorbeeld bij confrontatie met de politie in de betrokken landen aan toe gaat. In mijn journalistieke periode bereisde ik onder andere de Maghreb-landen en Turkije en wel daar, op het platteland, en op een manier die de plaatselijke cultuur het best leert kennen, namelijk reizend in het vervoermiddel dat overal door de gewone man wordt gebruikt: de bus. Zo ging het de steden en stadjes door en de

grenzen over. Wie zo in genoemde landen het dagelijks leven heeft kunnen observeren, zal het eens en voor altijd duidelijk zijn: Marokkanen, Turken (maar wij kunnen hier de meeste volken uit zogenaamde ontwikkelings- landen invullen) die men er niet zeer goed en grondig van doordrongen maakt dat zij hier in Nederland bijvoorbeeld als ambtenaar of politieagent geacht worden te fungeren als dienaren van een rechtsstaat, "het volk ten goede", zullen gedragscomplexen vertonen die eenvoudig onduldbaar zijn. Onduldbaar, zelfs bij onze cultuur-relativisten. In genoemde landen stuit men op opvattingen die wellicht niet in naam, maar wel in feite nagenoeg het omgekeerde voorstellen van wat binnen onze grenzen gangbaar is. De wijze waarop ambtenaren in het algemeen en douane en politie in het bij- zonder de eigen landgenoten bij controles aan de grenzen en elders behan- delen, duidt erop dat zij die landgenoten meer zien als hun ondergeschik- ten dan zichzelf als dienaren van wet en gemeenschap. De autoritaire wij- ze waarop de gewone man wordt toegesproken, de vanzelfsprekendheid waarmee men hem soms urenlang onnodig laat wachten, de willekeur en de corruptie, schreien ten hemel. De kleine machthebbers gedragen zich soms als een soort leenheren die de "bevoegdheid" hebben voor allerlei diensten en gunsten de onderhorigen tribuut te laten betalen. Ook buiten- landers ontkomen daaraan vaak niet. Het overkwam mij eens dat ik besto- len werd. Bij de politie liet men mij eerst geruime tijd wachten en maakte mij daarna duidelijk dat, wilde ik een bewijs van aangifte verkrijgen, eerst het nodige geld zou moeten "schuiven". De geschetste mentaliteit is ook in bepaalde delen van Europa nog endemisch; ik volsta met te wijzen op de mentaliteit van politie en gendarmerie waarmee men soms in Zuid-Italië en Zuid-Spanje geconfronteerd wordt.
Nogmaals, zij die allerlei buitenlandse groepen - men denke ook aan Nigerianen, Ghanezen, Afghanen, enz. - "met heel hun cultuur" hier ge- vestigd willen laten, zou men een grondige kennis van de betrokken cultu- ren en liefst enige ervaring ter plaatse toewensen.

Het cliëntelisme ligt op de loer

Nu gaat het Van der Ploeg in de betrokken nota om cultuur zoals die via de podia en de kunst in het algemeen tot ons komt. Het mag vreemd lijken dat ik deze beschouwing over de afspiegelingsnorm buiten dit gebied van de cultuur in engere zin begon. Dit heeft niettemin alle zin. De normen, het gedrag, in de ene sector van een cultuur staan niet los van die in andere sec- toren. De gezagsdragers en hun uitvoerders in een groot deel van de wereld gedragen zich als lieden die het "mandaat des hemels" hebben en trouwe dienaren ("cliënten") in hun gunsten doen delen. Treedt er een machtswis- seling op dan is daarmee die cultuur van het cliëntelisme niet per se ver- anderd. Andere machthebbers mogen andere cliënten hebben (personen, fa- milies, clans, kasten, stammen) die "onderdanen" handelen min of meer automatisch precies als vroeger andere cliënten. Kenmerkend voor dit cliën- telisme is dat het passiviteit en parasitisme in de hand werkt. Cliëntelisme zoals buitenlanders dit uit de thuislanden kennen, vindt zijn spiegelbeeld in hun verhouding tot ambtelijke apparaten en andere instellingen die de migranten hier als "cliënten" opvangen, begeleiden, enz. Men zie hoe allerlei buitenlandse groepen zich in ons land laten "bedienen". Eigen initiatief, eigen inspanning, eigen offervaardigheid is hen in hoge mate vreemd, zodra het gaat om maar iets te doen ten behoeve van "het nieuwe vaderland" en zijn burgers. Ik herinner aan wat de moskeeën nalieten bij rampen, waarbij bijvoorbeeld kerken zich direct inschakelden bij inzamelingsacties, collecties, enz. Zelfs voor kleine projecten die dicht bij huis liggen - speeltuinen, hulp voor overblijvers op school, enz. steekt "de nieuwe Nederlander" nauwelijks een hand uit. Hij is de cliënt van de vaak talrijke "opvangers" en "begeleiders". Een reëel gevaar is dat het heersende cliëntelisme zal worden versterkt met de geldpotten die Van der Ploeg cultuurmakers en cultuurconsumenten uit de minderheidsgroepen ter beschikking wil stellen. Groter wordt dit gevaar nog als de functionarissen die hij hiervoor wil benoemen ook uit de betrokken groepen zouden moeten komen. Ervaringen met allerlei financieel geknoei en "gehossel" door voor Surinamers werkende instellingen, vormen waarschuwende voorbeelden. Aan bovenstaande kan men nauwelijks te veel aandacht besteden als men, met Van der Ploeg a. het cultuurambtenarencorps met meer allochtonen wil bezetten; b. door middel van (extra) subsidies wil bevorderen dat minderheden als producenten van cultuur meer naar voren zullen komen; c. door middel van (extra) subsidies wil bewerken dat uit de betrokken groepen meer personen als consumenten de tempels der kunst zullen gaan bevolken. Het cliëntelisme ligt hier overal op de loer. De culturele instellingen (theaters, concertgebouwen, musea) schijnen, volgens Van der Ploeg, een soort "dwing ze om in te gaan" te moeten toepassen. Culturele instellingen die volgens de staatssecretaris te weinig doen om allochtone groepen en jongeren binnen hun muren te krijgen, werden bedreigd met het verlies van een deel (15%) van hun subsidies. Voor deze bedreiging is, na allerlei protesten, een "lokkertje" in de plaats gekomen: instellingen die meer etnische groepen binnen hun muren weten te halen, zouden een financiële bonus krijgen.

Groei van de bureaucratie

Voor zijn programma denkt Van der Ploeg 40 à 60 miljoen gulden per jaar nodig te hebben. Zogenaamde "cultuurverkenners" of "cultuurmakelaars" zouden allochtonen en jong talent moeten opsporen. Hoewel de vele mogelijkheden om subsidies op kunstgebied te verkrijgen vrij gemakkelijk van reeds bestaande organen en instellingen op een rijtje te betrekken zijn, zouden die "makelaars" de allochtonen ook moeten "begeleiden" bij het aanvragen van subsidies.

De fondsen die subsidie verlenen zouden een deel van hun budget steeds voor minderheden moeten besteden. Men ziet het al voor zich: onze kunstsubsidiebureaucratie verrijkt met een aantal bij voorkeur allochtone "verkenners" (uiteraard met bureau en secretariaat) die hun "broeders" (en zusters?) begeleiden naar de bronnen waar reeds de nodige gelden voor hen gereed liggen! Opmerkelijk is dat de staatssecretaris deze afgedwongen positieve discriminatie fundeert op een wijze die de ergste discriminatie van bepaalde groepen doet vermoeden. Spraken bewindslieden als Den Uijl en D'Ancona bij voorkeur over "achterstandsgroepen" of "achtergestelden" die zij recht moesten verschaffen door allerlei vormen van "positieve discriminatie", "opvang" en "begeleiding", deze staatssecretaris bestaat het te spreken over allochtonen die worden "uitgesloten". Het lijkt haast of duistere machten allochtonen van onze podia, uit onze toneel- en concertzalen en musea weren. De musea zouden gebruik moeten maken van zogenaamde "community curators", personen uit de betrokken bevolkingsgroepen die in staat gesteld zouden moeten worden in de musea tentoonstellingen te maken. Opnieuw dus groei van de bureaucratie. Centraal bij dit alles staat de eis dat de Raad voor Cultuur, die subsidie-aanvragen van culturele instellingen beoordeelt, naast de kwaliteit van een aanvrage ook de "culturele diversiteit" van het gebodene en de (buitenlandse) groepen die het gebodene zou kunnen aantrekken, in haar beleid zal gaan verdisconteren.

Vloeken in Van der Ploegs kerk

Men realisere het zich goed: miljoenen Nederlanders bezoeken uiterst zelden of zelfs nooit een theater, concertgebouw of museum. Hen warm te krijgen voor kunst die van eigen bodem is, of althans uit de Westerse cultuurkring stamt, is al een enorm karwei waarmee wij in een halve eeuw van pogen nog niet ver zijn gekomen. Nu verblijven in ons midden groepen Turkse plattelanders, Berbers die komen uit gebieden waar zij nauwelijks onderwijs hebben gehad en woonden in lemen dorpjes op de pleinen waarvan waarschijnlijk zo nu en dan kamelengevechten of dansen met regionale inslag te zien zijn. Nu vraagt men zich af:
a. hoe moet men, is dit bij vele Nederlanders al vrijwel onbegonnen werk, deze mensen voor podiumkunsten en musea rijp maken;
b. hoe moet men Nederlanders bereid vinden, buiten enige incidentele aandacht, blijvend interesse op te brengen voor voorgetrokken, door de overheid gepromoveerde kunst van vreemdelingen;
c. hoe komt een staatssecretaris, die weten kan dat goede niet-Westerse kunstenaars er overwegend toe neigen hun kunst naar Westerse voorbeelden te modelleren, althans zich sterk daardoor te laten beïnvloeden, ertoe hen te stimuleren weer op een niveau te gaan werken dat bijvoorbeeld de heel of half analfabete immigrant behaagt?
Over deze vragen enkele opmerkingen.
a. Precies zoals Turken of Marokkanen via de satelliet "eigen" tv en radiozenders kunnen bezien en beluisteren, kunnen Nederlanders dat. Bovendien krijgt voor zover mij bekend de gehele bevolking één Turkse zender die vanuit België werkt via de kabel permanent op het scherm. Het zou nuttig zijn te onderzoeken hoeveel Nederlanders zich met enige frequentie tot het daar gebodene aangetrokken voelen. Bovendien: wie wil kan zich vrijwel voortdurend laven aan een reeks van "wereldmuziek" uitvoeringen, exotische zang- en dansmanifestaties, film, jazz- en popfestivals met uitvoeren-

276

den uit alle windstreken, internationale concoursen, enz. In de aangeduide kunstmanifestaties is ook kunst uit Afrika en het Midden-Oosten vertegenwoordigd; het zijn uitvoeringen die voor een groot deel zonder subsidie rondkomen. Waar denkt Van der Ploeg dan toch voor verrijking te moeten zorgen en voor wie?

b. Het is juist dat men in Nederlandse theaters, concertzalen en musea onder het publiek zelden of nooit "nieuwe Nederlanders" tegenkomt. Bij een goede opvoeding thuis, vooral krachtig gesteund door een veelzijdige culturele vorming op de scholen, zullen jongere generaties vreemdelingen binnen enkele tientallen jaren hun achterstand hebben ingehaald. Een goede beheersing tot in nuances van het Nederlands, waarbij men juist niet blijvend door verplichte lessen in moedertaal en -cultuur wordt belast, is en blijft hier in de sleutelrol.

c. Natuurlijk is het vloeken in Van der Ploegs cultuur-relativistische kerk, maar met uitzondering van zang en dans, achten ontwikkelde Afrikanen en bewoners van het Midden-Oosten Westerse kunst in het algemeen superieur. Van der Ploeg wil Nederlanders met allerlei exotische cultuurelementen verrijken. "Een botsing van culturen van het beste dat bijvoorbeeld de Turkse of Marokkaanse cultuur te bieden heeft met het beste dat de autochtone Nederlandse cultuur te bieden heeft, kan leiden tot een spanning met culturele meerwaarde, denk ik", aldus de staatssecretaris. Hij ziet blijkbaar niet in dat hij, daarvoor a priori al bepaalde bedragen bestemmend, en de betrokken groepen positief discriminerend, het gevaar loopt allerlei elementen naar voren te halen die door de meer ontwikkelden uit de betrokken groepen en zeker ook door vele van hun kunstenaars als achterhaald worden beschouwd. Of Van der Ploeg het leuk vindt of niet: reeds 80 jaar neemt heel het seculiere Turkije het Westen over de hele linie als voorbeeld. Mogen de Berbers in Marokko een wat verachterde groep vormen, een ieder in dat land die cultureel mee wil doen, richt zich nog steeds op de oude "monopool", op Frankrijk. Al wie in Marokko leidt in kunst, architectuur, mode, put allereerst uit Westerse, in casu Franse bronnen; de "eigen" cultuur zorgt daarbij voor accenten.

Om heel eerlijk te zijn

Het is opmerkelijk dat Van der Ploeg zelf tenslotte de stelling dat allochtonen uitgesloten zijn duidelijk ondermijnt. Als hem concreet wordt gevraagd (NRC 26 mei 1999) hoe bijvoorbeeld een symfonie-orkest de toegankelijkheid voor minderheden kan vergroten, antwoordt hij: "Je kunt je voorstellen, sommige orkesten doen dat al, dat een orkest probeert ook stukken van allochtone componisten te spelen, of een bekende Turkse zanger te laten optreden". Inderdaad, welke orkestleider zal er niet naar streven het kwalitatief beste te brengen, welk ballet zal niet-Nederlanders die excelleren niet met graagte aantrekken, welk museum zal niet trachten een zo veelzijdig mogelijk aanbod te brengen mits men niet gedwongen wordt concessies te doen aan kwaliteitseisen.

Conclusie: aan Marokkaanse of Turkse eigenheid in de vorm van buik - of maagdendansen uit de folklore in die landen, is weinig behoefte en voor wie er behoefte aan heeft: de vermaaksindustrie levert wat men vraagt zonder een cent subsidie. Voorts blijkt, niet alleen in de genoemde landen, maar ook in vele Aziatische landen de Westerse kunst voor velen een lichtend ideaal te vormen. Ook daar ziet en hoort men graag wat de wereld over als superieur wordt beschouwd. En dat komt overwegend uit het Westen. Tenslotte ondergraaft Van der Ploeg zelf de stelling dat het zo nodig zou zijn allochtoon talent een voorkeursbehandeling te geven. Hij stelt dat op gebieden als popmuziek en literatuur er weinig reden tot klagen is. Inderdaad is het opmerkelijk hoeveel belangstelling popmuziek en zogenaamde wereldmuziek in Nederland heeft en met hoeveel graagte uitgevers eerstelingen van "nieuwe Nederlanders" ter markt brengen. En dan gaat Van der Ploeg nog verder: "Nu moet ik heel eerlijk zeggen dat het in het geval van uitvoerende kunstenaars wel goed gaat. Je ziet vaak bij orkesten en toneelgezelschappen, dat ze, of het nou een Turk of een Nederlander is, toch wel de beste nemen. En laten we eerlijk zijn, veel orkesten bestaan al uit allochtonen, gevluchte Tsjechen, Hongaren, Chinezen, noem maar op. Of iemand als Wibi Soerjadi, die heeft toch geen enkel probleem?" Einde citaat. Men zal zelden een politicus tegenkomen die zo "heel eerlijk" wil zijn. Als hij nu nog inziet dat Tsjechen en Hongaren scheppers leverden van wat tot het beste van de Europese muziek behoort en dat zij over de hele linie reeds eeuwen bijdroegen aan de hoekstenen van de Europese cultuur, zijn we al een heel eind. En wat de Chinezen betreft, hun putten uit eigen millennia oude cultuurbronnen verhindert niet dat haast bij elke ontmoeting met Europeanen of Amerikanen in China weerklinkt: "Van het Westen hebben wij nog veel te leren" en daar kunnen wij ons best mee verenigen, "om heel eerlijk te zijn".

Noten
1. Dit hoofdstuk is een commentaar op de STOA-lezing van staatssecretaris Van der Ploeg, integraal gepubliceerd in het dagblad *Trouw* van 3 oktober 1998.
2. Een te weinig bekend feit is dat de Vietnamese vluchtelingen merendeels etnische Chinezen zijn, die overwegend rooms-katholiek, onder sterk Franse invloed opgevoed - althans vóór 1954 - daarna tegen de Amerikaanse invloed in hun land aanleunden. Vandaar dat deze Vietnamezen in de beide landen waarin zij hoofdzakelijk hun toevlucht zochten, zich vlot konden assimileren en in Frankrijk geen weerstanden opriepen.

Hoofdstuk 19

HET MULTICULTURELE DRAMA:
VAN BOLKESTEIN TOT SCHEFFER

In 1992 werd voor het eerst in decennia het taboe op kritiek ten aanzien van de Nederlandse immigratiepolitiek enigszins verlicht. De leider van de liberalen had duidelijk zijn stem verheven en dat kon niet worden geïgnoreerd. "Trouw" van 29 augustus bevatte een zeer uitvoerig interview met de VVD-leider Frits Bolkestein. De laatste moet zich weren tegen de beschuldiging van enkele redacteuren van *Trouw*. Hij, aldus dit blad, veroorzaakt "ergernis" omdat hij "een zwaar accent legt op onze cultuur", "weinig handreiking doet naar de minderheden". "Ga er maar aanstaan om je als kwetsbare minderheid in een keiharde westerse samenleving aan te passen. Daar mag van onze kant best wat tegenover staan", aldus *Trouw*.

Niet keihard, maar boterzacht

Het valt op dat, hoewel er in dit debat veel gesproken wordt, er toch betrekkelijk weinig concreets wordt aangevoerd. Bolkestein vindt zelf dat hij voorafgaand aan dit debat eigenlijk al "weinig heeft gesproken" en toch "zó'n debat heeft doen losbranden!" Inderdaad had hij weinig gezegd. Eigenlijk alleen dit: "Er zijn fundamentele waarden in onze samenleving, waarmee niet te marchanderen valt". Wie wil het ontkennen? Als voorbeelden noemt hij dan de "polygamie", "maar ik had net zo goed de vrouwenverbranding kunnen noemen... of de bloedwraak". Vielen hem geen betere voorbeelden in of zette hij zover van de realiteit aan juist om te vermijden waarvan hij wordt beschuldigd: het "prikkelen van minderheden"? Op de laatste zin van de aanval van *Trouw* reageert hij met: "Dat laatste ben ik voluit met u eens: en wijst dan op een VVD initiatief wetsvoorstel Wet Bevordering Arbeidskansen. Vreemd! Waarom er niet allereerst op te wijzen dat de westerse (althans de West-Europese) samenleving over bijkans de hele linie in vergelijking met de samenlevingen waaruit de meeste minderheden komen, niet "keihard", maar "boterzacht" is. Staat, stam, gezin, uitgebreide familie, arbeidsverhoudingen, religie; in de landen van herkomst zijn ze als regel: autoritair, streng, intolerant, onderdrukkend, de rechten van de enkele persoon niet achtend en als ze al als "sociaal vangnet" fungeren, straf gebaseerd op de regel: ik geef opdat gij geve. Natuurlijk zijn er grote verschillen tussen groepen afkomstig uit Noord-Afrika, zwart Afrika, Azië en Latijns-Amerika, maar als eerste onderscheidend kenmerk moet worden gesteld: groepen (hoe verschillend ook) komend uit die werelddelen ervaren samenlevingen als de onze als een vreemd utopia, waar alles kan, waar alles mag, waar je van elke (traditionele) plicht bent bevrijd, waar misdadigers meestal gezien worden als slachtoffers van de maatschappij of als zieken, waar wat je nodig hebt niet van God of goden behoeft te worden afgesmeekt of van familie verkregen, maar van ambtelijke instanties kan worden opgeëist: woning, kleding, voeding, medische verzorging, steun voor *jouw* cultuur, onderricht in *jouw* taal, dit alles geschraagd door duizenden psychische, sociale, juridische, religieuze opvangers, begeleiders, pleitbezorgers voor jouw eisen, jouw zaak, jouw bestaan hier, legaal of illegaal: betaald door: het (marxistisch geformuleerd) "werkend proletariaat" van het "gastland". Werkelijk, wat *wij* ook er van mogen denken: voor de massa van de immigranten is deze samenleving "boterzacht"! Ik herhaal: wat *wij* er ook van mogen denken. Wel degelijk is deze samenleving in bepaalde opzichten hard: ook werkers die graag hadden willen blijven werken, zij het aangepast aan hun kunnen, worden vaak in de WAO uitgestoten, de verhoudingen in het bedrijfsleven en daar buiten - hypocriet ingebed in een samenwerkingsideologie - vertonen niet zelden autoritaire trekken; de tolerantie is vaak slechts oppervlakkig - "repressief" - en verkeert in harde censuur daar waar - al is het maar verbaal - de machtssfeer van de heersende circuits wordt aangetast. Zij echter, die zich als "cliënt" van het verzorgingscircuit conform aan hun rol van "slachtoffer" of "achtergestelde" willen houden, zullen daar als zodanig geen last van hebben.

Schijnbare gelatenheid

Had het debat met Bolkestein kritisch bezien weinig concrete inhoud, anders was het 8 jaar later toen "Het multiculturele drama" van Paul Scheffer op 29 januari 2000 in *NRC-Handelsblad* verscheen. Het had er veel van dat Scheffer ineens op papier mocht werpen, wat vele anderen jarenlang was ontzegd als zij deel-problemen in openbaar debat wilden brengen. In een gehele krantenpagina beslaand artikel werd "het multiculturele drama" vanuit tal van gezichtshoeken bezien. Het gaat er hier uiteraard niet om Scheffers stellingen te herhalen; ze zijn in belangrijke mate gelijk aan de mijne. Slechts een paar aantekeningen.
Scheffer verwondert zich er over dat terwijl vanaf de tweede helft van de 19^e eeuw de gehele 20^e eeuw in het teken stond van strijd tegen sociale ongelijkheid en een streven naar "verheffing van bevolkingsgroepen" een waar "beschavingsoffensief", nu een "veel venijniger tweedeling in de Nederlandse samenleving dreigt" op zo'n "gelaten manier" wordt gereageerd. Scheffer vindt dit "zo onvoorstelbaar": "zo energiek als de sociale kwestie van weleer te lijf is gegaan, zo aarzelend, wordt nu omgegaan met het multiculturele drama". Ik kan haast niet aannemen dat Scheffer dit in ernst meent. Die gelatenheid was (is) immers slechts schijn. Voor een deel wordt zij gesuggereerd doordat veel van wat onder het volk leeft, onzichtbaar en onhoorbaar is gemaakt door de censuur en zelf-censuur die de media jarenlang hebben opgelegd en waarin zijn artikel van begin 2000 een ware bres mocht schieten. De angst, ja lafheid, bij de leiders van de publieke opinie die Nederlanders van allerlei slag deed verhinderen duidelijk te zeggen wat zij op hun hart hebben, had tot dan toe gepredomineerd. De echt gelaten wijze van reageren kwam van hen die vinden dat de meerderheid slechts leeu-

wen en beren op zijn weg ziet. Zij zien nauwelijks problemen: alle culturen zijn gelijkwaardig, vragen naar de geschiedenis, de rechtsopvattingen, de mentaliteit, de geloofsbeleving van vreemden die zich hier wensen te vestigen, zijn niet relevant, zelfs "gevaarlijk"; ook de economische en demografische problemen die voortgaande immigratie oproept, wekken nauwelijks verontrusting: ze zijn toch niet goed te overzien, noch op te vangen of in bepaalde banen te leiden en zeker geen grenzen te stellen. Het is opmerkelijk dat personen die zo redeneren vaak komen uit volksdelen die vroeger stonden voor een of andere vorm van socialisme, waarin planning en ordening groot werden geschreven.

Van bunkermentaliteit naar openheid

Scheffer luidt de noodklok: "het gaat om enorme aantallen achterblijvers en kanslozen die de Nederlandse samenleving in toenemende mate zullen belasten". Hij wijst op rond het jaar 2000 voor het eerst wijd en zijd gepubliceerd cijfermateriaal, zoals van het Sociaal Cultureel Planbureau, het Centraal Bureau voor de Statistiek, de ministeries van Onderwijs, Kunsten en Wetenschappen en Justitie en roept dan met de inmiddels ontslagen rector Sjamaar uit: "Straks zijn de steden woonplaats voor de overwegend donkergekleurde onderlagen, die niet of nauwelijks meedoen aan de kennissamenleving en voor de nu nog gebruikelijke medische en sociale minimumvoorzieningen zal in de steden het geld ontbreken. Zó'n samenleving kan beter kastenmaatschappij dan kennismaatschappij heten" (einde citaat). Wie Scheffer en Sjamaar hier wil bijvallen moet goed bedenken dat in de heden bovendrijvende culturele, vooral in de jaren '60 en '70 gevormde, bovenlaag dit alles weinig schrikwekkends aan zich heeft. Scheffer citeert met afkeer de stelling die staatssecretaris Van der Ploeg inneemt: instellingen die bewijzen van multiculturaliteit kunnen overleggen krijgen een bonus op hun begroting. "In het licht van de ontwikkeling van Nederland als multiculturele samenleving behoeft het kwaliteits-begrip dat wordt gehanteerd bij het beoordelen van aanvragen, aanpassing:" Aanpassing aan welk waarde-niveau? Scheffers antwoord is duidelijk: *Erewraak is een cultuureigen uiting en toch geen goed idee. Onze wetten zijn helemaal niet neutraal en toch willen we die niet heroverwegen met het oog op de veranderende samenstelling van de bevolking.* Integratie met behoud van eigen identiteit is een vrome leugen" (einde citaat).
Als Scheffer enkele maanden later (NRC 25-03-2000) ingaat op kritiek die hij op "Het multiculturele drama" gekregen heeft, klaagt hij: "Enkele critici hebben mijn pleidooi voor insluiting van mensen verward met een pleidooi voor uitsluiting". Dit is geen sterk verweer. Het handhaven van wetten die de grondslag vormen van een rechtsstaat in westerse zin sluit per definitie allerlei rechtsopvattingen, zeden en gewoonten uit die mensen uit een reeks exotische culturen met zich brengen. Ook stelt Scheffer: "De vraag om meer aandacht voor de talloze aanpassingsproblemen door de nieuwe samenstelling van onze bevolking, is echt iets anders dan de roep om het sluiten van de grenzen". Ook dit is niet sterk voor iemand die nog

281

enkele maanden eerder duidelijk heeft gesteld niet in te stemmen met "de huidige omvang en aard van de immigratie". Scheffer raakt een kernpunt als hij stelt dat het hem ging: "om de manier waarop in Nederland een open samenleving kan worden bestendigd". En hij citeert Huizinga in *Nederlands Geestesmerk* (1935): "Als natie zijn wij nu eenmaal in zekeren zin satisfait en het is onze nationale plicht het te blijven".

Na het door mij gecursiveerde gesteld te hebben, is het even aanraken van het thema "wij willen een open samenleving" onvoldoende zonder die openheid nader te definiëren. Krachtens het gecursiveerde zijn bepaalde personen en groepen met allerlei rechtsopvattingen en zeden inderdaad uitgesloten. Dat Huizinga *in 1935* de natie reeds tevreden in zijn pacificatie-toestand wilde laten blijven, versterkt Scheffers betoog bepaald niet. Dit zou kunnen betekenen dat nieuwe - nu versterkt gesegregeerde - zuilen voor onze samenleving de beste mogelijkheid zouden bieden. Al voor de Tweede Wereldoorlog heb ik mij gestoten aan het allesbehalve open, maar benauwde klimaat dat in het toen gepacificeerde, verzuilde Nederland heerste. De zuilen leken wel bunkers. Niet alleen kerken, maar ook scholen, vakbonden, sport- en muziekverenigingen, woningbouworganisaties, enz., enz. leken gescheiden door grachten waarover men elkaar soms iets toeriep. Jongeren moesten zich krachtig weten door te zetten om uit de bronnen van de anderen (bij voorbeeld als anti-revolutionair uit de pauselijke encyclieken of het Communistisch Manifest) zélf de kennis te kunnen putten die voor een open vorming van de eigen geloofs- en wereldbeschouwing nodig is. De oorlog bracht een nauwer contact tot stand tussen buren die elkaar vroeger hoogstens hadden gegroet; men praatte gewoonweg met elkaar, ook in de gijzelaars- en concentratiekampen (men denke aan de ontroerende getuigenissen van Floris Bakels om maar één naam te noemen); men liep gedwongen wacht samen met mensen van een rang, stand en geloof die men vroeger zelfs nimmer zou hebben ontmoet.

Het is waar dat na de oorlog de regenten van de zuilenmaatschappij grotendeels hun posities weer innamen; vrijwel alle oude organisatiestructuren herleefden. Toch bleef van alles in stand: het in de oorlog ontstane interkerkelijk overleg ging niet geheel verloren, er ontstonden tal van dwarsverbanden en koepels. Dit wil weer niet zeggen dat het benauwde denken in zuilen aan een snelle slijtage onderworpen was: in 1946 werd ik gewaarschuwd toch vooral niet aan de Gemeente Universiteit van Amsterdam te gaan studeren; nog in 1953 verscheen het bisschoppelijk mandement dat geheel voor-oorlogse taal sprak, maar door de meerderheid van de "beminde gelovigen" terzijde werd geschoven. Tot mijn tevredenheid kon ik vaststellen dat op de universiteiten de zelfgenoegzame apartheid week. De Gemeente Universiteit organiseerde een langdurig studium generale waarop week na week vertegenwoordigers van de meest verschillende kerkelijke en filosofische richtingen uitvoerig aan het woord konden komen; op de VU werden door sommige hoogleraren op een ontspannen en de auteurs volledig rechtdoende wijze, werken besproken van tegenstanders van allerlei slag, van liberalen tot en met communisten. Toch bleef in opvoeding en onderwijs de apartheid dominant: op lagere en middelbare scholen werd de geloofsleer of filosofie van de anderen, zoal behandeld, slechts bezien door eigen bril. In de media kwam langzaam maar zeker een groep boven drijven die zich de openheid zelf achtte, maar opinies die in haar visie van openheid niet pasten, uitsloot. De censoren hadden zelf nauwelijks ergens filosofisch houvast of besef van eigen identiteit meer, vandaar hun "gelatenheid" waar Scheffer over schrijft.

Zeker klonken er nog wel andere geluiden, bleven er personen en organisaties die hun organen openstelden voor elk debat van hoe onderscheiden opponenten ook. Met ere moet *Civis Mundi* worden genoemd dat onder leiding van Prof. dr. S.W. Couwenberg, aanvankelijk onder de naam Oost-West, nu al meer dan 40 jaar al het mogelijke heeft gedaan alle denkbare staatkundige, maatschappelijke en filosofische problemen op een optimaal veelzijdige wijze te doen belichten. Toch zijn nog altijd te weinigen bezield van de bereidheid het gebodene te bestuderen en diep op elkaars visies in te gaan. Zij die dit wel doen moeten ermee rekenen het nooit tot hoge politieke posten te zullen brengen, sommigen zullen zelfs als "zwarte schapen" te kijk worden gezet. Het lijkt mij dan ook te optimistisch met Scheffer te stellen dat "in Nederland kan worden bestendigd". Ik zie nog te veel resten van "bunkers". Al rond 40 jaar geleden verdedigde ik dat in alle scholen, openbaar, bijzonder, of hoe gefundeerd dan ook, onderricht in de voornaamste religies en levensbeschouwingen zou moeten worden gegeven en wel door vertegenwoordigers van die religies en levensbeschouwingen zelf. Alleen zo zouden wij een kans hebben de zuilen- of bunkermaatschappij definitief achter ons te laten. Dit denkbeeld werd steeds beantwoord door volslagen stilte. Nu is het urgenter dan ooit.

Waarom urgenter dan ooit?

Waarschijnlijk zullen fundamentalisten - bedoeld zijn hiermee geenszins alleen moslim-fundamentalisten - een dergelijke vorm van openheid in het onderwijs afwijzen. Maar hoe men zonder *kennis* van het geloof en de levensovertuiging van bepaalde groepen ooit respect voor ze kan opbrengen, is raadselachtig. Wij moeten vrezen dat een poging tot echt verstaan van de ander, die aan de aanvang moet staan van een proces van integratie, al op onverschilligheid en geestelijke gemakzucht zal stranden. Toch zou alleen zo een ieder de kans krijgen in de reguliere schooltijd verlost te worden van de enghartigheid van allerlei orthodoxieën, om in een open sfeer aangezet te worden tot een eigen keuze. Dit is nu meer nodig dan ooit. Scheffer citeert Arend Lijphart die stelt dat "de levensbeschouwelijke verdeeldheid een gemeenschappelijke geschiedenis betrof in toom gehouden door een algemeen aanvaarde grondwet en kon worden uitgevochten in een en dezelfde taal". Nu, zijn er weinig bronnen van saamhorigheid, stelt Scheffer dan. Waaraan ik zou willen toevoegen: geloven en leefwijzen kwamen in Nederland na de Tweede Wereldoorlog in een versneld tempo dichter bij elkaar in een gemeenschappelijke vrijzinnigheid, die zich losmaakte van het gezag van hiërarchieën, hier meer, daar minder, maar uiteindelijk iedere oude zuil of onderdeel daarvan afbreuk doend.

Zoals zovelen staat Scheffer er uitvoerig bij stil dat in islamitische kring "de scheiding tussen kerk en staat niet werkelijk is aanvaard" en welke gevolgen dit heeft. Ook ik heb omstreeks 10 jaar geleden die gevolgen nog onderschat, waar ik - in een ook in dit boek opgenomen geschrift - dorst aan te nemen dat door huwelijken tussen bij voorbeeld Marokkanen en Marokkaansen en Turken en Turksen ener- en Nederlanders of Nederlandsen anderzijds integratie zou worden bevorderd. In het voorbije decennium hoorde ik in totaal van circa 6 huwelijken tussen Nederlandse vrouwen en mannen met personen uit de genoemde volksgroepen; de huwelijken konden alleen tot stand komen nadat de door 's mans familie geëiste overgang van de bruid tot de Islam tot stand was gekomen. In het ene geval waarvan ik hoorde waar een Nederlander huwde met een Marokkaans meisje werd de dochter zonder meer door haar familie verstoten. Scheffer staat niet voor niets nadrukkelijk en goed gestaafd stil bij de vraag waarom men goeddeels langs elkaar heen leeft en concludeert: "er zijn culturele verschillen die niet vatbaar zijn voor plooien, schikken en afkopen".

De lange reeks van kritische vragen die Scheffer plaatst bij de huidige multiculturele maatschappij, mondt uit in een indringende waarschuwing: in de samenleving is "geen instemming met de huidige omvang en aard van de immigratie". Eigenlijk had Scheffer het zich zo veel gemakkelijker kunnen maken. De ex-koloniale staten in Afrika, Azië en Latijns-Amerika zijn vrijwel zonder uitzondering multicultureel. Ik heb een klein onderzoek gedaan naar hun interne stabiliteit zoals die met name ten tijde van de zelfstandigwording geanalyseerd werd door vooraanstaande Engelse en Amerikaanse publicisten, stuk voor stuk specialisten in de studie van het betrokken land of regio. In geen van hun studies wordt de in die landen bestaande multicultuur - meestal gebaseerd op een menigte aan etnieën en verschillende godsdiensten - positief geduid. Men had die multiculturen als regel te danken aan de wijze waarop de koloniale mogendheden de betrokken gebieden verdeelden, waarbij niet zelden leden van dezelfde stam aan verschillende zijden van de grens terecht kwamen. Nimmer trof ik aan dat zo'n multicultuur als verrijkend omschreven werd. Integendeel: steeds werd en wordt gewezen op moeilijkheden, de vele kansen op botsingen van cultuurelementen of burgeroorlogen zelfs.

Zien wij naar het heden, 50 à 60 jaar na de onafhankelijkheid, dan constateren wij hoe de ergste twijfels van de deskundigen over de mogelijkheden van maar enigermate stabiele staten, nog in de schaduw zijn gesteld. In Afrika is in het ene land een niets ontziende verwoestende stammenstrijd nog nauwelijks ten einde of in een buurland vlamt een andere op. Landen in de Hoorn van Afrika, Soedan, Ruanda, Burundi, Congo, Sierra Leone, Guinée, Angola, enz. bevinden zich vrijwel constant in staat van burgeroorlog; de ex-Spaanse Sahara probeert zich nog steeds van Marokko vrij te vechten; Berbers in Marokko, Algerije en Tunesië weren zich constant tegen wat zij zien als onderdrukking van hun cultuur. Ook in landen als Lybië en Egypte - hoe verschillend ook -wedijveren diverse takken van moslim fundamentalisten om de voorrang; christenen in Egypte worden in verschillende delen van het land in onderscheiden mate onderdrukt. De etnisch-godsdienstige strijd tussen India en Pakistan laait van tijd tot tijd op, maar ook binnen die landen vertonen allerlei volken en stammen verschillen die dusdanig botsen, dat geweldduitoefening geen zeldzaamheid is. Gezien de waarschuwing die uitgaat van het gebrek aan succes van de multicultuur elders, is de geestelijke strijd voor openheid en tegen de apartheidssamenleving meer nodig dan ooit.

Het drama gaat voort

Ik ga niet verder met opsommingen. Alleen al in de Amerika's wringen tientallen tegenstellingen tussen groepen die hun woongebieden zo goed mogelijk gesepareerd laten. In Europa zijn zeer oude, aan godsdienstig-etnische tegenstellingen gebonden oorlogen onverwacht opgelaaid in een nauwelijks voor mogelijk gehouden hevigheid. Toch wijst het feit dat bij voorbeeld zich noemende Balkan-deskundigen voor zulke in tientallen jaren van publicistische arbeid nooit door hen voorspelde ontwikkelingen kwamen te staan, op gebrek aan kennis van de in het spel zijnde etnieën en hun geschiedenis. Wie bij voorbeeld de geschiedenis van Kosovo vooral sinds omstreeks 1910 goed in het oog had gehouden, zou de aandacht hebben kunnen vestigen op een kardinaal feit dat in al het spreken en schrijven over de oorlog in en rond dit gebied te zeer is vergeten of verzwegen: in 1910 was Kosovo nog voor slechts 7% islamitisch, in 1960 was het moslim-volksdeel tot 60% aangegroeid. Dit had hoofdzakelijk zijn oorzaak in de veel grotere huwelijksvruchtbaarheid die de moslims constant handhaafden. Zo werd de voormalige Servisch orthodoxe meerderheid, minderheid in eigen land.

Men moge het heden ver gezocht vinden in vergelijkbare demografische ontwikkelingen hier te lande vergelijkbare gevaren te zien. Demografen rekenen ons voor dat, heeft de eerste generatie moslim-immigranten per gezin vaak 6 tot 10 kinderen, de tweede generatie er gemiddeld niet meer dan 4 heeft; de derde generatie zou ernaar tenderen het algemeen Nederlandse geboortepatroon te volgen. Toch heeft Scheffer gelijk als hij de huidige omvang van de immigratie te hoog acht. Wat staat ons te wachten indien derde en latere generaties immigranten wel het Nederlandse geboortepatroon gaan volgen, maar steeds nieuwe "eerste generaties" binnenkomen met opnieuw gezinnen met een grootte waarvoor in dit land demografisch noch cultureel of economisch draagvlak meer is? Wellicht vond Scheffer dat hij al veel had gezegd en begon niet aan dit hachelijke hoofdstuk. Het is te prijzen dat anderen niet aarzelen het gesprek over het "drama" voort te zetten.[1]

Noot

1. Men zie bijvoorbeeld *De Multiculturele Samenleving als Fictie*, uitgave van de Stichting De Club van Tien Miljoen, Valkenswaard, april 2001, waarin ook andere terzake doende literatuur wordt genoemd.

Hoofdstuk 20

DE TRAGEDIE VAN KOSOVO
VERGETEN LESSEN, VERGETEN LEER

Het was 1991: CNN zond een discussie uit over de situatie in ex-Joegoslavië. Sarajevo was door Serviërs omsingeld (Bosnische Serviërs zei men steeds correct). Dubrovnik was in handen van Kroaten, Mostar zwaar omstreden. Wat stond het Westen te doen? De vraag werd voorgelegd aan enkele politici van wie ik de namen niet meer weet. Het belangrijkste was dat zij een of ander militair ingrijpen voor onvermijdelijk hielden. Zo opperde men dat de lijn Dubrovnik-Mostar-Sarajevo door NAVO strijdkrachten zou moeten worden bezet en met het omliggende gebied ook verdedigd. Dit zou de kern van het gebied der Bosniërs vrijmaken en de grote antagonisten: Serven en Kroaten - die Bosnië en Herzegowina het liefst zouden delen - over een breed font uit elkaar houden.

Daarop sprak de enige aanwezige militair. De woorden van ex-Navo opperbevelhebber Haig vormden één onontwijkbare waarschuwing: "Wat u voorstelt is technisch-strategisch mogelijk, maar bedenk wel: het vereist de inzet van een grondtroepenmacht van zeker 500.000 man plus het door de luchtmacht lamleggen van alles wat in en rond Belgrado van militaire betekenis kan zijn". Wat Haig toen zei was niet minder juist in de strijd om Kosovo. Hoe politici deze les hebben kunnen "vergeten" of ignoreren die voor strategen al vele jaren gold als het abc, is tot nu toe niet duidelijk geworden. Men kwam niet verder dan te becijferen, dat voor een landoorlog een leger van minstens 200.000 man noodzakelijk zou zijn. Waarschijnlijk had de Duitse generaal Naumann het bij het rechte eind toen hij, na zijn aftreden, zei dat de politici de operaties te laat zijn begonnen en dat de inzet direct massaler had moeten zijn. Men herinnere zich dat de luchtaanvallen nog enige tijd na "Rambouillet" uitbleven, men toen slechts vrij langzaam in aantal en intensiviteit toenamen. Bovendien hadden op een tijdstip waarop zich nog betrekkelijk weinig Servische troepen in de provincie bevonden, luchtlandingen met succes hebben kunnen plaatsvinden, waardoor de uitdrijving van de Kosovaren tenminste ernstig zou zijn bemoeilijkt. Het schijnt echter dat de Servische troepen de nodige tijd kregen om hen eerst, alvorens zelf het veld te moeten ruimen, gelegenheid te geven naar vermogen de UCK uit te schakelen. Deze tijdwinst gaf de Serven de kans meer troepen in de provincie te brengen, irreguliere strijders te bewapenen en hun politiek van de verschroeide aarde en uitdrijving van de Kosovaren te versnellen. Beide hoofdrolspelers gingen uit van speculaties die met enige rationaliteit konden worden ondersteund, maar die toch niet meer waren dan dat.

Servische speculaties

Milosevic c.s. speculeerden met de kans dat de zo massaal mogelijke uitdrijving van de Kosovaren, gepaard met vaak gruwelijke wreedheden, velen van hen er - hoe dan ook - van zou weerhouden ooit nog in Kosovo terug te keren. Ook als in zijn perspectief tijdelijk Kosovo zou moeten worden prijs gegeven, de Serven zouden er terugkeren. Een tweede speculatie van Servische kant was dat de NAVO het niet op een grondoorlog zou laten aankomen.

De les die de hoogste militairen de politici voorhielden was duidelijk. Hoezeer de leiding van de sterkste mogendheid ter wereld er naar verlangde de eeuw te kunnen afsluiten met een klinkende overwinning - en dat voor een zo edel doel - die les moest Clinton c.s. toch ook iets zeggen.

Niet voor niets heeft de militaire en de politieke leiding vele weken ontkend dat men een landoorlog zou beginnen om het daarna aarzelend te gaan overwegen. Dit alles berust op ervaringen die men ook in Belgrado zeer goed kende:

a. Als een volk, ook een betrekkelijk klein volk zich met fanatieke inzet verdedigt, is het zelfs voor supermachten zeer moeilijk zo niet onmogelijk dat volk te onderwerpen. De oorlog in Vietnam, die nog steeds in de Amerikaanse psyche een traumatische wonde heeft achtergelaten, vormde het duidelijkste bewijs. Onmachtig om te land te zegevieren, trachtte de V.S. nog éénmaal, in december 1973, Noord-Vietnam door middel van in de krijgsgeschiedenis ongekend hevige bombardementen op de knieën te krijgen. De pogingen moesten worden afgebroken. De toentertijd machtigste luchtvloot aller tijden leed door het neerhalen en beschadiging van de befaamde B52 bommenwerpers en andere vliegtuigen dermate grote verliezen dat niet langer kon worden voldaan aan de centrale militaire eis van dat tijdvak: de permanente paraatheid van een luchtvloot, sterk genoeg om op ieder moment de confrontatie met de Sovjet-Unie te kunnen aangaan. De tweede eis die Washington zichzelf stelde was toen reeds lang een hersenschim: naast die paraatheid tegenover de Sovjet-Unie zou men steeds capabel moeten zijn en blijven op twee plaatsen ter wereld tegelijk een "secondaire" oorlog aan te gaan. Ook latere ervaringen deden beseffen dat grote mogendheden tegen kleine volken of stammen pijnlijke nederlagen kunnen lijden als ze tegenstanders hebben met een mentaliteit die de eigen verliezen niet telt. De Amerikanen leerden dit toen zij zich gedwongen zagen uit Libanon en Somalië terug te trekken, Rusland toen het zijn falen in Afghanistan en Tsjetsjenië moest erkennen. Intussen is een belangrijke factor veranderd. Zowel de golfoorlogen als de "humanitaire missie" in Kosovo toonden aan dat bombardementen tegenwoordig met geen of zeer lichte verliezen voor de aanvallers kunnen worden uitgevoerd.

b. Niettemin: met bombardementen alleen krijgt men geen volk op de knieën, met de mentale instelling en de geografische omgeving die een guerrilla mogelijk maakt. Een bijkomende voorwaarde is nog, dat de verzetsgroepen voortdurend op revitallering van buiten moeten kunnen rekenen. De "capitulatie" van Milosevic schijnt hiermee in tegenspraak. Toch was juni 1999 nog niet duidelijk hoeveel potentiële guerrillastrijders de Serven in Kosovo hadden achtergelaten. Juist een situatie waarin een internationale "vredesmacht" tussen volksdelen in moet gaan staan, waarbij die macht zo nodig naar twee kanten moet optreden, dus in principe ook gevechten voeren, maakt haar uiterst kwetsbaar. Srebrenica leerde dat men qua aantal, bewapening en mentaliteit aan topeisen zou moeten voldoen; de eerste ervaringen in Kosovo maakten al duidelijk dat van één verklaard en overeengekomen vredes-missie-doel: de ontwapening van het UCK, weinig of niets terecht zou komen.

c. Niet voor niets wijden alle leerboeken over guerrillastrategie en contrastrategie sinds de jaren zestig uitvoerige aandacht aan de psyche van de mogelijke tegenstander. Hier raakt men steeds aan een van de zwakste punten van het Westen. Macht is niet louter wapenmacht. In het Westen overheerst de mentaliteit: we willen wel ter "vredesmissie" trekken, als het ons maar geen mensenlevens kost. Na Vietnam dat de V.S. meer dan 50.000 doden en honderdduizenden lichamelijk en/of psychisch verwonden bezorgde, is het zeer de vraag of de V.S. er metterdaad toe zou zijn overgegaan stel 30% van de benodigde strijdende troepen te leveren. De Duitsers hadden unaniem besloten zich niet in een grondoorlog te storten, Italianen noch Grieken zouden de V.S. hier volgen. Een nimmer beantwoorde vraag is, stel Clinton zou met moeite voor een besluit tot uitzending van 60.000 manschappen de benodigde steun hebben verkregen, waar de andere 140.000 getrainde militairen vandaan hadden moeten komen. Plus, men bedenke dit goed, de honderdduizenden die over enige tijd gezien, voor aanvulling en aflossing nodig geweest zouden zijn. Ook de Nederlandse regering stelde een landoorlog af te wijzen.
Dit alles heeft niet alleen Washington, maar ook Belgrado begrepen en overwogen. Belgrado speculeerde ten aanzien van dit punt op het uiteenvallen van de coalitie, op de mogelijkheid van een guerrilla en tenslotte op steun van Rusland in enigerlei vorm; een logistieke steun die in Bosnië niet had ontbroken, en die vermoedelijk nooit geheel onderbroken werd.

De speculaties van de NAVO

Wat de speculaties aan de kant van de NAVO betreft kunnen we, het bovenstaande in het oog houdend, kort zijn.

a. Men speculeerde erop dat een vrij korte bombardementsperiode de Serven zou kunnen doen wijken. Anders gezegd: na het echec van Rambouillet had de NAVO zichzelf feitelijk in een dwangpositie gebracht. Daar de politieke eis tegenover de etnische groepen "neutraal" ("evenhanded") op te treden, steun aan het UCK en ook aan andere naar zelfstandigheid of aansluiting bij Albanië strevende Kosovaren verbood, liet men de Serven nog korte tijd om grote delen van de UCK-eenheden te kunnen uitschakelen. De werkelijkheid - zomer 1999 - toont dat het effect van de Servische acties in deze slechts tijdelijk was. Vele duizenden jonge Kosovaren werden, in Albanië aangekomen, direct bewapend en bij het UCK ingelijfd. Hoe de politieke leiding van de NAVO ooit op succes van een korte bombardementsperiode heeft durven mikken, is alleen te verklaren uit de zelf-opgelegde dwangpositie, die een bij die positie passende zelfdeceptie en propaganda vereiste.

b. In heel de strategie en tactiek meende de NAVO - althans de as Washington-Londen - louter een eigen spel te kunnen spelen. Dit was een speculatie waarvan zelfs een leek in de politiek kon voorspellen dat ze niet zou opgaan. Wie immers autoriseerde de NAVO tot dit gewapende optreden en dat nog buiten haar eigen gebied? Wie bepaalde de doeleinden, grenzen van en middelen voor de "humanitaire ingreep"? Men had het kunnen weten: Rambouillet leverde een voor de Serven volstrekt onverteerbaar dictaat. De Kosovaren kregen praktisch - via een referendum na drie jaar - onafhankelijkheid aangeboden. De Serven moesten bewilligen in de aanwezigheid van een (qua samenstelling en bevelvoering) NAVO-macht, *die zich in heel Joegoslavië vrij zou mogen bewegen*. Het is mij onduidelijk hoe de NAVO zich met deze, in een dictaat vastgelegde, volslagen capitulatie van Servië, ook maar enige kans van slagen gaf, ze door Belgrado getekend te krijgen.

c. De NAVO kan zich alleen enige kans van slagen gegeven hebben, steunend op de speculatie dat de Russen buiten spel zouden blijven. Voor een ieder die enige kennis heeft van de geschiedkundige, etnische en godsdienstige achtergronden was dit een a priori verloren gok. De ex-premier van de Sovjet-Unie Gorbatsjov zei het in een tv interview duidelijk. Het was toen de bombardementen hun tweede maand ingingen. De NAVO, aldus Gorbatsjov, maakte een reeks van fouten: eigenmachtig optreden zonder VN-mandaat; krampachtig op een afstand houden van Rusland; aannemen dat men ooit in Servië werkelijk militair zou kunnen winnen; menen dat men met dictaten zou kunnen volstaan. Hij waarschuwde dat men Rusland in geen geval buiten spel zou kunnen laten.

Duitsland neemt zijn plaats in

De speculaties van beide partijen overziend, moet men zeggen dat die van de Serviërs nog de meeste grond hadden. De NAVO had zich in een positie gebracht waaruit zij slechts met een de Serven goed gezinde bemiddelaar zouden kunnen worden verlost. Gorbatsjov zag dat goed: men zou Moskou moeten inschakelen, iets wat de Amerikanen - en met name de ministers Albright en Cohen met duidelijke verbetenheid probeerden te verhinderen. Geheel anders daarentegen deed de Bondsrepubliek als voorzitter van de EU, maar ook als zeer belanghebbende mogendheid, werk van doorslaggevende betekenis. Duitsland werd het knooppunt der onderhandelingen, het nam voor het eerst na de hereniging duidelijk zijn centrale plaats en functie tussen de mogendheden in. Een landoorlog uitsluitend, maar de luchtoorlog tegen een zeer hoge prijs in eigen gelederen verdedigend (men zie de verkiezingsnederlaag van de SPD en Grüner/Bundnis 90 bij de Europese verkiezingen) konden Fischer, Scharping en Schröder samen met hun Russische gesprekspartners, op het laatste moment ondersteund door de Finse president, uit de situatie halen wat optimaal mogelijk was. Gedicteerd, ditmaal letterlijk, door Ahtisaari, aanvaardde Milosevic de concept-overeenkomst. De voor Servië al te vernederende bepalingen van het dictaat van Rambouillet verdwenen: geen NAVO-macht in heel Joegoslavië, geen referendum over onafhankelijkheid van Kosovo, maar garantie van Servische soevereiniteit over dit gebied, wat het laatste ook waard moge zijn.

Bovendien hield de NAVO één dag voor het tekenen van de overeenkomst op met bombarderen en werd met de ondertekening gewacht tot, zij het formeel, de V.N. het "vredesproces" onder zijn regie nam. De laatste punten mogen formaliteiten lijken, internationaal-rechtelijk en ook feitelijk-politiek zijn ze niet zonder betekenis. Het geheel was voor de V.S. een vrij bittere pil, met name waar Washington op deze wijze gedwongen werd opnieuw Moskou als mondiale medespeler te erkennen.

Men herinnere zich dat de Russen China ertoe brachten geen veto in de VN-Veiligheidsraad uit te spreken. De Russische come-back werd afgerond door de "coup van Pristina" waar de Russen uitgerekend het vliegveld bezetten dat NAVO-generaal Clarck als zijn hoofdkwartier had gepland. De generaal en zijn superieuren konden niet anders dan zeggen dat het allemaal weinig te betekenen had. Alles bijeengenomen echter, ontving de V.S. waarop zij hadden gemikt: ultieme bevestiging van de nederlaag van Rusland eneren versterking van de eigen machtspositie anderzijds in wat zij zagen als een residu van wat eens de koude oorlog tussen de supermachten heette.

Motieven achter de motieven

Met de laatste opmerking is al aangegeven dat wij niet mogen volstaan met het simpelweg aanvaarden van de motieven voor de vredesmissie die de NAVO op zich nam, in feite de oorlog die zij voerde. Wie de Duitse minister van buitenlandse zaken Fischer zijn betogen in de Bondsdag heeft horen houden zou er haast ontroerd door worden. Wat zou een edeler actie-doel voor Duitse strijdkrachten zijn, zo zeide hij, dan zich in te zetten voor het vertrapte recht van een minderheid, op te komen voor het voortbestaan van een "multiculturele samenleving" een ideaal, aldus de minister waar "ikzelf zozeer aan hecht". Inderdaad: iemand als Fischer die zijn zegen aan de luchtoorlog haast tegen eigen geweten in gaf, ten koste van aanzienlijke verliezen in eigen rijen, is misschien niet van andere motieven te verdenken. Toch: is het ook hem niet opgevallen, hoe snel de vorige regering van de Bondsrepubliek zich achter de onafhankelijkheidsverklaringen van Slovenen en Kroaten schaarde? Vindt hij het niet opmerkelijk dat men nu - uitgezonderd de PDS - de hele natie het recht der Kosovaren ziet ondersteunen? Terwijl tijdens de Bosnië-oorlog ± 600.000 Serven werden verdreven uit eeuwenoude vestigingsgebieden, sloeg geen Duitse noch

Amerikaanse politicus daarover alarm. Een hele aaneengesloten Servische streek, de Kraina, werd etnisch gezuiverd zonder dat er een Westerse haan naar kraaide. Integendeel: de Kroaten die in 1991/92 met hun overwegend territoriaal leger nog tegenover de Serven militair in de minderheid waren, werden in snel tempo onder sanctie van Duitsland en de V.S. van zware bewapening voorzien. Met goedkeuring van deze mogendheden werden via Duitsland en Oostenrijk grote contingenten zware Tsjechische wapens, die in NAVO-kader niet zouden passen, maar waaraan Praag graag geld verdiende, ten versterking van de Kroatische krachten "doorgelaten". Die deden dan ook hun "zuiverend" werk, waaraan naast vele Serviërs ook Bosniërs ten slachtoffer vielen. Het licht van de publiciteit werd van dit alles afgewend. Mocht het leed van de Bosniërs nadrukkelijk naar voren worden geschoven, dat van de Serviërs werd min of meer aan de marge vermeld of weggedrukt. Waarom?

Minderheden als pionnen in de machtspolitiek

Of wij het fraai vinden of niet, minderheden zijn en blijven pionnen in het machtspolitieke spel der mogendheden. De geschiedenis van de Balkan toont dit nog veelvuldiger dan elders. De Eerste Wereldoorlog ontbrandde nadat een Serviër de Oostenrijks-Hongaarse troonopvolger in Sarajevo doodschoot. Die daad stond als symbool voor het verzet tegen de dubbelmonarchie, die een reeks van volken en volksdelen omvatte.

Tot het Oostenrijk-Hongaarse keizerrijk behoorden onder meer delen van het huidige Roemenië, Zuid-Polen, Servië ten noorden van de Donau (Belgrado was grensstad!), voorts Tsjechië, Slowakije, Roethenië, Kroatië en Slovenië; Bosnië en Herzegowina werden sinds 1878 onder het bestuur van de dubbelmonarchie gebracht en in 1908 geannexeerd onder felle protesten van de Serven die in deze gebieden sterk vertegenwoordigd waren. Stonden Slovenen en Kroaten, mede via hun rooms-katholiek geloof, dichter bij de Oostenrijks-Duitse cultuur, was in de overige genoemde gebieden de cultuur van de dubbelmonarchie dominant en min of meer aanvaard, in Bosnië-Herzegowina stuitte de Oostenrijkse usurpatie op sterk Servisch-orthodox en moslim verzet. (De moslims, van oorsprong orthodox werden in de Turkse tijd tot de Islam bekeerd).

De leus en de werkelijkheid

Menigeen zal zich nog uit zijn schooltijd herinneren dat de Amerikaanse president Wilson de V.S. de Eerste Wereldoorlog inleidde onder de leus: "to make the world safe for democracy". En niet alleen dat zegde hij toe. De volkeren die opgesloten waren in de grootste multinationale staat van Europa zouden volgens het nationaliteitenprincipe hun vrijheid krijgen.

In een reeds van verdragen verbonden met het Verdrag van Versailles werd dat vastgelegd. Inmiddels werd Wilsons idee sterk vervormd door elementen van machtspolitiek die in de dictaten van de overwinnaars van de Eerste Wereldoorlog de overhand kregen. Het was waar, de Balkan vormde een bonte lappendeken van volken en volksdelen die moeilijk allen tot levensvatbare staten gegroepeerd konden worden. Maar daarenboven won de idee dat de overwinnaars een aantal staten zouden scheppen die een sterke keten zouden vormen tegen een mogelijke Oostenrijkse/Duitse expansie. Zo kwamen onder meer Joegoslavië en Tsjechoslowakije tot stand, staten die wel aan de eis van de grootte, maar niet aan die van innerlijke sterkte en cohesie beantwoordden. Nationale gevoelens zijn sterk en worden vaak onderschat of onderdrukt.

Na zeventig jaar viel Joegoslavië uiteen. Ook Tsjechen en Slowaken scheidden opnieuw (in 1939 werd Slowakije voor het eerst "zelfstandig" als vazal van Hitler-Duitsland met de priester Tiso als president). Kroatië kreeg van Hitler en Mussolini een vergelijkbare status onder leiding van de fascist Pawelitch. Het is opmerkelijk dat de huidige heersers in beide landen de genoemde Nazi-vazallen en de hunnen ook nu nog als nationale helden vereren. Wordt heden nog herinnerd aan de slachtingen die de fascistische Ustacha in de jaren 1941 tot 1945 onder de Serven aanrichtten, dan worden de laagste cijfers gekozen uit de vele verschillende opgaven die naar de Tweede Wereldoorlog circuleerden; omgekeerd wordt het aantal Kroatische slachtoffers dat door de Serven werd gemaakt zo hoog mogelijk opgevoerd. Het bloed kruipt waar het niet gaan kan: de Duitse sympathie voor volken in gebieden die eens tot de Oostenrijks-Hongaarse monarchie behoorden, blijft een rol spelen. De Duitse drang naar het Oosten was al een feit eeuwen voor Hitler. Getuige de Duitstalige minderheden die men in alle Oost-Europese staten, inclusief Rusland, aantrof.

Nu wil ik in geen enkel opzicht suggereren dat heden de agressieve "Ost-Politik" in enig opzicht weer zou worden opgevat. Niettemin komt de aansluiting van Polen, Tsjechië en Hongarije bij de NAVO en straks de EU voor de Duitsers als een godsgeschenk. De Duitsers zijn dan ook de eersten die voor aansluiting van de resterende Oost-Europese staten pleiten. Ze hebben echter in de Russische vlakten voor Leningrad, Moskou en Stalingrad een les geleerd die ze in geen eeuwen zullen vergeten: Europa moet zijn politiek voeren in samenspraak en zo mogelijk in vriendschap met Rusland. Het herenigde Duitsland bleek een goede bemiddelaar en vormt een nuttig tegenwicht tegen hen in de V.S. die handelen alsof ze nog steeds een laatste rekening met de Russen te vereffenen hebben. Dit gezegd zijnde, moet eraan herinnerd worden dat het in de politiek niet gaat om de "mooie ogen" van het buurvolk, maar om de macht, tevens in de economische en culturele aspecten die dat volk belichaamt, zo ook: de kansen die het biedt voor al dan niet gelijkwaardige, maar vooral profijtelijke, samenwerking. Mogen de politiek-militaire drang naar het Oosten in Duitsland niet meer herleven, reeds zijn culturele instituten, economische samenwerkingsverbanden, doch ook grote en kleine private ondernemingen in het Oosten voorhanden. Nederlandse ondernemingen aarzelen b.v. in Bosnië te investeren, zo niet Duitse. Kleine groepen Duitsers keren naar het vroegere Oost-Pruisen terug; in Polen worden hele ex-collectieve boerderijen (grootte ongeveer 2000 hectaren) door een enkele Duitse boer met een gering aantal Poolse assistenten geleid. Dit zijn slechts enkele voorbeelden en Nederland doet goed deze ontwikkeling in het oog te houden. Onze culturele representatie in de betrokken landen is zwak, economisch is men wat actiever, maar ook in dit opzicht zou bepaald meer kunnen gebeuren. In 1945/1946 zijn Polen en Tsjechoslowakije rigoureus "etnisch gezuiverd" - uit deze en andere landen in Oost-Europa werden onder vaak barbaarse omstandigheden en het verlies van honderdduizenden levens ongeveer 10.000.000 Duitsers verdreven. De Balkan behield zijn karakter van lappendeken, waarvan wij de gevolgen nu in verschillende Joegoslavische gebieden meemaken. Deden in Bosnië voornamelijk de Kroaten ener- en de Serviërs anderzijds het "ruwe werk", onder Westerse druk ontstond een politiek gedrocht dat als Bosnische Federatie zou moeten voortbestaan, voortdurend onder toezicht van een tienduizenden sterke SFOR-macht. Men moet vrezen dat, vertrekt deze macht over 10, 20, 30 (?) jaar, de etnische twisten spoedig opnieuw een bloedig karakter zullen aannemen. Maar waarvoor is dat eigenlijk nodig?

Het multi-culturalisme als nieuwe afgod

Een afgod is een god aan wie men zwaar kan offeren, doch zonder effect. Zo is in het huidige Bosnië die god ten troon gezet, terwijl een verstandige deling van het gebied nuchter gezien veel meer voor de hand lag. Men weet: Bosniërs en Serven, Kroaten en Serven, Bosniërs en Kroaten kunnen elkaar elk moment weer molesteren, zo mogelijk "wegzuiveren". De Kroaten willen zich het liefst bij Kroatië aansluiten, de Serven het liefst bij Servië. Door een verstandige uitwisseling van bevolkingselementen zou een "zuivere" staat voor Bosniërs kunnen ontstaan, waarvan de VN de veiligheid zou kunnen garanderen. De leer van het multiculturalisme als een hoge, zo niet de hoogste warde, verbiedt dit echter. Pacifisten zijn ervoor bereid ten oorlog te trekken.
Helaas doen vergelijkbare verschijnselen zich voor in Kosovo. Terwijl Kosovaren en Serven elkaar met moord en brand bestrijden, houdt de NAVO nog steeds vast aan de haast heilige multi-culturaliteit die hoe dan ook aan de vijandige bevolkingsgroepen blijvend moet worden opgedrongen. Ware de VN enkele jaren geleden gekomen met eerlijke voorstellen tot deling, wellicht was er een kans geweest op vermijding van bloedige verdrijvingen en verwoestende wraakzucht, die nu nog door de bombardementen verhevigd zijn. Ook in Kosovo moet en zal de fictie van de multi-cultuur hoog gehouden worden, hoeveel mensenoffers en militaire kosten dit ook, 10, 20 of meer jaren met zich mee moge brengen.
Alleen al de bombardementen kostten 45 miljard gulden. Vaak vraagt men zich af wat de Serven toch bindt aan dat stuk grond in het Zuid-Westen van hun land waarvan de meerderheid der bewoners nooit meer met hen wenst samen te leven.

De mythe van het Merelveld en zijn betekenis

De afgelopen tijd heb ik verschillende malen met een zekere meewarigheid over dat Merelveld horen spreken. Wat moeten die Serven toch met een slag die 600 jaar geleden daar plaatsvond, in een gebied ergens aan de grenzen van hun rijk? Wie zo denkt maakt een aantal ernstige fouten. Zoals reeds vermeld, vormde na de Balkanoorlogen van 1912-1913 de Donau de noordelijke grens van het Servische rijk. In 1913 was het huidige Macedonië een Servisch land. Beziet men met deze feiten in gedachte de kaart, dan bevindt Kosovo zich in die tijd in het midden van West-Servië. Daar werden de Serven in de 14e eeuw door de Osmanen (Turken) verslagen, waarop een periode van 500 jaar Turkse heerschappij zou volgen. Wie met meewarigheid of geringschatting spreekt over de Serven en hun hardnekkige binding aan deze grond, kan evengoed vragen: wat moeten die Fransen toch altijd met Jeanne d'Arc? Of de Nederlanders met 1568? Voor enig besef voor de positie der Serviërs is het goed te weten dat Kosovo, waar dus de wieg van hun natie stond, begin van deze eeuw nog een sterke Servische meerderheid had. In 1931 geeft de statistiek voor de Kosovaren (daar steeds Albaniërs of Arnauten genoemd) een totaal van 32.000 zielen (toentertijd 2,25 procent van de gehele Joegoslavische bevolking) waarbij inbegrepen de Albanezen in Macedonië en Montenegro. Heden zien wij het bevolkingstal der Kosovaren in Kosovo met ongeveer 1.900.000 en in Macedonië met ongeveer 600.000 aangegeven. In 1983 is in de officiële statistiek het percentage Kosovaren, na ongeveer 50 jaar, gestegen tot ongeveer 7 procent van het gehele inwonertal van de Federale Joegoslavische Republiek. Een meer dan verdrievoudiging dus binnen een halve eeuw, terwijl nu, na 16 jaar, zonder twijfel met een nog hoger percentage Kosovaren gerekend moet worden. En dat terwijl terzelfder tijd de Servische bevolking van Kosovo reduceerde tot 20 procent. De geschiedenis leert dat de bevolkingsaanwas der Kosovaren gedeeltelijk te danken was aan de grote influx van Albanezen gedurende de Tweede Wereldoorlog. Onder "protectie" van Italië waren Albanezen en Kosovaren onder één bestuur gebracht en daardoor kon een bevolkingsbeweging richting Kosovo op gang komen. Terzijde zij opgemerkt dat dit "protectoraat" zich aan de zijde van de as Rome-Berlijn schaarde en na 1945 nog een tijd lang zich tegen Tito's - toen legitieme - leger verzette. Uiteraard is met deze oorlogsinflux niet de enorme toename van het percentage - Islamitische - Kosovaren verklaard. De hoofdoorzaak vormde het feit dat zij veel grotere families dan de Serven vormden, wat ook in de Tito-periode tot veel klachten in de noordelijke deelrepublieken van de Federale Republiek aanleiding gaf. Wij stuiten hier dus op diepgaande verschillen in cultuur die botsingen ten gevolge hadden die ook voor het Westen waarschuwende voorbeelden vormen. Dat onder deze omstandigheden Fischer, Cohen en Albright ten oorlog konden gaan onder de leuze: "wij verdedigen de multi-cultuur, is het edeler mogelijk?" is niet alleen lichtvaardig maar ook dom. Onder de gegeven omstandigheden had men in dit uitgestrekte gebied, met zijn vele vruchtbare vlakten en dalen het best kunnen streven naar separatie, een separatie die nu, na alle ellende voor beide bevolkingsgroepen, toch een feit zal worden.

Separatie en de normen van redelijkheid en evenwicht

Het is mij bij alle discussies over ons onderwerp opgevallen dat zaken die het hart van het conflict raken, zoals die bij voorbeeld in de vorige paragraaf zijn behandeld, niet in de discussie worden betrokken. Ze worden niet vermeld, noch bemoeit men zich om rechts-filosofische normen, ijkpunten voor het politieke handelen, naar voren te brengen. Nu is dit geheel in overeenstemming met de geest die vele machthebbers heden bezielt. De geschiedenis heeft hen niets te vertellen, ze beginnen die als het ware iedere dag opnieuw; recht is wat de multicultuur bevordert, waar ook ter wereld; verschillen in godsdienst en levensstijl van naties, en die naties in het algemeen, worden niet ernstig genomen. Met die achtergrond kon het ook gebeuren dat studies van hen die zich reeds vanaf Reformatie en Renaissance bezighielden met het volkenrecht, het recht van oorlog en vrede, het recht van verzet, het recht de onderdrukker te doden, enz. als het ware bij het oude papier kwamen te staan. Wat zij leerden komt niet ter sprake. De voorwaarden tot het uitoefenen van genoemde rechten werden al geformuleerd door denkers als Hugo de Groot, Althusius en de Monarchomachen. Vandaag schijnt dit alles niet toe te passen oude kost; hun analyses en leerstellingen schijnen vergeten. Niettemin doen wij goed ons te herinneren dat het deze denkers waren die in de jaren '40-'45 onze beste verzetsmensen richtlijnen verschaften voor hun praktisch handelen. Wanneer mocht men wapens ter hand nemen, tegenover wie, onder welke voorwaarden en omstandigheden? Het lijkt vergeten hoe dit alles principieel en systematisch werd overdacht en tot handelen dreef.

Heden schijnt vrijwel iedere problematiek op te lossen met leuzen als: de idee (welke?) aan de macht! Alles moet kunnen! Hoog de multicultuur! Geheel anders wat genoemde denkers ons leerden: nuchterder, dichter bij de werkelijkheid, rationeler, moderner zou ik haast zeggen. Ik noem enkele regels die wij ons ook nu nog steeds voor ogen moeten houden: begin een oorlog slechts als de overwinning redelijkerwijs behaald kan worden; bezie de middelen in het licht van de doeleinden; pas geen middel toe dat het doel ernstige schade toebrengt, bezie wat op lange termijn het resultaat is van uw handelen; vermijdt het toestanden te creëren, die een erger kwaad opleveren dan wat wordt bestreden. Het zijn normen van redelijkheid en evenwicht. Mij dunkt, daarmee kunnen onze politici en strategen het doen. In het licht van deze normen geven veel van hun leuzen, doeleinden en praktijken blijk van oppervlakkigheid en politieke bijziendheid.

Hoofdstuk 21

DE REALITEIT VAN HET POLITIEKE SPEL: MACHT, GEWELD, MANIPULATIE

Hoe ontstaat een sociale ethiek die steun geeft aan een binnenlands beleid waarin normen zijn weerspiegeld die de waarden van de vrije markt ontstijgen; die ook op de internationale politiek van beslissende betekenis kan zijn? Wat we bij in de Verenigde Staten bovendrijvende denkers [1] als antwoord krijgen, komt erop neer dat de normen waaraan goede burgers moeten voldoen in de eerste plaats gevonden worden in hun privé-sfeer: zij moeten eerlijk zijn, matig, punctueel, spaarzaam en vlijtig. Hoe de grotere sociale eenheden waarin men leeft moreel moeten koersen, komt daarbij niet of weinig uit de verf. Alles schijnt goed te gaan - hier volgt de enige, zij het indirect, op het sociale gerichte norm die we tegenkomen, als de individuen niet hun korte-termijn-belangen, maar hun belangen-op-lange-termijn in het oog houden. Wie het laatste doet kan bij voorbeeld geen politiek toleren die hele wijken laat verkommeren, of zijn medeburgers in armoede en onderontwikkeling laat leven. Vroeg of laat krijgt onze individualist met de last hiervan ook zelf te maken, bij voorbeeld in de vorm van toenemende misdadigheid die in armoede-wijken wordt gecreëerd. In de Verenigde Staten is gedurende de laatste decennia van de 20ste eeuw in een snel tempo een complete privé bewakings- en beschermingsindustrie gegroeid. In dit tijdsbestek zijn de ommuurde wijken die vroeger alleen de meest welgestelden zich konden veroorloven met de factor 10 à 20 uitgebreid en omvatten nu ook woonwijken en woonparken van hen die zich tot de middengroepen rekenen. Uiteraard zijn de toegangen tot zulke wijken bewaakt en dienen bezoekers zich degelijk te legitimeren. Ofschoon dit een beperkte mate van bescherming schept, is het onweersprekelijk dat het tevens gevoelens van onlust en ongenoegen oproept. Een en ander kan moeilijk gezien worden als versterking van het "sociaal kapitaal". Integendeel: het duidt op een natie in ontbinding.

Hetzelfde is het geval met de "armoede wijken" van de wereld. Zolang die blijven bestaan, zal zelfs de burger van het welvarendste, verst afgelegen land op den duur de gevolgen daarvan ondervinden. Het zoeken van economisch asiel - vaak van analfabeten en soms met erfelijke ziekten belasten - naar een plekje in de wereld dat hen als hemel op aarde voorkomt, is een tastbaar en meetbaar voorbeeld. C.W. Rietdijk heeft dit thema als een van de weinigen in Nederland aan de orde "durven" stellen. Men zie zijn uiteenzetting over de vorming van een genetische onderklasse en de te nemen eugenetische maatregelen. Dat de Nederlandse politieke, maatschappelijke en wetenschappelijke "elite" nog steeds (2001) geen adequate discussie aangaat over het door Rietdijk gestelde, kenmerkt haar.[2] Nog schromen de "leiders van de publieke opinie" het te zeggen, maar het veel meer

dan evenredige beslag dat vreemdelingen leggen op medische - en onder-
wijsvoorzieningen is voor een deel schuld aan de wachtlijsten en tekorten
waarmee Nederlanders worden geconfronteerd; wat niet wil zeggen dat deze verschijnselen alleen in dit land een rol spelen. Wel is men bij voorbeeld
in landen als Duitsland en Frankrijk meestal strikter en strenger in zijn stellingname. Vreemde bevolkingsgroepen, uit streken waar het huwelijk binnen de familie eerder regel is dan uitzondering, zijn dragers van erfelijkheidsfactoren die ervoor zorgen dat de geboorten van geestelijk en/of lichamelijk onvolwaardigen in hun groepen veel frequenter is dan in de autochtone gemeenschap. Dit verschijnsel werkt door in de hoge representatie in verzorgings- of opvoedingsinstituten van geestelijk en/of lichamelijk
blijvend ten achter zijnden uit bepaalde minderheden. Hier helpt alleen een
brede opvoeding en voorlichting, die men niet aan privé-initiatief kan over-
laten, in de eugenetica, tevens directe en indirecte prikkels tot geboorte-
controle. Gebrek aan staatsmanschap in deze is fataal. Reeds lang had kritisch moeten worden bezien wie men in een land als Nederland toelaat en
ook laat blijven, eventueel het staatsburgerschap verleent of dit weigert. Al
in de tijd tussen de beide wereldoorlogen hanteerde men in het toen toch
ook liberaal-kapitalistisch Noord-Amerika strengere normen van toelating
dan die men nu in Nederland toepast. Wie denkt dat men tijdens de grote
immigratie-periode (1950-'60) in landen als Australië en Nieuw Zeeland
binnen kon komen met gezinnen acht, negen of tien kinderen omvattend en
zonder gekwalificeerd te zijn voor wat daar op de arbeidsmarkt werd gevraagd, vergist zich. Nederland laat aan de lopende band dergelijke gezinnen toe. Aandacht voor levensvragen van een volk wordt weggemanipu-
leerd, derderangs zaken worden uitgesponnen.

Gebrek aan staatsmanschap dat de ontwikkelingen op lange termijn in het
oog vat, is in een democratie als de Westelijke in het algemeen en de
Nederlandse in het bijzonder endemisch. Als regel streven personen naar
politieke functies die al bij het beklimmen van de politieke ladder steeds
politieke keuze-posities innemen waarmee zij verschillende kanten uit kunnen. Zelden zal hij/zij zich resoluut voor of tegen een standpunt uitspreken,
tenzij iemand uit de politieke top van zijn partij al met dit of een sterk vergelijkbaar standpunt gekomen is, tenzij het om opinies gaat die liefst in de
loop der jaren - mogelijk decennia - zich als "principes" in zijn/haar partij
hebben uitgekristalliseerd. Eenmaal afgevaardigde geworden - stel lid van
de Tweede Kamer in Nederland - is het uitermate moeilijk iets van een eigen geluid te doen horen. Een recent relaas van een redacteur van de NRC
die een week met de fractie van de Partij van de Arbeid mocht meelopen,
getuigde hier duidelijk van. Maar ook de weg naar zo'n positie als afgevaardigde is moeilijk begaanbaar voor hen die niet à priori tot allerlei compromissen bereid zijn. De stemdwang wordt door dergelijke personen vaak
als fnuikend ervaren en dat geldt alle landen waar min of meer hetzelfde
stelsel in praktijk is. Compleetheidshalve moet worden opgemerkt dat manco's als deze niet zelden door de parlementariërs erkend worden waarvan
de "dappersten" een of andere vorm van plebicitaire democratie als aanvulling op het geldend systeem willen aanvaarden. Maar komt het tot de

toepassing van een referendum dan worden toch vaak beperkingen inge-
bouwd die het zeer moeilijk maken tot een meerderheidsbeslissing te komen die tegen die van gemeenteraden of parlementen ingaat, worden keu-
zemogelijkheden geformuleerd die zo duister zijn dat grote groepen kies-
gerechtigden de gang naar de stembus nalaten; zaken van werkelijk centraal belang laten zij die de macht hebben in principe nimmer door een referendum beslissen.[3] In dit opzicht vertoont de ontwikkeling van de
Nederlandse democratie een aanzienlijke achterstand bij onder meer die in
Frankrijk, Zwitserland, Denemarken, landen die dergelijke referenda op
hoofdzaken wel kennen.

Gaan we over tot een voorbeeld uit de praktijk dat ons leert hoe interne meningsvorming in partijen tot stand komt. Vaak laten fracties zich over allerlei politiek ingewikkeld liggende problemen voorlichten door studie-
commissies die door de wetenschappelijke instituten van de partijen zijn
samengesteld. Al naar gelang van het onderwerp wisselt de samenstelling
van zulke commissies. Altijd zullen "specialisten" aanwezig zijn: gaat het
om de defensiepolitiek een paar officieren; bij gezondheidspolitieke vraagstukken een of twee op verschillende posten werkende artsen (bijvoorbeeld
één die in de praktijk staat en een ander die een organisatorische functie inneemt); gaat het om ruimtelijke ordening dan kan men moeilijk een planoloog missen. Daarnaast bezet men zo'n commissie uit de rijen van hen die
van de politiek al min of meer hun broodwinning hebben gemaakt: leden
van de staven van de organisaties van werkgevers, boeren en tuinders, werknemers, enz. Anno 2000 is het een wonder als men bij deze groepen nog
personen aantreft die zelf de betroffen beroepen hebben uitgeoefend of nog
uitoefenen. Alleen bij de boeren is dit zo nu en dan nog het geval. Voorts
treft men in dergelijke commissies hoge ambtenaren en personen die krachtens hun universitaire vorming of gepubliceerde studies geacht worden van
de betrokken materie op de hoogte te zijn.

Machtsvorming in de parlementaire democratie

Men moet zich nu de volgende gang van zaken voorstellen. Vanuit fractie
of partijbestuur is gevraagd om een bepaalde studie. Het wetenschappelijk
bureau stelt volgens de omschreven formule een commissie samen en voegt
een van zijn stafleden als studie-secretaris aan de commissie toe. Voorzitter
zal vaak iemand zijn die met het leiden van dergelijke studie-groepen een
zekere ervaring heeft en tevens een zekere status; bij voorbeeld een hoogleraar. De eerste bijeenkomsten wijdt de commissie aan "algemene beschouwingen". Om deze enige structuur te geven heeft de studie-secretaris
een geraamte van een rapport geschreven waarin de problematiek in systematische orde wordt omlijnd en in deel-onderwerpen gesplitst. De kritische
lezer zal opmerken dat hier al van een zekere beïnvloeding, wil men stu-
ring, sprake is. Wat zijn namelijk de voornaamste deel-vraagstukken? In
welke volgorde voert men die op? Welke verbanden suggereert die eerste
opzet reeds? Frappant is dat iedereen het bij de eerste algemene besprekingen altijd bij algemeenheden laat; neemt hij/zij ergens duidelijk stelling

dan betreft het als regel iets waarvan men weet of vermoedt dat het algemene instemming zal hebben. Nieuwe elementen zijn dan wel in allerlei openbare discussies, onder meer in de media, zo voorbereid dat men weet: daar kan ik me geen bult aan vallen, er is in de publieke opinie wel een meerderheid voor. Dan komt - aan het eind van een tweede algemene beschouwingsronde - een spannend moment. De voorzitter vraagt: "wie van u wil het uitwerken van een conceptrapport of een hoofdstuk ervan voor zijn rekening nemen?" Nu weten de commissieleden: als ik ga schrijven moet ik duidelijk zijn, mijn uitgangspunt(en) prijs geven, ook ten aanzien van zaken die in de partij of in de publieke opinie in het algemeen nog niet zijn uitgekristalliseerd, ik zal concreet moeten zijn. Velen kunnen uren en dagen wegpraten, maar als het moment van de waarheid daar is en men zich gedwongen ziet helder, consistent en consequent stelling te nemen, schrikt men terug. Ook al gaat het om groepen personen die helder en zonder innerlijke tegenspraak kunnen denken, is de bereidheid hun standpunt schriftelijk te verwoorden, uiterst gering. De leden, meestal beroepsvergaderaars, zijn inderdaad vaak zeer bezet met reeksen vergaderingen waarin zij, met verschillende petten op, voortdurend ongeveer hetzelfde te berde brengen. Volgt logisch de opdracht aan de studiesecretaris het concept te schrijven. Ligt dit ter tafel en bespreekt men het hoofdstuk voor hoofdstuk, dan geven enkelen zich langzamerhand bloot, daar waar men meent met een bepaalde stellingname niet goed bij de groep die men vertegenwoordigt aan te kunnen komen. Wie opponeert, doet dat niet al te sterk, men kan zich niet al te veel van de andere commissieleden distantiëren. Zou een sterk markante positiekeuze doordringen tot hen die zich bezighouden met het samenstellen van kandidatenlijsten voor de verkiezingen, dan moeten zij die zich saillant opstellen vrezen niet op de lijst te worden geplaatst. Leden die niet duidelijk als exponent van een bepaalde belangengroep optreden, voelen zich als regel verplicht te komen met formuleringen die - soms à priori, voordat een punt nog grondig is doorgesproken - die een compromis bevatten. In deze situatie is het de secretaris, die uiteindelijk het rapport te formuleren krijgt, want alle andere leden hebben het "werkelijk te druk". Resultaat is dat de redacteur van het rapport een buiten-proportionele invloed heeft. Is hij een "politiek dier" en hoopt hij ook op een of andere functie - bij voorbeeld als parlementslid of burgemeester - dan komt hij met een rapport dat de scherpste tegenstellingen - voor zover die verwoord zijn - verdoezelt. Brengt hij op bepaalde punten visies die politiek belangrijk gekleurd zijn dan weet hij: ik kan bepaalde leden - de een hier, de ander daar - voor nu en de toekomst tegen mij krijgen. Maar als er een behoorlijk consistent stuk ter tafel ligt is het niet moeilijk daar althans een meerderheid achter te krijgen. Opposanten die zien dat geen concessies aan hun standpunten gedaan worden, zullen pogen te amenderen. Dit is een cruciaal moment. Kiest de meerderheid voor duidelijke standpunten, of krabbelt zij terug? Geschiedt het laatste niet maar zijn personen die op saillante punten tegenstander zijn van de tekst niet tevreden, dan is een volgend spannend moment aangebroken. De voorzitter merkt op; wij moeten tot een afronding komen, maar misschien willen sommigen van u een minderheidsnota aan het rapport toevoegen; dat is uw recht. Nu gebeurt dit zelden of nooit, daarvoor heeft men het zoals altijd te druk. In feite calculeert men wat het effect dat zo'n minderheidsnota zal hebben op mensen die binnen de partij de dienst uitmaken. Personen met markante opvattingen en "klokkenluiders" zijn niet gewenst; hebben zij een zeker charisma dan zijn zij zelfs gevaarlijk.

Deze excursie in de politieke praktijk in het parlementair-democratische systeem geeft aan hoe een tendentie tot stand komt - bij alle politieke partijen tussen uiterst rechts tot uiterst links - steeds op te schuiven naar het midden en onderwerpen die geen midden-positie dulden voor zich uit te schuiven. Het denkbeeld dat personen die in staat en bereid zijn een langetermijn-beleid te formuleren en uit te voeren wel min of meer automatisch aan het bewind zullen komen, is een wensbeeld. Eerder is het tegendeel waar, getuige de psychische mechanismen die bij de selectie van de politieke carrière van gewicht zijn. Leiders worden als regel generalisten die werkelijk beslissende koerswendingen mijden, tot de harde werkelijkheid op een gegeven moment het laverende of met de stroom mee drijvende schip van staat keert. Men ziet dit bij de meest insnijdende vraagstukken. Parlementaire democratieën zoals die in het Westen fungeren, schieten vaak zo lang tekort met het maken van keuzen, die essentieel zijn voor de lange termijn tot de mogelijkheid die keuzen nog te maken door de feitelijke ontwikkelingen teniet zijn gedaan: ook zullen de feitelijke ontwikkelingen vaak dusdanig zijn scheef gegroeid dat het uiterst moeilijk is ze te corrigeren of terug te draaien. Voorbeelden in Nederland zijn de ontaarding van verschillende uitkeringen: de WAO, de WW en de Bijstand voorop; daar moge anno 2001 een zekere discussie over mogelijk zijn, het raamwerk voor een in de toekomst houdbare oplossing is nog steeds niet vastgesteld. Tientallen jaren lang werden critici, ook zij die met een keur van praktische voorbeelden kwamen, de mond gesnoerd met de dooddoener: "het is allemaal borrelpraat". In het veld van de organen voor hulp, begeleiding, zorg en bijstand hebben organisaties zich breed gemaakt die voor zichzelf en hun "cliënten" steeds meer claims leggen die de bewindhebbers moeilijk blijken te kunnen weerstaan. April 2001 duikt bij voorbeeld de eis op dat mensen in de bijstand, vooral bijstandsmoeders met hun kinderen recht moeten hebben op door de gemeenschap betaalde vakantie (uiteraard boven het vakantiegeld, de waardebonnen voor allerlei evenementen, enz. die ze al ontvangen). Men bedenke goed dat wij onder de naar hier geïmmigreerde groepen steeds meer vrouwen aantreffen uit volksdelen voor wie het leven zonder man, maar met een kleine reeks kinderen die van verschillende vaders stammen, tot de groepszede behoort; ook niet weinige autochtone jonge vrouwen hebben bedacht dat het "leuk" is kindertjes te hebben zien zich ten onrechte belaagd als zij nu - na vele jaren met ervaring in deze gezinsvorm - eindelijk "bedreigd" worden met een oproep nu eens voor een reguliere (deeltijd)baan te kiezen. Reeds deze verschijnselen zijn uiterst moeilijk in het rechte spoor te krijgen. Nog moeilijker is het als de gezeten partijen geconfronteerd worden met het bevolkingsprobleem, de vraagstukken van de vervuiling van grond, water en lucht, een zelfstandige koersbepaling in de Europa-politiek, een eigen geluid over de machtspolitiek van de groten. Eén voorbeeld: in de Midden-Oosten politiek gedraagt Nederlands zich overwegend als een Noord-Amerikaanse satelliet die zonder enige toetsing door het parlement, of zelfs maar kritiek van de media, in het geheim heeft toegestemd dit land te maken tot een steunpunt voor de doorvoer van wapens en gevaarlijke stoffen naar Israël. Pas bij de Bijlmerramp kwam na veel gedraai eindelijk iets boven water.

Pareto's theorie nog springlevend

De processen van de machtsvorming die hier in het spel zijn, werden al in het begin van de 20ste eeuw scherp waar genomen door politiek-sociologische denkers als Michels en Pareto.[4] Michels formuleerde onder ander de "ijzeren wet van de elite-vorming" die hij onder meer in de vakbeweging waarnam. Pareto is het met Marx eens dat de klassenstrijd een reëel verschijnsel is. De basis van deze strijd ligt echter niet voor altijd in de materieel-economische verhoudingen (Pareto leefde van 1848 tot 1923). In de kapitalistische samenleving zijn de maatschappelijke conflicten wel economisch van aard. Voor Pareto is elke samenleving, ook waar de tegenstellingen tussen kapitaal en arbeid zijn opgeheven, er een waarin hij (mijns inziens minder juist) blijft spreken van klassenstrijd. Men kan hem toestemmen dat overal groepen blijven, twee of meer soms, die tegenover elkaar staan omdat zij onderscheiden belangen hebben, met elkaar in conflict zijn. De idee van de klassenloze samenleving is een ideologie van de arbeidersklasse die vooral nuttig is voor een nieuwe elite op weg naar de macht. Het is een verschijnsel dat wij de laatste eeuw herhaaldelijk hebben waargenomen: socialistische partijen eenmaal aan de macht zijnd, tonen zich even corrupt, even frauduleus, evenzeer vol van neiging tot manipulatie, evenzeer bereid overal "hun" mensen posities te bezorgen, hun gevolg (denk aan de zich steeds uitbreidende hulp-, zorg- en bijstandindustrie) nog beter tevreden te stellen dan andere partijen. Landen als Frankrijk, Spanje en Italië leveren een reeks van voorbeelden, waarbij de heerschappij in de trant van Kok braaf afsteekt.[5] Telkens ziet Pareto, waar dan ook in de maatschappij, het streven naar macht- en machtshandhaving opduiken. Het zou mij niet moeilijk vallen een reeks voorbeelden uit eigen circa vijfenvijftig jaar lange ervaring te geven. De drijfveren? Uiteraard vaak geld, maar ook simpelweg het streven naar macht om de macht; ook ijdelheid speelt veelvuldig een rol.

Machtsstrijd tot de dood erop volgt

In de praktijk van het bedrijfs- en verenigingsleven komt men, schijnbaar zonder veel variatie, dezelfde pogingen tegen competenties aan zich te trekken, anderen beentje te lichten, tegen te werken als die anderen licht in duistere zaken willen ontsteken, enz. In de aanvang van mijn carrière merkte ik dat er meerdere malen - achterbaks - kritiek op mijn werk was. Waarop was die gericht? Op iets van inhoudelijke of formele aard? Ik mocht nooit iets concreets horen of lezen. Wat bleek? Voor het schrijven van eenzelfde stuk - artikel, nota - hadden anderen twee à drie maal zoveel tijd nodig als ik. Dat *kon* nooit degelijk werk zijn. Voor mij was de oplossing eenvoudig: was ik met een bepaald werkstuk gereed, dan liet ik het enige tijd liggen alvorens het te verspreiden. De vrij gekomen tijd is voor iemand voor wie de politiek altijd als observator en analist een hobby is geweest, steeds nuttig te vullen zolang hij boeken en tijdschriften rond zich heeft, en die ontbraken nooit. In een andere werkkring zag ik spoedig na aantreden dat de interne organisatie gebreken vertoonde; als plaatsvervangend directeur leek het mij goed de gebreken te analyseren, aanwijzingen te geven voor correctie en het geheel samen te vatten in een nota voor de directeur. Daar het zaken betrof waarin het bestuur beslissingen zou moeten nemen, zou deze het al dan niet voorzien van zijn aantekeningen aan het bestuur moeten voorleggen. Dit gebeurde echter niet, voor zover ik kon nagaan bereikte het stuk geen enkel bestuurslid en zelf hoorde ik er niets meer van. De vrees macht of gezag te verliezen, of deze zij het maar enigermate verzwakt te zien speelt, zo leerde ik, een dusdanige rol dat men bereid is mensen weg te drukken. Bij een groot concern waar ik een aantal jaren werkte, was het bij ingewijden bekend dat chefs van afdelingen die bij een directeur in ongenade gevallen waren van hun post werden ontheven, waarna ze op een kamertje werden gezet, waar ze zo nu en dan een weinig of niets zeggende opdracht kregen. Ontslag, publiciteit en eventuele gerechtelijke procedures ging men op deze wijze "elegant" uit de weg... Verhuisd naar een klein complex van service-appartementen meende ik: de bestuurders daar, zonder uitzondering rijpe, oudere personen met een carrière van betekenis achter zich, zullen het beheer over zo'n kleine instelling in een open en collegiale sfeer voeren. Onthutst - ik blijf wat naïef - moet ik vaststellen dat ook hier de machts- en territoriumdrift woedt. Bestuursleden rukken elkaar de microfoon uit de hand, ingekomen stukken worden niet behandeld, rapporten bereiken de leden niet; bij een - overigens nodige - herziening van statuten en reglementen, bleek het recht tot inzage van de boeken door de individuele leden te zijn geschrapt. Personen die op deze grond de notaris geen machtiging wilden geven het nieuwe statuut te tekenen, werd toegevoegd: als u niet tekent, zal ik uw naam voor de rechter moeten brengen (de kantonrechter kan rechtens voor bepaalde personen tekenen als die op invalabele gronden dwars liggen). De voorzitter van de vereniging van eigenaren beheerst deze als een fabrieksdirecteur uit de periode 1910-1930. Sommigen voeren machtsstrijd letterlijk tot hun laatste dag.

Ik vlecht iets van mijn eigen ervaringen in om duidelijk te maken waar het in concreto in het reële leven om gaat; heel in het kleine. Duizendvoudig speelt het streven naar macht, het behoud en versterking van posities, een rol in de samenleving waarvan vooral de velen die rechtstreeks van de college-banken in een of andere politieke functie beland zijn, vaak nog het minste afweten. Niet dat zij zich vrij zouden kunnen uiten, zich niet zouden moeten voegen, maar zij hebben te zeer de neiging te denken dat de machtstrijd er een is die zich eerst en vooral afspeelt in de hogere lagen van politiek en ambtenarij. De strijd echter om openheid, vrijheid van woord en geschrift, het recht mee te beslissen vanaf de kleinste vereniging tot de hoogste niveaus van maatschappij en staat, gaat voort. Is er iets in die strijd te winnen? Achter alle humanitaire en ethische proclamaties ligt slechts het streven naar macht en machtshandhaving, aldus Pareto. Voor een ontwikkeling naar een betere maatschappij, naar een opheffing van de vervreemding van de mens, een bevrijding derhalve van de mens, kan geen sprake zijn. "Het gaat slechts om één zaak: macht. De werkelijke macht is altijd in handen van een kleine groep". Toch gloort er enige hoop voor hen die hier niet met een luid "amen" willen eindigen. Opnieuw Pareto: "de macht van de heersende elite is precair. Voortdurend trachten andere groepen zelf aan de macht te komen met behulp van de bevolking (volksmassa's), die zonder politieke elite geen betekenis heeft".

In hoeverre de heersende elite erin slaagt haar posities te handhaven, is afhankelijk van de juiste toepassing van geweld, misleiding en concensus-manipulatie. De elite moet vooral bij de bevolking het besef ontwikkelen en handhaven dat zij handelt vanuit het algemeen belang. Een heersende klasse die geen gebruik meer durft te maken van geweldmiddelen is ten ondergang gedoemd.

Wij verlaten Pareto heel even om ons te wenden tot het communisme, dat het klasse-begrip anders hanteert dan Pareto dit doet. Bij hen gaat het primair om bezitters en niet-bezitters. Zijn de eersten van hun bezit en handelingsbevoegdheden ten aanzien van productie-middelen ontdaan, dan zal, na een bij de meeste communistische denkers beperkt tijdvak van geprolongeerde klassenstrijd, een ontwikkeling, via het socialisme, naar het communisme voeren, een samenleving waarin de staat zal afsterven, wet en recht overbodig zullen zijn, en de eeuwige vrede zal zijn bereikt. Vele communistische denkers hebben zich op deze wijze in de utopistische hoek geplaatst of door versmalling van het klasse-begrip de inhoud daarvan veranderd. Bezien we dit bij een door velen zeer utopistisch geachte denker.

Vossen- en leeuwen-elites

Er zijn goede gronden om Mao Zedong als een hoogst utopistisch denker te zien, maar er pleit ook een en ander tegen. Tijdens de Grote Proletarische Culturele Revolutie (1966-1973) beantwoordde Mao nu en dan brieven die neven of nichtjes hem over hun belevenissen en vragen plachten te sturen. Bij tijd en wijle werd iets van Mao's antwoorden wijd en zijd gepubliceerd. Of die brieven en die kinderen bestonden, weet ik niet. Ik vermoed van niet: hoe kon Mao beter de aandacht kweken dan door te suggereren iets van zijn correspondentie met kinderen vrij te geven? Een nichtje, vroeg eens het volgende: als onze partij eenmaal gewonnen heeft, zal dan alle strijd tussen de mensen ophouden? Waarop Mao antwoordde: "Alle strijd zal ophouden in zoverre ze voortkwam uit antagonistische tegenstellingen" (dat wil zeggen tegenstellingen die voortkomen uit verschillen van macht over geld of productie-middelen TK). "Wat andere tegenstellingen tussen mensen betreft, denk ik dat die altijd zullen blijven bestaan". Mao toonde zich hier toch meer realist dan menigeen dacht. Misschien dacht de oude leider wel aan de revolutie die zich op dat moment afspeelde en waarbinnen allerlei persoonlijke rekeningen werden vereffend.

Zouden mensen wel ooit de neiging kwijt raken om los van elk materieel of geldelijk gewin, te vechten om status, een plaats, of plaatsje ergens vóóraan in de maatschappij, of maar in de partijcel, te vechten om invloed, om macht simpelweg vanuit de begeerte om aan die macht lust te beleven? Mao twijfelde eraan, met Pareto, en de praktijk waar ook ter wereld geeft hem daarin gelijk.

Hoe behoudt de elite de macht?, vraagt Pareto. Het werkelijk gebruik van geweld zal meestal niet nuttig zijn. Men zal als regel proberen de problemen op te lossen door het aanwenden van listen, fraude en bedrog. Inderdaad is de wereld daar vol van. Een eenvoudige list is een vergadering sterk te laten uitlopen om aan het eind, als een groot aantal deelnemers al weg is, nog een paar belangrijke besluiten er door te jagen. Politieke fraude behoeft weinig toelichting. Bij hoeveel verkiezingen in een reeks van landen moeten wij niet horen dat de ene partij de andere van fraude beschuldigt? En vaak blijken de beschuldigingen juist. Op tal van wijzen kan men pogen burgers of bij voorbeeld leden van verenigingen te bedriegen. Rapporten raken zoek, blijken soms vernietigd of vervalst te zijn. Door problemen nog ingewikkelder voor te stellen dan ze al zijn, door uitspraken waaruit men van alles op kan maken, omsluierd woordgebruik, een eenzijdige selectieve groepering van feiten en argumenten, plegen vele "politici" binnen en buiten de politiek vaak bedrog. Het "oplossen" van problemen op deze wijze, dus door het handhaven en opeenhopen van macht door misleiding, list, fraude, bedrog en concensus-manipulatie vereist, aldus Pareto, een bepaalde persoonlijkheidsstructuur waarin het combinatie-vermogen dominant is. Men moet als het ware aan verschillende tafels tegelijk kunnen spelen en tegenover onderscheiden personen en groepen met steeds iets afwijkende standpunten komen, mensen en groepen tegen elkaar uitspelend. De heersende elite zal bij selectie van personen uit de non-elite voor het bezetten van posten in de leidinggevende laag, aan hen de voorkeur geven die eenzelfde combinatie-vermogen bezitten. Hierdoor wordt de afstand tussen de elite en de bevolking groter: steeds meer worden top-posten bezet met personen die vertrouwen op het voeren van een "vossenbeleid". Een dergelijke elite wordt gedwongen door de voortdurend veel tijd en energie eisende opgave de juiste combinatie van medestanders bijeen te brengen, tot denken en handelen op korte termijn. Men kan zich eenvoudig geen gedachten of zorgen maken over de verdere toekomst. Parlementariërs die telkens voor vier jaar gekozen trachten te worden zal men zelden gedachten horen ontwikkelen voor een politiek die over tientallen jaren heenreikt en die vraagstukken raakt die behoren tot de meest brandende voor de hele natie. In de politiek van de elite van het vossentype staan de belangen van het individu - met heel zijn kortstondig bestaan en zijn als regel kortzichtig oordeel - op de voorgrond; de collectiviteit - bijvoorbeeld het vaderland - heeft in het beleid van de vossenelite weinig betekenis. Daarentegen wordt de rol van de collectiviteit en de traditie, centraal gesteld door de "leeuwene-lites", die zich kenmerken door een sterk conserveringsstreven en vandaar ook meer zorg voor de toekomst hebben dan de "vossen-elites". (Pareto ontleent deze onderscheiding aan Niccolo Machiavelli.)

Elke elite is volgens Pareto gedoemd te verdwijnen. De stabiliteit van een elite kan bevorderd worden door het openhouden van mobiliteitskanalen tussen eliten en non-eliten (gelijke kansen voor iedereen), terwijl er ge-waakt moet worden voor een niet te eenzijdige elite. Ook het gebruik van *diverse* machtsmiddelen is van groot belang.

Het heeft er veel van dat de analyse van Pareto hier doodloopt. In de poli-tieke praktijk worden als regel personen geselecteerd met een in hoge ma-te conformistische instelling die, precies als de elite bereid zijn deel te ne-men aan vorming van politiek op korte termijn en het zoeken van allerlei combinaties die hen daarbij kunnen ondersteunen. Veel van wat het volk wordt aangeboden als een stuk democratische vernieuwing, is dit niet: denk aan de hoge drempels die worden opgeworpen bij referenda. Een recent voorbeeld: in april 2001 stemde men in Amsterdam tegen een van boven-af gedicteerde deelraad voor het centrum. Er kwamen slechts 22.45% stem-mers op, voornamelijk uit het centrum. Van hen stemden 86.6% (110.213 personen) tegen de deelraad. De referendum-verordening eist dat het door de gemeenteraad genomen besluit pas verworpen is als er minimaal 132.000 personen tegen stemmen.
Als de vossen-elites het sociaal systeem scheef hebben getrokken, zorgen de "leeuwen-elites" voor een nieuw evenwicht. Mogelijk denkt Fukuyama aan iets vergelijkbaars als hij sinds ongeveer begin jaren '90, een moreel herstel ziet in de Verenigde Staten, wat ongetwijfeld al was ingeluid door Reagan's conservatieve sociale agenda en de propagering van "family valu-es" die sindsdien in Washington niet meer van het program verdwenen. Steeds valt het hierbij op dat moeizaam, of in het geheel niet, verbindingen gelegd kunnen worden tussen de individuele en sociale moraal die binnen de natie heerst, of zou heersen - men denke aan haar zeer versplinterde ka-rakter - en de moraal die zij naar buiten en vooral in haar wereldpolitiek uitstraalt. De bekende schrijver Robert Kaplan[6] is hier een onverdacht ge-tuige. Persoonlijke betrekkingen behoren volgens hem gebaseerd te zijn op de normen en waarden die onder andere Fukuyama steeds noemt. De in-ternationale politiek dient zich louter te richten op het nationale belang. Een werkelijk morele buitenlandse politiek richt zich alleen op eigen belangen. Zij is, aldus Kaplan letterlijk: "gebaseerd op andere, oudere morele waar-den. De judeo-christelijke waarden zijn voor het privé-leven. Maar in het verkeer tussen de staten, gelden de heidense groepswaarden, het belang van de eigen polis". Waar het ondermijnen van andere staten in het belang van de eigen natie is, moet men dit zeker niet vermijden. "De voormalige Sovjet-republieken in de Kaukasus bij voorbeeld en in Midden-Azië behoren nu tot de Westerse invloedssfeer en het kan zeer nuttig en legitiem zijn om Rusland's invloed, daar ook ondergronds doorlopend te ondermijnen," al-dus Kaplan, blijkbaar een "vos".

Bouwstenen voor een nieuwe democratie

In Nederland is opmerkelijk dat naast publicaties van "conservatieven" die pleiten voor het herstel van morele waarden die voor 1968 nog groot geschreven werden, in korte tijd achtereen gepleit wordt voor herstel van de plaats van het geschiedenisonderwijs, een forse aanpak van de sociale dienst van Amsterdam - waar niets aan de fraude-bestrijding gedaan werd en waar 25 Haagse ambtenaren de zaken op orde moeten brengen - terwijl tevens eindelijk werk gemaakt schijnt te gaan worden van de corruptie en fraude waardoor alle ambtelijke diensten die er zich door hun aard toe lenen, aangetast zijn. Pieter Lakeman[7] ging voor (1987) bij het blootleggen van een reeks malafiede zaken.

Rond de eeuwwisseling duiken in verschillende serieuze publicaties en tv-programma's beschouwingen op over de opportuniteit van een sociale dienstplicht gedurende één jaar voor alle jongeren. Opnieuw: ongeveer op hetzelfde moment gaan officieren van justitie over tot het onderzoeken van mogelijk malafide praktijken in aandelenhandel en voorkenniszaken; bij witwas-affaires worden bank-directies niet gespaard. Het zijn geen zaken, die de structuren dusdanig raken dat zij machtspolitieke verschuivingen zouden kunnen bewerken, zij gaan wel degelijk in een richting die de grond daarvoor rijper zou kunnen maken. Herman Vuijsje heeft in 1997 de weg vrijgemaakt voor een open(er) behandeling van allerlei taboes.[8]
Wat - langzame - machtsverschuivingen betreft lijkt mij een andere ontwikkeling van veel belang. De politieke partijen verliezen leden aan de lopende band. Na de Tweede Wereldoorlog had de A.R.P. nog een tijd lang tegen de 100.000 leden, nu zou het hele CDA met dit aantal schitteren aan de top der partijen. Voortdurend neemt echter de belangstelling voor andere organisaties fors toe: sommige van de volgende organisaties tellen hun leden of donateurs bij honderdduizenden, andere zijn sterk in opkomst. Genoemd kunnen worden: Milieudefensie, Green Peace, De Club van Tien Miljoen (bevolkingsbeperking), Natuurmonumenten, Amnesty International, de Vereniging voor Vrijwillige Euthanasie, enz. Als sinds de oprichting was ik lid van de Consumentenbond, een organisatie die parallel aan radio- en tv-programma's als "Ook dat nog", bij het bedrijfsleven gezag hebben en in een land waar de invloed van industrie en reclame groot schijnt te zijn, voor tegenwicht zorgen. Men moet dit niet onderschatten. Ik herinner mij nog levendig dat Prof. S. Kleerekoper van tijd tot tijd in zijn colleges economie erop hamerde dat de consument in de kapitalistische maatschappij geen macht noch eigen keus heeft. De schare studenten maakte gedwee aantekeningen over deze "ex-cathedra" vastgestelde waarheden. Het was 1946/47 dus nog geen 1968 geweest en kritische opmerkingen werden door de meeste hoogleraren in die tijd niet geapprecieerd; er heerste nog een vrij autoritaire sfeer. Weinig jaren later, in dienst van een van de wereldconcerns gevestigd op Nederlandse bodem, merkte ik hoe gevoelig elke kritiek in de media in de top van zo'n concern aankwam. Wat het "dictaat van het aanbod" betreft bleek de praktijk toch anders te zijn dan Kleerekoper had gesuggereerd. Nieuwe artikelen, en ook variaties van lang ter markt

zijnde producten, werden eerst in proefdistricten op de markt gebracht waarna het oordeel van de afnemers op allerlei punten zorgvuldig werd onderzocht. De verpakking werd niet vergeten. De betrokken fabriek wijzigde waar nodig het product op die punten waar dat krachtens de uitspraak van de consumenten nodig werd bevonden en indien vereist werd de hele procedure nog eens herhaald. Dit alles ging dus aan een "grote introductie" vooraf. Van bepaalde artikelen bleek dat het publiek eenvoudig niet tot het afnamepeil te brengen was dat financieel noodzakelijk werd geacht; zo'n product verdween dan. Het publiek in het algemeen en goed voorgelichte consumenten in het bijzonder, hebben dus wel degelijk macht. Op vergelijkbare wijze dwingen organisaties als de genoemde overheid en politieke partijen naar ze te luisteren. Zij vormen bouwstenen voor een nieuwe democratie. In dit verband moest ik denken aan Trotsky. In debatten en polemieken tussen de kopstukken van de jonge Sovjet-Unie nam het hoofdstuk "het afsterven van de staat", straks... in de toekomst, een belangrijke plaats in. De meesten meenden dat ook van politieke partijen geen sprake meer zou zijn. Trotsky nam een afwijkend standpunt in: in de toekomst zouden volgens hem partijen gevormd worden, niet meer op klasse-basis of op andere ideologische grondslag, maar rond belangrijke themata in de politiek. Bij voorbeeld: waarop de investeringen te richten, de productie van welke consumptie-goederen voorkeur te verlenen, welke kunstvormen te stimuleren? Een ieder, de een voor arbeiders-zelfbestuur de ander er tegen, was ervan overtuigd dat een brede volksontwikkeling nodig was om het volk te wapenen met de kennis en het inzicht die nodig zijn voor een alles doordringende democratisering van de samenleving die de gehele leiding voorstond, of voorgaf voor te staan, Lenin voorop. Hoewel de wetten van de machtsvorming ook hier hun werk hebben gedaan - en hoe - heb ik die specifieke vorm van democratische gerichtheid in de Sovjet-Unie nooit als hypocriet ervaren. In de menigte boeken gewijd aan het communisme (pro of contra) die ik intussen bestudeerd heb, ben ik op deze punten bij geen enkele schrijver van enige betekenis opmerkingen tegen gekomen in de zin van: "dat was maar voor de schijn, men geloofde er zelf niet in, het was hypocrisie" enz. Dat deed mijn oordeel over communisme ener- en fascisme of nazisme anderzijds altijd fundamenteel verschillen. Soms vind ik dan ook kritiek op personen die communist zijn geweest minder juist. Men hekelt dan hun kritiek op - om een recent voorbeeld te nemen Sr. Zorreguieta en stelt impliciet of expliciet dat zij eigenlijk op die kritiek geen recht hebben. Voor mij ligt dit zo: gaat het om personen die niet ophielden (ook na 1956) Stalins politiek te verdoezelen of goed te praten, dan ben ik het als zij nu Junta-misdaden en mede-schuldigen daaraan wraken, eens met hen die terechtwijzingen uitdelen. Maar in andere gevallen ligt dit niet zo: ook heden dragen de vaders van het marxisme-leninisme nog altijd elementen aan voor de democratie van de toekomst; de oktober-revolutie, met al zijn misslagen, blijft een gebeurtenis die zijn positieve weerslag had over heel de wereld; de soldaten daarentegen die ook op de estancias rond Buenos Aires leiders van vakbewegingen kwamen weghalen om ze te martelen en doden, waren werktuigen van de reactie, die in menig Latijns-Amerikaanse staat nog al te veel invloed heeft.

Autarkie; doodzonde in een "vrije" wereld

"Macht en geweld". Denkend aan dit thema keren we terug naar het stukje koloniale geschiedenis - beknoptheidshalve alleen Britten en Noord-Amerikanen betreffend.[9] Toen al waren in koloniale oorlogen in Afrika en Azië en tijdens de verovering van de Amerika's miljoenen slachtoffers gemaakt. Ik denk over heel die kapitalistisch-imperialistische expansie met gemengde gevoelens. Niet voor niets heb ik de kleine opsomming die ik gaf als het ware "doorschoten" met berichten over uitvindingen, de verspreiding van de bijbel enz. Beproeven we een overzicht om tot een enigszins zuivere balans te komen.[10]

In 1807 verbood het Britse parlement de slavenhandel - die daarmee niet gelijk ophield, ze gaat in zekere mate nog door tot op heden. In 1808 verbiedt de U.S.A. de import van slaven uit Afrika; de bronnen van de Ganges worden ontdekt. De Britten verjagen de Fransen in 1809 van Martinique en Cayenne en sluiten een vriendschapsverdrag met de Sikhs. Simon Bolivar begint 1810 zijn bevrijdingsveldtochten in de Andes-regio; de Britten veroveren Guadalupe op de Fransen. 1811: Engelse troepen bezetten Java. 1812 de U.S.A. verklaart de oorlog aan Engeland. Een door Henry Bell ontworpen stoomschip van vijfentwintig ton maakt zijn eerste tocht op de Clyde. 1814 Britse strijdkrachten branden Washington D.C. plat; de Brits-Amerikaanse oorlog eindigt met de vrede van Gent; het Westminster-district van Londen is het eerste dat gasverlichting krijgt. In 1815 wordt Napoleon door de Europese verenigde machten bij Waterloo verslagen; Macadam construeert een type steenweg dat nog heden zijn naam draagt. In 1816 trekken de Britten zich van Java terug. In 1818 wordt de grens tussen de V.S. en Canada vastgesteld op de 49e parallel; twee nieuwe Indische staten komen onder Brits bestuur. In 1819 wordt de werkdag voor jeugdigen in Groot-Brittannië bepaald op maximaal twaalf uur per etmaal; de East-Asia Company installeert een vestiging op Singapore; de economische wetenschap schrijdt voort: Malthus publiceert zijn Principles of Political Economy. In 1821 slag van Carabobo, waar Bolivar de Spanjaarden verslaat; zes Zuid-Amerikaanse staten verklaren zich onafhankelijk. Engeland heeft nu samen met Ierland 20.8 miljoen inwoners; de Verenigde Staten 9.6 miljoen. 1822 Brazilië wordt onafhankelijk; rellen in Dublin; Stephenson bouwt de eerste ijzeren spoorbrug. In 1823 kondigt president Monroe de naar hem genoemde doctrine af: invloed van Europese naties op het Westelijk halfrond wordt uitgesloten. in 1824 veroveren de Britten Rangoon; eerste Burmese oorlog (1824-1826); in Engeland wordt het verbod op de oprichting van vakbonden verlicht. In 1825 komen de eerste door paarden getrokken bussen in Londen in functie. 1827 beleeft de vernietiging van de Turks-Egyptische vloot in de slag voor Navarino. In 1828 bezetten de Engelsen Kreta en maken een eind aan de bezetting van een deel van Griekenland door Egypte; katholieken en Nonconformisten worden toegelaten tot openbare ambten. In 1829 wordt het verbranden van Hindu-weduwen verboden in Bengalen; later wordt dit verbod tot heel Brits-Indië uitgebreid; voor het eerst wordt in Londen een effectieve politiemacht gevormd. In 1830 wordt na veel weerstand Misore bij India gevoegd; de Schot Robert Brown ontdekt de cel-kern in planten. In 1831 breekt in India een cholera-epedemie uit; begonnen in 1826, verspreidt deze zich via Centraal-Europa tot in Schotland (1832); het Verenigd Koninkrijk heeft in dat jaar 13.9 miljoen inwoners; de U.S.A. 12.8 miljoen; Charles Darwin zeilt uit voor een expeditie naar Zuid-Amerika, Nieuw Zeeland en Australië. In 1832 veroveren de Britten de Falklandseilanden. In het jaar daarop wordt de slavernij in het gehele Britse imperium afgeschaft. In 1834 begint de zesde Kafferoorlog; blanken beginnen zich ten noorden van de oranje-rivier te vestigen; in 1836 zal de Grote Trek beginnen. 1837 brengt verschillende opstanden in Canada. In 1838 breekt de eerste Brits-Afghaanse oorlog uit die tot 1842 zal duren; Groot-Brittannië beschikt in dat jaar over 90 oceaan stoomschepen. Van 1839 woedt de eerste Opiumoorlog met China. Het is een van de diepst insnijdende gebeurtenissen van de 19^e eeuw, die nog ver in de 20^e eeuw gevolgd zal hebben. Het is daarom eis de context van dit gebeuren goed te bezien.

Eeuwen lang was de handel op China een beperkte en eenzijdige zaak geweest. Engelsen en Nederlanders betrokken enige luxe-waren via Kanton, de Russen via Kyakhta, terwijl de Chinezen uit het Westen niets nodig hadden en zich met zilver lieten betalen. De Britse veroveringen in Azië waren vrijwel afgerond, de behoefte aan afzetgebieden en wellicht ook het streven de heerschappij over heel Azië te voltooien deed zich steeds dringender gevoelen. China restte als een zelfgenoegzaam blok met al rond 1800 ongeveer 300 miljoen inwoners. Om toch iets te leveren had Engeland geprobeerd het invoerverbod van 1796 te omzeilen en voort te gaan met illegale import van uit India en het Midden-Oosten afkomstige opium. Wij moeten ons het China van die tijd niet voorstellen als een rijk - technisch ten achter misschien - maar toch vol innerlijke harmonie en vrede. De 18^e eeuw was zwanger van tal van opstanden onder de volken in de randgebieden (grenzend aan Rusland), maar ook onder zuidelijke stammen deden zich alleen al in de 18^e eeuw vijf opstanden voor. Bovendien kwamen allerlei sekten op, die rond de eeuwwisseling boven-natuurlijke verschijnselen verwachtten en voor sociale onrust zorgden; ook zij grepen verschillende malen naar de wapens. Te noemen zijn: de Witte Lotus rebellie (1795-1804); de Hemelse Principe rebellie (1811-1814); deze sekte waagde een coup in Peking, die werd neergeslagen. Dit alles verzwakte het Rijk van het Midden zeer. Daar kwam nog bij dat de bevolkingsaanwas grote zorgen gaf - hoewel enigszins in balans gehouden door verliezen in bedoelde binnenlandse oorlogen en opstanden en regelmatig voorkomende epidemieën. Niettemin was de bebouwbare grond die uitgebreid werd met teelten met hoge opbrengst: maïs, zoete aardappels, grondnoten en tabak, vrijwel geheel in beslag genomen. Alleen in Manchurije lagen nog vruchtbare gronden vrij hoewel ook daar de bevolkingsgroei aanzienlijk was. De randgebieden, bevolkt door minderheidsgroepen waren minder vruchtbaar en ook door hun niet-Chinese inwoners minder gesteld op immigratie; deze enorme gebieden zorgden vrijwel constant voor een bevolking die ongeveer 5% van de bewoners van het gehele rijk herbergden. De Han-Chinezen leefden al in de eerste helft van de 19e eeuw opeengehoopt, steeds op een per familie slinkend areaal. Ook deze problematiek zou in de 20e eeuw voortdurend doorwerken en heeft reeds in het begin van de 21ste eeuw tot een botsing met de regering Bush geleid, die zich in de befaamde eerste honderd dagen van zijn bewind als een krachtig speler op het Aziatisch toneel moest presenteren.

Het treft hierbij steeds opnieuw hoe de geschiedenis, ondanks alle vooral technisch-wetenschappelijke revoluties die wij meemaakten, een verbluffende continuïteit vertoont. Slechts wisselenden de spelers naar gelang de machtsconstellatie in de wereld verschoof. Overal waar eens het Westers imperialisme opereerde, waar Engelsen hun triomfen vierden, zijn zij in de leidende rol vervangen door Noord-Amerikanen die zich bij voorbeeld steeds weer in interne Chinese politieke thema's mengen. Zo waar het gaat over verplaatsing van bevolkingsgroepen uit de overvolle kustgebieden naar de binnenlanden. De strategische verdeling van bases in het Golfgebied waarvoor de Engelsen al in de 19e eeuw de basis legden, is nog in hoge mate dezelfde, alleen hebben ook hier Amerikanen het voortouw en het gros van de bases overgenomen. Frappant is wat er gebeurde in de oorlogen die Engeland in de 19e eeuw voerde ter beheersing van Afghanistan. Het voert te ver hier de geschiedenis en de militaire afgang die zij de Engelsen bracht, te schilderen. Er zijn goede bronnen die dat exact weergeven[11] Bij de correctie van de proeven van deze tekst (eind oktober 2001) horen wij dag in dag uit dezelfde namen - Kabul, Peshawar, Kandahar, enz. Ook over een vergelijkbare machtsconstellatie - stammen met verschillende agenda's, het haast onoverkomelijk moeilijke karakter van het terrein, bovenal: het probleem: "de onmogelijkheid betrouwbare marionetten te vinden, die konden fungeren als politieke bases". De haat tegen de Engelsen laaide fel op; ook wierpen zich zelfmoord-commando's in de strijd die de Engelsen zware verliezen toebrachten. Uiteindelijk trokken zij zich terug. De Russische generale staf maakte van de oorlog een uitvoerige studie, waarvan de conclusie luidde dat de Engelsen grote conflicten - zeker in andere werelddelen - niet meer aan konden.

De wereld bestaat niet uit een geheel van staten die, intern en in hun onderlinge betrekkingen van dezelfde rechtsbeginselen uitgaan. De fictie dat dit het geval is, of zou moeten zijn, wordt nog altijd hoog gehouden door hen die in het Westen de rollen van wereldpolitie en wereldrechter tegelijkertijd aan zichzelf toekennen. Huntington[12] heeft geen ongelijk: de wereld kent buiten het Westen een aantal grote beschavingen waarvan de volkeren overtuigd zijn van de superioriteit van hun culturen en geobsedeerd zijn door de inferioriteit van hun macht. Hen hun inferioriteit steeds weer in te wrijven, ondermeer door oorlogen en het bezet houden van bases, dreigt fataal te worden.

Noten

1. Onder meer:
   Francis Fukuyama, *The Great Disruption; Human Nature and the Reconstruction of Social Order*, New York, 199
   Henry J. Aaron, ed. *Values and Public Policy*, Washington, 1994
2. C.W. Rietdijk, *The scientifization of Culture; Thoughts of a physicist on the techno-scientific revolution and the laws of progress*, Assen, 1994, blz. 409-414
3. Als regel vormt zich één elite, die zeer moeilijk te doorbreken is, daar ook in een meer-partijen systeem de voornaamste beslissingen aan het volk zijn onttrokken en de verschillende partij-eliten als het ware één front vormen. Voor de ontwikkelingen in de V.S. zie men het klassieke werk van C. Wright Mills, *The Power Elite*, New York, 1956. Voorts: Angelo Panebianco, *Political Parties; Organization and Power,* Cambridge (Mass.), 1988
4. Vilfredo Pareto, *Traité de Sociologie Générale*, Parijs, 1917-199. Meer van zijn publicaties worden genoemd in L. van Rademaker, red., *Sociologische Encyclopedie*, blz. 513 e.v., Utrecht/Antwerpen, 1978
5. Lange tijd mocht allerlei geknoei, corruptie en fraude nauwelijks aan de openbaarheid worden prijsgegeven. Het laatste decennium van de eeuw bracht hier een ware doorbraak. Harm van den Bey kwam in 1997 met zijn *De Ritselaars, Beknopte Nederlandse Schandaalwijzer*, waarin 29 financiële schandalen uit de jaren 1972 t/m 1996 werden behandeld. Amsterdam, 1997, nawoord van Koen Koets.
6. Robert D. Kaplan, *The Ends of the Earth*, New York, 2001; *The Coming Anarchy; Shattering the Dreams of the Post Cold War*, New York, 2000
7. Men zie: Pieter Lakeman, *Frisse Zaken*, Amsterdam, 1987. Lakeman ging voorop bij het gedocumenteerd uiteenzetten en bekritiseren van een aantal onfrisse zaken waarbij de overheid betrokken was en die tot "affaires" werden. Zo de Rijn-Schelde-Verolme zaak met de Cyprus-constructie, de ABP-affaire, Lubbers Koeweit-connectie, de Fokker-zaak. De door velen gevreesde voorzitter van de Stichting Onderzoek Bedrijfs Informatie SOBI toonde zich een van Nederlands beste "klokkenluiders".
8. Herman Vuijsje, Correct; *Weldenkend Nederland sinds de jaren zestig,* Amsterdam/Antwerpen, 1997. Vuijsje beschrijft hoe pas begin jaren negentig de maatschappelijke omstandigheden rijp werden voor een omslag op menig gebied. Hij behandelt een reeks van euvels waarbij de overheid steeds maar retireerde: het ontbreken van controle op openbaar vervoer, het niet naleven van milieuwetten, het vrijwel constant "toewijzen" van distributiewoningen aan hen die deze gekraakt hadden, het subsidiëren van groepen die zich met drugs- en wapenhandel bezighouden (Hell's Angels), gebrek aan controle op verzekeringswezen, beurshandel en afvalverwerking ,de lang verzwegen cijfers over uitkeringsfraude, de censuur van misdaad statistieken waar het vreemdelingen betrof, het verdwijnen van het Groene Hart, enz. Het meest insnijdend is zijn analyse van de zelfcensuur van de pers (blz. 174 e.v.).
9. Om het beschrevene goed te kunnen volgen is het van belang een aan-

tal historische atlassen te raadplegen. De genoemde atlassen geven ook voldoende tekst teneinde de geschiedenis die door de kaarten en foto's worden verbeeld, goed te kunnen volgen. Aanbevolen:

Barry Winkleman, *The Times Atlas of World History*, Londen, 1999;

John Haywood, *Atlas van de Wereldgeschiedenis*, Keulen, 1999;

Ian Barnes and Robert Hudson, *Historical Atlas of Asia*, New York, 1998;

J.F. Ade Ajayi et Michale Crowder, *Atlas Historique de l'Afrique*. Parijs, 1988

10. De opgenomen gegevens zijn ontleend aan: Dennis Judd, *Empire; the British Imperial Experience from 1765 to the Present*, Londen 1996 en V.G. Kiernan, Colonial Empires and Armies 1815-1960, Guernsey, Channel islands, 1998, blz. 63 e.,v.

11. Samuel Huntington, *The Clash of Civilisations*, vertaling: Botsende beschavingen; cultuur en conflict in de 21ste eeuw, Antwerpen, 2001.

Hoofdstuk 22

DE AZIATISCHE OPMARS VAN HET WESTEN: EEN "CONTINUING STORY"

Een van de zwaarste opgaven die de Britten zich in Azië in de 19ᵉ eeuw stelden, was het in hun machtssfeer brengen van China. Dat rijk had een reeks aantrekkelijke waren te leveren, waartegenover China vrijwel niets uit het Westen nodig had. De Engelsen betaalden in zilver, wat steeds on-aantrekkelijker werd, en probeerden hun export met opium aan te vullen. De keizer, de gevaren hiervan inziend, verbood in 1792 alle invoer van dit product. Rond 1830 was de illegale import van opium zo gestegen dat de waarde ervan die van de exporten overtrof. Het invoerverbod van 1796 had zijn doel volkomen gemist. Het grote Chinese rijk was een reus op lemen voeten geworden. Voortdurende strijd, toenemende corruptie, de onmacht van het administratieve apparaat de grote bevolkingsgroei bij te houden, de demoralisatie van het leger dat niet voldoende toegerust en bevoorraad werd, dat alles zorgde ervoor dat China "storm rijp" werd. Bovendien waren de invloedssferen van Chinezen ener-, en Britten, Fransen en Russen anderzijds duidelijk op elkaar gestoten. Burma was 1771 schatplichtig gemaakt; Nepal in een expeditie van 1788 tot 1792, Tongking in 1788; de "protectoraten" noord-westelijk van Oost-Turkestan (Sinkiang) grenzend aan Rusland waren al vroeger tot stand gekomen; het protectoraat over Tibet werd in 1750 gevestigd; in 1637 was Korea al een vazal der Chinezen, wat vooral de veroveringszucht van de Japanners zou opwekken.

Het verzwakte rijk, pogend de illegale opiumhandel te stoppen, bezweek onder de invasie van de Westerse machten. De Britten gingen voorop, die in 1842 het eiland Hongkong als "blijvend bezit" aan zich trokken. Vijf andere belangrijke havens werden gedwongen vreemde schepen en handelaren toe te laten benevens troepen om deze te beschermen; de vreemdelingen zouden niet onder Chinees recht vallen. Het was een traumatische ervaring voor het rijk dat zich steeds autonoom had geacht, verheven boven "de barbaren", die inmiddels in een ongekende ontwikkeling van hun wetenschap en materiële cultuur, het oude rijk, dat zich het middelpunt van de wereld had gewaand, volledig waren voorbij gestreefd. Deze schrik, en niet zozeer de miljoenen doden die de strijd eiste - de Chinezen waren gewend te rekenen met grote getallen - werkte door in de 20ᵉ eeuw en zal dat blijven doen, zolang de heersende elite inmenging van buitenlandse machten vreest en intern splitsing veroorzaakt door rebellie of sektendom. Ik herinner mij nog dat deze gebeurtenissen, veel beknopter dan ze hier werden beschreven, voor het eerst op de middelbare school onder mijn aandacht kwamen. Ze werden opgesomd als golden het de resultaten van chemische reacties: in het Himalaya gebergte stuitten Engelse en Chinese invloedssferen op elkaar, China verliest de opium-oorlog en wordt gedwongen zich eindelijk voor buitenlandse handel open te stellen. Het werd in die tijd - bovendien oorlogstijd - niet verwacht dat vragen werden gesteld. Ik vroeg mij echter af: wat moesten die Engelsen, Fransen, Amerikanen en Russen daar eigenlijk?

Nu een stukje kroniek. In 1840 komt de eerste Brits-Afghaanse oorlog ten einde, er zullen er nog meerdere volgen. In Engeland ligt nu 1331 miles spoorweg, in de Verenigde Staten 2816 miles. In 1841 wordt de Britse souvereiniteit over Hongkong plechtig geproclameerd; Nieuw Zeeland wordt erkend als Britse kolonie. De Afrikaners stichten Oranje Vrijstaat in 1843; de Maori's laten de wereld voor het eerst van zich horen als zij in Nieuw Zeeland in opstand komen; Samuel Morse construeert de eerste telegraaflijn van Washington naar Baltimore. De Ier Daniel O'Connell wordt in 1844 veroordeeld wegens samenspanning tegen Engeland. 1845 begin van de eerste Sikh-oorlog; de Maori's zetten de gevechten voort tegen Engelsen en andere immigranten; de eerste onderwaterkabel wordt gelegd onder het Kanaal; Friedrich Engels publiceert zijn *The Condition of the Working Class in England*; Benjamin Disraeli zijn *Two Nations*. In 1846 zijn de Sikhs verslagen en begint de zevende Kaffer-oorlog; herroeping van de korenwetten in Groot-Brittannië luidt het einde in van het protectionisme en het begin van de vrijhandel; de hongersnood (gevolg van de aardappelziekte) begint in Ierland; miljoenen sterven, andere miljoenen wijken uit naar de U.S.A. 1847: de Verenigde Staten destineert Liberia als "onafhankelijke republiek" voor bevrijde slaven - doch onder Amerikaanse "protectie". In 1848 begint de tweede Sikh-oorlog; goudvondsten in Californië leiden tot de goldrush; Marx en Engels publiceren *Het Communistisch Manifest*. In 1849 leden de Sikhs de uiteindelijke nederlaag; de Punjab wordt geannexeerd; David Livingstone slaagt erin de gehele Kalahari-woestijn te doorkruisen. 1850 de achtste Kaffer-oorlog begint. Van veel grotere omvang is de Tai-Ping opstand in China die tot 1864 zal duren. De chaotische toestanden in dat land, misoogsten, overstromingen, maar ook het opdringen van buitenlanders die sinds 1842 steeds meer vrij spel kregen, bracht grote gebieden in het zuiden in opstand; deze viel gedeeltelijk samen met de Nien-opstand meer naar het noorden; uiteindelijk konden deze opstanden pas na veertien jaar onderdrukt worden. Ten aanzien van het aantal doden zal wel altijd onzekerheid blijven, maar ze worden geschat op minstens 10 miljoen. Het gezag van de keizer is zo verzwakt dat hij veel van zijn troepen door Europese officieren moest laten commanderen. In hetzelfde jaar wordt in Londen de Royal Meteorological Society gesticht; in Zuid-Londen verrijst het Cristal Palace. Van 1851 tot 1853 vechten de Engelsen tegen de Basuto's en begint een oorlog tegen Burma. In 1852 wordt een tweede Burmese oorlog gevochten en wordt Transvaal gesticht. Livingstone begint met het exploreren van de Zambesie-rivier; in Londen wordt het Paddington-Station gebouwd. 1853 eindigt de Burmese oorlog en annexeert de East India Company Nagpur. 1854 krijgt Oranje Vrijstaat onafhankelijkheid; Ferdinand de Lessepes krijgt concessie om het Suez-kanaal te graven, maar weer breekt oorlog uit, ditmaal in Europa: de Krim-0oorlog (1854-1856).

In 1856 beginnen de Britten in alliantie met de Perzen een offensief tegen Afghanistan. De oorlog duurt twee jaar, het werd een van de weinige koloniale oorlogen die Engeland verloor. In 1856 is er opnieuw oorlog met China; de Britse vloot bombardeert Kanton; de Fransen scharen zich aan Britse zijde en gezamenlijk dwingen ze verdere concessies af; Zuid-Australië krijgt zelfbestuur en in Brits-Guiana breken rellen uit. Een jaar later vernietigt de Britse vloot de Chinese; Kanton wordt ingenomen. In hetzelfde jaar breekt de Grote Indische Rebellie uit die veel bloedvergieten kost; de vrede van Parijs maakt een einde aan de Engels-Perzische oorlog. Onder al die bedrijven wordt in Londen het Albert en Victoria Museum geopend en, het kan niet op in die tijd, het Science Museum in South-Kensington. Het jaar daarop eindigde de rebellie in India en wordt het land geheel onder de Britse kroon gebracht; de twee grootste meren van Afrika worden ontdekt, de Britten voeren militaire campagnes uit in het noordwestelijk grensgebied van India; in 1859 publiceert Charles Darwin *On the Origen of Species by Means of Natural Selection.*

De grote Indische Rebellie

Wat was de oorzaak van de Grote Rebellie? Allereerst groeide de onvrede onder de koloniale troepen tegen de Engelsen. Wie zich afvraagt: hoe kon het kleine Engeland het hele Zuid-Aziatische subcontinent veroveren en tegelijkertijd op de meest verschillende andere fronten in Afrika, Azië, en Europa oorlog voeren, stuit al snel op het gegeven dat de overgrote meerderheid van al die soldaten inheems waren. In India hield de Company, later het imperium, er drie legers op na gerecruteerd in Bengalen, Madras en Bombay. Het was voor die tijd een geweldige legermacht. De bevolking van India op dat moment moeten wij schatten op omstreeks 300 miljoen; die van Engeland op circa 23 miljoen. India leverde legers ter grootte van minstens 400.000 man; de Engelsen een aantal tienduizenden subalterne- en hoofd-officieren. Het was dit verschijnsel dat Adolf Hitler zo boeide: dat kleine eiland beheerste met weinig eigen mankracht een kwart van de wereld en beteugelde de grootste rijken van Azië. Door de Britten vervaardigde films die de wijdsheid van hun heerschappij verheerlijkten, gaven hem visioenen die verder zouden reiken dan de Duitse heerschappij over de Sovjet-Unie - waarvan de bevolking intussen grondig zou worden gedecimeerd. Hij vergat echter dat de Britse arrogantie en verachting voor niet-Europese volken niet zover reikten dat Londen's juk permanent als ondraaglijk werd ondervonden. Toch: in de jaren voor 1857 waren de wrijvingen tussen manschappen en officieren al opgelopen. "De soldaten werden vaak ruw behandeld, aangesproken als "nigger", uitgevloekt en behandeld als een minderwaardige diersoort."
De wortels van de opstand liepen echter dieper. De annexatie van steeds grotere delen van India vond toenemende weerstand onder de Indiase burgers; de grote massa Indiase boeren, fatalistisch en passief, steeds levend met een dag na dag te leveren strijd om het naakte bestaan, was niet te vrezen. India's landheren echter en vorsten achten hun religieuze en sociaal-

culturele orde aangetast. Hierbij speelden concrete twistpunten mee als het verbod op de verbranding van Hindu-weduwen en de kritiek die christelijke zendelingen en evangelisten leverden op zeden en gewoonten van de traditionele heersers. Toch bracht de opstand het Engelse bestuur niet ernstig in gevaar. Ofschoon in 1/3 van het land bedreigd, het Britse bestuur verdween er zelfs tijdelijk, bleef het in de overige gebieden onaangetast; ook rebelleerden hele legergroepen niet. Met name Bengalen en Madras bleven loyaal. Cruciaal was dat op het moment dat de opstand uitbrak een reeks strategische posten geheel zonder Europese bezetting was. Zoals wij zagen waren er Britse troepen in Perzië in gevecht, was de tweede opium-oorlog tegen China gaande (1856-1858), was de Krim-oorlog juist beëindigd en de Britse troepen niet zo snel verplaatsbaar. Een slachting onder Britse vrouwen en kinderen te Kanpur werd met grote hardheid en wreedheid gewroken. De Britten lieten gevangenen, gedwongen door zweepslagen, bloedsporen oplikken bij wijze van schoonmaakoefening; moslims werden in varkenshuiden genaaid alvorens ze werden opgehangen. De kloof tussen kolonisten en gekolonialiseerden verbreedde zich tot haast onoverbrugbare proporties.

Lezend over deze wreedheden en denkend aan tientallen miljoenen doden die de koloniale expansie de 19e eeuw in Azië kostte "alleen in China al 25 à 30 miljoen slachtoffers" sta ik altijd weer verbaasd te horen en lezen dat allerlei personen in het Westen "niet meer in God kunnen geloven sinds Auschwitz". Ik denk dan maar niet het slechtste: Oost-Europeanen en vooral joden waren hen veel kostbaarder dan Aziaten of Afrikanen. Velen van ons hebben eenvoudig slecht geschiedenis-onderwijs gehad tot op de universiteit toe.

Vervolgen we nog een moment onze - zeer beknopte - kroniek. 1860: opnieuw strijd met de Maori's in Nieuw Zeeland. Een Engels-Franse vloot verslaat de Chinese vloot bij Pa-li-Cham. We merken op dat de tweede opium-oorlog pas in 1858 achter de rug is. Is India met behulp van inheemse troepen nog in de hand te houden, China moet alleen zo zeer verlamd worden dat het bereid is alle concessies te aanvaarden die de buitenlandse machten eisen; in 1861 begint de Sikkim-campagne; dit koninkrijk was tot dan toe schatplichtig aan China; de eerste gekoelde opslagplaats voor bederfelijke goederen wordt geconstrueerd in Australië. In 1862 begint de bouw van de Londense underground; ook ziet de stad in dat jaar de wereldtentoonstelling. In 1863 en 1864 vinden verdere expedities plaats in het hart van Afrika. In 1864 wordt een opstand op Jamaica neergeslagen en breekt oorlog uit tussen Oranje Vrijstaat en Basuto-land; de eerste transatlantische kabel komt gereed. 1866 (Black Friday) de Londense beurs stort ineen; Britse campagne tegen Indianen in Honduras. 1867, Livingstone exploreert Congo; de eerste diamanten gevonden in Zuid-Afrika; Karl Marx publiceert het eerste deel van *Het Kapitaal*. 1868 Britse strijdkrachten dringen Ethiopië binnen, in noord-west India geprolongeerde gevechten tegen bergstammen. 1869 Indianen-opstand in Canada; het Suez-kanaal geopend.

In 1870 maken Britse strijdkrachten een eind aan het verzet van Indianen in Canada en wordt Manitoba een Canadese provincie. 1871: de diamant-velden van Kimberley worden door de Britten geannexeerd; Stanley ont-moet Livingstone in het hart van Afrika; Basuto-land wordt bij de Kaap-kolonie gevoegd. Engeland heeft nu 26 miljoen inwoners, Frankrijk 36, de Verenigde Staten 39, Duitsland 41 en Japan 33. In 1872 krijgt de Kaap-ko-lonie zelfbestuur. In 1873-1874 woedt de Ashanti-oorlog aan de Goudkust; hongersnood in Bengalen; opheffing van de slavenmarkt in Zanzibar. 1875: Britse campagnes in Perak (Maleisië); Britten kopen de meerderheid van de aandelen in de Suez-kanaal Maatschappij. De sterkte van de Europese staande legers is nu als volgt: Rusland 3.4 miljoen, Duitsland 2.8 miljoen, Frankrijk 412.000, Engeland 113.000. 1876; Alexander Graham Bell vindt de telefoon uit; eerste Chinese spoorweg gereed; wereldtentoonstelling te Philadelphia; Queen Victoria keizerin van India. 1878 bezetten de Britten Cyprus; eerste elektrische straatlampen in Londen. 1879-1880 Britse inva-sie in Afghanistan; Zulu-oorlog eindigt in Britse overwinning; Groot-Brittannië zet de Khedive van Egypte af. 1880: begin van de Transvaal-oor-log na onafhankelijkheidsverklaring; de eerste blikgroente en het eerste in-geblikte vlees in Engeland op de markt. 1881 Transvalers verslaan de Britten en de laatsten erkennen de onafhankelijkheid van de Transvaal Republiek: lijfstraffen bij Britse vloot en landmacht afgeschaft. 1882 Britse invasie van Egypte; Cairo en de Kanaalzone bezet. 1883 Britten worden genoopt Soedan te ontruimen door opstand van de Mahdi. 1884 generaal Gordon bereikt met zijn troepen Khartoen; Londen bevestigt de onafhankelijkheid van Transvaal-staat; Duitsland bezet Zuid-West Afrika. In 1885 schept Engeland een aantal "protectoraten" in Afrika, onderdrukt een Indiaanse revolte in noord-west Canada en begint een invasie in Opper-Burma; Duitsland an-nexeert Tanganyika en Zanzibar; Leopold II van België wordt persoonlijk eigenaar van Congo. 1886 ziet de eerste bijeenkomst van het Indische Nationale Congres; Burma wordt bij het "Indian Empire" ingelijfd. 1888 begint een nieuwe Sikkim-oorlog; de koning van de Ndebele aanvaardt Britse protectie en geeft Cecil Rhodes mijnbouw-rechten; Serawak (op Borneo) wordt Brits protectoraat; de Suez-Kanaal Conventie garandeert vrije internationale doorgang door het kanaal; "Jack the Ripper" vermoordt zes vrouwen in Londen. Dit horror-verhaal ging zeker honderd jaar door de wereld; hoeveel massa-moorden, al is het maar door shootings zijn al-leen al de laatste twee decennia van de 20e eeuw in Europa gepleegd? In 1890 ruilt Engeland met Duitsland Helgoland voor Zanzibar. In 1891 wor-den drie expeditie-legers uitgestuurd naar evenzoveel oproerige Indische staten. 1892: Groot-Brittannië en Duitsland komen deling van Kameroen overeen; eerste Pan-Slavische Conferentie te Krakau; Diesel krijgt patent op zijn gelijknamige motor. 1894-1895 zes "nieuwe" gebieden in Afrika worden onder Brits bewind gebracht; Jameson Raid in Transvaal; Duitsland opent het Kiel-Kanaal; uitvinding van het röntgen-apparaat. 1896 keizer Wilhelm II en koningin Wilhelmina steunen president Krüger en Transvaal; militaire alliantie tussen Transvaal en Oranje Vrijstaat; Italië probeert te-vergeefs Ethiopië te veroveren. Onder Brits protectoraat wordt de Federatie van Maleisische Staten opgericht.

In Afrika worden nog enkele expedities uitgevoerd en opstanden neergeslagen. De 19e eeuw is haast ten einde en de verdeling van de wereld in invloedssferen is weldra voltooid. Concentreren we ons, op het laatste grote bedrijf van de 19e eeuw en op het brandpunt daarvan dat zich in Azië en met name in en rond China afspeelde.

De penetratie van Engelsen en Amerikanen in landen, overal ter wereld, die we de revue lieten passeren, is te verklaren uit een reeks van economische, politiek-strategische, ideologische en psychologische aandriften. Hoe zuiver die te traceren zijn, hoe een verwevenheid ook maar bij benadering te bepalen is, blijft moeilijk aan te geven en nog moeilijker te analyseren. Duidelijk is wel dat sinds het einde van het beperkte handels-kapitalistische verkeer overging in een fase van productie en groothandel van industriële producten enerzijds en de afname van grondstoffen anderzijds, de machts-economische drift naar landen die rijke grondstoffenbronnen vormden moeilijk terzijde gelaten kan worden: men denke aan de olie-producerende staten van het Midden-Oosten. Koeweit werd al vroeg door de Engelsen uit het Osmaanse verband los gemaakt; Nigeria en Congo waren steeds brandpunten waar de grote kapitalistische machten (staten en maatschappijen en hun geheime diensten) veel te doen hadden. Indonesië was, is en blijft een lastig te beheersen eilandenrijk dat de liberaal-kapitalistische machten voortdurend met zachte handschoen zullen aanpakken; al vermoordde men daar in 1965 nu een half of een heel miljoen communisten, al koelt men zijn woede van tijd tot tijd op de Chinese minderheid en brengt tientallen of honderden personen ter dood, al voert men van uit Jakarta een minderheidspolitiek die moord en doodslag, bij voorbeeld tussen christenen en moslims, eerder aanmoedigt dan tracht te onderdrukken, lang zal men er de Westerse machten nooit over horen, zo dit alles al enige reactie oproept. Pas eind 2001 werd bekend dat Washington in de annexatie van Oost-Timor door Indonesië bewilligde. De roep om het herstel of eerste toepassing van de mensenrechten, vindt hier pleitbezorgers in privé-organisaties, die met hun zwakke stemmen in de centra en fora van de wereldmachten nauwelijks hoorbaar zijn.

De rechtvaardige vuisten vochten tevergeefs

Psychologisch is het te verklaren dat vooral zeevarende naties telkens verder gelegen kusten zochten, zeker, gedreven door materieel gewin, maar ook door een natuurlijke drang die zich bij hen beter kon uiten dan in rijken die in belangrijke mate door landmassa's waren ingesloten. Het Russische rijk had zich rond 1630 reeds ver in Siberië weten uit te breiden via nauwelijks bewoonde gebieden, die afgezien van weinige rendierjagers en verzamelaars niet veel cultureel boeiends opleverden. Belangrijke grondstoffen-vondsten zouden echter bepaalde streken van Siberië later van gewicht maken. Als het ware geruisloos bereikten de Russen de Stille Oceaan waar zij stuitten op de rijken van Chinezen en Japanners. Rond 1648 kwam het tot een aantal bloedige gevechten met de Chinezen over het grondgebied boven de rivier de Amoer. De toen vastgestelde grens werd door Chinezen en Russen honderdvijftig jaar lang gerespecteerd. In 1800 bezetten de Russen het schiereiland Kamchatka; rond 1860 drongen zij door tot de Amoer en namen Vladivostok in, dat uitgebouwd werd tot hun grootste vlootbasis in het Verre Oosten. De Russische expansie in Midden-Azië speelde zich af in de tweede helft van de 19^e eeuw. Ook daar troffen zij zeer schaars bevolkte, voor een belangrijk deel niet makkelijk vruchtbaar te maken gebieden. Veel later (1956-1964) zou Chroestsjov pogingen doen het uitgestrekte Kazahtstan voor maïs-oogsten geschikt te maken.

De Chinezen hadden meer te bieden: alleen al door hun aantal (rond 1850 circa 430 miljoen) werd invloed in, al was het maar contact met China door de opdringende imperialistisch-kapitalistische machten, begeerd vanwege de grootste afzetmarkt ter wereld, die daar, geïsoleerd en zelfgenoegzaam te wachten lag. Rond 1900 kreeg China nog enkele slagen die de anarchie in het rijk versterkten en de val van de laatste keizer (in 1911) voorbereidden. Een kleine reeks machten stond gereed. Japan, dat sinds 1854 als zelfstandige machtsfactor het Aziatisch toneel betreden had, verklaarde het nog altijd aan Peking schatplichtige Korea onafhankelijk (1875) om twintig jaar later, een nog verzwakter China tegenover zich vindend, Korea te bezetten: daarop werd de Yalu overgetrokken en een deel van Manchurije in bezit genomen. De zwakke Chinese strijdkrachten waren voor de Japanners geen partij.

Het stijgende ressentiment van alles wat tegen buitenlandse inmenging was kwam in 1898 tot uitbarsting in de zogenaamde Boxer-opstand. Zogenoemd door buitenlanders, gaven de opstandigen zichzelf de fraaie naam: Genootschap van de Rechtvaardige en Eendrachtige Vuisten (Yihe Quai). Hun doel was alle vreemdelingen te verjagen waarbij zij zich inzetten met aanvallen op onder meer christelijke inrichtingen (zendingsposten) en op door Europeanen gecontroleerde spoorwegen in Noord-China, Manchurije en het gebied ten zuiden van Peking. De opstand zou tot 1901 duren, kreeg grote verbreiding en intensiteit en kostte naar schatting ruim 10 miljoen Chinezen het leven. Sommige leden van de manchu-familie kozen de zijde van de Boxers, zo niet de keizer die steun ontving van de garnizoenen en vloten die in de concessie-steden gelegen waren. In 1901 eindigde de oorlog in een vernederende vrede die te Peking werd getekend. China was als machtsfactor van betekenis uitgeschakeld, onderworpen aan meedogenloze economische en politieke exploitatie. In 1895 had het aan Japan Korea (dat nominaal zelfstandig werd) moeten afstaan, tevens Taiwan en de tussen Taiwan en Japan gelegen Ryukyu-eilanden. Heel China werd verdeeld in concessie-gebieden die vaak tot diep in het land werden geprojecteerd. Vier zuidelijke provincies en Hainan kwamen onder Franse invloed; de provincie Fukien (tegenover Taiwan) werd Japans concessie-gebied. Noordelijker werd een diepe strook vanaf de kustlijn Shanghai-Chinkiang, ongeveer 1350 kilometer landinwaarts tot Chungking de Britten als semikolonie toegewezen. De Duitsers kregen de provincie Shantung toegeschoven. Geheel Manchurije kwam in de Russische invloedssfeer. Aan Japan moesten tenslotte worden afgestaan de havenstad Port Arthur, het Liaotung-schiereiland en de eilandengroep de Pescadoren.

Bemoedigd door deze oogst aan oorlogsbuit was het niet moeilijk verder te grijpen. De Russen namen het aanvankelijk door Japan geclaimde Port Arthur in; Engelsen, Fransen en Duitsers eigenden zich ieder nog een belangrijke havenstad toe die zij pro forma "huurden". Ook Amerikaanse en Italiaanse troepen deden aan de inneming van kuststeden mee.

Japan dat het succes had geroken, bouwde in top-tempo verder aan zijn oorlogsvloot, sloot in 1902 een defensieverdrag met Engeland, wat rugdekking verschafte toen in 1904 de aanval tegen Rusland werd ingezet. De nederlaag van de Russen werd als zo schokkend ervaren, dat ze mede aanleiding werd tot de val van de tsarentroon. De Oost-Zee vloot, uitgevaren van de Baltische Zee naar de Zuid-Chinese Zee werd totaal vernietigd. Japans belang in Korea werd erkend (het werd dan ook in 1910 geannexeerd); de zuidelijke helft van het Russische eiland Sakhalin en de Chinese havensteden Port Arthur en Dairen en het schiereiland Liaotung kwamen in Japanse handen. Zuid-Manchurije werd Japans invloedsgebied, met uitgebreide rechten voor de "protector".

China, grote verliezer van de 19e eeuw

Al het gebeurde had inmiddels geleid tot de opkomst van twee belangrijke politieke bewegingen in China. Eén bleek van historisch belang: de Kuo Min Tang onder leiding van de Westers ingestelde, christelijke dr. Sun Yat Sen eiste afschaffing van de monarchie, een eind aan de buitenlandse heerschappij over en interventie in China. In 1912 maakte de Kuo Min Tang een einde aan de Manchu-heerschappij. De kind-keizer Pu Yi vluchtte naar Manchurije waar hij door de Japanners leider van een door hen beheerste marionettenstaat werd gemaakt. De nieuwe republiek kon haar leuzen: eenheid, vrede en democratie echter niet waar maken. Intern bleef China zwak, geplaagd door afscheidingen en activiteiten van krijgsheren die zich praktisch autonoom opstelden. Opnieuw had het veel geplaagde volk te lijden onder nauwelijks gedisciplineerde krijgsbenden, die het land afstroopten en in beslag namen wat van hun gading was. Bovendien had het land grote schulden, waren er enorme schaden en een groot aantal oorlogsslachtoffers.

Het aantal doden dat China had te betreuren, alleen al als gevolg van buitenlandse invallen, interventies en opstanden die daaruit voortvloeiden, ziet men bij verschillende schrijvers op onderscheiden manieren berekend maar reikt in de 19^e eeuw zeker tot 45 miljoen. Duidelijker spreken de min of meer vaststaande bevolkingscijfers. In 1850 had China circa 430 miljoen inwoners; in de tachtig jaar die volgden moeten zeker 100 miljoen kinderen geboren zijn (waarvan zeer velen heel jong zullen zijn gestorven). Het spreekt boekdelen dat het land in 1930 20 miljoen mensen minder telde dan in 1850. Om de ellende thuis te ontkomen emigreerden miljoenen naar ander Aziatische landen. China had een instabiele regering en een omvangrijke buitenlandse schuld. In 1915 al zag Yüan Shih-Kai, die Sun Yat Sen was opgevolgd, zich geplaatst voor vergaande eisen. Japans hegemonie over China werd uitgebreid, Shantung, Manchurije en Binnen-Moncholië werden onder Japanse controle gebracht. In 1916 stierf Yüang en werd het duidelijk dat de enige reële autoriteit die in China overbleef die van de krijgsheren en hun legers in de provincie was. Ofschoon Chiang Kai-Shek er tussen 1928 en 1937 in slaagde na verschillende gevechten zijn autoriteit over grote delen van het land min of meer te herstellen, bleven sommige krijgsheren praktisch heersers van bepaalde gebieden, voornamelijk in het westen van het land. Deze toestand duurde tot laat in de jaren '40. De nationalistische republiek die Kanton tot hoofdstad had gekozen kwam tot een, voortdurend twijfelachtige, alliantie met de communistische partij. Een "noordelijke expeditie" vanuit Kanton leidde in 1927 tot de herovering van Nanking en Shanghai. Chiang keerde zich daarop tegen de communisten: een bloedige zuivering kostte duizenden doden; in 1928 werd Peking heroverd. Vele provincies bleven echter in handen van plaatselijke krijgsheren. Ook de Japanse dreiging bleef constant merkbaar. In 1937 zette Japan de aanval in en bezette Nanking. Chiang, die de communisten uit hun basis in het zuiden (Kiangsi) had opgejaagd was genoopt met de interne tegenstanders die zich na de "lange mars" over circa 10 duizend kilometer onder leiding van Mao Zedong in het noorden hadden hergegroepeerd, te accommoderen. Maar tot een goede coördinatie kwam het nooit, ondanks de aanwezigheid van de bekwame en tactische Zou Enlai, in de nationalistische hoofdstad. Intussen was in 1938 het grootste deel van noord en centraal China al in Japanse handen en beheersten zij de voornaamste kusthavens en industriesteden. Niettemin slaagden de Japanners er niet in de Chinese weerstand te breken, waarop zij tot terreur overgingen. In Nanking richtten de Japanners een bloedbad aan; de slachtoffers onder de Chinezen geven onderscheiden bronnen aan als liggend tussen 200 en 400 duizend. Het was een zegen voor de Chinezen dat de Tweede Wereldoorlog uitbrak: vanaf 1940 ontvingen ze Britse en Amerikaanse wapens door de lucht en via de befaamde Burma-weg. Na de Japanse aanval op Pearl Harbor (december 1941) werd de steun krachtiger. Hoewel buiten machte de Japanners beslissende nederlagen toe te brengen, hielden Chinese eenheden Japanse legers ter sterkte van 2.000.000 man vast. Precies zoals de Duitsers in de Sovjet-Unie, hadden de Japanners de enorme afstanden voor hun logistiek onderschat, zo ook de kwetsbaarheid tegenover een guerrilla-oorlog. Het vervolg veronderstellen we als bekend. In 1945 behoorde Chiang tot de overwinnaars, was echter geen partij voor de goed gedisciplineerde en ideologisch gemotiveerde communisten, en moest in 1949 met de rest van zijn troepen (en ontelbare museumschatten) zijn toevlucht nemen op Taiwan. Vanaf 1912 tot 1977 voeren de genoemde atlassen Tibet op als "onder Engelse invloedssfeer".

Wie het geheel overziet en op zich in laat werken - wij beperkten ons sterk tot het Britse imperialisme, waarbij het kolonialisme van Fransen, Spanjaarden, Portugezen, Nederlanders en Noord-Amerikanen slechts zijdelings aan de orde kwam - vraagt zich af wie ooit zou kunnen becijferen hoeveel doden zijn gevallen alleen al ten gevolge van de talrijke oorlogen, onderwerpings-expedities, enz. van het Britse rijk. Het heeft iets van een dubbele moraal te moeten vaststellen dat een dergelijke cijfermatige benadering ontbreekt, terwijl in de 20^e eeuw meerdere berekeningen voorliggen waarin ijverig wordt vastgesteld hoeveel slachtoffers Hitler, Stalin, of Mao maakte.

Geen einde, maar een "continuing story"

Wel verre van het einde van de geschiedenis en de geboorte van een laatste mensentype, beleven wij in de aanvang van de 21ste eeuw de voortdurende botsing van beschavingstypes. Het globaler wordend kapitalistisch wereldsysteem dat wij vanuit de koloniale expansie in de 19e eeuw zich hebben zien ontplooien, heeft enerzijds gewonnen aan macht, maar is anderzijds zoveel kwetsbaarder geworden. De leidende macht van het stelsel loopt voor het eerst in de geschiedenis gevaar tot in zijn militaire, bestuurlijke en financieel-economische hoofdsteden getroffen te worden. Het tijdperk van expansie met geweld in Azië, Afrika en Zuid-Amerika loopt ten einde. Niet langer vermogen kleine troepenmachten empires in bedwang te houden. Kan men kleinere landen wellicht nog tijdelijk bezetten, de internationale rechtvaardiging en idem troepenmacht die dit vereist, vormt een wankele en niet lang houdbare basis. De sterkste financiële macht ter wereld kan oorlogen in verre werelddelen niet meer aan. Hierbij speelt niet zozeer het algemene morele aspect een rol - schrijvers als Fukuyama en Kaplan zien het morele aspect van de menselijke verhoudingen beperkt tot de kleine niet-statelijke gemeenschappen - louter financieel wordt het ook de V.S. teveel de zeer zware lasten te dragen die moderne technologische oorlogen met zich brengen. Niet alleen in Vietnam, maar ook tijdens de Golf-oorlog wierp de Verenigde Staten zoveel van haar strijdmacht in het gevecht dat de grenzen van de eigen militaire conceptie overschreden werden: voor oorlogen in andere gebieden, die tegelijkertijd zouden moeten worden gevoerd, bleef - met name wat de luchtmacht betreft - niet genoeg aan strijdmiddelen meer voorhanden. In de Golf-oorlog moesten de bondgenoten duchtig meebetalen, en de coalitievorming aanvang 21ste eeuw wijst erop dat én in goederen én in geld in de oorlog tegen de terreur duidelijk tribuut voldaan moet worden. Eigen manschappen kan men sparen, maar dit resulteert steeds in toestanden, waarbij niet door gewapende interventiemachten gescheiden bevolkingsgroepen, elkaar spoedig weer naar het leven zullen staan.

Begrenzing van de beschavingskringen; het kapitalisme in het geding

Intussen voegt iemand als Huntington Europa en de Verenigde Staten te vanzelfsprekend als één "beschavingskring" tesamen. Dit is een vanuit Washington gevoed wensbeeld. De volkeren van Europa vertonen eigen denkwijzen en eigen culturen. Het kost mensen in een continent als het Noord-Amerikaanse vaak moeite het zich in te denken dat men hier, in het oude werelddeel als regel slechts weinige honderden kilometers hoeft te reizen en zich in een duidelijk verschillende culturele omgeving bevindt. Het behoort tot de kern van de Europese cultuur dit als een positief gegeven te beschouwen. Als een stad als Chartres - waar ik enkele jaren woonde - ineens bewoond zou blijken door stel 30% Engelsen, 20% Nederlanders, 10% Afrikanen en nog 40% Fransen, zouden velen dit ook en juist in het zich verenigende Europa. als een existentieel verlies ondervinden. Die stad zou niet meer staan voor Frankrijk, het Frankrijk waarvan wij houden, zoals het door vele eeuwen heen in heel haar eigenheid gegroeid is. In Europa koesteren wij sterk het gevoel dat we er bepaald geen multi-culti smeltpot van moeten maken, zo dit al mogelijk zou zijn. Rusland, China, Japan, de "natie der Islam", zullen hun eigenheid trouw blijven. Heel Latijns-Amerika zal - eindelijk - de Indios integreren en hun rechtmatige plaats geven, toegroeien naar een eigenstandig herstel als beschavingsgebied. Wrijvingen, ook botsingen - Huntington spreekt van "clashes" - zullen niet uitblijven. Het nieuwe Europa heeft voor de nieuwe eeuw een boodschap. Wij zagen Helmut Schmidt een felle aanval doen op het "roofdier kapitalisme" en de opmars van een leeg, consumentisme en hedoïsme.(hoofdstuk 17). Menige andere stem voegt zich daarbij. Ik wijs hier alleen op Marion Gräfin Dönhoff: de titel van *haar Ziviliziert den Kapitalismus, Grenzen der Freiheit* duidt reeds een program aan.

Alle propaganda voor de vrije wereldmarkt, in goederen, kapitaal en personen is in hoge mate bedriegelijk en hypocriet. Het protectionisme van de rijke landen is stuitend. Zou Brazilië bij voorbeeld haar vruchtensap zonder heffingen in de V.S. en de E.U., kunnen importeren dan zou haar handelsbalans direct positief uitslaan. Washington eist van de wereld volledige liberalisatie, maar werpt tezelfdertijd de gemeenste handelsbarrières op tegen producten van de Derde Wereld. Zo gaat het met suiker, soja, alcohol, vlees, aldus de Braziliaanse president Fernando Henrique Cardoso op de WTO-vergadering te Quatar. Wil Brazilië haar oploskoffie afzetten in Europa, dan moet het 9% invoerrechten betalen. Landen als Duitsland en Italië kopen de koffie uit de Derde Wereld voor 1 US dollar per kilo en verkopen de verwerkte koffie de wereld over voor 12 US dollar per kilo. Voorbeelden als deze laten zich vermenigvuldigen. Wil de oorlog der beschavingen niet oneindig voortduren, dan liggen hier de primaire opdrachten tot civilisatie van het kapitalisme voor het grijpen.

Afghanistan; de oude antagonisten, Rusland en de V.S. te bar?

De praktijk van de geschiedenis leert dat men macht tegenover macht moet stellen. De aanvang van de 21ste eeuw bewijst dat gekwelde volken en beschavingen deze macht ook zullen zoeken door het uitoefenen van terreur, hetgeen goed beschouwd geen nieuws is.
De opleiding voor, de methodes van en de technologieën waarmee terreur wordt uitgeoefend, moge in 2001 schokkend hebben gewerkt. Toch was dit voornamelijk het geval omdat de symbolen van de V.S. als wereldmacht effectief getroffen werden. De wijze waarop koloniale machten hun "inheemse" volkeren terroriseerden, hoe in de Sovjet-Unie en Oost-Europa onder Stalin een massale terreur de burgerbevolking trof, de wijze waarop

in 1944-'45 Duitse steden en miljoenen vluchtelingen bewust werden ge-terroriseerd, waren niet minder schokkend. Al in de 19e eeuw beantwoordden Afghanen invasiemachten met zelfmoordterreur; de reeds een halve eeuw tegen de Palestijnen gevoerde terreur schreit ten hemel en moeilijk anders kon verwacht worden dan de gevolgen die zij eind 20ste eeuw opriep. Wij vergeten echter snel, bovendien is ons geheugen selectief en het de hele we-reld over direct zichtbare maakt de meeste indruk.

In de tweede helft van de 20ste eeuw werd bijna overal de imperiale rol van de Britten door de Noord-Amerikanen overgenomen. In de ring van tegen de Sovjet-Unie gekeerde bondgenootschappen die van de NATO tot de SEATO (South East Asia Treaty Organization) reikten, nam de centrale ver-dragsorganisatie (CENTO), die Turkije tot en met Pakistan omvatte, de schakelpositie in. Afghanistan bleef in de jaren van de Koude Oorlog lan-ge tijd een min of meer neutraal, maar niettemin "koud" omstreden gebied. Waren de Britten in de eerste Afghaanse oorlog (1839-1842) verslagen, in de tweede 1878-1880 hadden zij meer succes: zij konden het land enkele gebieden ontnemen en supervisie verkrijgen over zijn buitenlandse betrek-kingen. Niemand moet verrast zijn dat toen de zogenaamde *Durandlijn* die nog heden de grens tussen Afghanistan en Pakistan vormt, werd vastge-steld. Het gebied van de Pathanen werd zo radicaal in tweeën gesneden. Het imperialistisch kolonialisme zorgde voor tal van vergelijkbare situaties op de wereldkaart.

Gedurende de derde Afghaanse oorlog (1919) slaagde koning Amanulla Khan (1919-1929) erin zich aan de Britse invloed te onttrekken. Een fami-lielid van hem regeerde tot 1978. De tussenliggende periode verliep alles-behalve vreedzaam: coups en tegencoups ontbraken niet, steeds met stam-mentegenstellingen op de voorgrond en buitenlandse invloeden op de ach-tergrond. In de jaren zestig ontstond een informele oost-west verlopende "demarcatielijn" door het land. De V.S. nam het zuiden voor haar rekening. Afdelingen van het Peace Corps en andere helpers (niet zelden deel uit-makend van geheime diensten) ontwikkelden daar vooral de infrastructuur. Het noorden met de hoofdstad Kabul werd aan Sovjet "ontwikkelaars" over-gelaten. In 1978 werd koning Daud Khan afgezet door dezelfde officieren die hem op de troon hadden geholpen. Dit maal gaven zij de macht - voor zover die althans reikte - in handen van de Afghaanse communisten.

Het zou te ver gaan heel het ingewikkelde krachtenveld van politieke, re-ligieuze en etnische twisten dat steeds wisselingen vertoonde, te beschrij-ven. Duidelijk zijn de hoofdzaken: zowel de V.S. als de USSR, maar ook Pakistan, speelden voortdurend belangrijke rollen bij het beïnvloeden van de onderscheiden stammen en religieuze groepen. Ook deden, wat meer ge-distantieerd, landen als Saoudi-Arabië, Iran en Egypte hun invloed gelden. Daud liet bijvoorbeeld 's lands juristen vormen aan de Al-Azhar universi-teit in Cairo; de burgerlijke elite liet zijn zonen overwegend in het Westen opleiden; een deel van Kabuls toekomstige heersers studeerden in de Sovjet-Unie; de in opleiding zijnde officieren zeer overwegend. Zo werd gepoogd een zeker intern evenwicht tot stand te brengen. Dit evenwicht was precies als 150 jaar eerder uiterst labiel. Niet alleen stonden etnisch en religieus zeer onderscheiden groepen, die vanouds gewend waren met hun wapens als het ware naar bed te gaan, om louter interne redenen al tegenover elkaar, de externe invloeden lieten zich niet minder gelden. De in 1978 aan het bewind gekomen communisten kregen, in het kader van de Koude Oorlog, royale wapensteun van Moskou. Een reeks van onderling vijandige, maar anti-communistische krachten werd via Pakistan bewapend door de V.S.. De situatie van de regering in Kabul werd kritieker: zij moest het hoofd bieden aan Pathanen die hun autonomie en/of aansluiting bij Pakistan wensten aan Perzisch sprekende Hazara's en Tadzjiken, Turks sprekende Oezbeken en Turkomanen. De regering bestond uit twee communistische facties met ieder een eigen etnische achtergrond, respectievelijk Pathanen van het platteland en een Perzisch sprekende stadse nieuwe elite, maar met dezelfde Sunnitische achtergrond. (95% van 99% Afghanen is Sunnit).

De Sovjets zagen de toenemende verwarring in Kabul en de sterke groei van de weerstand tegen de regering met toenemende zorg en installeerden in 1979 Babrak Karmal leider van de Perzisch sprekende stedelijke Parcham (is bannier-communisten) als regeringsleider. Dit werkte verenigend op de oppositiegroepen die met verschillend geaarde islamisten aan het hoofd het opnamen tegen Kabul en de Sovjets die met een legermacht ter sterkte van 100.000 man Kabul te hulp kwam. Meer dan 3 miljoen Afghanen vluchtten naar Pakistan; 1.5 miljoen naar Iran. Vooral in Pakistan zouden de strijdkrachten van de zuidelijken worden getraind en overvloedig van Amerikaanse wapens voorzien; deze wapenleveranties beliepen honderden miljoenen dollars per jaar met maxima van circa 600 miljoen in 1985 en later.

Wat bewoog de Sovjets tot een ingrijpen – onder andere met massale bombardementen - dat op een tweede Vietnamoorlog ging lijken? De groei van de islamistische groepen in Afghanistan, die hun invloed in Tazjikistan waar reeds een islamistische guerrilla bestond, en in de verder westelijk gelegen midden-Aziatische republieken trachtten uit te breiden, speelde ongetwijfeld een rol. Anderzijds: het geopolitieke motief dat al tot drie Engels-Afghaanse oorlogen had geleid, stond centraal. Het Russische rijk, al 150 jaar eerder ervan verdacht tot de Indische Oceaan te willen doordringen, werd daar ook nu op aangezien. Toen de Sovjet-Unie uiteenviel en al enkele jaren daarvoor zijn troepen uit Afghanistan had teruggetrokken, kon een ander zeer concreet motief aan kracht winnen. Via Afghanistan zouden westerse oliemaatschappijen gas en olie uit de ex-Aziatische Sovjet-republieken kunnen betrekken. De zo nog verder verslapte band met Moskou zou met het ondergraven van de Russische invloed in de Kaukasus-republieken de Koude Oorlog definitief in het voordeel van de V.S. beslissen. Een andere factor dreef de oude antagonisten toch weer tot elkaar. Met Afghanistan als basis van een wereldwijd opererende terroristisch-islamitische macht konden Washington noch Moskou vrede hebben; de extreme bereidheid tot vechten van alle Afghaanse stammen, die reeds honderden jaren berucht was, liet inzien dat het niet geraden is te proberen het land met buitenlandse legers te beheersen.
De nieuwe band met Rusland als bondgenoot tegen de terreur kan voor een

gewijzigde plaats van Europa in het internationaal krachtenveld zorgen. Daarbij zal Duitsland in zijn leidende rol van de best met Oost-Europa en Rusland corresponderende macht, de centrale plaats innemen. Aan het begin van de 21ste eeuw is dit nog een speculatie. Veel hangt af van de vraag of het verenigde Europa eigen concepties zal weten te ontwikkelen, die afstand nemen van het louter geopolitieke machtsspel.

Voor dit hoofdstuk is gebruik gemaakt van de volgende werken:

Denis Judd, *Empire; the British Imperial Experience from 1765 to the Present*, Londen, 1996
The Oxford History of the British Empire, 3 vol.: *The Origins of Empire;* ed. Nicholas Canny, Oxford/New York, 1998
V.G. Kiernan, *Colonial Empires and Armies 1815-1960*, Guernsey, Channel Islands, 1998
Ian Barns and Robert Hudson, *Historical Atlas of Asia*, New York, 1998.
Marion Gräfin Dönhoff, *Zivilisiert den Kapitalismus, Grenzen der Freiheit*, Stuttgart, 1997.

Hoofdstuk 23

DE CULTURELE REVOLUTIE: DETROIT, PARIJS, PEKING

In de jaren '60 en '70 van de 20ste eeuw kwamen in verschillende werelddelen drie bewegingen op gang, die op het eerste gezicht misschien niet zoveel met elkaar te maken hadden, maar die door allerlei verbanden toch wereldwijde invloed kregen op de processen van sociale verandering. Ik doel op het verzet tegen de bestaande orde in de Verenigde Staten, de acties voor burgerrechten van de zwarten, die tegen de oorlog in Vietnam, tegen de nucleaire bewapening en de algemene roep om zuivering van de publieke moraal na het Watergate-schandaal. In Europa brak in Parijs, als een studentenverzet tegenover autoritaire universiteiten, een algemene reactie los van alles wat zich keerde tegen versteende machtsstructuren. In China woedde de Grote Proletarische Culturele Revolutie (GPCR) die door sommigen heden geheel los gezien wordt van de twee andere "revoluties", want geregisseerd van bovenaf en "gebruikt door Mao", maar die intussen toch veel te maken had met de eerst genoemden, wat alleen 30 jaar laten vooral door personen die in Europa maatschappelijk en politiek gestegen waren, liever werd vergeten en daarom ook weinig of nooit meer in de publiciteit naar voren gebracht.

Dit alles is niet zonder meer evident. Het schijnt bij voorbeeld tot Fukuyama al niet te zijn doorgedrongen welke verbanden er in de Verenigde Staten zelf merkbaar werden. Letterlijk schrijft hij: "dat Amerikaanse schrijvers de afname van het algemene respect voor autoriteiten vaak toeschrijven aan nationale ervaringen als de Vietnam-oorlog of het Watergate-schandaal" ... "ofschoon dit *misschien tot op zekere hoogte waar is* (mijn curs. TK) wordt die verklaring minder waarschijnlijk daar respect voor autoriteit in vrijwel alle ontwikkelde landen is afgenomen."[1] Men spert zijn ogen wijd open, om te constateren dat het er echt staat en realiseert zich - voor de hoeveelste maal? - dat in de Verenigde Staten personen als top-sociale wetenschappers op het schild worden geheven die de meest evidente samenhangen ontgaan of er zich voor afsluiten.

Het lijkt of al wat politiek relevant was en zich in die jaren zestig en zeventig over de hele wereld verspreidde, met de snelheid en directheid van het nieuwe medium: de televisie, anno 2000 vergeten is. Uiteraard speelt de weerzin van velen die nu macht hebben tegenover wat zich toen zo ostentatief roerde, een belangrijke rol. Fukuyama cum suis zien pas een positieve wending in de Verenigde Staten als gedurende de regeringsperiode van Reagan en Bush sr. weer een wending naar de oude moraal en de oude "law and order" zich voltrekken. Toch waren ze er wel degelijk in menigten, de studenten-activisten van de New Left (een naam geleend uit Groot-Brittannië die overigens ook in de rest van Europa zou worden toegepast). Allereerst sloeg die aanduiding op die jongeren in de V.S. die vonden dat alles anders moest. Zij vormden de motor van de eerste demonstraties tegen de nucleaire bewapening; zij stichtten de SDS (Students for a Democratic Society) - aansluitend bij de New Deal en sociaal-democratische tradities; zij hamerden op directe democratie, op inspraak die weliswaar in bijeenkomsten op de campus werd beoefend, maar geen maatschappelijk en politiek gevolg kreeg; zij steunden massaal de zwarten in het zuiden met hun acties daar ter plaatse. Het was een in zoveel opzichten bewogen tijd dat men moeite heeft de "verdichting" die toen plaats had, te beschrijven. In 1961 mislukte een invasie op Cuba; de Amerikaanse luchtmacht slaagde er niet in haar beslissend gewicht in de schaal te leggen. In het jaar daarop volgde (oktober 1962) de Cubaanse raketten-crisis. Kennedy en Chroestsjov hanteerden die voorzichtig: een verstandig compromis kwam in korte tijd tot stand. De Sovjets haalden hun raketten van Cuba terug en verwijderden ook hun daar gestationeerde bommenwerpers; de Amerikanen zegden toe niet opnieuw een invasie op Cuba te plegen en haalden hun vijftien in Turkije opgestelde Jupiter-raketten terug. Heel rechts in de Verenigde Staten, grote sectoren van het leger en de geheime diensten hebben de beslissingen die Kennedy hier, *tegen hun advies in en geheel op eigen gezag* nam, nooit vergeven; vermoedelijk kostte deze overeenkomst hem het leven. Positieve resultaten waren ook een serie overeenkomsten ter beperking van de bewapeningsrace, het beperkte Test Ban Verdrag van 1963 en het installeren van een hotline tussen het Witte Huis en het Kremlin.

Zoals veel uit die tijd wordt eind van de eeuw dit alles, vooral door de Republikeinen, liefst nooit meer genoemd. Zo er al aan gerefereerd wordt, komt Kennedy als grote overwinnaar te voorschijn. Het weghalen van de raketten uit Turkije wordt reeds decennia lang in de publiciteit liefst verzwegen of, indien onvermijdbaar, vermeld als het verwijderen van toch al verouderde wapens. Het is essentieel voor een vrije meningsvorming dat intransigente voorlichters het hoofd bieden aan de talrijke pogingen tot manipulatie en ook bij de vanuit de machtscentra beïnvloede geschiedschrijving weerstand bieden.

Inmiddels rukte wat aanvankelijk de "kwestie Vietnam" heette in het middelpunt.[2] Zoals de publieke opinie over de Cuba-crisis op manipulatieve wijze werd bespeeld, gebeurde dit ook, zij het met de passende varianten, in de Vietnam-crisis. De V.S. had zich al vanaf 1954 - jaar van de Franse terugtocht - sterk in de ontwikkeling aldaar gemengd. September 1960 besloot de leiding van Noord-Vietnam de "oorlog van nationale bevrijding" in het zuiden sterker te gaan steunen en het eigen leger en de militie tenslotte totaal in de strijd te werpen. De Verenigde Staten provoceerden met hun vloot in 1964 in de Golf van Tonking een confrontatie die leidde tot jarenlange steeds opgevoerde bombardementen (1965-1968) en een opvoeren van de sterkte van hun landmacht in het zuiden die tenslotte 550.000 man omvatte; bij het terugtrekken van Washington uit de directe strijd (1973) hadden meer dan 3 miljoen Amerikaanse militairen in Vietnam gediend. Hun ervaringen vormden mede het wereldbeeld van een gehele generatie jongeren en leidde tot een diepgaande ontwrichting van het moreel der natie. Alom vonden bittere disputen plaats over het al dan niet doorzetten van de oorlog en hevige en massale anti-oorlogsdemonstraties. De laatsten mengden zich met acties voor het doorzetten van de al door John Kennedy op stapel gezette wetgeving op de burgerrechten en vooral op de omzetting in de praktijk daarvan. Rondreizend in het zuiden maakte ik het mee dat blanke jongeren permanent achter in interlokale en interstatelijke bussen plaatsnamen. De bedoeling was zwarten te nopen voorin plaats te nemen wat hen niet gedwongen door enige wet of reglement maar onder sociale druk, steeds "verboden" was geweest. Pleegden de blanke zuiderlingen verzet tegen de acties, dan werden de actievoerders steeds meer door statelijke of federale troepen beschermd. Reeds gebeurtenissen als deze hebben de autoriteit van alles wat in grote delen van het land in hoogheid gezeten was, diep ondergraven.

Vele jongeren trachtten zich aan de uitzending naar Vietnam te onttrekken, door zich aan te melden bij de Nationale Reserve of te vluchten naar het buitenland. Op deze wijze werden ook de berichten over de opstand van een belangrijk deel van de Amerikaanse jeugd in de landen van West-Europa verbreid en verwerkt en droegen zij brandstof aan voor een mengsel van revolutionaire sentimenten die in 1968 tot ontploffing zouden komen. Het ging om de aanvang van een proces dat nog ver in de volgende decennia zou doorwerken.

Terugdenkend aan de Nederlandse reacties op "Vietnam", realiseer ik mij dat hier en ook wel elders in Europa heel de anti-Vietnam agitatie en de erop volgende anti-kernwapenacties werden overschat. Hun omvang en de publiciteit die zij oogstten namen inderdaad sterk toe. In 1963 namen menigten van rond 100.000 personen eraan deel november 1969 werden demonstraties met ongeveer 500.000 personen geteld. Het is door menige commentator, ik herinner mij met name artikelen in de kerkelijke pers - als een beslissende factor gezien die indirect leidde tot beëindiging van de deelname van de U.S.A. aan de oorlog. Toch moet daar sterk aan worden getwijfeld. De publieke opinie in de V.S. bleef in meerderheid de oorlog voortdurend ondersteunen, zolang uiteindelijk succes kon worden verwacht. Ook het feit dat Nixon kerst 1972, ondanks alle protesten, Hanoi nog liet bombarderen met de zwaarste bombardementen ooit ter wereld uitgevoerd, wijst niet op een beslissende invloed van de Vredesbeweging. Juist die bombardementen waarin een - zuiver militair gezien - onverantwoord groot deel van de Amerikaanse luchtmacht werd ingezet, die aanzienlijke verliezen leed, leidde ertoe dat Washington in feite zijn militair verlies moest toegeven, wat de bitterheid die de Cuba-crisis al had gebracht nog onnoemelijk dieper maakte. De geheime bombardementen op Cambodia (hoofdzakelijk vanaf Thaise bases), de invasie van dat land door Zuid-Vietnamese troepen (april 1970) en ook van Laos (begin 1971) zij alleen terzijde vermeld. Men had gedaan wat men kon, het zuiden ook rijkelijk met wapens en geld toebedeeld, niets had geholpen. In 1973 werden de Amerikaanse strijdkrachten teruggetrokken; alleen "adviseurs" in burger bleven achter. 30 april 1975 viel Saigon. Een nieuw hoofdstuk in de politiek-militaire geschiedenis was begonnen. Het was evident: als aan een aantal randvoorwaarden is voldaan: onder meer een geschikt terrein, een toerusting met geavanceerde wapens en de bekwaamheid deze te hanteren, is een betrekkelijk kleine natie in staat een hegemoniale macht te verslaan, mits heel het volk doortrokken is van een gestaalde wil tot ultieme inzet.

Het Watergate-schandaal gaf een nieuwe klap aan het Amerikaanse zelfbewustzijn. De inbraak in het gelijknamige gebouw van de Democratische Partij door Republikeinse "loodgieters" (juni 1972) en al wat daar verder bij aan het daglicht kwam, leidde augustus 1974 tot het aftreden van president Richard Nixon.[3] Precies als "Vietnam", leidde dit omvangrijke schandaal tot een verandering in de verhouding tussen de massa-media en de regering. De media voelden zich te zeer gemanipuleerd en te veel bedrogen. Een harder, sceptischer vorm van journalistiek was geboren. Uiteraard toonde de publieke opinie zich ook kritischer tegenover de macht en haar dragers. Men overschatte dit overigens weer niet: kwaliteitskranten en hoogwaardige tv uitzendingen bereiken maar betrekkelijk weinig burgers. In de Amerikaanse "provincie" wordt men overspoeld door de plaatslelijke pers en tv stations die vrijwel uitsluitend soap, pulp en locale sensatie brengen.

De rol van het feminisme

De New-Left beweging in de V.S. had haar organisatorische aanvang in *de Port Huron Statement of Students for a Democratic Society* (1962). Port Huron ligt dichtbij Detroit, vandaar de idee dat het daar in het verre noorden allemaal begon. In feite vertoonde de "culturele revolutie" in de V.S. een veel grotere spreiding dan in Frankrijk en China, waar Parijs en Peking dé middelpunten werden. In de V.S. bleven de campus-acties in hoge mate de hoofdrol spelen, waarbij het vaak tot complete veldslagen kwam. In Detroit zorgde de crisis in de auto-industrie (veel, vooral zwarte werklozen) en het cultureel vrijzinnige klimaat voor de stad (o.a. Centrum van Rock and Roll) voor sterke sociale en culturele elementen. Vanaf het begin speelden studentes in de acties een grote rol: het einde van de raciale segregatie, het einde van de Koude Oorlog, nucleaire ontwapening, universitaire hervormingen, directe participatie in de beslissingsprocessen die diep in het leven van mensen ingrijpen, het sprak zo mogelijk nog meer vrouwen aan dan mannen. De eersten voelden zich in vele opzichten gediscrimineerd. In zekere zin waren ook zij een gesegregeerde groep, werden nog minder bij beslissingen betrokken dan mannen, hadden zij slechtere arbeidsvoorwaarden, minder kansen tot stijging op de maatschappelijke ladder. In het proces van al de genoemde acties ontdekten zij steeds eer: het waren meisjes en vrouwen van wie ook door de progressieve mannelijke studenten verwacht werd dat zij niet als eersten hun mond open deden, maar wel vooraan stonden bij het maken van posters en spandoeken, het zorgen voor de inwendige mens en andere hulpdiensten. Dit alles fermenteerde het vrouwelijk verzet en leidde tot de grootste feministische golf die de wereld in de 20ste eeuw beleefd had. Wat Nederland betreft denke men aan de oprichting van Man Vrouw Maatschappij, de Dolle Mina's, de Rooie Vrouwen, enz.

Het herleven van het feminisme manifesteerde zich in twee stromen die elkaar overigens niet uitsloten. Allereerst ging het om vrouwenrechten, in de V.S. "liberal feminism" genoemd: de gelijkstelling in rechten en plichten, in beloning en kansen, in de brede stroom van het dagelijkse leven. Dit alles te bereiken door wetgeving, rationele voorlichting en het aanvatten van praktische hervormingen.

De stroming die zich richtte op bevrijding (women's liberation) kwam primair op onder jonge vrouwen in de New-Left beweging, die ook daar geconfronteerd werden met resten van patriarchale structuren. Hier werd een radicaal streven geboren, gericht op autonomie van eigen leven en lichaam, vrijheid en gelijkberechtiging ook voor lesbische relaties, uitmondend in - niet overal, maar bij voorbeeld wel in Nederland - het ijveren voor erkenning van de prostitutie als beroep. Een grote naam in die tijd had Kate Millet[4] die het feminisme vóór alles zag als deel van de politieke emancipatiestrijd tegen de onderdrukking van de vrouw over de gehele linie. De beweging kreeg wereldwijd bijval wat resulteerde in drie wereldconferenties onder auspiciën van de Verenigde Naties in Mexico-City (1975), Kopenhagen (1980) en Nariobi (1985). Hierbij deed zich een nieuw politiek verschijnsel voor dat kenmerkend zou worden voor de wijze waarop bewegingen die de democratie versterkt, uitgebreid en meer direct uitgeoefend wilden zien, in de tweede helft van de 20ste eeuw gingen opereren. Alle officiële conferenties met leden aangewezen door de regeringen, werden vergezeld door niet-gouvernementele forums, die vrouwen uit de gehele wereld gelegenheid gaven los van politieke bindingen, contact met elkaar te maken. Deze forums werden het voorbeeld voor de parallelle conferenties die in het vervolg regeringsconferenties over het wereldmilieu, de wereldhandel, enz. zouden begeleiden.

Een van de belangrijkste aspecten in deze beweging was dat vele vrouwen uit de Derde Wereld gingen deelnemen. Vaak voor de eerste maal stelden zij zich autonoom op en brachten naar voren hoe in de niet-Westerse wereld in meerdere landen het doden van vrouwen, diepe armoede, zware kinderarbeid, seksuele kwellingen, en gebrek aan geboorte beperkende middelen, nog tot de dagelijkse praktijk behoorden. Het waren vooral de parallelle bijeenkomsten die een globaal praktisch feminisme in het leven riepen. Massaal werden hier vrouwen gesterkt en beter bewerktuigd voor hun streven. Aan de conferentie in Nairobi namen 15.000 vrouwen deel; waarvan tenminste 50% uit de Derde Wereld.

De Franse "revolutie"

Hoe verschillend spelers en omstandigheden ook in Europa waren, de gebeurtenissen in en rond de Amerikaanse politiek werden in brede kring gevolgd. Vooral de Vietnam-politiek en de nucleaire bewapening brachten nagenoeg overal grote volksmassa's tot protest. Daarbij leidde een algemeen onbehagen, bij na de Tweede Wereldoorlog geborenen, tot parallelle verschijnselen in meerdere landen. De na-oorlogse maatschappij mag niet geheel met die van voor 1940 vereenzelvigd worden, klasse- en standsverschillen waren wat meer op de achtergrond gekomen; de verhoudingen werden wat minder autoritair. Het betrof echter geen beslissende verschijnselen. In Nederland en elders kwam het oude gamma aan partijen, met hun leiders, weer aan de macht. De afstand tussen gezaghebbers en geregeerden, opvoeders en leraren ener- en jeugd en leerlingen anderzijds, bleef nog aanzienlijk. Ik herinner mij een scène uit mijn laatste schooljaar (1946). De rector kwam de klas binnen en begon een toespraak vol van waarschuwingen aan hen die het zouden wagen naar een bijeenkomst te gaan waarvoor bij de school pamfletten waren uitgedeeld. Wie dat zou doen, moest goed beseffen dat hij wel grondig aan de tand gevoeld zou worden bij overhoringen. Het was proefwerktijd, dus een leerling die zijn werk serieus nam zou er geen tijd kunnen afnemen. Een ieder werd sterk afgeraden naar die bijeenkomst te gaan. Ik stak mijn vinger op en vroeg het woord. Al na de eerste zin werd ik bars in de rede gevallen. Toen zei ik beslist en krachtig: "mag ik misschien even uitspreken?". Heel de klas verstarde en het was een aantal seconden alsof iedereen de adem inhield. Toen klonk het "je mag uitspreken". (Het bleek achteraf dat de bijeenkomst waar het om ging belegd was door het Algemeen Jeugdverbond, dat zich zou ontpoppen als de jongeren-organisatie van de CPN.) Enkele jaren later moest ik een tentamen politicologie doen. Na afloop gaf de hoogleraar mij een 7, en ik meende dat ik iets met hem zou kunnen bespreken. Een mede-student die ik bewonderde om zijn inzicht in de samenhangen in de politiek, was gezakt op enkele foute antwoorden op een paar vrij onnozele, louter feiten betreffende, vragen. Voorzichtig bracht ik de zaak naar voren en vroeg of niet meer ook op de kennis van die samenhangen geëxamineerd zou kunnen worden. Ik hoopte op althans een gesprekje hierover. Het antwoord echter luidde ijskoud: "meneer, een hoogleraar kan dat wel beoordelen".

In Frankrijk waren de verhoudingen niet minder star en autoritair. De jongeren hadden het gevoel: wat ze aan de andere kant van de Oceaan kunnen, kunnen wij ook. Studentenonlusten hadden in verschillende landen weliswaar diverse aanleidingen, algemeen was in de jaren zestig bij de toen 18 à 28 jarigen (de generatie van de baby-boom) dat zij het beter zouden gaan doen dan hun ouders, een vrijere, gelijkere en ook broederlijkere samenleving zouden scheppen: een samenleving waarin ook zij, al was het maar door hun woord, macht zouden hebben. Daar kwam in Frankrijk bij dat de invloed van de staat op het onderwijs zeer sterk was - en is; een grotere tegenstelling dan met de V.S., met zijn veel vrijere universiteiten, waarvan een groot percentage privé was, is nauwelijks te bedenken.[5] In Parijs kwam een botsing met de universitaire leiding dus al gauw neer op een botsing met de staat. Afgezien van de studenten aan de Grandes Écoles (hogescholen die direct opleiden voor de hoogste functies, onder meer op de ministeries) die zeer hoge eisen stellen, bezocht de meerderheid van de studenten opleidingen in de "zachte sectoren": sociale- en psychologische wetenschappen, letteren, enz. Studenten en docenten op die gebieden waren - en zijn - vrijwel overal in meerderheid links - wat, zoals ook vrijwel overal - bij het ouder worden nogal eens verandert. Begin mei 1968 was het zover. De beweging begon op de universiteit Parijs-Nanterre, sloeg daarna over naar de Sorbonne en andere universiteiten in Parijs en de provincie. Binnen korte tijd deden ook vele middelbare scholen mee. Alle eisen die werden aangeplakt en gescandeerd waren aanvankelijk nog van beperkte aard: men eiste medezeggenschap bij de indeling van de roosters, de plaatsing op bepaalde universiteiten, de zwaarte van de studie-pakketten. Maar spoedig verschenen leuzen van meer algemene aard. Een nieuw tijdperk bleek aangebroken. Met het oude was het gedaan: "alles is mogelijk", "alles moet kunnen:", "de verbeelding aan de macht", aldus enkele leuzen die door vele duizenden in bezette aula's, op straten en pleinen werden bediscussieerd. Grote delen van het stadshart werden onbegaanbaar, barricades werden opgeworpen, protestmarsen waren aan de orde van de dag. Mijn geheugen raadplegend, herinner ik mij de eerste dagen alles met overwegende instemming te hebben meebeleefd. Maar daarna kwamen de vragen: wat zou er concreet uit die leuzen moeten worden gedistilleerd, uit welke groepen kwamen de dissidenten, wie waren hun leiders? De opstand bleek weinig of niet gestructureerd. Steun zoekend bij de fabrieksarbeiders - men pretendeerde dat men *hen* wilde bijstaan! - die van mening waren dat de al 10 jaar flink stijgende industriële winsten ruimte lieten voor behoorlijke loonsverhogingen, wisten de studenten deze slechts enkele keren in massale demonstraties mee te krijgen. De arbeiders lieten het echter afweten toen hun eisen na korte onderhandelingen werden ingewilligd. De vakbeweging en de daarin leidende communisten wensten zich niet te laten meeslepen in wat zij zagen als onverantwoorde anarchistische acties. Toen bleek een duidelijk verschil; de studenten, onderling verdeeld, en zonder gestructureerde leiding (dat zou niet democratisch zijn) wisten eigenlijk niet precies wat ze wilden. Sommigen vonden dat ze mee moesten kunnen oordelen over de te bestuderen literatuur en meepraten over de beoordeling van hun studieresultaten - redelijke eisen leek mij - anderen eisten vergaande invloed bij benoeming van docenten en op bestuursposten in faculteiten en universiteitsbesturen, nog weer anderen wilden zichzelf cijfers toekennen, kortom menigeen sloeg door. Maatschappelijk gezien, kwam er eigenlijk niet veel meer uit dan dat alles anders moest worden, dat men als het ware een nieuwe wereld zou opbouwen en al het oude wel kon vergeten. Onder de sprekers kwamen steeds drie namen naar voren: die van Regis Debray, Cohn-Bendit en Rudi Dutschke. De eerste zou een tijdlang optreden als secretaris van Che Guevara, de tweede heeft anno 2000 een fatsoenlijke baan bij het Duitse Groen Links.

De positie van de vrouw werd misschien nog het meest concreet behandeld, waarbij het thema "vrijheid", ook en vooral de vrijheid in de seksuele betrekkingen, hoog aangeschreven stond. Hier fungeerde Herbert Marcuse met zijn *Eros and Civilisation* (New York, 1962)[6] als profeet. Marcuse was het ook die vanuit zijn Amerikaanse ervaring voor de beoogde revolutie niets van solidariteit met de arbeidersklasse verwachtte. Die klasse achtte hij een verdwenen grootheid en een achterhaald idee. Als groepen die de revolutie in zijn denken zouden moeten ontketenen, noemde hij: studenten, kunstenaars (beide groepen al dan niet geslaagd), werklozen, bijstandstrekkers, waarbij met name ongehuwde moeders genoemd werden. Het waren typisch die groepen die ook in Europa, verenigd in hoofdzakelijk losse anarchistische verbanden, de toon zouden aangeven. Krachtens hun aard zouden zij echter nooit tot ontwikkeling van coherente ideeën komen noch tot concrete actie met enig doel op lange termijn en de daarbij behorende gedisciplineerdheid. In Nederland werden vooral krakersgroepen actief. Zij richtten zich naar eigen zeggen primair op de "woningnood". Ik heb deze groepen steeds gevolgd en kan hun optreden niet anders dan huichelachtig noemen. In concreto: was er bij voorbeeld in de Amsterdamse huisvesting niets te doen aan het corrigeren van het beleid van de woningdistributie? Enkele decennia in de hoofdstad wonend en de distributiepolitiek volgend, viel mij op hoe moeilijk het ouder wordende paren die een etage-woning hadden viel een distributiewoning gelijkvloers te verkrijgen. Mijn sympathie zou zeker uitgegaan zijn naar krakers, die bedoelde parterre-woningen, desnoods met geweld voor de betrokken tamelijk weerloze burgers zouden hebben "gevorderd". Nimmer gebeurde echter iets dergelijks. Steeds kraakten de onder "sociale" leuzen werkende, maar in feite a-sociale en uiterst individualistische groepen, uitsluitend voor zichzelf.

Het was geen wonder: in Frankrijk kwam van het bondgenootschap met de arbeiders weinig terecht; de CGT (Conféderation Générale du Travail), greep haar kans en wist van de werkgevers in recordtempo verbeterde arbeidsvoorwaarden los te krijgen, waardoor de arbeiders geen aanleiding meer zagen zich bij demonstraties aan te sluiten, en hun fabrieksbezettingen opgaven. Dit luidde het begin van het einde in en het werd tijd: binnen enkele weken was in Frankrijk haast het hele openbare leven verlamd, waren honderdduizenden studenten en scholieren in Parijs geconcentreerd en meer dan 10 miljoen Fransen in staking. Op dat moment greep de president in. Generaal De Gaulle wist dat hij met de in en rond Parijs gelegerde gendarmes en legeronderdelen niet voldoende kracht zou kunnen ontwikkelen om de opstand neer te slaan. Hij begaf zich per helikopter naar het hoofdkwartier van het Rijnleger, vanwaar binnen enkele dagen de nodige pantsertroepen naar Parijs bevolen zouden kunnen worden. Teruggekeerd in Parijs hield de president - die er wel voor gezorgd had dat zijn bezoek aan het Rijnleger was uitgelekt - een kalmerende toespraak waarin hij ontbinding van de Assemblée Nationale en verkiezingen in juni aankondigde. Die avond was heel de Cité verstopt met auto's die luid claxonerend van hun steun aan de president lieten blijken. Van de studenten was niets meer merkbaar. Toen een journalist een van de woordvoerders vroeg: wat zou u hebben gedaan als de pantserwagens over de boulevards gerold zouden zijn, was het antwoord: "daar heb ik nooit over gedacht!" Ze hadden - ten dele - gelijk, maar het was een vreemd stel revolutionairen. Eind juni won De Gaulle de verkiezingen met overweldigende meerderheid.

Er zijn in die dagen heel wat Nederlandse studenten naar Parijs gegaan vanwaar ze bepaalde ervaringen en ideeën meebrachten. Die ideeën ontbraken al vanuit Nederlandse omstandigheden bepaald niet geheel.[7] Er was onder de jongeren een nieuw kritisch bewustzijn gevormd. Steeds minder zouden zij bereid zijn zich te schikken onder autoritaire professoren en andere gezagsdragers. Steeds minder gedwee stelden zij zich op tegenover ouders, leraren of overheden. Ze hadden de nodige kritische vragen te stellen: wat was de houding van ouders en opvoeders geweest in de oorlog? Hoe konden zij religieuze en andere voorstellingen verdedigen die voor hen uit de tijd waren? Veel zou aan de machtsstructuren te verbeteren zijn. Velen hadden opvattingen die diametraal tegenover het regeringsbeleid ingingen: ze waren tegen de Koude Oorlog, tegen de kernbewapening. Universiteiten werden massaler: tussen 1950 en 1970 steeg het aantal universitaire studenten van 29.000 tot 103.000. Het besturen werd moeilijker en tijdrovender. Juist in die jaren kwamen studenten naar voren die geen genoegen meer namen met de in de Wet op het Hoger Onderwijs van 1960 vastgelegde oude gezagsstructuren. Men eiste geen inspraak, maar medezeggenschap, democratisering. De stemming van een aantal spraakmakende groepen werd revolutionair. Toch dreef ook hier, precies zoals in Parijs, een zeker anarchisme boven met hier en daar enig communistisch jargon gemengd. Ton Regtien, een van hen die in 1963 een eerste vorm van "verzetsorganisatie" opzette, stelde dat de universiteit niet meer elites, maar "intellectuele arbeiders" moest afleveren. De intellectuele bronnen waren divers: anarchisme, marxisme-leninisme speelde een rol, Herbert Marcuse met zijn leer van de repressieve tolerantie werd ijverig bestudeerd en menigeen volgde met spanning Mao Zedong's parolen, die zich in 1966 met een koene zwemtocht in de Yangste weer aan de top van de Chinese machtselite had gemeld. Ook hier kwam het tot bezettingen onder meer van het Amsterdamse Maagdenhuis. Het ging er in vergelijking met de gebeurtenissen in Parijs en Peking en ook met wat er in de decennia die volgden in Amsterdam te gebeuren stond, nog gemoedelijk aan toe. Toch moesten de regenten ook hier op bepaalde punten buigen. In besturen op allerlei niveau zouden studenten vertegenwoordigers krijgen. In Amsterdam lagen ook docenten met elkaar overhoop.[8] In de Politicologische Faculteit verweet men elkaar ideologisering. Maarten Brouwer sprak over: "de werkelijke doelstelling van het onderwijs: de emancipatie van de achtergestelde groepen"; Lucas van der Land ging verder en zei: "mij kan de politicologie niet schelen. Mij gaat het om de politiek... Het ernst maken met ons gelijkheidsideaal betekent geweld, betekent een tamelijk hardhandige omverwerping van de bestaande structuren"; Siep Stuurman wilde "... inderdaad een eenzijdige studieopzet; namelijk eenzijdig gericht op de opheffing van het kapitalisme". Sommige docenten werd het geven van onderwijs in feite onmogelijk gemaakt en hingen de toga aan de wilgen. Anderen bleven, maar klaagden nog tientallen jaren over de vergooide tijd en verspilde energie die alle debatten, evaluaties en manipulaties hun voortdurend kostten.

Culturele Revolutie in China

Wij haasten ons naar China. Vele studenten in Europa hadden weliswaar sympathie voor wat daar gebeurde, weinigen hadden het precies in de gaten maar ontdekten uiteindelijk dat Mao bezig was met het tegengestelde van wat zij verrichtten: hun revolutie was er typisch een van onderaf, de zijne was volslagen van bovenaf doorgeorganiseerd. Hoe kwam Mao aan dit project?[9] Zoals we al zagen, was hij ervan overtuigd dat vele culturele revoluties in China nodig zouden zijn. Meer dan elders, zouden daar in allerlei organen van partij, staat en leger steeds weer "mandarijnen" de kop opsteken die onder vertrouwde goedklinkende namen de Volksrepubliek en de partij ten verderve zouden voeren. Een uiterst kwalijk voorbeeld bood de Sovjet-Unie. Deze had volgens Mao het socialisme als wapen voor het kapitalisme ingeruild. Mogelijk was de Culturele Revolutie ook een machtsstrijd tussen Mao - die als voorzitter van het Militaire Comité fungeerde - tegen president Lioe Sjao-tsji, partijsecretaris Deng Xiao Ping en Peng Tsjen, burgemeester van Peking, en organiseerde Mao de Culturele Revolutie ook als onderdeel van een poging op dit drietal terrein te heroveren. Onmiskenbaar was zijn aanzien gedaald, na de grote fouten die hij had gemaakt in de Grote Sprong Voorwaarts en de daarop volgende hongersnood. Mogelijk heeft dit invloed gehad en meerdere onderzoekers zien het zo. Toch was het Mao ernst met zijn oordeel over de Sovjet-Unie en daarmee tevens over de ideologische koers die een aanzienlijke groep van het partijbestuur, met de genoemden als kern, voorstond. Volgens hen zou namelijk de klassenstrijd onder het socialisme sterven; een afschuwelijke aberratie voor iemand die meende dat in China het socialisme nauwelijks was bereikt, dat de weg naar het communisme nog lang zou zijn en dat op die weg verwacht kon worden dat vele partijvrienden zich zouden ontpoppen als renegaten, die China eerder terug naar oude vormen en gedachten zouden voeren dan naar de door hem voorgestane, alles doordringende revolutionaire veranderingen.

In de Culturele Revolutie zag Mao ook een mogelijkheid een generatie van revolutionaire opvolgers te vormen. Er waren ook andere gevolgen: in de scholen was het met elitisme afgedaan. Intelligentie als criterium verdween en een bestuur gebaseerd op "de belangen van de massa's"; een goede klasse-basis en ideologische correctheid kwamen als criteria op de voorgrond. Veel is sindsdien weer teruggedraaid en tienduizenden studenten met voldoende aanleg, werden sinds de jaren tachtig naar buitenlandse universiteiten uitgezonden. Toen ik in 1981 China bezocht kreeg ik overal te horen: "wij liggen op het Westen achter, maar zullen alles doen om het in te halen". Het was geen schande meer specialist te zijn; integendeel. Toch had het gelijkheidsideaal, het verwerpen van de oude cultuur en het omhelzen van een nieuwe, accenten die in het Westen gedeeld en door het gebeuren in China ook gestimuleerd werden. Men denke aan de vorming van grote school-conglomeraten, waarin een ieder zo lang mogelijk hetzelfde onderwijs zou krijgen. Met die schaalvergroting ging inmiddels de kwaliteit van het onderwijs dusdanig achteruit dat in Nederland bijvoorbeeld aannemers klaagden dat zij hun aankomende vakgenoten nu letterlijk alles moesten leren wat ze vroeger op de "oude" ambachtsschool werd bijgebracht. Nog altijd is het zo dat men van maatschappelijke oriëntatie op de scholen bitter weinig mag verwachten: eenvoudig inzicht in verschillende vormen van bestuur, de rechtsgang, bank- en geldwezen, simpele maar onontbeerlijke huishoud-economie, wie kreeg er de kennis voor mee? Universiteiten leveren, ook begin 21ste eeuw, vaak lieden af -compleet met doctoraal diploma - die geen eenvoudige Nederlandse brief kunnen schrijven. Geestelijk onvolwaardigen moeten met hoog-intelligenten "samen naar school", want gelijkheid was troef.

Wat leerde de Culturele Revolutie eigenlijk? Waarom werd zij bestempeld als "cultureel"? Wij moeten hierbij denken aan een begrip dat de hele levensstijl omvat. In de "massa-fase" van de revolutie haalde Mao omstreeks 20 miljoen studenten en scholieren naar Peking, ook uit de verste delen van het rijk. Het moet voor al die miljoenen een gebeurtenis zijn gewest die ze levenslang zou beïnvloeden. Uit Mao's werken werd dag in dag uit geciteerd; de "cultuur" in de zin van alle oude Chinese vormen en gedachten werd grondig bekritiseerd; in de praktijk resulteerde dit in kwalijke aspecten: had ieder kind steeds geleerd ouderen te eren, hier werden leiders als Deng Xiaoping en Lioe Sjao-tsji als anti-revolutionairen vernederd en werd de jeugd aangespoord overal de klasse-vijand op te sporen. Terwijl het onderwijs ten plattelande redelijk ongestoord voortging, waren de steden aan de chaos prijsgegeven; partijfunctionarissen en docenten die Mao's lijn niet trouw bevonden werden, hadden het zwaar te verduren en kwamen niet zelden in het revolutionaire geweld om of werden aan eenvoudig handwerk gezet. Er moet volgens sommige auteurs in die tijd ook heel wat aan oud cultuurgoed in de vorm van tempels, beelden enz. zijn vernield. Het schijnt dat de belangrijkste stukken voldoende beschermd bleven; toen ik begin 1981 de voornaamste Chinese steden bezocht, stond alles wat in de reisgidsen met een ster was voorzien, ongeschonden op zijn plaats.
Nadat aldus Mao's leuzen: "Maak revolutie!" en "Bombardeer het hoofdkwartier" in praktijk waren gebracht, volgde voor vele jongelui een deceptie. Miljoenen jonge stedelingen werden voor 1 of 2 jaar naar het platteland gestuurd, nu onder de leus: "Wij onderwijzen de boeren en zij onderwijzen ons". Alvorens tot een universiteit toegelaten te worden, werd een ieder verplicht enkele jaren praktisch werk te doen. Vele commentatoren in het Westen hebben dit bejammerd: hoeveel tijd ging zo niet verloren! Men kan het ook anders bekijken: men leeft gericht op zijn eigen welzijn voor één enkel beroep, of wordt lid van een werkende gemeenschap die men van binnenuit veelzijdig leert kennen. Chinese stedelingen - en zij niet alleen - waren opgevoed met minachting voor de boerenmassa's en met een zeker dédain voor fysiek werk in het algemeen. Wat is beter dan hen die toch in de toekomst een soort "mandarijnen-status" zullen krijgen een tijd lang tastbaar kennis te laten maken met het werk en lot van de gewone man? Op reis door China sprak ik hierover met twee Engels-sprekende gidsen. Alvorens hun studie Engels aan te mogen vatten, waren ze twee jaar in de mijnen te werk gesteld geweest. Het was een hard leven vonden ze, maar het is goed dat we het meemaakten.
In 1969 werd het duidelijk dat aan de in hoge mate anarchistische toestanden een eind moest worden gemaakt. Het leger kreeg opdracht de orde te herstellen, de minister van defensie Lin Biao, die een van de grote motoren van de Culturele Revolutie en de Mao-cultus geworden was verdween september 1971 van het toneel. Er werd beweerd dat hij een aanslag op Mao beraamd had.
Eind 20ste eeuw wordt de Culturele Revolutie in China gezien als een "de-

cade van chaos", de somberste periode van het land in de moderne geschiedenis. De "nobele idealen" van de beweging werden aan alle kanten
ontwricht door destructieve impulsen. Honderdduizenden zo niet miljoenen waardigheidsdragers en intellectuelen werden fysiek en mentaal vernederd en gekwetst. Sinds het overlijden van Mao (september 1976) wordt
zijn politiek officieel gewaardeerd op "70% goed en 30% slecht".

De vrees voor alles wat op anarchisme leek, zat er diep in. In 1989 werd
een verdeelde leiding geconfronteerd met een studentenopstand die haar
centrum kreeg op het Plein van de Hemelse Vrede. Maandenlang werd het
hart van Peking door honderdduizenden bezet gehouden. Met de opstandigen werd gepraat zoals een generaal De Gaulle dat bepaald niet zou hebben gedaan. Wekenlang aarzelde de leiding of zij het leger zou laten ingrijpen. Een grote Engelse documentaire uit die tijd - de internationale pers
deed ter plaatse voortdurend zijn werk - liet zien dat met de kern der studenten onder leiding van een hysterica, niet te spreken viel. De ontruiming
eiste volgens het Rode Kruis 1600 doden. Een voor Europeanen onbegrij-
pelijke noot was dat toen de bezetting van het plein enkele weken had geduurd, vanuit Hongkong de studenten van communicatie-apparatuur en duizenden kleine tenten werden voorzien, waardoor zij zich maandenlang op
het plein konden blijven handhaven. Men denke het zich in: Franse stu-
denten-in-opstand die bijvoorbeeld vanuit een U.S.A.-steunpunt, op het
Plaçe de l'Etoile ongehinderd geravitailleerd worden. Zou De Gaulle dit
ooit hebben laten gebeuren? China blijft een raadselachtig land.[10]

Kwetsbaar, tot wanneer?

In zekere zin moeten wij de culturele revoluties in de Verenigde Staten,
Europa en China, waar we een glimp van beschouwden, utopistisch noemen. Zij hadden diep en lang doorwerkende effecten maar bereikten hun
doel niet. Waarschijnlijk is dit het lot van al het menselijk revolutionair streven. Gaetano Mosca,[11] tot dezelfde sceptische school behorend als Pareto -
die wij eerder tegenkwamen - betwijfelde het of het mens en wereld ten goede zou komen als alle landen ter aarde "tot één enkel sociaal type zouden
behoren, als er één religie zou heersen en als de twist en strijd over een betere maatschappij zou ophouden." De universele vrede die zou resulteren
zou gevaarlijk zijn. Vrede is niet het laatste doel waarvoor de mens elk principe zou willen opofferen. Het juiste evenwicht is kwetsbaar. Vandaar, zou
ik willen toevoegen, moeten landen uit verschillende beschavingstypen elkaar de ruimte laten, moeten zij elkaar ook niet willen kopiëren of ideologische stempels opdrukken. Zij hebben verschillende geschiedenissen achter zich, anders gevormde en beleefde idealen, andere normen-scala's.
Het is in te voelen dat het immense Chinese rijk, na al de vernederingen en
offers die de 19e en 20ste eeuw brachten, zijn eenheid en groeiende kracht
zal koesteren als een sinds lang verloren, maar hervonden kleinood. Moet
het Westen het dan per se weer ondermijnen en openbreken en zijn toe-
komstperspectief ondergraven?

Het is in te voelen dat de Verenigde Staten, multi-etnisch bij uitstek, multicultureel krachtens leuze, zal proberen Europa gelijk te maken aan eigen beeld en gelijkenis. Maar Europa rust op eigen waarden en autonomie van min of meer homogene culturele eenheden, die een kostbaar goed vertegenwoordigen, een voorbeeld van sociale cohesie tegenover een in menig opzicht onzekere wereldmacht. Moeten wij volgen wanneer ook Europa het stempel van de zogenaamde multicultuur en het turbo-kapitalisme wordt opgedrongen? Hoeveel verstandiger zou het niet zijn geweest, bij voorbeeld in ex-Joegoslavië tot een eerlijke evenwichtige uitwisseling van bevolkingsdelen te komen, dan aanvang 21ste eeuw nog, tot wie durft voorspellen hoelang, belast te worden met de bewaking van kunstmatige mini-staten, waarvan de inwoners zich, zijn de vredebewaarders weg, morgen weer aan elkaar zullen vergrijpen? De Koude Oorlog was in verschillende opzichten het beste van alle slechte mogelijkheden in de tweede helft van de 20ste eeuw en berustte op een redelijke mate van multi-polariteit. Maar bij de aanvang van de 21ste eeuw staan wij met alle verfijnde wapensystemen en alle geavanceerde spionage-mogelijkheden in een labielere wereld dan voorheen. Bovendien zijn de massa's, waar ook ter wereld, kwetsbaarder dan ooit, mede door de mogelijke toepassing van betrekkelijk kleine, makkelijk te vervoeren, vernietigingswapens. Onkundig vaak van hun reële situatie, van wat werkelijk gaande is, "gevoed" door het vermaak dat afleidt van de zorgen van heden en morgen. Hoe zullen de mensen in Afrika en Latijns-Amerika leren zich geen Cola en pizza, en ieder jaar nieuwe elektronische snufjes te laten aanpraten, maar eigen grondstoffen voor eigen producten, zelf te verwerken? Hoe kan het hen duidelijk worden dat stromen van hulp uit het Westen bedrog blijken, als zij (en wij) er niet in slagen de heersers te helpen elimineren die miljarden aan hun eigen economieën en aan de staatskassen ontstelen? Velen die vandaag zouden moeten leiden en levende voorbeelden moeten zijn, geven hun bestaan inhoud, geconcentreerd op het bezit van de nieuwste auto's, cruisers, juwelen, schoonheidsbehandelingen, sensaties. Top-industriëlen, die mede verantwoordelijk zijn voor het verlies van tientallen miljarden, halen onbeschaamd miljoenen naar zich toe, terwijl hun personeel bij duizenden en tienduizenden wordt ontslagen en zij die nog werk houden gemaand worden tot loonmatiging.

"De massa-mens", zegt Ortega y Gasset,[11] leeft in een wereld van overvloed, gemak en vulgair genot, in afwezigheid van normen" en steunend op het heden ten dage globaal geheten kapitaal, het beroep dat op hem zou kunnen worden gedaan ver van zich houdend.

Europa bergt nog de beste kansen; de grootste reserves die enig uitzicht bieden. Wij leven in een treurige wereld en wij weten het. Een soms kinderlijk aandoende machts- en genotzucht toont zich alom; redeloos en irrationeel geweld barst los op de meest onverwachte plaatsen. Waarschijnlijk zal het duren tot de genen die dit alles sturen voor heling vatbaar zijn eer wij perspectief zien.

Noten

1. Francis Fukuyama. *The Great Disruption; Human Nature and the Reconstruction of Social Order*, New York, 1999. Fukuyama doet in dit boek voortdurend pogingen wat hij noemt "sociaal kapitaal", zo onder meer respect voor de autoriteit(en), uitsluitend toe te schrijven aan het op- en neergaande tij van grotere of geringere kerkelijkheid en burgerlijke moraal, waarbij de invloed van structurele factoren en geschiedkundig insnijdende gebeurtenissen door hem zo veel mogelijk gebagatelliseerd wordt.
2. George C. Herring, *America's Longest War: The United States and Vietnam*, 1950-1975, New York, 1979
3. Carl Bernstein and Bob *Woodward, All the President's Men*, New York, 1974.
4. Kate Millet, *Sexual Politics*, New York, 1969
5. H.L. Wesseling, *Vele Ideeën over Frankrijk*, Amsterdam. 1994, blz. 174 e.v.
6. Herbert Marcuse, *Eros and Civilisation, A Philosophical Inquiry into Freud*, New York, 1962. Een kritische benadering van Marcuse als hij de groepen behandelt waarop zijns inziens de revolutie moet steunen, sluit waardering voor andere aspecten van zijn werk niet uit. Zo is zijn visie op de vervreemding van de arbeid en de onderdrukking van het individu (met name in hoofdstuk 2 van dit boek) nog altijd van betekenis.
7. Dr. Horst Lademacher, *Geschiedenis van Nederland*, Utrecht, 1993, blz. 584 e.v.
8. Citaten uit: H. Daalder, Over Standvastigheid en Halfhartigheid in de Academie; een geschiedenis van de zaak Daudt in A. Daudt, *Echte Politicologie*, Amsterdam, 1995
9. Roderik Mac Farquhar, *The Origins of the Cultural Revolution, deel I*, New York, 1974; deel II, New York, 1983; Edgar Snow, *De Lange Revolutie*, Amsterdam/Antwerpen, 1971.
10. Een uitvoerig ooggetuige-verslag van de gebeurtenissen op het Plein van de Hemelse Vrede van 21 april 1989 tot 4 juni van dat jaar, geeft Jan Wong - een Canadese journaliste geboren en getogen in China - in *Red China Blues, My Long March from Mao to Now*. Vertaling: Utrecht, 1997, blz. 275 e.v. De massale opstand op het plein duurde 6 à 7 weken en was voor de regering een extra belediging, omdat ze een normaal verloop van het bezoek van Gorbatsjov, dat 15 mei begon, onmogelijk maakte. Welke kritiek ook op de regering mogelijk is, ze probeerde herhaalde malen met de studenten in gesprek te komen en stelde de ontruiming van het plein veel langer uit dan men in Washington of Parijs onder vergelijkbare omstandigheden, zou hebben gedaan.
11. Ortega y Gasset, *De Opstand der Horden*, 1929; vertaling van The Revolt of the Masses, Londen, 1929.

REGISTER

OVER DE AUTEUR

Tijmen Knecht (1927) begon in 1946 zijn studie politieke en sociale wetenschappen aan de Universiteit van Amsterdam en werkte tegelijkertijd voor een landelijk en een regionaal dagblad. Sinds hij kon lezen, verslond hij al het gedrukte op politiek en geschiedkundig gebied, waardoor vanaf het begin van zijn carrière politieke verslaggeving, reportage en – later – analyse zijn werkgebied werd. Van 1951 tot 1953 was hij hoofd van de Economisch-Politieke Berichtendienst van Unilever N.V. Van 1953 tot 1958 verzorgde hij reeksen reportages over onder meer Oost-Europa, het Midden-Oosten en Noord-Afrika voor de NRC, Trouw, De Standaard en de Volksgazet. Van 1958 tot 1964 was hij als wetenschappelijk medewerker verbonden aan de dr. Abraham Kuijperstichting; van 1964 tot 1972 als wetenschappelijk medewerker, tevens eindredacteur van de Internationale Spectator, van het Nederlands Genootschap voor Internationale Zaken. Ook daarna en met name in de jaren negentig publiceerde hij regelmatig over binnen- en buitenlandse politiek. Hij bevorderde in die jaren de culturele Europese samenwerking, onder andere door de oprichting van een Fundatie voor kunstenaars in Spanje en die van twee bijzondere leerstoelen: De Nederlanden in de Wereld.

Van zijn hand verschenen eerder drie boeken. De auteur vindt het essentieel de landen waarover hij schrijft zelf te hebben bezocht.